VOLUPTÉ

CHARLES-AUGUSTIN SAINTE-BEUVE

VOLUPTÉ

Chronologie et introduction

par

Raphaël Molho
chargé d'enseignement à la Faculté
des Lettres et Sciences humaines de Lille

GARNIER-FLAMMARION

CHRONOLOGIE

1804 (23 décembre) : Naissance, à Boulogne-sur-Mer, de Charles-Augustin Sainte-Beuve, fils de Charles-François de [1] Sainte-Beuve et d'Augustine Coilliot. Charles-François était décédé le 4 octobre précédent.

1818 : Ayant achevé, à treize ans et demi, sa rhétorique à l'institution Blériot de Boulogne, Sainte-Beuve vient compléter ses études à Paris. Pensionnaire à l'institution Landry, située dans le Marais, il suit les cours du collège Charlemagne, où il entre en troisième à la rentrée de 1818; en 1820-1821, il a comme professeur de rhétorique Paul-François Dubois, le futur fondateur du *Globe*.

1821 : L'institution Landry s'étant installée rue Blanche, Sainte-Beuve entre au collège Bourbon, l'actuel lycée Condorcet : il est « vétéran » de rhétorique. En 1822-1823, il fait « sa » philosophie. Il est reçu au baccalauréat ès lettres le 18 octobre 1823. Il passera aussi, avec succès, le baccalauréat ès sciences le 17 juillet 1824, après avoir commencé ses études de médecine.

1823 : Sainte-Beuve commence des études de médecine; il les interrompra en 1827 et les laissera inachevées.

1824 : En septembre 1824, Paul-François Dubois et Pierre Leroux fondent *le Globe*. Sainte-Beuve y fait paraître son premier article le 10 octobre.

1827 : Le 2 et le 9 janvier, Sainte-Beuve publie dans *le Globe* un article sur les *Odes et ballades* de Victor Hugo. Le critique et le poète deviennent amis.

---

1. Cette particule avait été abandonnée sous la Révolution et elle ne figure pas dans l'acte de naissance de Charles-Augustin.

1828 : Sainte-Beuve publie, en juillet, son *Tableau historique et critique de la poésie française et du théâtre français au XVIe siècle.*

1829 : Publication de *Vie, poésies et pensées de Joseph Delorme.*

1830 : En mars, Sainte-Beuve publie *les Consolations.* Amoureux de Mme Hugo, il fait, vers la fin de l'année, confidence de ses sentiments au mari. Les deux écrivains tentent noblement de faire survivre leur amitié.

1831 : Sainte-Beuve traverse une crise intérieure. A la fin de 1830 et au début de 1831, il essaie de se donner la foi saint-simonienne; en mai 1831, il va chercher des secours chrétiens à Juilly, auprès de Lamennais. Il aime toujours ardemment Adèle Hugo. C'est vers la fin de cette année 1831 qu'il commence à écrire *Volupté.*

1832 : Au début de l'année, Adèle Hugo devient la maîtresse de Sainte-Beuve. La liaison durera jusqu'en 1837, et connaîtra un court réveil vers 1840. En avril paraissent les *Critiques et portraits littéraires.*

1834 : Le 1er février, Sainte-Beuve donne dans la *Revue des Deux Mondes* un article très hostile à Victor Hugo, à propos de l'*Etude sur Mirabeau* que le poète vient de publier. Deux mois après cet article un incident banal provoque la rupture entre les deux hommes, rupture que parachèvera l'article que Sainte-Beuve consacrera aux *Chants du crépuscule* en 1835.
En juillet, publication, chez Renduel, de *Volupté* (2 vol., in-8).

1836 : Sainte-Beuve donne une seconde édition de ses *Critiques et portraits littéraires* de 1832, qu'il prolonge par un tome II et par un tome III.

1837 : En septembre, publication des *Pensées d'août.*
Le 15 octobre, Sainte-Beuve quitte Paris pour Lausanne, où il enseignera jusqu'à la fin de mai 1838. Son cours, consacré à Port-Royal, commence le 6 novembre.

1838 : En juin, Sainte-Beuve regagne Paris.

1839 : En mai, tomes IV et V des *Critiques et portraits littéraires.*

1840 : En avril paraissent une nouvelle édition de *Volupté*, puis le tome I de *Port-Royal*. Sainte-Beuve est nommé, en août, conservateur à la bibliothèque Mazarine.

1842 : Le tome II de *Port-Royal* paraît en février.

1843 : Le 11 novembre, la *Bibliographie de la France* enregistre le *Livre d'amour*, que Sainte-Beuve a fait imprimer sans intention de le publier.

1844 : Le 14 mars, Sainte-Beuve est élu à l'Académie française. En avril, il publie les *Portraits de femmes* et les *Portraits littéraires* (t. I et II).

1845 : Le 27 février, Sainte-Beuve est reçu à l'Académie française par Victor Hugo. En juillet, il donne une troisième édition de *Volupté*.

1846 : Sainte-Beuve donne, en avril, les tomes I et II des *Portraits contemporains*, puis, en septembre, le tome III. Une nouvelle édition des *Portraits contemporains*, en trois volumes, paraîtra en 1854. Dans leur édition définitive de 1869-1871, ces *Portraits* comporteront cinq volumes.

1848 : septembre : Publication du troisième volume de *Port-Royal*. En ce même mois, Sainte-Beuve quitte la bibliothèque Mazarine. Il part pour Liège où il donnera, pendant l'année 1848-1849, deux cours : l'un sur *Chateaubriand et son groupe littéraire*, l'autre sur l'ensemble de la littérature française.

1849 : En août, Sainte-Beuve est de retour à Paris. Il commence, le 1er octobre, au *Constitutionnel*, la série de ses articles du lundi.

1850 : Le 17 novembre : mort de la mère de Sainte-Beuve.

1851 : Publication du tome I des *Causeries du lundi* : il y en aura, en tout, quinze volumes.

1852 (février) : *Derniers portraits littéraires*.

1854 : Sainte-Beuve est élu, en novembre, professeur de poésie latine au Collège de France.

1855 : Le 9 mars, Sainte-Beuve lit au Collège de France sa leçon d'ouverture sur Virgile, qui est troublée par des manifestations hostiles au professeur. Le 14 mars, une seconde leçon est également troublée. Les cours ne se poursuivent pas. En avril, quatrième édition de *Volupté*.

1857 : *L'Etude sur Virgile* paraît en mars.
Le 22 octobre, Sainte-Beuve est nommé maître de conférences à l'Ecole normale supérieure. Il commencera ses cours le 12 avril 1858.

1859 (décembre) : Publication des tomes IV et V de *Port-Royal*. Une seconde édition, en 5 volumes, paraîtra en 1860. La dernière, en six volumes, sera donnée en 1867.

1860 (novembre) : Publication de *Chateaubriand et son groupe littéraire sous l'Empire*.

1861 : Sainte-Beuve fait, le 20 juillet, sa dernière leçon à l'Ecole normale supérieure. Le 16 septembre, il commence, au *Constitutionnel*, une série d'articles qui deviendront les *Nouveaux lundis*. Il donne, en novembre, la cinquième édition de *Volupté*.

1863 : En mars, publication du premier volume des *Nouveaux lundis* : il y en aura treize.

1865 : Le 28 avril, par décret impérial, Sainte-Beuve est nommé sénateur. D'octobre à décembre, il donne dans la *Revue contemporaine* des articles sur Proudhon, qui formeront un volume publié en 1872.

1869 : Sainte-Beuve donne, en juillet, une sixième édition de *Volupté* « avec un appendice contenant les témoignages et jugements contemporains ». Il meurt le 13 octobre.

Après 1869 : Il faudrait allonger considérablement cette chronologie pour citer tous les recueils d'articles et tous les inédits de Sainte-Beuve qui virent le jour après 1869. Retenons seulement les trois volumes des *Premiers lundis*, publiés en 1874-1875, et *Mes poisons*, extraits des cahiers intimes inédits, publiés en 1926.

REGARDS SUR *VOLUPTÉ*

« Toute personne qui, dans sa jeunesse, a vécu d'une vie d'émotions et d'orages, et qui oserait écrire simplement ce qu'elle a éprouvé, est capable d'un roman, d'un bon roman, et d'autant meilleur que la sincérité du souvenir y sera moins altérée par des fantaisies étrangères [1]. » Sainte-Beuve avait des raisons très personnelles d'écrire ces lignes, que l'on trouve dans un article de 1832 consacré à George Sand : il travaillait alors à son propre roman du souvenir, qui devait paraître en juillet 1834, chez Renduel, sous le titre de *Volupté*. Roman qui ne serait pas un roman, nous dit Sainte-Beuve, qui insiste sur les liens unissant son livre à sa vie, si le nom de « roman » ne convenait qu'aux œuvres inventées de toutes pièces. Il écrira, le 25 janvier 1863, au P. Bernard Chocarne, que *Volupté* « au vrai, n'est pas précisément un roman » et qu'il y a « mis le plus qu'[il a] pu de [son] observation et même de [son] expérience ». Les mêmes idées et presque les mêmes termes reviennent, en 1867, dans la 3e édition de *Port-Royal* : « En écrivant mon ouvrage, qui est très peu un roman, je peignais d'après des caractères vrais, d'après des situations observées et senties [2]. » A en croire *la Préface* placée en tête de *Volupté*, le titre « équivoque » du livre ne plaisait pas à l'auteur, qui aurait été lié par une publicité prématurée. Le 10 juin 1833, il avait écrit à Lamennais : « Je travaille depuis déjà longtemps à un roman qui est assez avancé; le titre, si vous l'avez vu, en est bien vilain, mais j'espère que le livre réparera ce titre et vaudra mieux [3]. » Malheureusement on change, comme

---

1. Article sur *George Sand, Valentine*, 1832, publié dans *le National* du 31 décembre 1832. *Portraits contemporains*, I, p. 483-484.
2. *Correspondance générale* de Sainte-Beuve, éditée par Jean Bonnerot, XIII, p. 69, et *Port-Royal*, éd. Maxime Leroy, coll. de la Pléiade, I, p. 959.
3. *Correspondance générale*, I, p. 363. Dans une lettre adressée à Renduel (*ibid.*, p. 311) Sainte-Beuve propose un autre titre : *Une vie morale*. A cette lettre non datée, Jean Bonnerot attribue la date très vraisemblable d'août 1832. Elle serait donc antérieure à l'annonce du titre de *Volupté*, faite en septembre 1832 dans le catalogue de Renduel. Une publicité orale dut précéder la publicité écrite, et l'éditeur dut refuser, avant même de l'avoir imprimé, de changer un titre « accrocheur » déjà connu dans les milieux littéraires.

chacun sait, plus aisément tout un livre qu'un simple titre.

Cette *Volupté* était née d'un roman inachevé. Critique malgré lui, Sainte-Beuve recherchait les occasions de s'affirmer comme créateur. Il accepta donc avec empressement, en 1830, de prêter sa plume à Ulric Guttinguer pour raconter la jeunesse et les amours de ce bon « ami de Normandie ». L'entreprise, cependant, tourna court après un certain temps, Sainte-Beuve faisant trop sien le roman et se refusant à faire abstraction de sa sensibilité propre pour entrer dans les desseins de son ami : l'amour dévot qu'il éprouvait pour Adèle Hugo l'empêchait de décrire comme infâme la Rosalie contre laquelle Guttinguer entendait exprimer sa rancune. Le pauvre Ulric finit par s'arranger tout seul de son *Arthur*, qu'il publia en 1834-1836. Quant au travail que son « secrétaire » laissa inachevé, il est venu jusqu'à nous : ce sont des pages toutes pleines des souvenirs personnels qu'on retrouvera dans *Volupté*[1]. Le projet de décrire une vie avait amené Sainte-Beuve à décrire sa propre vie. Lucide, il constatait l'impossibilité, pour lui, d'une entreprise romanesque qui n'aurait pas sa personne pour sujet. Et comme il avait le goût du roman, il se mit, vers la fin de 1831, à écrire *son* roman.

Le déroulement du récit suit les péripéties et le mouvement d'un voyage. En route vers l'Amérique, et arrêté par la tempête dans un monastère portugais, un évêque, Amaury, issu de la noblesse bretonne, commence à l'intention d'un jeune ami le récit de sa jeunesse, de ses fautes et de sa conversion, récit qu'il continuera après avoir repris la mer, et achèvera avant de toucher la terre. L'histoire se passe à l'époque du Consulat et de l'Empire. Amaury nous emmène d'abord en Bretagne. On y voit son enfance solitaire, la transformation intérieure qui s'opère en lui quand s'éveillent les troubles désirs de l'adolescence, son initiation aux entreprises royalistes, sa fraîche idylle avec Amélie de Liniers, qu'il ne se décide pas à épouser, son entrée au château du marquis de Couaën, qui « semblait devenu centre de beaucoup de mouvements occultes et d'assemblées fréquentes de la noblesse » et qui était situé « à une courte distance de la mer, vers une côte fort brisée et fort déserte »[2]. Là se noue le destin d'Amaury

---

1. Elles ont été publiées par Spoelberch de Lovenjoul dans son *Sainte-Beuve inconnu*, et reprises à la suite de l'édition de *Volupté* procurée par J.-A. Ducourneau, au Club français du livre, en 1955.

2. *Volupté*, chap. III, p. 61.

et commence le grand amour de sa vie, l'amour tout platonique qu'il éprouve pour la marquise de Couaën. Le
marquis est arrêté; on le conduit à Paris; la marquise et
Amaury l'y suivent pour lui prêter assistance. Dans la
capitale, le jeune provincial trouve le moyen de donner des
satisfactions obscures aux désirs qui l'habitent, tout en
continuant à aimer purement Mme de Couaën. Une
Mme R. entre alors dans sa vie, moins idéale que la marquise, mais demeurant néanmoins inaccessible. Tout cela
se termine par la conversion d'Amaury, son entrée au
séminaire, enfin son ordination sacerdotale, survenant
juste à point pour qu'il puisse donner les derniers sacrements à Mme de Couaën, qui meurt à la fin du récit. Une
sorte d'appendice le prolonge, qui mène Amaury jusqu'au moment où il parle.

Le jadis et le naguère de Sainte-Beuve se confondent
dans le récit d'Amaury. Le romancier représente par un
unique symbole deux temps très différents de sa vie : le
passé lointain de son enfance et les moments les plus
proches des jours où il écrit. De nombreuses pages de
Volupté appellent donc deux interprétations... et même
davantage : car personnages et épisodes peuvent parfois
renvoyer à plusieurs aspects du réel dans les deux temps
qu'évoque le récit. Ainsi le même texte se prête à de nombreuses lectures, et l'unique fiction de *Volupté* nous
raconte plusieurs histoires.

« Si on l'écrivait », lit-on dans le journal de Sainte-Beuve,
« il y a un roman original et neuf dans toutes les enfances [1] ».
Ce roman de l'enfance, il l'a écrit dans *Volupté*. Le cadre
historique du roman constitue, par lui-même, un souvenir
de jeunesse : Boulogne, ville impériale par excellence,
avait fixé de nombreuses images napoléoniennes dans la
mémoire du petit Charles-Augustin comme le montre
déjà *Joseph Delorme*. En 1845, parlant d'un ouvrage
du maréchal Marmont, où il trouvait « l'étincelle sacrée
des journées de gloire », il écrira à Hortense Allart :
« Je suis très sensible à ce sentiment; je l'ai partagé;
enfant j'ai été élevé à Boulogne-sur-mer, ville impériale
s'il en fut, en présence des canons et de la flottille;
et jusqu'en 1813 j'étais habillé en huzzard : vous ne
saviez peut-être pas cela ? J'ai même assisté dans ce
petit uniforme et âgé de sept ans environ à une revue, la
dernière que Napoléon ait passée sur ces côtes, avant de se
diriger pour sa campagne de 1812. J'étais à quelques pas
du héros et je n'ai perdu de toute cette journée ni un geste
ni un éclair [2]. » L'homme mûr reste fidèle aux impressions

---

1. Second cahier d'*Observations et pensées* de Sainte-Beuve, dit
Cahier brun, collection Spoelberch de Lovenjoul, D. 573, p. 167.
2. Lettre du 5 octobre 1845. *Correspondance générale*, VI, p. 241-
242. On trouve un témoignage identique au t. XI, p. 251, dans une

de son enfance. Tout en manifestant de l'hostilité à l'égard de Napoléon, comme à l'égard de toute grandeur surhumaine, le romancier de *Volupté* continuera à subir la fascination que l'empereur avait exercée sur le petit Charles-Augustin. Amaury, après avoir conspiré dans les rangs royalistes, ne pourra pas résister au désir, qui restera insatisfait, de prendre sa part de gloire dans l'armée impériale. Mais revenons aux images des premiers jours. Province maritime, la Bretagne d'Amaury rappelle le pays boulonnais de Charles-Augustin. Tous deux orphelins (le premier de père et de mère, le second de père seulement), le personnage et son créateur eurent tous deux une enfance grave, pieuse et fort studieuse. Le M. Ploa qui enseigne les belles-lettres à Amaury représente M. Clouët, le maître dont Sainte-Beuve reçut l'enseignement à l'institution Blériot de Boulogne-sur-Mer. L'adolescent Amaury ne se serait pas découvert une « difficulté particulière [1] » au moment où lui vient le désir d'aimer si Charles-Augustin n'avait été hypospade. Chaque année, pendant les vacances, de 1813, au moins, jusqu'en 1822, le jeune Sainte-Beuve séjourna chez ses cousins Bonnières, au château de Wierre-au-Bois, tout près de Samer, à une quinzaine de kilomètres de Boulogne. Ce petit château, fort pittoresque avec sa grosse tour ronde à toit pointu, a servi de modèle au château de Couaën, que le romancier décrit avec une minutie extrême parce que ce lieu représente pour lui, on le sent, le paradis de l'enfance perdue. « Je n'ai jamais assez », fait-il dire par Amaury, « quand j'y reviens, de m'appesantir sur les contours du tableau ; de m'attester, comme l'aveugle pour les pierres des murs, qu'il est là, toujours debout dans ma mémoire, et de calquer, même en froides paroles, ces lignes, si peintes au dedans de moi, de la maison la mieux connue, du paysage le plus fidèle [2]. » Notons que Wierre-au-Bois se trouvait déjà dans le fragment d'*Arthur* sous le nom de Villers-au-Bois. L'imagination de l'écrivain ne s'était pas donné beaucoup d'exercice ! Elle ne s'en donne guère non plus dans *Volupté*. Sainte-Beuve se contente de situer le château de Couaën à une distance de la mer bien inférieure à celle qui sépare Wierre-au-Bois de la côte boulonnaise : à ses souvenirs campagnards, il associe ceux de promenades sur les côtes sauvages proches de Boulogne. A ce détail près, la description romanesque de Couaën reproduit fidèlement le paysage de Wierre. Un exemple, pris au hasard : la source ferrugineuse à laquelle Mme de Couaën va boire, le matin, à huit heures, en été, existe dans la réalité, sous le nom de fontaine de fer

---

lettre du 16 mars 1859, adressée au boulonnais François Morand. Et ce ne sont pas les seuls témoignages.

1. *Volupté*, chap. I, p. 48.
2. *Id.*, chap. III, p. 63.

et « jaillit du talus bordant le côté droit de la route de Samer à Desvres, presque en face de l'ancienne ferme du château de Wierre [1] ». Les liens de cousinage de Sainte-Beuve avec les Bonnières devinrent plus étroits qu'ils n'étaient quand, le 31 octobre 1814, le fils unique de M. de Bonnières, Eugène, épousa Robertine-Virginie Wyant, parente de la mère de Charles-Augustin : la nouvelle Mme de Bonnières était toute jeune encore (elle venait d'entrer dans sa vingtième année) et, paraît-il, fort belle. Certes, les sentiments d'Amaury pour Mme de Couaën représentent, comme nous le verrons, la liaison de Sainte-Beuve avec Adèle Hugo. Mais, à n'en pas douter, en décrivant l'amour d'un tout jeune homme, le romancier a aussi voulu évoquer les rêves que dut inspirer à sa précoce adolescence la jeune et belle châtelaine de Wierre. C'est d'elle que viennent les gestes quotidiens de la marquise; c'est à elle seule que peut appartenir l'aiguille d'ivoire ramassée par Amaury sous la fenêtre de la tour... Huit naissances se succédèrent dans le ménage d'Eugène de Bonnières entre 1815 et 1829. On trouve certainement dans *Volupté* (sans parler encore de souvenirs des enfants Hugo) des images laissées dans la mémoire de l'écrivain par le petit Eugène de Bonnières, né en 1815, et par sa sœur Elisabeth, qui l'avait suivi en 1817 : de même, dans le roman, le jeune Arthur est l'aîné de sa sœur Lucy.

Les Bonnières étaient bonapartistes. Parmi leurs relations figuraient cependant des royalistes que leurs convictions n'empêchaient pas d'éprouver une certaine admiration pour Napoléon : les du Wicquet d'Ordre, que l'on voit mentionnés par Pierre-Victor Wyant, père de la jeune Mme de Bonnières, dans le journal qu'il tenait de ses séjours à Wierre. Sainte-Beuve put connaître le vicomte d'Ordre, le fils du vicomte, Marie-Toussaint du Wicquet, dernier baron d'Ordre, et aussi Marie-Rosalie du Wicquet, cousine germaine du vicomte. Le frère de Mlle du Wicquet, Claude, Guillaume, Victor, Jean-Baptiste, Benjamin, avant-dernier baron d'Ordre, qui était mort célibataire en 1809 et qui avait été connu du père de Sainte-Beuve, avait conspiré sous le Directoire et le Consulat. Son château de Macquinghem « sis à l'écart des routes et en lisière de la forêt de Boulogne, avait en ce temps-là servi de refuge aux chouans, espions et agents secrets du parti royaliste qui se rendaient en Grande-Bretagne ou en revenaient. Cadoudal lui-même s'y était caché en avril 1800 avant de franchir le détroit. Traqué à son tour par les limiers de Fouché, l'avant-dernier baron d'Ordre avait été arrêté en 1804 et placé en résidence surveillée loin des

1. Pierre-André Wimet, *les Vacances de jeunesse de Sainte-Beuve*, dans *la Revue de Boulogne et de la région*, janvier-février 1953, p. 1117.

côtes [1] ». Les aventures de ce personnage, dont Sainte-Beuve entendit certainement parler plus d'une fois, se retrouvent dans celles de M. de Couaën. La réalité, ici encore, nourrit directement le livre.

Parmi les amis des Bonnières figurait un M. Le Camus d'Albinthon, qui habitait la Wâtine, terre située à l'extrémité nord-est du territoire de Wierre-au-Bois. Près de lui vivaient sa fille veuve, Mme Gagnier, et sa petite-fille Adèle Gagnier, qui inspira de tendres sentiments au jeune Charles-Augustin : il y eut même entre eux un projet de mariage qui n'aboutit pas, et dont le souvenir était encore vivant ces dernières années à Boulogne parmi les descendants de la jeune personne, qui se maria avec un autre que Sainte-Beuve, en 1829. M. Le Camus et Adèle Gagnier apparaissent dans *Volupté* sous les traits de M. de Greneuc et d'Amélie de Liniers, habitants de la Gastine. Tous ces noms sortent du pays boulonnais : la Gastine est issue de la Wâtine, Greneuc vient de Grenelle, autrefois fief sur Samer, et Liniers rappelle les Lignières, écart de Baincthun [2]. La petite Madeleine de Guémio, petite-fille, elle aussi, de M. de Greneuc, emprunte son nom à M. Connelly de Guemy, maire de Wierre sous la Restauration.

Au début du chapitre VII de *Volupté*, nous voyons Amaury faire son « premier voyage hors du canton natal » et découvrir Paris, où il a accompagné M. et Mme de Couaën, qui y étaient appelés par les affaires du parti : Sainte-Beuve évoque ici son départ de Boulogne en 1818, quand, ayant achevé, à treize ans et demi, sa rhétorique à l'institution Blériot, il jugea bon de reprendre ses études en troisième dans un collège royal de la capitale. Sur ce qu'il y apprit, sur ce qu'il y lut, sur les rencontres qu'il y fit, *Volupté* nous peut renseigner. Mais arrêtons-nous, car nous n'en finirions plus si nous voulions épuiser les rapprochements possibles entre le roman et la jeunesse de son auteur.

La traduction se fait plus complexe quand on veut retrouver, dans *Volupté*, le passé proche du romancier. Certes, une allusion essentielle s'impose au lecteur. Ami du mari et amoureux de la femme, Amaury vit entre le marquis et la marquise de Couaën comme Sainte-Beuve avait vécu dans le ménage Hugo entre 1827 et 1830. Après

---

1. P.-A. Wimet, *Les Vacances...*, p. 1115. Sur ce personnage, il convient de lire un autre article de P.-A. Wimet, dans la *Revue de Boulogne*, juillet, août, octobre et novembre 1950 : *Un héros de Sainte-Beuve : le baron d'Ordre, conspirateur royaliste*. M. Wimet a eu la bonté de compléter les renseignements fournis par ses articles en établissant pour nous l'arbre généalogique de la famille d'Ordre, et en nous communiquant une reproduction du journal de P. V. Wyant. Qu'il en soit vivement remercié.

2. *Id.*, p. 1116.

1830, s'il était devenu (au début de 1832) l'amant d'Adèle, il avait vu, entre Victor et lui, l'inimitié prendre la place d'une amitié qui tentait vainement de se survivre : au printemps de 1834 la rupture s'était consommée.

C'est au-delà des grandes années de son amitié avec Hugo que Sainte-Beuve la fait passer dans son récit. Il ne minimise pas pour autant l'importance de sa rencontre avec celui auquel il prévoit, quand l'amitié se meurt, qu'il restera, malgré tout, mystérieusement lié pour toujours. « Nous avons été trop liés pour qu'en nous séparant je n'emportasse pas d'abord un peu de vous et que vous ne gardassiez pas beaucoup de moi », écrit Sainte-Beuve à Hugo, le 21 août 1833 [1]. Ce qu'Amaury redit en termes semblables, après une discussion, suivie de repentir, qui l'a opposé à M. de Couaën : « Absent, cet homme énergique eut toujours une large part de moi-même; je lui laissai dans le fond du cœur un lambeau saignant du mien, comme Milon laissa de ses membres dans un chêne. Et j'emportai aussi des éclats de son cœur dans ma chair [2]. » L'écrivain de 1834 n'oublie pas que le petit étudiant en médecine de 1827 (il prit encore une inscription le quatrième trimestre de cette année-là), qui donnait des articles au Globe, ne se consacra définitivement à la carrière littéraire qu'après son entrée dans le monde de Victor Hugo. « Mon entrée dans les choses du monde data véritablement de ce jour » : ainsi parle Amaury, racontant sa première visite au château de Couaën [3]. En ce lieu s'ourdissent des conspirations, dont M. de Couaën est l'âme, et qui représentent (sans représenter uniquement cela) les luttes littéraires que menaient, autour de Victor Hugo, les membres du Cénacle. Comme Hugo, le marquis a un caractère de chef, le goût de l'action et une grande largeur de vues : « Il avait de l'ambition, d'actifs talents, une grande netteté dans l'audace [4]. » Sa virilité n'exclut pas la tendresse : « Amaury », dit-il, « [...] combattez-moi, réfutez-moi à extinction, pourvu que vous nous aimiez [5]. » Ne croirait-on pas entendre Hugo ? Ce dernier écrivait à Sainte-Beuve, le 22 août 1833, dans les derniers temps de l'amitié : « Vous m'avez toujours cru vivant par l'esprit et je ne vis que par le cœur. Aimer, et avoir besoin d'amour et d'amitié, mettez ces deux mots sur qui vous voudrez, voilà le fond heureux ou malheureux, public ou secret, sain ou saignant, de ma vie [6]. » Fort et tendre Hugo ! Volupté prouve que l'ami, bien que peu fidèle, sut voir clair en celui qu'il abandonnait, et lui

---

1. Correspondance générale, I, p. 381.
2. Volupté, chap. XVIII, p. 253-254.
3. Id., chap. III, p. 61.
4. Id., p. 66.
5. Id., chap. XVIII, p. 253.
6. Cité dans la Correspondance générale de Sainte-Beuve, I, p. 383.

rendre justice. Dans la conduite du marquis, on ne trouve
que grandeur. Quand Amaury lui fait l'aveu de son amour
pour la marquise, lui demandant s'il n'y verrait pas un
obstacle à la poursuite d'une vie commune à Blois, où les
Couaën doivent partir en exil, le noble marquis répond :
« Si vous voulez savoir [...] mon avis et mon espoir, je vous
dirai qu'hier je comptais sur votre prochaine et habituelle
présence à Blois au milieu de nous, et qu'aujourd'hui je
n'y compte pas moins [1]. » Hugo dut tenir des propos
identiques. Voici ce que Sainte-Beuve lui écrivait, le
7 décembre 1830, peu de jours après lui avoir fait un aveu
semblable à celui d'Amaury : « Vous avez eu la bonté de me
prier de venir toujours comme par le passé [2]. » A l'égard de
M. de Couaën, Amaury éprouve mieux que de l'amitié : de
la tendresse. Ici, le romancier utilise le symbole pour
suggérer ce qu'il ne saurait (ou ne voudrait) dire nettement,
parce que la netteté dépasserait peut-être la « vérité
consciente » de ses sentiments à l'égard de l'homme dont
s'inspirent les aspects altiers du marquis de Couaën. Au
chapitre IX de *Volupté*, une grande « image allégorique »
figure les « deux âmes » de la marquise et du marquis.
C'est un « paysage calme et grave » au sein duquel s'étend
« un lac de belle étendue » dominé et enserré par un « haut
et immuable rocher ». Le lac représente la douce marquise
et le rocher figure le rude marquis. « Moi », nous confie
Amaury, « j'aimais naviguer sur ce lac, côtoyer le rocher
immobile, le mesurer durant des heures, *me couvrir de
l'épaisseur de son ombre* [3] ». Laissons pour l'instant la marquise, et rêvons sur son mari, le rocher. Ce symbole fait
songer à une virilité dont le mol Amaury subit l'incontestable ascendant... Glissons sans insister, puisque aussi
bien le romancier refuse l'insistance. Mais qu'on relise
les lettres adressées par Sainte-Beuve à Hugo, et les
articles consacrés par le critique au poète. On trouvera
nombre de traits qui autorisent l'interprétation que nous
suggérons aux analyses symboliques de *Volupté*.

   Il ne faudrait cependant pas s'attendre à un portrait
entièrement flatteur du marquis de Couaën, dans un roman
composé au moment où meurt la grande amitié née en
1827. Amaury se plaît à souligner les insuffisances intellectuelles du marquis : nous savons que Sainte-Beuve se
sentait supérieur en connaissances et en « jugement » à
Victor Hugo, prenant dans ce sentiment une sorte de
revanche sur une gloire qu'il enviait. Accusation plus
grave : l'élégance de sentiments qui se manifeste au moment
de l'aveu d'Amaury, avant le départ pour Blois, ne serait,
chez le marquis, qu'indifférence à l'égard de toute question

   1. *Volupté*, chap. XIV, p. 200.
   2. *Correspondance générale*, I, p. 210.
   3. *Volupté*, chap. IX, p. 130-131. C'est moi qui souligne.

étrangère à sa passion politique. La première contradiction
d'Amaury fait naître chez le noble personnage une jalousie
amoureuse jusqu'alors inexistante. Politique veut dire ici
littérature. La séparation ne deviendra définitive entre le
critique et son poète qu'après la publication d'articles du
premier contre les œuvres du second ; l'article que Sainte-
Beuve consacra au *Mirabeau*, en 1834, et celui qu'il fit,
parachevant une rupture déjà consommée, sur les *Chants
du crépuscule*, en 1835 [1]. Blessé dans sa vanité poétique,
Hugo devint sans tarder (le premier incident venu lui en
donna le prétexte) l'ennemi de Sainte-Beuve, tandis que,
comme mari, il s'était montré jusqu'alors, malgré ses
inquiétudes, noblement affectueux à l'égard de son rival.

Oui, *Volupté* décrit l'importance ineffaçable d'une
amitié qui s'éteint, et qui n'existe plus lorsque le roman
s'achève. Quant au Cénacle, Sainte-Beuve le peint d'emblée comme une association un peu ridicule, dans laquelle
seul le chef possède une valeur réelle.

Près de Victor, Adèle, infiniment plus importante que
son mari dans cette transposition romanesque qui s'orga-
nise autour d'une histoire d'amour, et que l'auteur présentait volontiers comme un message adressé à la bien-
aimée. Il écrira, en 1848, dans son journal : « Pourquoi je
ne fais plus de roman ? — Ecrire un roman, pour moi, ce
n'était qu'une manière indirecte d'aimer, et de le dire [2]. »
Né vers la fin de 1828, l'amour de Sainte-Beuve est connu
d'Adèle en 1829 ; elle aime à son tour, sans le dire, en 1830,
dans les mois qui précèdent la naissance de la petite Adèle,
sa fille ; en 1831, elle fait l'aveu de sa tendresse et une
liaison clandestine commence, d'abord platonique, puis
charnelle vers le début de 1832 ; un certain bonheur
s'installe, qui connaîtra le déclin vers le milieu de 1836,
et s'éteindra en 1837, avec, selon toute apparence, un
prolongement de la tendresse, et même un éphémère
retour de flamme vers 1840. On le voit : *Volupté* s'inscrit
au centre d'une liaison vivante, dont Sainte-Beuve, selon
la pente de son tempérament, semble avoir voulu augmenter le charme en la projetant dans le passé et en la racontant comme un beau souvenir revécu ; « Quand je goûtais
un vif bonheur », écrit-il, dans *Volupté* même, « j'avais
besoin, pour le compléter, de me figurer qu'il était déjà
enfui loin de moi [3]. » Bien que le romancier, qui disperse
volontiers en plusieurs personnages les traits de ses origi-
naux, donne à la mystérieuse Mme R. quelques points

1. Sainte-Beuve écrira à Victor Pavie, en 1836, à propos de Victor Hugo : « Nous sommes, je le regrette, sérieusement fâchés et cela
durera, du moins je ne prévois pas qu'il y ait raccommodement possible. Il y a des *articles* entre nous. » (*Correspondance générale*, II, p. 52.)
2. *Cahier brun*, p. 43.
3. *Volupté*, chap. XIII, p. 181.

de ressemblance avec Adèle, il veut que sa maîtresse se
reconnaisse surtout (disons même « uniquement ») dans
la marquise et c'est dans les rapports d'Amaury avec
celle-ci qu'il fait revivre l'essentiel de son aventure. La
brune Mme de Couaën était « fort belle, mais d'une de
ces beautés étrangères et rares auxquelles nos yeux ont
besoin de s'accommoder [1] ». On songe à la description que
Sainte-Beuve donne de Mme Hugo, dans la pièce IV du
Livre d'amour :

> *Où naissent les beautés pareilles à la tienne ?*
> *Où sont les pas traînants, l'allure ionienne,*
> *Les noirs cheveux lustrés sur un col obscurci [...] ?*
> *Un jour, un voyageur revenu du Levant,*
> *A ton type hardi crut voir une Maltaise.*

La marquise apparaît aux yeux d'Amaury en compagnie de deux enfants, comme Adèle, qui, au début de 1827,
était mère de Léopoldine et de Charles ; elle perd sa mère,
comme Adèle, en octobre 1827, perdit la sienne. *Volupté*
nous donne des renseignements conformes à ceux du *Livre
d'amour* sur la naissance de la passion entre les deux
amants. Sainte-Beuve raconte sa propre histoire quand il
nous montre la timidité première d'Amaury en présence
de la belle châtelaine, puis l'amicale intimité qui s'établit
entre Mme de Couaën et le jeune homme, puis l'émotion
envieuse ressentie par celui-ci devant les manifestations de
tendresse du marquis à l'égard de la marquise. Suivons la
montée des sentiments. Nous voyons Amaury devenir
« nécessaire » à la marquise, comme Charles-Augustin,
dans une première étape, le devint à Adèle : « Promettez
que vous ne partirez jamais, me disait-elle ; M. de Couaën
vous aime tant ! Vous nous êtes nécessaire [2]. » Au-delà
de ce sentiment de nécessité, forme inconsciente d'un
amour naissant, la toujours pure marquise en arrive à
éprouver, et à savoir qu'elle éprouve une véritable passion,
plus forte peut-être, et plus constante que celle d'Amaury.
Son attitude la suggère, et ses repentirs la dévoilent. Ne
considère-t-elle pas la mort de son petit Arthur comme « un
châtiment mérité pour avoir désiré quelque chose hors
du cercle tracé, hors de la famille [3] » ? Un tel drame ne
pouvait se clore que par la mort de la marquise. La confession finale que Mme de Couaën fait à son ami devenu
prêtre contient (mais le lecteur, bien entendu, n'en peut
connaître le détail) son aveu d'amour le plus complet,
rendu licite par les remords dont il s'accompagne. Alors
seulement Amaury, qui a toujours respecté la marquise,
s'unit symboliquement à elle par le contact des onctions

---

1. *Volupté*, chap. III, p. 68.
2. *Id.*, chap. V, p. 96.
3. *Id.*, chap. XVIII, p. 246.

sacramentelles. On le voit : l'aventure romanesque, dans
sa chasteté, demeure en deçà de la réalité. Avec Mme R.
elle-même, malgré des assauts très positifs, rien jamais
ne s'est produit. Ne raisonnons pas encore sur la pureté
insistante du roman, qui ne tient pas simplement au respect
des convenances et qui est beaucoup moins littéraire qu'on
ne pourrait le penser en constatant la parenté de *Volupté*
avec des romans de l'amour inaccompli comme le *Werther*
de Goethe ou la *Valérie* de Mme de Krüdner. Affirmons
seulement qu'elle n'empêche pas le romancier de décrire
véridiquement son amour pour Adèle Hugo, un amour
où le conquérant eut peut-être moins de fougue que sa proie.

Victor, Adèle et le Cénacle n'absorbèrent pas toute
l'activité de Sainte-Beuve pendant les années 1830, qui
furent particulièrement tumultueuses pour notre romancier, et *Volupté* contient des allusions à une multitude de
réalités étrangères à l'aventure hugolienne. Glanons-en
quelques-unes pour piquer la curiosité du lecteur. On
peut, par exemple, trouver dans les conspirations de
M. de Couaën, auquel le romancier, quand il le montre
vaincu, prête beaucoup de lui-même, une transposition
des mouvements politiques ou sociaux auxquels son ambition le fit participer ou dont il fut le témoin aux environs
de 1830 : mouvement des libéraux du *Globe*, journal auquel
il avait collaboré dès 1824; mouvement des saint-simo-
niens, auquel il avait participé activement à la fin de 1830
et au début de 1831; mouvement mennaisien, qu'il put
connaître de près, s'étant étroitement lié avec Lamennais
au milieu de 1831; mouvement républicain du *National*,
auquel il participe entre 1831 et 1834. Revenons sur le
nom de Lamennais. L'intimité qui exista entre lui et
Sainte-Beuve explique la multiple présence de M. Féli
dans *Volupté* : il entre dans la composition du personnage
de M. de Couaën; Amaury lui emprunte son état sacerdotal
et son rôle de directeur de conscience; on le trouve dans
l'action de « l'ecclésiastique respectable » qui incline la
pensée d'Amaury vers le séminaire; on le trouve encore
sous le portrait d'Hervé et, enfin,... sous son propre nom.
Grande affection qui s'acheva, comme on le voit en avançant
dans le livre, en désaffection : les liens étroits de 1831
commencent à se défaire dès 1833, semble-t-il; en 1834,
Sainte-Beuve, qui ne se détache jamais brutalement,
conserve assez d'amitié à l'égard de Lamennais pour s'occuper de publier les *Paroles d'un croyant;* mais un an après,
en 1835, il ne restera rien du grand attachement.

Un autre grand ami de Sainte-Beuve occupe une place
de choix dans *Volupté* : Ulric Guttinguer, peint sous les
traits de l'ami de Normandie et donnant peut-être un peu
de lui-même à Amaury...

***

Répétons-le : nous pourrions gloser à l'infini sur ce document inépuisable et allonger la liste des allusions en entassant Eustache Barbe sur Carrel ou Lamartine. Ce serait fastidieux. Et dangereux. Car les arbres cacheraient la forêt. A trop insister sur la diversité des souvenirs, on masquerait l'unité que donne à ce roman le problème spirituel qui s'y trouve traité : celui de la conversion. Dans le récit d'Amaury, tous les événements sont rassemblés, si l'on peut dire, par leur fin, dans les deux sens du terme : *devenu* évêque, Amaury raconte sa marche vers la conversion *pour* prouver à son jeune ami qu'on peut toujours se convertir. Le désir de croire, qui hantait Sainte-Beuve au moment de *Volupté*, fait du livre tout autre chose qu'une simple œuvre littéraire nourrie de souvenirs comme de la matière romanesque la plus commode. « Que je vous parle une fois ici du souvenir, selon moi, tel que je le sens, et j'ai beaucoup senti à ce sujet ! Si le souvenir, pour la plupart des âmes, dans des situations analogues à la mienne, est une tentation rude, pour moi, mon ami, il est plutôt une persuasion, un rappel au bien, une sollicitation presque toujours salutaire dans sa vivacité [1]. » Plus qu'un livre, *Volupté* est un acte dans la vie de Sainte-Beuve : il y cherche dans son enfance une foi perdue et il tente de se guérir du mal qui l'éloigne encore de cette foi en se donnant à lui-même le spectacle de ses fautes : c'est la guérison du vice « *par son semblable* », comme le dit l'auteur dans *la Préface* qui précède le récit. Qu'il veuille donner une valeur constructive aux souvenirs, nous en avons la preuve dans le fait qu'il modifie la réalité, en purifiant l'amour, et l'achève, en conduisant Amaury jusqu'à une conversion complète, tandis que Sainte-Beuve, au moment où il composait son livre, n'était qu'en chemin. Ce roman plus chrétien que son auteur veut modeler l'avenir en refaisant quelque peu le passé [2]. L'avenir ne se laissa pas modeler et Sainte-Beuve ne devint pas chrétien. Mais qu'importe ? Seule compte pour nous l'intention qui fait l'unité de l'ouvrage.

On peut déjà trouver une peinture saisissante du mal auquel *Volupté* veut porter remède dans la correspondance qu'échangent Sainte-Beuve et Lamennais à la fin de mai 1831. Au sortir d'une tentative saint-simonienne, qui l'avait laissé insatisfait, Sainte-Beuve s'était tourné vers le christianisme et était venu passer quelques jours à Juilly, auprès de Lamennais. De retour à Paris, il écrit à son hôte une lettre de remerciements : « Allez ! ce que vous m'avez lu [1] et ce que j'ai senti en vous pratiquant a bien réveillé en moi tout ce que le christianisme avait pu autrefois m'inspirer de sentiments tendres et de respects soumis. C'est bien là la vraie et l'unique religion : il resterait seulement, et c'est là l'important et aussi le difficile, il resterait à en faire la règle de sa vie, l'arbitre souverain de ses habitudes et de ses penchants ; mais dans les distractions, dans les séductions journalières de la vie même la plus simple qu'on puisse mener à Paris, la lutte entre une foi naissante et des penchants fougueux, des habitudes enracinées, n'est pas égale ; il arrive alors qu'après quelques bonnes résolutions, quelques tentatives de sacrifice, on s'étourdit et que, rentré dans le tourbillon des plaisirs ou de la curiosité, on se croit presque heureux parce qu'on s'échappe à soi-même. — Ainsi jusqu'à ce que la jeunesse nous manque ! Ainsi jusqu'à ce qu'on ait tué en soi la foi et l'amour. Alors il ne reste que l'intelligence sans chaleur, un vide immense et un ennui croissant.

« J'espère que je n'en viendrai pas là ; mais j'aurais bien besoin de conseils et de secours presque continus : nul être n'est plus faible, plus mobile, plus livré que moi à l'intelligence curieuse et à la diversité des sensations. J'aspire à poser ma vie [2]. » A quoi Lamennais répondait, le 27 mai : « Vous peignez admirablement ce vide que j'ai connu aussi, cette secrète angoisse dont chacun de nous porte le germe en soi [...] Vous êtes à l'âge où l'on se décide, plus tard on subit le joug de la destinée qu'on s'est faite, on gémit dans le tombeau qu'on s'est creusé, sans pouvoir en soulever la pierre. Ce qui s'use le plus vite en nous c'est la volonté. Sachez donc, mon ami, vouloir une fois, vouloir fortement ; fixez votre vie flottante et ne la laissez plus emporter à tous les souffles comme le brin d'herbe séché [3]. » Amaury se souviendra de ces paroles dans le prologue de *Volupté* : « Hâtez-vous de vous relever, mon ami, il le faut, et vous le pouvez en le voulant. »

Ainsi Sainte-Beuve souffre d'aspirer à l'unité intérieure, au sentiment d'*être* que lui procurerait une foi solide, et en même temps il se laisse absorber par les séductions multiples du monde extérieur, tant sensuelles qu'intellectuelles, qui s'opposent à ce que sa vie se renferme en lui-même et se fixe par une croyance inébranlable. Sainte-Beuve simplifie le royaume du mal : le mal, c'est toujours le monde extérieur, le monde du changeant, de quelque manière qu'il exerce son empire. Cette spiritualité doit assurément beaucoup à Lamennais : il suffit, d'ailleurs, de

---

1. Lamennais avait fait lecture à Sainte-Beuve de son *Essai d'un système de philosophie catholique*, qui devait devenir plus tard l'*Esquisse d'une philosophie*.

2. *Correspondance générale*, I, p. 236-237.

3. *Ibid.*, p. 238.

parcourir *Volupté* pour y découvrir de nombreuses traces
de l'*Essai sur l'Indifférence*, où Sainte-Beuve semble même
avoir trouvé le titre de son roman[1]. Le livre ne sera
pourtant pas vraiment mennaisien : influencée par le
martinisme et découvrant Port-Royal, la religion de
Sainte-Beuve se fera de plus en plus intérieure et prendra
ses distances par rapport à la pensée de M. Féli, qui était
constamment tournée vers l'action. Le Sainte-Beuve de
Volupté désirera couper tous les liens qui l'asservissent
au monde pervers, non seulement les liens de la volupté
et de la curiosité, dont parlait la lettre à Lamennais, mais
encore le lien de l'ambition, c'est-à-dire de l'action extérieure. Volupté, curiosité, ambition : trois visages du mal
unique, du mal de la multiplicité extérieure. Pour s'en
arracher, il faudrait à notre malade ce qui manque le plus à
sa nature : volonté et énergie. La lutte de l'un et du multiple dans une âme molle qui ne sait pas vouloir : tel est le
drame que vit Sainte-Beuve au moment où il compose
Volupté pour tenter de se convertir, et tel est le drame que
l'on retrouve dans le récit d'Amaury.

Avant d'aborder la description romanesque du mal,
parlons du remède, puisque le remède se propose, dans le
roman, dès que la tentation commence à poindre et bien
avant que le mal ne s'accomplisse. A peine l'adolescence
protégée d'Amaury commence-t-elle à subir la fascination
du monde, que le moyen de se sauver en se fixant s'offre
à lui sous la forme de l'amour. Nous ne parlerons guère
d'Amélie de Liniers : il s'agit avec elle d'un éventuel
mariage, c'est-à-dire d'un contrat qui s'accompagne
habituellement d'amour, sans doute, mais dans lequel
l'amour ne constitue pas le seul lien. « Ce n'est pas
l'amour qui fait le mariage », dira Claudel, dans *le
Soulier de Satin*, « mais le consentement. » La femme
qui intéresse le romancier, c'est Mme de Couaën, celle
qui, déjà mariée n'offre, à Amaury une possibilité
d'un amour sans autre chaîne que l'amour même. A
l'homme qui ne saurait aller directement à Dieu, l'amour
offre un moyen d'accès : il unifie intérieurement, il écarte
des « plaisirs épars[2] », il présente une image de la charité
divine. Doit-il, pour mener à Dieu, se plier à une condition
quelconque ? Non. Il suffit qu'il soit véritablement l'amour.

---

1. L'hypothèse est séduisante. Qu'on pense à des passages comme
ceux-ci : « Le premier effet, l'effet inévitable des habitudes voluptueuses, est de lier les puissances de l'âme, et d'en exclure toute autre
pensée. » Ou encore : « Les deux systèmes absolus de bonheur, l'un
fondé sur l'orgueil, l'autre sur la volupté, se combinent et se modifient
à l'infini... » (*Essai*, éd. Garnier, I, p. 232, 233.) Sainte-Beuve
reprend les termes et les idées. Mais pourquoi écrit-il, en 1833, à
Lamennais que son titre est bien vilain ?

2. *Volupté*, chap. XIX, p. 269.

Opérant une distinction radicale entre l'amour et les sens, l'auteur de *Volupté* réserve le nom d'amour à un sentiment chaste, à un sentiment uniquement attaché à la part spirituelle et éternelle de son objet, à un sentiment, par conséquent, stable et fidèle : à un sentiment, en un mot, qui, allant de l'âme à l'âme, s'oppose fondamentalement à la volupté « divertissante » et asservie au sensible. L'essai de réunion de l'amour et des sens, dans la liaison avec Mme R., n'aboutit à rien et se voit condamné comme pervers au même titre que la vulgaire sensualité. La doctrine d'Amaury s'affirme en formules nettes : « J'appris, en ce temps, mon ami, que l'Amour vrai n'est pas du tout dans les sens [1]... » Sans doute, notre lucide romancier n'avance-t-il pas cette affirmation sans la nuancer. Sa foi en l'amour pur ne va pas sans quelque scepticisme, un scepticisme qui tend moins à nier la possibilité d'existence d'un tel amour qu'à montrer la difficulté de l'atteindre et de s'y tenir. Un passage de *Volupté* montre la pensée de Sainte-Beuve sur ce sujet mieux que ne feraient tous les commentaires. Amaury et Mme de Couaën viennent de vivre des instants de pure béatitude au cours d'une promenade dans une nature sans pesanteur, accordée à la légèreté de leurs âmes : « Oh! seulement, que ces entretiens perdus, que cette légère allée où je repasse, ne soient pas comptés parmi les autres sentiers qui mènent à l'éternelle ruine! Qu'il me soit permis plutôt d'y voir, à travers mes pleurs, un de ces petits chemins réservés, tels que les peindrait le Poète chrétien, et le long desquels gravissent, au tomber du jour, les âmes qui arriveront! Le malheur de ces fugitifs instants, qui semblent participer de la félicité invisible, c'est qu'on ne peut humainement s'y tenir. Il faut que l'amante soit morte ou séparée de nous par un perpétuel éloignement, que le cloître ou l'autel s'élève entre elle et nos désirs; il faut que la religion soit là, en un mot, pour éterniser cette chaste nuance, et faire qu'elle ne se dénature pas. A moins d'être de ceux qui pleurent, qui se repentent, qui jeûnent et qui prient, qui passent leurs nuits et leurs jours à sacrifier, à atténuer tout suspect mouvement, on a bientôt franchi la limite qui serait peut-être permise, si elle était exactement observable [2]. » Qui aime vraiment doit fuir l'objet de son amour, et mettre au-devant des désirs impurs de tels obstacles que l'accomplissement de l'impureté en devienne impossible et que la durée de l'amour vrai soit assurée. Qu'on remarque le retour du thème de la fuite dans *Volupté* : Amaury fuit non pas *loin* de l'amour, mais *vers* l'amour, vers un amour de loin, libre de tout risque de souillure. Ecoutons ses conseils : « Aimez l'absence! Fixez le rendez-vous habituel en la pensée

de Dieu, c'est le lieu habituel des âmes [1]. » Ainsi Amaury
cherche à fuir Mme de Couaën dans le mariage ou en
Irlande ; il la fuit pour toujours dans l'inviolable séparation
du sacerdoce. L'entrée de la marquise, par la mort, dans
le royaume de Dieu garantit la fidélité des amants à l'éternité de leur séparation. Obstacles unissants, fuites qui,
loin de séparer, réunissent, au contraire, dans le véritable
amour. La conversion d'Amaury serait alors acte amoureux autant qu'acte religieux. Dans cette perspective le
roman devient ambigu. Amaury veut-il utiliser le pur
amour pour se rapprocher de Dieu, ou le rapprochement
vers Dieu pour atteindre l'amour ? Question insoluble et
inutile ! Laissons la réponse dans le flou, ce flou qui fait
un des charmes de *Volupté*. Dieu et l'amour se confondent
comme termes d'une semblable ferveur. Sainte-Beuve
voulait aller à Dieu sans perdre Adèle, et sans doute, dans
ses velléités religieuses certaines, pensait-il pouvoir la
retrouver mieux en Dieu qu'ailleurs... : rendez-vous qu'elle
ne semble pas avoir toujours pleinement apprécié. « Vous
me parliez religion », lui écrira un jour Adèle, « de la
nécessité que vous éprouviez d'entrer dans cet ordre
d'idées. Je voyais là-dedans moins d'amour que je n'en
avais... je vous tourmentais de votre manque d'amour [2]. »
    Pour que se réalise la conversion — la fuite amoureuse
définitive — il faut un acte d'énergie, indispensable pour
que la grâce, qui se propose au héros dès le début du roman
en la personne de Mme de Couaën, puisse exercer son
action. Sans la grâce, la volonté ne peut rien. Mais sans la
volonté, la grâce ne vient pas, ou plutôt, car elle vient
d'emblée dans *Volupté*, elle ne demeure pas. Sainte-Beuve
disserte à plaisir sur cette question, en homme qui, sans
adhérer, comme on peut voir, aucunement au jansénisme,
auquel il n'adhérera jamais, pas plus, d'ailleurs, qu'à
aucune forme de christianisme, commence à pratiquer
Port-Royal et à en agiter les problèmes : « Oh ! que cette
facilité à choir, [...], que cette fragilité m'a fait comprendre
combien il ne suffit pas de vouloir à demi, mais combien
il faut vouloir tout à fait, et combien il ne suffit pas de
vouloir tout à fait, mais combien il faut encore que ce
vouloir, qui est nôtre, soit agréé, béni et voulu de Dieu !
Notre volonté seule ne peut rien, bien que sans elle la
Grâce ne descende guère ou ne persiste pas [...]. Volonté
et Grâce ! C'est en ces moments que j'ai senti le plus votre
éternel mystère s'agiter en moi, mais sans le discuter
jamais. Et pourquoi l'aurais-je discuté ? Pierre d'achoppement pour tant de savants et saints hommes, ce duel,
l'avouerai-je ? à titre de mystère ne m'embarrassait pas.

---

1. *Volupté*, chap. XIX, p. 269.
2. *Les lettres de Mme Adèle Victor-Hugo à Sainte-Beuve*, publiées par
Jean Bonnerot dans la *Revue des Sciences Humaines*, année 1957 ; p. 389.

Toutes les fois que je tombais [...] net, sans qu'il y eût rien prochainement de ma faute, je me sentais libre, responsable encore[1]. » Dans l'âme vacillante d'Amaury, la volonté mettra longtemps à vouloir le salut, et la nature perverse mettra longtemps à consentir aux sollicitations de la grâce. Amaury se dérobera longuement à l'Amour et à Dieu. A la fuite amoureuse dont nous venons de parler s'oppose, dans *Volupté*, une autre fuite, qu'il faut se garder de confondre avec la première, une autre fuite par laquelle Amaury cherche, non pas à mieux aimer, mais à ne pas aimer. L'amour de Mme de Couaën lui pèse ; il tente de se soustraire à cette influence unifiante et salvatrice. Peu après une merveilleuse scène d'amour sur la falaise de Couaën, véritable manifestation de la grâce, au cours de laquelle la marquise a exigé de lui la promesse de toujours demeurer près d'elle, Amaury en vient à ne pouvoir pas supporter le lien d'un amour unique. Il veut s'en délivrer pour s'abandonner aux irrésistibles tentations de Paris, où il a accompagné ses amis. « Je n'en étais déjà plus à cette scène merveilleuse de la falaise, à cette sainte promesse, au milieu des larmes, de rester à jamais donné et voué ; mon éternelle pensée d'esclave qui veut fuir m'était revenue : elle m'était revenue insensiblement par la simple prédominance de mon activité en ces derniers temps, par l'atmosphère de ces lieux nouveaux où chaque haleine qu'on respire convie à l'ambition ou aux sens[2]. » Lorsque les Couaën, exilés, quittent Paris pour Blois, Amaury se refuse à les suivre, et il demeure en ce Paris, symbole du monde extérieur, symbole du mal, où il trouve de quoi satisfaire la part voluptueuse, curieuse et ambitieuse de lui-même. Cette part perverse d'Amaury, il importe, maintenant, que nous regardions.

« Le véritable objet de ce livre est l'analyse d'un penchant, d'une passion, d'un vice même, et de tout le côté de l'âme que ce vice domine, et auquel il donne le ton, du côté languissant, oisif, attachant, secret et privé, mystérieux et furtif, rêveur jusqu'à la subtilité, tendre jusqu'à la mollesse, voluptueux enfin[3]. » C'est la volupté, pour Sainte-Beuve, qui force les défenses de l'être intérieur et qui, envahissant la première la forteresse, ouvre les portes de l'âme, privée de son pouvoir sur elle-même, à toutes les autres formes du mal. Roman du mal, *Volupté* se présente avant tout comme le roman de l'âme voluptueuse réduite d'avance à toutes les servitudes. Le vice sensuel, qui livre l'homme à la multitude des rencontres désirables, décompose sa victime, la prive d'unité intérieure, la vide, au figuré comme au propre, de sa substance : « J'entendis

1. *Volupté*, chap. XV, p. 211.
2. *Id.*, chap. IX, p. 133-134.
3. *Id.*, Préface.

profondément et je rompis jusqu'à la moelle ce mot des textes sacrés : *Ne dederis mulieribus substantiam tuam;* ne jetez pas à toutes les sauterelles du désert vos fruits et vos fleurs, votre vertu et votre génie, votre foi, votre volonté, le plus cher de votre substance [1] ! » Foi, volonté, tout s'évanouit chez le sensuel. Il perd même sa faculté d'aimer. Car l'amour vrai, s'il se distingue de l'activité sensuelle, ne peut vivre en même temps qu'elle. Amaury n'aimera vraiment et définitivement Mme de Couaën qu'après avoir renoncé à la vie double qu'il croyait pouvoir mener, partageant ses jours entre l'unique objet de son sentiment platonique et les multiples instruments de ses satisfactions grossières. Multiples et anonymes : Amaury accomplit ses turpitudes avec des êtres qui n'accèdent jamais au rang de personnages romanesques. En refaisant *Volupté*, Balzac, avec son *Lys dans la Vallée*, et Flaubert, avec l'*Education sentimentale*, donneront comme maîtresses à leurs héros de véritables personnes. Sainte-Beuve, lui, cache et rend obscur tout ce qui tient à la chair, parce qu'il éprouve en ce domaine de la honte et aussi de la peur : la « difficulté particulière » dont Amaury parle au début de son récit lui rend redoutable l'accomplissement qu'il convoite. Quand, enfin, il tombe, son acte résulte d'une décision, et non d'un attrait enivrant. Certes, la volupté beuvienne n'a rien de gaillard et le pauvre Amaury ne souffre pas d'un excès de sève demandant impérieusement à s'épancher ! Cette virilité peu confiante en elle-même aide à comprendre, sans que soit minimisée en rien la sincérité des velléités religieuses de Sainte-Beuve, l'exaltation de l'amour platonique, le seul qui s'adresse, dans *Volupté*, à des *personnes*, et la relégation de l'amour physique dans des bas-fonds où grouillent des êtres innombrables, indiscernables et sans nom. Il y a, sans aucun doute, beaucoup de cérébralité dans cette volupté ténébreuse. Elle sent même le soufre, car en elle agit l'orgueil de Satan. Baudelairien avant l'heure, Amaury vit sa débauche comme une révolte contre Dieu, une double révolte puisque d'une part elle est péché et que d'autre part elle est infidélité à l'égard du pur amour qui mène à Dieu. Une sorte de vengeance s'accomplit par elle : « C'est que la volupté, qui produit vite l'humiliation, débute aussi par l'orgueil; c'est que l'amour du plaisir n'est pas tout chez elle; c'est que la vanité aussi, l'émulation dans le mal, la révolte contre Dieu, sont là comme une irritation de plus sur le seuil [2]. »

Contemplons Amaury, un soir, au début de ses aventures, à son retour de la Gastine. Il vient, en passant pendant un bref instant à son doigt un anneau porté par

1. *Volupté*, chap. x, p. 145.
2. *Id.*, p. 141.

Amélie, de s'engager tacitement à épouser la jeune fille. A peine l'a-t-il quittée, qu'il frémit devant le lien définitif qui le menace, devant une vie qu'il voit devant lui comme désespérément immobile. Il ne veut pas, sans doute, se dérober devant ses promesses; mais il voudrait, avant de se fixer pour toujours, connaître le monde et la vie, dont il désire avidement boire les richesses. « Le monde, les voyages, les hasards nombreux de la guerre et des cours, ces combinaisons mystérieuses dont la jeunesse est prodigue, s'ouvraient à mes regards sous la perspective de l'infini, et s'assemblaient, nageaient en formes mobiles, selon les jeux de la pâle lumière, au contour des halliers. J'aimais les émotions, les malheurs même à prévoir; je me disais : « Je reviendrai en ces lieux un jour, après m'être mêlé aux affaires lointaines, après avoir renouvelé mon âme bien des fois; riche de comparaisons, mûr d'une précoce expérience, je repasserai ici. Cette douce lune, comme ce soir, éclairera la bruyère, et le bouquet de noisetiers, et quelque parc blanchâtre de bergerie, là-bas, sous le massif obscur; lumière et tristesse, tous ces reflets d'aujourd'hui, tous ces vestiges de moi-même y seront [1]. » Curieux, Amaury se jettera avec avidité vers toute connaissance nouvelle, livresque ou humaine, avec un élan quasi amoureux, qui provoquera une étroite adhésion de l'esprit à l'objet de sa connaissance. Ecoutons-le parler, lorsqu'il décrit sa première visite à Couaën, du don particulier qu'il possède de saisir d'un seul regard l'existence intime des êtres qu'il rencontre : « J'avais le goût des habitudes intimes, des convenances privées, du détail des maisons : un intérieur nouveau où je pénétrais était toujours une découverte agréable à mon cœur; j'en recevais dès le seuil une certaine commotion; en un clin d'œil, avec attrait, j'en saisissais le cadre, j'en construisais les moindres rapports. C'était un don chez moi, un signe auquel j'aurais dû lire l'intention de la Providence sur ma destinée. Les guides de l'âme dévote dans les situations journalières [...] n'étaient pas sans doute marqués d'un autre signe [2]. » Chez un homme comme Amaury, aucune distance ne subsiste entre l'esprit et l'objet de son regard. Qui connaît aussi intimement s'identifie à l'objet connu. La connaissance suscite comme une nouvelle naissance du connaissant, et la curiosité, qui pousse sans cesse à des connaissances nouvelles, produit une incessante mobilité de la personne. Expérience enivrante, se produisant sous le regard d'une espèce de moi neutre, sans lequel le sentiment d'altérité n'existerait pas, mais qui, ne constituant nullement une permanence réelle de l'être, n'en limite en

1. *Volupté*, chap. II, p. 60.
2. *Id.*, chap. III, p. 65.

rien les renaissances, les renouvellements. Rappelons-nous
l'expression d'Amaury : « Je reviendrai [...] après avoir
renouvelé mon âme bien des fois. » Mais cette expérience
est coupable, et l'évêque Amaury condamne ses désirs de
jeunesse : « C'était par de tels dédales de pensées », nous
dit-il, « que m'égarait l'inconstance perfide, si chère aux
cœurs humains [1]. » Une telle curiosité arrache l'homme à
son unité intérieure, elle le détourne de l'unique nécessaire, de Dieu, ou de l'amour qui mène à Dieu. Parlant
de ses lectures du matin à Couaën, Amaury nous dit :
« Cette curiosité de recherche avait un périlleux attrait
pour moi, et, sous le prétexte d'un zèle honnête pour la
vérité, elle décomposait activement mon reste de
croyance [2]. » Plus tard, Mme de Couaën verra dans le zèle
d'Amaury pour les sciences un symptôme d'inconstance :
dans le même temps, de fait, le jeune homme manifeste
de l'intérêt pour Mme R. [3]. Le salut passera pour Amaury
par une ascèse intellectuelle. Au séminaire, il saura maî-
triser la mobilité de son esprit curieux. Parlant d'un cours
assez austère de théologie dogmatique, il dit : « Je me montrais soumis, attentif, et, quoique habitué aux fantaisies
des lectures, j'assujettissais mon intelligence dans le sillon
de ce solide enseignement [4]. »

Ce thème de la curiosité, secondaire en apparence dans
Volupté, a en réalité une grande importance par sa valeur
allusive. En le traitant, Sainte-Beuve met en accusation sa
critique et son existence de critique. Née de la curiosité,
la critique, pour lui, est moins jugement que connaissance,
une connaissance dans laquelle l'esprit renonce volontaire-
ment à lui-même et devient un autre esprit. De sorte que
l'existence du critique est succession incessante de transformations, voyage perpétuel. « La critique est pour moi
une métamorphose», écrit Sainte-Beuve dans son journal [5];
quelque temps plus tard, il dit encore, sur le même cahier :
« Le critique n'est jamais chez lui ; il va, il voyage ; il prend
le ton et l'air des divers milieux : c'est l'hôte perpétuel [6]. »
Une telle activité tue son homme. A force de revêtir des
personnalités étrangères, le critique en vient à ignorer
quelle est la sienne et même à ignorer s'il en possède une.
A force d'entrer dans de multiples croyances, il en arrive à
n'en pas posséder une en propre. Il existe, au fond, une opposition à peu près absolue entre le christianisme et la critique :
«La critique littéraire, celle même que je fais, hélas ! est à peu

1. Volupté, chap. II, p. 60.
2. Id., chap. IV, p. 71.
3. Voir à ce sujet le chapitre XI de Volupté.
4. Volupté, chap. XXIII, p. 313.
5. Premier cahier d'Observations et Pensées de Sainte-Beuve, dit
Cahier vert, Collection Spoelberch de Lovenjoul, D. 571, p. 80.
6. Id., p. 145.

près incompatible avec la pratique chrétienne. Juger, toujours juger autrui! Ou bien reproduire autrui, se transformer en lui, comme je fais souvent : opération au fond toute païenne, métamorphose d'Ovide [1]. » Qu'est-ce donc qu'un critique ? Un néant multiforme, un caméléon sans âme, un mouvement pur. Sainte-Beuve dira, en 1843 : « Il y en a qui me croient libéral et girondin; il y en a d'autres qui me croient plus ou moins catholique ou janséniste; c'est trop d'honneur : je ne suis rien après tout qu'un épicurien passionné et inconséquent [2]. » Il répétera cela toute sa vie. Mais il le répétera avec une résignation grandissante : dès que se mettront à disparaître en lui espoir et désir de croyance, il ira même jusqu'à présenter le néant de sa personne comme la cause heureuse et non plus comme la conséquence déplorable de son activité critique. Cette attitude commence à se dessiner dès la fin de 1835, dans l'article *Du génie critique et de Bayle*. Avant cette date, à l'époque où il cherche la foi, Sainte-Beuve ne se résigne pas à un métier critique qu'il considère comme dangereux pour l'œuvre de conversion qu'il a entreprise, et aussi, il faut bien le dire, comme une activité littéraire de second rang. Il écrit ainsi à Lamennais, le 12 janvier 1833 : « Je continue, moi, en cette ville de bruit et d'activité dévorante, mon existence assez vigilante de spectateur, de témoin qui prend des notes, mon métier en un mot de critique et de raisonneur. Cela devient décidément ma vocation courante, celle dont je vis matériellement et qui doit à la longue, si elle ne l'a déjà fait, imprimer une tournure inévitable à mon esprit. J'aurais préféré, certes, la vie de l'Art, en rattachant l'art à une philosophie religieuse [3]. » Au moment même où il écrit ces lignes, Sainte-Beuve tente précisément, puisqu'il compose *Volupté*, de se livrer à un art créateur et d'échapper à une critique qu'il considère, au sens propre, comme *funeste*.

A l'automne de 1805, la guerre se rallume entre la France et les « puissances coalisées [4] ». Bousculé déjà par la grâce, ayant rompu avec Mme R. et à la veille de se convertir, Amaury ne peut pourtant résister à la soif d'une action glorieuse et il se précipite au combat. Trop tard : la nouvelle de la victoire d'Austerlitz l'arrête en chemin. Il regagne alors Paris et, peu de temps après son retour, il entre au séminaire. Ce mouvement d'ambition aura été le dernier obstacle dressé par le monde entre Amaury et la conversion. « Je retombai un soir dans ce Paris retentissant et encore illuminé [...]. Je voyais bien que ce dernier assaut avait été un déguisement de mon penchant secret qui,

1. *Cahier vert*, p. 30.
2. *Id.*, p. 152.
3. *Correspondance générale*, I, p. 334.
4. *Volupté*, chap. XXII, p. 302.

pour me rengager en plein monde, s'était offert à l'improviste par l'aspect glorieux, sous la forme et sous l'armure
du guerrier ; que ç'avait été toujours le fantôme des sens,
de l'ivresse et du plaisir, mais cette fois m'apparaissant
dans les camps comme Armide, et sous un casque à aile
d'argent [1]. » Asservissant l'homme au monde, l'ambition
n'est pas différente par nature de la volupté. On peut
même la prendre, comme le fait ici Amaury, pour un
déguisement de la volupté. Nous le savons : quelque forme
qu'il prenne, il n'existe qu'un seul péché, qui consiste à
aimer le monde. Dans la tentation d'ambition à laquelle
cède Amaury, c'est le Mal tout entier qui s'oppose au
salut. Il n'a d'ailleurs pas attendu l'expédition manquée
d'Austerlitz pour agir sous son visage captieusement glorieux. Tout au long de l'histoire d'Amaury, on voit l'ambition s'unir aux autres séductions pour lutter contre Dieu
et contre l'amour qui mène à Dieu. Parmi les causes de
l'infidélité d'Amaury à l'égard de la marquise, le goût
de l'action et de la gloire compte, en effet, pour beaucoup.
Ainsi, quand il envisage la possibilité de quitter Paris pour
suivre les Couaën après la sortie de prison du marquis, le
jeune homme prononce « bien bas [...] le vœu d'échapper à
des liens trop étouffants, d'aborder le monde pour [son]
compte, et d'y essayer sous le ciel [sa] jeunesse [2] ». Il entend
rester à Paris, où son besoin d'agir pourra se satisfaire
autant que sa sensualité et que sa curiosité.

Comme tous les écrivains, en ce siècle dominé par la
figure de Napoléon, Sainte-Beuve s'intéressait vivement
à l'ambition, et il songea, après *Volupté*, à consacrer tout
un roman à cette passion [3]. Dans *Volupté* même, s'il
l'étudie, chez Amaury, comme l'un des aspects d'un mal à
trois formes, entre lesquelles la forme voluptueuse joue
un rôle prépondérant, il lui donne une existence autonome
chez le marquis de Couaën, qui pèche par ambition sans
connaître ni volupté ni curiosité. En créant ce personnage,
que ronge une haine admirative et envieuse à l'égard
de Napoléon, le romancier se donne la possibilité de se
livrer à une vaste méditation, politique et religieuse,
sur l'ambition, méditation fort noire, toute nourrie des
déceptions de Sainte-Beuve, tant dans l'ordre littéraire,
où il s'était senti étouffé par la gloire hugolienne, que
dans l'ordre politique, où il s'estimait injustement écarté
des succès obtenus, au lendemain de Juillet, par ses amis
du *Globe*, en même temps que, plus noblement, il souffrait

---

1. *Volupté*, chap. XXII, p. 308.
2. *Id.*, chap. IX, p. 137.
3. Sainte-Beuve commença à jeter sur le papier quelques notes en
vue de ce roman. Elles ont été publiées par nous dans la *Revue
d'Histoire littéraire de la France*, avril-juin 1961 : *Un projet avorté de
Sainte-Beuve : le roman de l'Ambition.*

de l'orientation « réactionnaire » du régime issu d'une révolution qui avait fait espérer une régénération sociale au « girondin » réveillé en lui par les trois glorieuses journées. Tout comme la chair, l'ambition est triste dans *Volupté*. L'action aboutit toujours à l'échec, et l'on peut même dire que l'échec précède l'action. Le marquis est vaincu sans avoir pu combattre et Amaury, partant pour la guerre, est arrêté par une victoire remportée sans lui. D'amères réflexions, où l'on retrouve les accents de *René* et d'*Oberman*, enveloppent les tableaux de défaite que présente *Volupté*. Pour Amaury, « il n'y a point de Panthéon ici-bas », et, mis à part « deux ou trois hommes [...] en chaque genre, deux ou trois existences quasi fabuleuses qui, dans leur plénitude, sont plutôt pour l'humanité des allégories abrégées et des manières d'exprimer ses rêves », on peut dire en toute vérité que « le triomphe humain n'existe pas [1] ». Une sorte de fatalité aveugle règne en ce domaine. Car les échecs humains ne viennent pas d'une absence de mérite. Les rares réussites qui tranchent sur l'universelle défaite s'expliquent par le hasard et non par la valeur exceptionnelle de quelques individus. Ceux que leur succès visible fait qualifier de « grands » ne valent pas mieux qu'une foule de « grands hommes possibles » que des circonstances hostiles confinent dans l'obscurité. Sainte-Beuve ne croit pas aux grands hommes tels que le romantisme les concevait; il ne croit pas, comme il le prouve dans son œuvre critique, en exaltant les humbles et en abaissant les superbes, que les hommes favorisés d'un bruyant destin vaillent mieux par nature que bien des hommes de mérite demeurés inconnus; il ne croit pas que des qualités hors de pair aient prédestiné les « grands hommes » à leur triomphe. Ces idées, auxquelles Sainte-Beuve tenait fort, s'étaient déjà exprimées, peu de mois avant la publication de *Volupté*, dans les pages hargneuses consacrées, le 1er février 1834, au *Mirabeau* de Victor Hugo, et même déjà, mais avec moins de netteté, dans un article publié le 18 juillet 1833, à propos du livre de Lerminier sur la philosophie du XVIIIe siècle. On peut longuement rêver sur l'acharnement de Sainte-Beuve contre les « grands hommes », dans lequel se mêlent le goût d'un esprit très « classique » pour l'humanité commune et le dépit éprouvé par cet ambitieux au spectacle de la gloire qu'il ne possède pas.

Mais qu'importe que la masse des hommes de mérite reste éloignée du devant de la scène ? Qu'ils demeurent obscurs ou qu'ils puissent agir, cela revient au même pour la société, puisque l'action n'a aucune efficacité, puisque l'action ne sert à rien. Devenu prêtre, Amaury n'a pas essayé « d'exercer une influence régulière, et de [se] faire

1. *Volupté*, chap. XII, p. 164.

une place évidente [...] dans les graves questions morales et religieuses » qui agitaient la France. Exposant à son jeune ami (en songeant à donner une leçon à Lamennais, qui ne s'y trompa point) les motifs de son abstention, il lui dit : « J'ai beaucoup retranché en idée à [...] l'influence prétendue gouvernante de telles ou telles voix dans la mêlée [1]. » Aucune action politique (et entendons ces mots au sens large, en y faisant entrer la recherche d'un ordre social religieux) ne peut faire avancer l'humanité. « J'ai la douleur », dit encore Amaury, « de me figurer souvent [...] que l'ensemble matériel de la société est assez semblable à un chariot depuis longtemps très embourbé, et que, passé un certain moment d'ardeur et un certain âge, la plupart des hommes désespèrent de le voir avancer et même ne le désirent plus [2]. » Ainsi, au bout d'un certain temps, la vanité de l'action s'impose comme une évidence aux hommes qui ont cru pouvoir se mêler d'agir. La persistance ne peut alors tenir qu'à des motifs impurs : « Ceux qui [...] parlent magnifiquement au nom de l'humanité entière, consultent, autant que personne, des passions qui ne concernent qu'eux et des mouvements privés qu'ils n'avouent pas [3]. » Le scepticisme politique donne ainsi à Amaury de nouvelles raisons de condamner l'ambition, non seulement néfaste, parce qu'elle détourne l'homme de sa vie intérieure, mais encore inévitablement impure dans ses motifs, puisqu'elle ne peut avoir pour le bien de la société. Mieux vaut alors l'obscurité que la possibilité d'agir, car l'obscurité évite à l'homme l'impureté inhérente à toute action et le réduit à l'unique labeur nécessaire : son amélioration intérieure. En ne travaillant que sur lui-même, l'individu ne se coupe pourtant pas de l'humanité. Au contraire, il fait aux autres hommes le seul bien qu'il puisse leur faire, car celui qui se « guérit » améliore en lui une partie du Tout, inséparablement liée aux autres parties : « J'ai senti toujours les sources du bien, même général, les racines de l'arbre universel remuer et être en jeu jusque dans les plus secrètes portions du moi. Tâcher de se guérir intimement, c'est déjà songer aux autres, c'est déjà leur faire du bien [4]. » Ce rayonnement individuel d'une âme qui projette autour d'elle sa propre régénération et qui, en fait d'activité visible, se contente d'appliquer dans son entourage les « antiques et uniques préceptes » de la charité chrétienne, voilà la seule action acceptable, une action saine parce qu'elle se dispense d'agir. Pour garder les mains propres, on se coupe les mains. Sans oser nier totalement l'existence d'une marche de la société vers

1. *Volupté*, chap. xxv, p. 348.
2. *Ibid.*, p. 350.
3. *Id.*, chap. xiv, p. 206.
4. *Ibid.*, p. 207.

le bien, Amaury semble se refuser à croire que l'action impure des hommes puisse apporter, à l'intérieur du progrès, une « félicité » quelconque au corps social : « La loi de ce mouvement est toujours et de toute nécessité fort obscure, la félicité qui doit ressortir des moyens employés reste très douteuse, et les intervalles qu'il faut franchir peuvent se prolonger et se hérisser presque à l'infini [1]. » Le progrès du corps social échapperait au pouvoir des hommes ? Lamennais ne put s'empêcher de protester contre cette idée. Il écrivit à Sainte-Beuve, dès le 30 juillet 1834 : « Je ne pense pas tout à fait comme votre personnage principal, qu'il ne faille s'occuper des hommes, pour ainsi dire, qu'en détail, et abandonner complètement le reste à une puissance fatale ou providentielle qui exclurait tout concours de notre action propre. Mais je ne veux pas entamer là-dessus une dissertation [2]. » Pensée fort noire, au total, que celle d'Amaury, atténuée à peine par le spectacle de la jeune Amérique, apparaissant à la fin du livre comme une lueur sur un ciel noir. Les propos d'Amaury représentent-ils exactement la pensée du romancier ? On le peut croire, car Sainte-Beuve ne tenta pas vraiment de se désolidariser de son personnage. Tous les mouvements qu'il avait traversés ou connus aux alentours de 1830 avaient inutilement tenté de réformer une trop stable société. Comment ne serait-il pas revenu de toute croyance ?

A vouloir toujours expliquer clairement le comportement des personnages de *Volupté*, on risquerait de les trahir. Car leur créateur, le plus souvent, ne nous présente pas des sentiments aux contours bien nets, et il se plaît à faire passer ses héros par des états d'âme que ne sauraient définir ceux-mêmes qui les éprouvent : « Qu'y avait-il déjà ? Il n'y avait rien qui se pût appeler du moindre nom », dit un jour Amaury, à propos de ses rapports avec Mme R. [3]. On rencontre souvent de semblables réflexions. Le flou règne d'un bout à l'autre de ce roman, où Sainte-Beuve veut respecter les secrets insondables que recèle, pense-t-il, tout être vivant. Pour lui, il n'est de vérité humaine que dans l'imprécision. Pour rendre présent le mystère tout en le laissant obscur, le romancier préfère le symbole aux brutalités de l'analyse. Symboliste avant l'heure, Sainte-Beuve se livre subtilement au maniement des images, les accumulant les unes sur les autres, compo-

1. *Volupté*, chap. XXV, p. 351.
2. Lettre citée dans la *Correspondance générale* de Sainte-Beuve, I, p. 459.
3. *Volupté*, chap. XI, p. 354.

sant des tableaux délicieusement complexes, et d'une
luxuriance parfois incohérente. N'en donnons qu'un
exemple, qu'on retrouvera dans le prologue du roman.
Amaury veut suggérer les langueurs de l'âme voluptueuse :
« Don corrompu du créateur, vestige, emblème et gage
d'un autre amour, trésor pernicieux et cher qu'il nous faut
porter dans une sainte ignorance, ensevelir à jamais s'il se
peut, dans nos manteaux obscurs, et qu'on doit, si l'on en
fait usage, ménager chastement comme le sel le plus blanc
de l'autel, la volupté a été de bonne heure pour vous un
vœu brillant, une fleur humide, une grappe savoureuse où
montaient vos désirs, l'aliment unique en idée, la couronne
de votre jeunesse... » A ce symbolisme, constant dans le
roman, et qui s'exprime en phrases sinueuses [1], il faut
ajouter, comme instrument de mystère, l'incertitude
savante du langage : Sainte-Beuve y use d'archaïsmes,
d'impropriétés systématiques, de termes abstraits qui
suggèrent sans nommer... Ces procédés, dont la présentation complète demanderait beaucoup d'espace, contribuent
au charme ésotérique, à la fois émouvant et troublant, de
Volupté. Ce livre, tant à cause de son sujet que de son
style, ne pouvait guère devenir une œuvre populaire.
Nombre d'esprits curieux, cependant, surent l'apprécier,
comme le prouvent les témoignages et jugements cités
par Sainte-Beuve dans l'appendice de l'édition, la sixième,
qu'il donna de son roman en 1869. *Volupté* ne fut pas sans
influence sur notre histoire littéraire : deux des plus grands
romanciers du XIXᵉ siècle s'en inspirèrent. L'un des
deux le fit dans un esprit agressif. Irrité par l'article que
Sainte-Beuve lui avait consacré dans la *Revue des Deux
Mondes* du 15 novembre 1834, Balzac avait juré de prendre
sa revanche sur le critique : « Il me le payera ; je lui passerai
ma plume au travers du corps [...]. Je referai *Volupté* [2]. »
De là sortit *le Lys dans la vallée*. Vengeance qui est aussi
un hommage, puisque, tout en cherchant à surpasser son
ennemi, l'auteur du *Lys* lui emprunte son sujet ! Lecteur
de la première heure, Balzac avait d'abord beaucoup
admiré *Volupté;* son jugement s'était ensuite, sous l'influence de Mme de Berny, chargé d'une sévérité qui
n'abolissait pas totalement l'admiration première, admiration dont on trouvera encore l'expression dans la *Revue
parisienne* du 10 août 1840 : « [...] *Volupté*, écrit Balzac,
« livre où, parmi tant d'ingrates jachères, il y a de belles
fleurs, des choses sublimes parmi le fouillis de lianes où
l'esprit s'enchevêtre. » En 1869, *Volupté* se « réincarne »
dans *l'Education sentimentale* de Flaubert qui, le 14 octobre,
c'est-à-dire le lendemain de la mort de Sainte-Beuve,

---

1. Cf. Charles Bruneau, *Une création de Sainte-Beuve :* la phrase
« molle » de *Volupté. Mélanges Bonnerot*, p. 189-196.
2. Sainte-Beuve, *Portraits contemporains*, II, p. 357.

écrivait à sa nièce : « J'avais fait *l'Education sentimentale*
en partie pour Sainte-Beuve. Il sera mort sans en connaître
une ligne [1]. »

Ne parlons pas de moindres imitations. Balzac et Flaubert, grands intercesseurs, devraient suffire à faire sortir du
purgatoire ce roman, l'un des plus riches des années 1830,
témoignage capital sur l'histoire de la monarchie de Juillet,
et témoignage véridique sur une âme peut-être injustement
méconnue.

Raphaël MOLHO.

(texte en filigrane, partiellement lisible)

BIBLIOGRAPHIE SOMMAIRE

Trois études générales sur Sainte-Beuve donneront des renseignements sur *Volupté*, et sur l'état d'esprit de Sainte-Beuve au moment où il composait son roman :

GUSTAVE MICHAUT, *Sainte-Beuve avant les « Lundis »* (Fontemoing, 1903).

ANDRÉ BILLY, *Sainte-Beuve, sa vie et son temps* (2 vol. Flammarion, 1952).

MAURICE REGARD, *Sainte-Beuve* (Hatier, 1960).

Trois éditions de *Volupté* méritent l'attention : celle que Pierre Poux a procurée, en 1927, dans la « Bibliothèque romantique » (Société d'édition des Belles-Lettres); celle que Maurice Allem a donnée, dans la collection des classiques Garnier, en 1934; enfin l'édition J.-A. Ducourneau, publiée au « Club français du Livre », en 1955, et contenant, outre *Volupté*, l'*Arthur* inachevé de Sainte-Beuve.

A qui voudra connaître *Volupté* de façon très précise, nous recommandons de consulter :

JOACHIM MERLANT : *Le Roman personnel de Rousseau à Fromentin* (Hachette, 1905).

JEAN HYTIER : *Les Romans de l'individu* (Les Arts et le Livre, 1928).

MAURICE ALLEM : *Sainte-Beuve et Volupté* (« Les Grands événements littéraires », Malfère, 1935).

YVES LE HIR : *L'Originalité littéraire de Sainte-Beuve dans Volupté* (S.E.D.E.S., 1953).

ANDRÉ VIAL : *De « Volupté » à « L'Education sentimentale » : vie et avatars de thèmes romanesques* (Revue d'histoire littéraire de la France, janvier-mars et avril-juin, 1957).

PIERRE-ANDRÉ WIMET : *Les Vacances de Jeunesse de Sainte-Beuve* (Revue de Boulogne et de la région, janvier-février 1953).

VOLUPTÉ

PRÉFACE

Le véritable objet de ce livre est l'analyse d'un penchant, d'une passion, d'un vice même, et de tout le côté de l'âme que ce vice domine, et auquel il donne le ton, du côté languissant, oisif, attachant, secret et privé, mystérieux et furtif, rêveur jusqu'à la subtilité, tendre jusqu'à la mollesse, voluptueux enfin. De là, ce titre de *Volupté*, qui a l'inconvénient toutefois de ne pas s'offrir de lui-même dans le juste sens, et de faire naître à l'idée quelque chose de plus attrayant qu'il ne convient. Mais ce titre, ayant été d'abord publié un peu à la légère, n'a pu être ensuite retiré. L'éditeur de cet ouvrage a jugé d'ailleurs que les personnes assez scrupuleuses pour s'éloigner sur un titre équivoque perdraient peu, réellement, à ne pas lire un écrit dont la moralité, toute sérieuse qu'elle est, ne s'adresse qu'à des cœurs moins purs et moins précautionnés. Quant à ceux, au contraire, qui seraient attirés précisément par ce qui pourrait éloigner les autres, comme ils n'y trouveront guère ce qu'ils cherchent, le mal n'est pas grand. L'auteur, le personnage non fictif du récit, est mort, il y a un petit nombre d'années, dans l'Amérique du Nord, où il occupait un siège éminent : nous ne l'indiquerons pas davantage. Le dépositaire, l'éditeur, et, s'il est permis de le dire, le rhapsode à quelques égards, mais le rhapsode toujours fidèle et respectueux de ces pages, a été retenu, avant de les livrer au public, par des circonstances autres encore que des soins de forme et d'arrangement. Au nombre des questions de conscience qu'il s'est longuement posées, il faut mettre celle-ci : une telle pensée décrite, détaillée à bonne fin, mais toute confidentielle, une sorte de confession générale sur un point si chatouilleux de l'âme, et dans laquelle le grave et tendre personnage s'accuse si souvent lui-

même de dévier de la sévérité du but, n'ira-t-elle pas
contre les intentions du chrétien, en sortant ainsi inconsi-
dérément du sein malade où il l'avait déposée, et qu'il
voulait par là guérir ? Cette guérison délicate d'un tel
vice *par son semblable* doit-elle se tenter autrement que
dans l'ombre et pour un cas tout à fait déterminé et
d'exception ? Voilà ce que je me suis demandé longtemps. Puis, quand j'ai reporté les yeux sur les temps où
nous vivons, sur cette confusion de systèmes, de désirs,
de sentiments éperdus, de confessions et de nudités de
toutes sortes, j'ai fini par croire que la publication d'un
livre vrai aurait peine à être un mal de plus, et qu'il en
pourrait même sortir çà et là quelque bien pour quelques-uns.

S.-B.

1834.

VOLUPTÉ

Mon ami, vous désespérez de vous; avec l'idée du bien et le désir d'y atteindre, vous vous croyez sans retour emporté dans un cercle d'entraînements inférieurs et d'habitudes mauvaises. Vous vous dites que le pli en est pris, que votre passé pèse sur vous et vous fait choir, et, invoquant une expérience malheureuse, il vous semble que vos résolutions les plus fermes doivent céder toujours au moindre choc, comme ces portes banales dont les gonds polis et trop usés ne savent que tourner indifféremment et n'ont pas même assez de résistance pour gémir. Pourtant, vous me l'avez assez de fois confié, votre mal est simple, votre plaie unique. Ce n'est ni de la fausse science, ni de l'orgueilleux amour de la domination, ni du besoin factice d'éblouir et de paraître, que vous êtes travaillé. Vos goûts sont humbles; votre cœur modeste, après le premier enivrement des doctrines diverses, vous a averti que la vérité n'était pas là, bien qu'il y en eût partout des fragments épars. Vous savez que les disputes fourvoient, que l'étude la plus saine, pour fructifier, doit s'échauffer à quelque chose de plus intime et de plus vif; que la science n'est qu'un amas mobile qui a besoin de support et de dôme; océan plein de périls et d'abîmes, dès qu'il ne réfléchit pas les cieux. Vous savez cela, mon ami, et vous me l'avez exprimé souvent dans vos lettres ou dans nos dernières causeries, mieux que je ne le pourrais reproduire. Vous n'avez non plus aucune de ces sottes passions artificielles qui s'incrustent comme des superfétations monstrueuses ou grotesques à l'écorce des sociétés vieillies; vous êtes une nature vraie, et vous avez su demeurer sincère. Arrivé jeune à un degré honorable dans l'estime publique par votre esprit et vos talents, vous appréciez ces succès à

leur valeur ; vous ne prenez pas là votre point d'appui pour
vous élever plus haut, et ce n'est nullement par cette
anse fragile que vous cherchez à mettre la main sur votre
avenir. Exempt de tant de fausses vues, libre de tant
de lourdes chaînes, avec des ressources si nombreuses,
ce semble, pour accomplir votre destination et vous sauver du naufrage, vous vous plaignez toutefois ; vous ne
croyez plus à votre pouvoir, à votre direction, à vous-
même, et sans qu'il y ait pour vous encore de quoi
désespérer ainsi, vous avez, je l'avoue, quelque raison
de craindre. Un seul attrait, mais le plus perfide, le plus
insinuant de tous, vous a séduit dès longtemps, et vous
vous y êtes livré avec imprudence. La volupté vous tient.
Don corrompu du Créateur, vestige, emblème et gage
d'un autre amour, trésor pernicieux et cher qu'il nous
faut porter dans une sainte ignorance, ensevelir à jamais,
s'il se peut, sous nos manteaux obscurs, et qu'on doit,
si l'on en fait usage, ménager chastement comme le sel
le plus blanc de l'autel, la volupté a été pour vous de
bonne heure un vœu brillant, une fleur humide, une
grappe savoureuse où montaient vos désirs, l'aliment
unique en idée, la couronne de votre jeunesse. Votre
jeunesse l'a donc cueillie, et elle n'a pas été satisfaite de
ce fruit étrange, et, noyée dans ce parfum, elle ne s'est
pas trouvée plus fraîche ni plus belle. Vous avez continué néanmoins de poursuivre ce qui vous avait fui ;
d'exprimer de ces calices de nouvelles odeurs toujours
aussi vite dissipées. La volupté, qui vous était d'abord
une inexprimable séduction, s'est convertie par degrés en
habitude ; mais sa fatigue monotone n'ôte rien à son
empire. Vous savez à l'avance ce qu'elle vaut, ce qu'elle
vous garde, à chaque fois, de mécomptes amers et de
regrets ; mais qu'y faire ? elle a rompu son lien qui la
refoulait aux parties inférieures et inconnues ; elle a saisi
votre chair, elle flotte dans votre sang, serpente en vos
veines, scintille et nage au bord de vos yeux ; un regard
échangé où elle se mêle suffit à déjouer les plus austères
promesses. C'est là votre mal. Le premier entraînement
a fait place à l'habitude, et l'habitude, après quelque
durée, et quand aucune violence analogue à l'âge ne la
motive plus, s'appelle un vice. Vous sentez la pente, et
lentement vous y glissez. Hâtez-vous de vous relever,
mon ami, il le faut, et vous le pouvez en le voulant.
Sevrez-vous une fois, et vous admirerez combien il vous
est concevable de guérir. Je n'ai pas toujours été tel

moi-même que vous me voyez : avant d'arriver à la base solide, au terme des erreurs et au développement de mes faibles facultés dans un but plus conforme au dessein suprême, — avant cette ardeur décidée pour le vrai dont vous faites honneur à ma nature, et cette existence rude, active et pourtant sereine, qui ne m'est pas venue par enchantement, j'ai vécu, mon jeune ami, d'une vie sans doute assez pareille à la vôtre; j'ai subi, comme vous, un long et lâche malaise provenant de la même cause : les accidents particuliers qui en ont marqué et changé le cours ressemblent peut-être à votre cas plus que vous ne le croyez. Quand on a un peu vieilli et comparé, cela rabat l'orgueil de voir à quel point le fond de nos destinées, en ce qu'elles ont de misérable, est le même. On croit posséder en son sein d'incomparables secrets; on se flatte d'avoir été l'objet de fatalités singulières, et, pour peu que le cœur des autres, le cœur de ceux qui nous coudoient dans la rue, s'ouvre à nous, on s'étonne d'y apercevoir des misères toutes semblables, des combinaisons équivalentes. Au point de départ, dans l'essor commun d'une même génération de jeunesse, il semble, à voir ces activités contemporaines qui se projettent diversement, qu'il va en résulter des différences inouïes. Mais un peu de patience, et bientôt toutes ces courbes diverses se seront abaissées avec une sorte d'uniformité; tous les épis de cette gerbe retomberont, les uns à droite, les autres à gauche, également penchés : heureux le grain mûr qui, en se détachant, résonnera sur l'aire, et qui trouvera grâce dans le van du Vanneur !

Les éléments de nos destinées, mon ami, étant à peu près semblables, et tout cœur humain complet, dans la société actuelle, passant par des phases secrètes dont les formes et le caprice même ne varient que légèrement, il ne faut pas plus se désespérer que s'enorgueillir des situations extrêmes, des affaissements profonds où l'on se trouve réduit en sa jeunesse. C'est à l'issue qu'il convient de s'attacher; c'est dans le monde d'impression intime qu'on reçoit de ces traverses, et dans la moralité pratique qu'on en tire, que consiste notre signe original et distinctif, notre mérite propre, notre vertu avec l'aide de Dieu. Vous m'avez plus d'une fois sondé indirectement, mon ami, sur l'époque déjà bien éloignée où j'ai dû subir cette crise, pour moi salutaire : je veux vous répondre à loisir aujourd'hui. Dans cette espèce de retraite forcée où des circonstances passagères me confinent, privé

d'études suivies, entouré d'étrangers dont je parle mal
la langue, je m'entretiendrai chaque jour quelques heures
avec vous; je recommencerai, une dernière fois, de feuilleter en mon cœur ces pages trop émouvantes auxquelles je
n'ai pas osé toucher depuis si longtemps; je vous les mettrai
de côté, une à une, sans art, sans peinture, dans l'ordre
un peu confus où elles me viendront, et si plus tard en
lisant cela, vous en déduisez quelque profitable application à vous-même, je ne croirai pas avoir tout à fait perdu,
pour les devoirs de mon état, ces deux ou trois mois
d'inaction et de solitude.

I

J'avais dix-sept ou dix-huit ans quand j'entrai dans le monde; le monde lui-même alors se rouvrait à peine et tâchait de se recomposer après les désastres de la Révolution. J'étais resté jusque-là isolé, au fond d'une campagne, étudiant et rêvant beaucoup; grave, pieux et pur. J'avais fait une bonne première communion, et, durant les deux ou trois années qui suivirent, ma ferveur religieuse ne s'était pas attiédie. Mes sentiments politiques se rapportaient à ceux de ma famille, de ma province, de la minorité dépouillée et proscrite; je me les étais appropriés dans une méditation précoce et douloureuse, cherchant de moi-même la cause supérieure, le sens de ces catastrophes qu'autour de moi j'entendais accuser comme de soudains accidents. C'est une école inappréciable pour une enfance recueillie de ne pas se trouver dès sa naissance, et par la position de ses entours, dans le mouvement du siècle, de ne pas faire ses premiers pas avec la foule au milieu de la fête, et d'aborder à l'écart la société présente par une contradiction de sentiments qui double la vigueur native et hâte la maturité. Les enfances venues en plein siècle, et que tout prédispose à l'opinion régnante, s'y épuisent plus vite et confondent longtemps en pure perte leur premier feu dans l'enthousiasme général. Le trop de facilité qu'elles trouvent à se rendre compte de ce qui triomphe les disperse souvent et les évapore. La résistance, au contraire, refoule, éprouve, et fait de bonne heure que la volonté dit *Moi*. De même, pour la vigueur physique, il n'est pas indifférent de naître et de grandir le long de quelque plage, en lutte assidue avec l'Océan.

Ces chastes années, qui sont comme une solide épargne amassée sans labeur et prélevée sur la corruption de la vie, se prolongèrent donc chez moi fort avant dans la puberté, et maintinrent en mon âme, au sein d'une pensée déjà forte, quelque chose de simple, d'humble et d'ingénument puéril. Quand je m'y reporte aujourd'hui, malgré ce que Dieu m'a rendu de calme, je les envie presque, tant il me fallait peu alors pour le plus saint bonheur! Silence, régularité, travail et prière; allée favorite où j'allais lire et méditer vers le milieu du jour, où je passais (sans croire redescendre) de Montesquieu à Rollin; pauvre petite chambre, tout au haut de la maison, où je me réfugiais loin des visiteurs, et dont chaque objet à sa place me rappelait mille tâches successives d'étude et de piété; toit de tuiles où tombait éternellement ma vue, et dont elle aimait la mousse rouillée plus que la verdure des pelouses; coin de ciel inégal à l'angle des deux toits, qui m'ouvrait son azur profond aux heures de tristesse, et dans lequel je me peignais les visions du pudique amour! Ainsi discret et docile, avec une nourriture d'esprit croissante, on m'eût cru à l'abri de tout mal. Cela me touche encore et me fait sourire d'enchantement, quand je songe avec quelle anxiété personnelle je suivais dans l'histoire ancienne les héros louables, les conquérants favorisés de Dieu, quoique païens, Cyrus, par exemple, ou Alexandre avant ses débauches. Quant à ceux qui vinrent après Jésus-Christ, et dont la carrière eut des variations, mon intérêt redoublait pour eux. J'étais sur les épines tant qu'ils restaient païens ou dès qu'ils inclinaient à l'hérésie : Constantin, Théodose, me causaient de vives alarmes; la fausse route de Tertullien m'affligeait, et j'avais de la joie d'apprendre que Zénobie était morte chrétienne. Mais les héros à qui je m'attachais surtout, en qui je m'identifiais avec une foi passionnée et libre de crainte, c'étaient les missionnaires des Indes, les Jésuites des Réductions, les humbles et hardis confesseurs des *Lettres édifiantes*. Ils étaient pour moi, ce qu'à vous, mon ami, et aux enfants du siècle étaient les noms les plus glorieux et les plus décevants, ceux que votre bouche m'a si souvent cités, les Barnave, les Hoche, madame Roland et Vergniaux. Dites aujourd'hui vous-même, croyez-vous mes personnages moins grands que les plus grands des vôtres? ne les croyez-vous pas plus purs que les plus purs? En fait de vie sédentaire et reposée, j'avais une prédilection particulière pour celle de M. Daguesseau écrite par son fils. Et, à ce sujet, je vous dirai encore : le désir de savoir le grec m'étant venu par suite des récits qu'en font Daguesseau et Rollin, et personne autour de moi ne pouvant guère en déchiffrer que les caractères, je l'abordai sans secours, opiniâtrément, et, tout en l'étudiant ainsi, je me berçais dans ma tête d'aller l'apprendre bientôt en ce Paris où seulement on le savait. Paris, pour moi, c'était le lieu du monde où le grec m'aurait été le plus facile; je n'y voyais que cela. Il y eut à ce début des moments où je mettais tout mon avenir d'ambition et de bonheur à lire un jour couramment Esope, seul, par un temps gris, au retour des leçons savantes, sous un pauvre petit toit qui m'aurait rappelé le mien, en quelqu'une de ces rues désertes où Descartes était resté enseveli trois années. Or, comment avec ces goûts réglés, cette frugalité d'imagination et dans cette saine discipline, l'idée de volupté vint-elle à s'engendrer doucement ? Car elle naquit dès lors, elle gagna peu à peu en moi par mille détours et sous de perfides dissimulations.

J'avais eu pour maître, pour professeur de latin, jusqu'à treize ans environ, un homme d'une simplicité extrême, d'une parfaite ignorance du monde, d'ailleurs fort capable de ce qu'il se chargeait de m'enseigner. Le bon M. Ploa, retardé par un événement de famille au moment d'entrer dans les Ordres, n'avait jamais été que tonsuré. En esprit, en mœurs, en savoir, il s'était arrêté justement à cette limite qu'il est dans la loi de toute organisation complète de franchir, afin que l'épreuve humaine ait son cours. Lui, par une exception heureuse, depuis des années qu'un simple contretemps l'avait retenu, il demeurait sans effort à la modestie de ses goûts, à ses auteurs de classe, à ses vertus d'écolier, à son plain-chant dont il ne perdait pas l'usage, aux jugements généraux que l'enseignement de ses maîtres lui avait transmis. Nul doute ne lui était jamais venu, nulle passion ne s'était jamais éveillée en cette âme égale où l'on ne pouvait apercevoir d'un peu remuant qu'une chatouilleuse et bien justifiable vanité dès qu'il s'agissait d'un sens de Virgile ou de Cicéron. La Révolution, en le confinant quelque temps au fond de notre contrée, m'avait permis de profiter de ses soins : plus tard, quand l'aspect des choses parut s'éclaircir, il nous avait quittés pour devenir professeur de rhétorique au collège de la petite ville d'O... De mon côté, tout soumis que j'aimais à être et plein de confiance en ses décisions, j'allais plus loin pourtant que l'excellent M. Ploa, et je me risquais

quelquefois avec une pointe de fierté à des lectures qu'il
se fût interdites. Sur ce chapitre, au reste, il était d'une
candeur singulière. N'ayant jamais lu jusqu'alors, par je
ne sais quel scrupule aidé de paresse, le quatrième chant
de l'*Enéide*, bien que l'*Enéide* ne sortît guère depuis dix
ans de sa poche ni de ses mains, il imagina, pour lire plus
commodément ce livre, de me le faire expliquer ; ce dont
je me tirai parfaitement. Il me le fit même apprendre et
réciter par cœur. Je traduisis de la sorte, avec lui, les odes
voluptueuses d'Horace à Pyrrha, à Lydé ; je connus les
Tristes d'Ovide, et, comme il s'y rencontre fréquemment
certaines expressions latines que M. Ploa rendait en
général par *privautés*, moi, qui ne savais pas la signification de ce mot, je la lui demandai un jour à l'étourdie ;
il me fut répondu que j'apprendrais cela plus tard, et je
me tins coi, rougissant au vif. Après deux ou trois questions pareilles où se mordit ma langue, je n'en fis plus.
Mais quand j'expliquais tout haut devant lui les poètes,
il y avait des passages obscurs et suspects pour moi de
volupté qui me donnaient d'avance la sueur au front, et
sur lesquels je courais comme sur des charbons de feu.

Un séjour de six semaines que je fis vers quinze ans au
château du comte de..., ancien ami de mon père, et durant
lequel je me trouvai tout triste et dépaysé, développa en
moi ce penchant dangereux à la tendresse, que mes habitudes régulières avaient jusque-là contenu. Un inexplicable ennui du logis natal s'empara de mon être : j'allais
au fond des bosquets, récitant avec des pleurs abondants
le psaume *Super flumina Babylonis;* mes heures s'écoulaient dans un monotone oubli, et il fallait souvent qu'on
m'appelât en criant par tout le parc pour m'avertir des
repas. Le soir, au salon, j'entendais en cercle *Clarisse,*
que l'estimable demoiselle de Perkes se faisait lire à
haute voix par son neveu, et ma distraction s'y continuait
à l'aise comme au travers d'une musique languissante et
plaintive. De retour à la maison après cette absence,
j'abordai les élégiaques latins autres qu'Ovide : les passages
mélancoliques m'en plaisaient surtout, et je redisais à
l'infini, le long de mon sentier, comme un doux air qu'on
module involontairement, ces quatre vers de Properce :

> *Ac veluti folia arentes liquere corollas,*
> *Quae passim calathis strata natare vides,*
> *Sic nobis qui nunc magnum spiramus amantes*
> *Forsitan includet crastina fata dies.*

Je me répétais aussi, sans trop le comprendre, et comme motif aimable de rêverie, ce début d'une chanson d'Anacréon : *Bathyle est un riant ombrage*. Un nouveau monde inconnu remuait déjà dans mon cœur.

Je n'avais pourtant aucune occasion de voir des personnes du sexe qui fussent de mon âge, ou desquelles mon âge pût être touché. J'eusse d'ailleurs été très sauvage à la rencontre, précisément à cause de mon naissant désir. La moindre allusion à ces sortes de matières dans le discours était pour moi un supplice et comme un trait personnel qui me déconcertait : je me troublais alors et devenais de mille couleurs. J'avais fini par être d'une telle susceptibilité sur ce point, que la crainte de perdre contenance, si la conversation venait à effleurer des sujets de mœurs et d'honnête volupté, m'obsédait perpétuellement et empoisonnait à l'avance pour moi les causeries du dîner et de la veillée. Une si excessive pudeur tenait déjà elle-même à une maladie : cette honte superstitieuse accusait quelque chose de répréhensible. Et en effet, si, devant l'univers, je refoulais ces vagues et inquiétantes sources d'émotions jusqu'au troisième puits de mon âme, j'y revenais ensuite trop complaisamment en secret; j'appliquais une oreille trop curieuse et trop charmée à leurs murmures.

De dix-sept à dix-huit ans, lorsque j'entamai un genre de vie un peu différent; que je me mis à cultiver davantage, et pour mon propre compte, plusieurs de nos voisins de campagne, et à faire des courses fréquentes, des haltes de quelques jours à la ville, cette idée fixe, touchant le côté voluptueux des choses, ne me quitta pas; mais, en devenant plus profonde, elle se matérialisa pour moi sous une forme bizarre, chimérique, tout à fait malicieuse, qui ne saurait s'exprimer en détail dans sa singularité. Qu'il me suffise de vous dire que je m'avisai un jour de me soupçonner atteint d'une espèce de laideur qui devait rapidement s'accroître et me défigurer. Un désespoir glacé suivit cette prétendue découverte. J'affectais le mouvement, je souriais encore et composais mes attitudes, mais au fond je ne vivais plus. Je m'étonnais par moments que d'autres n'eussent pas déjà saisi à ma face la même altération que j'y croyais sentir; les regards qu'on m'adressait me semblaient de jour en jour plus curieux ou légèrement railleurs. Parmi les jeunes gens de ma connaissance, j'étais sans cesse occupé de comparer au mien et d'envier les plus sots visages. Il y avait des

semaines entières où je redoublais de déraison, et où la
crainte de n'être pas aimé à temps, de me voir retranché
de toute volupté par une rapide laideur, ne me laissait pas
de relâche. J'étais comme un homme au commencement
d'un festin, qui a reçu une lettre secrète par laquelle il
apprend son déshonneur, et qui pourtant tient tête aux
autres convives, prévoyant à chaque personne qui entre
que la nouvelle va se répandre et le démasquer. Mais
ce n'était là, mon ami, qu'un détour particulier, une ruse
inattendue de la sirène née avec nous, qui s'est glissée à
l'origine et veut triompher en nos cœurs, ce n'était
qu'un moyen perfide de m'arracher brusquement aux
simples images de l'idéale et continente beauté; de
m'amener plus vite à l'attrait sensuel en m'opposant la
difformité en perspective. C'était une manière moins suspecte et toute saisissante de rajeunir l'éternelle flatterie
qui nous pousse à nos penchants, et de m'inculquer d'un
air d'effroi, sans trop révolter mes principes, ces lan-
goureux conseils, au fond toujours semblables, de se
hâter, de cueillir à son temps la première fleur, et d'employer dès ce soir même la grâce passagère de la vie.

L'unique résultat de cette folle préoccupation fut donc
de me jeter à l'improviste bien loin du point où elle m'avait
trouvé. Mon doux régime moral ne se retablit pas; mes
habitudes saines s'altérèrent. Cette idée de femme, une
fois évoquée à mes regards, me demeura présente, enva-
hit mon être et y rompit la trace des impressions antérieures. Ma religion se sentit pâlir. Je me disais que, pour
le moment, l'essentiel était d'être homme, d'appliquer
quelque part (n'importe où?) mes facultés passionnées,
de prendre possession de moi-même et d'un des objets
que toute jeunesse désire; — sauf à me repentir après,
et à confesser l'abus. Une difficulté particulière. . . .
. . . .
. . . . , s'étant tout d'un coup
révélée à moi par les lectures techniques que je fis à cette
époque, ajoutait encore à mon embarras et le compli-
quait plus que je ne saurais rendre; j'étais averti d'un
obstacle réel, obscur, quand toutes les chimères de l'imagination me criaient de me hâter. Je ne crains pas, mon
ami, d'entrouvrir à vos yeux ces misères honteuses, pour
que vous ne désespériez pas des vôtres, qui ne sont peut-
être pas moins petites, et parce que bien souvent tant
d'hommes qui font les superbes n'obéissent pas, dans les
chances décisives de leur destinée, à des mobiles secrets

plus considérables. On serait stupéfait si l'on voyait à nu combien ont d'influence sur la moralité et les premières déterminations des natures les mieux douées quelques circonstances à peine avouables, le pois chiche ou le pied bot, une taille croquée, une ligne inégale, un pli de l'épiderme ; on devient bon ou fat, mystique ou libertin à cause de cela. Dans l'état de faiblesse étrange où, par suite des désordres de nos pères et des nôtres, nous est arrivée notre volonté, de tels grains de sable, placés ici ou là, au début du chemin, la font broncher et la retournent : on recouvre ensuite cette pauvreté de sophismes magnifiques. Pour moi, qui sais combien d'heures d'ardente manie, en cet âge d'intelligence et de force, j'ai passées seul, navré, à remuer, à ronger de l'ongle, à enfoncer dans ma chair ce gravier imaginaire que j'y croyais sentir ; qui eusse payé joyeusement alors, du prix de mon éternité, l'obstacle évanoui, la séduction facile, la beauté de la chevelure et du visage, répétant avec le poète ce mot du Troyen adultère : « Il n'est pas permis de repousser les aimables dons de Vénus » ; — pour moi qui de ces lâchetés idolâtres me relevais, par courts accès, jusqu'à l'effort du cloître et aux aspérités du Calvaire ; qui ai donc éprouvé, dans ce désarroi chétif des puissances de l'âme, ce qui se ballotte en nous de monstrueusement contradictoire, ce qui s'y dépose au hasard de contagieux, d'impur, et d'où peut résulter notre perte, ô mon Dieu ! — je ne crois plus tant aux explications fastueuses des hommes ; je ne vais pas chercher bien haut, même dans les plus nobles cœurs, l'origine secrète de ces misères qu'on dissimule ou qu'on amplifie. Mais, sans trop presser, mon ami, ce qui serait la rougeur de bien des fronts, sans croire surtout dérober ses mystères à Celui qui seul sait sonder nos reins, je ne vous parlerai ici que de moi. A ce premier bouleversement chimérique que nul n'a jamais soupçonné, se rattachent le principe de mes erreurs et la trop longue déviation de ma vie. L'amour-propre fit honte dès lors à la docile simplicité, et, sans entreprendre de révolte en règle, il ne perdit aucune occasion de jeter en se jouant ses doutes, comme des pierres capricieuses, à travers l'ombrage révéré où s'était nourrie mon enfance. L'activité politique se substitua insensiblement chez moi à la piété, et mes rapports personnels avec les gentilshommes du pays m'initièrent aux tentatives de l'Emigration et des princes. Ainsi j'allais me modifiant d'un tour rapide, par diversion à mon idée dominante ;

et, quand cette espèce d'hystérie morale, qui dura bien un an en tout, fut dissipée, quand je reconnus, en riant aux éclats, que j'avais cru en dupe à ma seule fantaisie, mon courant d'idées n'était déjà plus le même, et les impressions acquises me demeurèrent.

II

Dans le trajet de ces fréquentes allées et venues, et durant mes courses à cheval de chaque jour à la campagne, je m'étais accoutumé volontiers à rabattre par la Gastine, grande et vieille ferme à deux petites lieues de chez nous. La famille de Greneuc, qui en était propriétaire, y habitait depuis quelques années, et son bon accueil m'y ramenait toujours. Je n'oserais dire toutefois que l'attrait de cette compagnie dût être uniquement attribué à M. et à madame de Greneuc, vénérable couple, éprouvé par le malheur, offrant le spectacle d'antiques et sérieuses vertus, bon à entendre sur quelques chapitres des choses d'autrefois, la femme sur Mesdames Royales auxquelles, dans le temps, elle avait été présentée, le mari sur M. de Penthièvre, qu'il avait servi en qualité de second écuyer, et dont il érigeait en culte la sainte mémoire. M. de Greneuc, du reste, avec sa haute taille parfaitement conservée, sa tête de loup blanc qui fléchissait à peine, son coup d'œil ferme et la justesse encore vive de ses mouvements, faisait un excellent compagnon de chasse qui redressait à merveille mon inexpérience et lassait souvent mes jeunes jambes. Mais ce qui me le faisait surtout rechercher, je le sens bien, c'est que dans sa maison, sous la tutelle du digne gentilhomme et de sa femme, habitait, âgée de dix-sept ans, leur petite-fille, mademoiselle Amélie de Liniers. Il y avait aussi une autre petite fille, cousine germaine de celle-ci, mais tout enfant encore, la gentille Madeleine de Guémio, ayant de six à sept ans au plus, à laquelle sa jeune cousine servait de gouvernante et de mère. Les parents de ces orphelines étaient tombés victimes de l'affreuse tourmente, les deux pères, ainsi que madame de Guémio elle-même, sur l'échafaud : madame de Liniers avait survécu deux ans à son mari, et ses yeux mourants s'étaient du moins reposés sur sa fille déjà éclose et à l'abri de l'orage. Ainsi deux vieillards et deux enfants composaient cette maison; entre ces âges extrêmes une révolution avait passé, et la florissante génération destinée à les unir s'était engloutie : quatre têtes dans une famille, et les mieux affermies et les plus entières, avaient disparu. C'était une vue pleine de charme et de fécondes réflexions que celle de made-moiselle Amélie entre les fauteuils de ses grands-parents et la chaise basse de sa petite Madeleine, occupée sans cesse des uns et de l'autre, inaltérable de patience et d'humeur, d'une complaisance égale, soit qu'elle répon-dît aux questions de l'enfant, soit qu'à son tour elle en adressât pour la centième fois sur le cérémonial de 1770 ou sur les aumônes de M. de Penthièvre. Je vois encore la chambre écrasée, sombre, au rez-de-chaussée (le bâti-ment n'avait pas d'étage), ou même plus bas que le rez-de-chaussée, puisqu'on y descendait par deux marches, avec des croisées à tout petits carreaux plombés, donnant sur le jardin, et des barreaux de fer en dehors. En choisissant ce lieu assez incommode pour résidence, M. de Greneuc, dont la fortune était restée considé-rable, avait voulu surtout éviter le péril d'un séjour plus apparent en des conjectures encore mal assurées. C'est au fond de cette chambre bien connue qu'à chaque visite, en entrant, j'admirais dès le seuil le contraste d'une si fraîche jeunesse au milieu de tant de vétusté, et la réelle harmonie de vertus, de calme et d'affections, qui régnait entre ces êtres unis par le sang et rapprochés, plus près même qu'il n'était naturel, par des infortunes violentes. Quand j'entrais, ma chaise était déjà mise, prête à me recevoir, tournant le dos à la porte, vis-à-vis de M. de Greneuc, à gauche de madame, à droite de la petite Madeleine qui me séparait de mademoiselle Amélie : celle-ci, en effet, avait entendu le pas du cheval dans la cour, quoique les fenêtres de la chambre ne donnassent pas de ce côté; elle avait placé la chaise d'avance et s'était rassise, de sorte que, lorsque je parais-sais, j'étais toujours attendu et qu'on ne se levait pas. En réponse à mon profond salut, un signe gracieux de la main me montrait la place destinée. Ainsi accueilli sur un pied de familiarité douce et d'habitude affectueuse, il me semblait dès l'abord que ce n'était que la conver-sation de la veille ou de l'avant-veille qui se continuait

entre nous. Je disais les récentes nouvelles de la ville,
les grands événements politiques et militaires qui ne faisaient pas faute, ou les actives combinaisons de nos amis
dans la contrée. J'apportais quelques livres à mademoiselle Amélie, de piété, de voyages ou d'histoire; car
elle avait l'esprit solide, orné, et, grâce aux soins de sa
languissante mère, sa première éducation avait été
exquise, quoique nécessairement depuis fort simplifiée dans cette solitude. Après un quart d'heure passé
dans ces nouveautés et ces échanges, c'était d'ordinaire
à notre tour d'écouter les récits des grands-parents et
de rentrer dans le détail des anciennes mœurs; nous nous
y prêtions, mademoiselle Amélie et moi, avec enjouement,
et nous y poussions même de concert par une légère conspiration tant soit peu malicieuse. Dans cette espèce de
jeu de causerie où nous étions partners, nos vénérables
vis-à-vis n'avaient garde de s'apercevoir du piège, et puis
leur mémoire d'autrefois y trouvait trop son compte pour
qu'ils eussent à s'en plaindre. Mais quand, de proche en
proche, étendant leurs souvenirs, M. et madame de Greneuc en venaient à toucher ces circonstances funèbres
où une si large portion d'eux-mêmes s'était déchirée, là,
par degrés, expirait tout sourire et se brisait toute question. Unis en un même sentiment d'inexprimable deuil,
nous écoutions comme à genoux; des larmes roulaient à
toutes les paupières, et il n'y avait que la petite de Guémio qui sût rompre cet embarras par quelque innocente
et naïve gentillesse.

Ne vous étonnez pas, mon ami, de m'entrevoir déjà
sous un jour si différent de ce que mon âge et ma condition actuelle autorisent à supposer. J'ai subi la loi commune. A moins d'avoir été soustrait tout à fait au monde,
d'avoir passé sans intervalle de la première retraite studieuse de l'enfance aux engagements successifs et aux
redoutables degrés du ministère, à moins d'avoir été
élevé, édifié, consacré dans la même enceinte et de n'avoir
connu jamais pour extrêmes plaisirs, après l'allégresse
divine de l'autel, que la partie de paume deux fois le jour
et les longues promenades du mercredi; hors de là, je
ne conçois guère que des cas de fragilité qui, presque tous,
par leur marche et leur début, se ressemblent. Il est
difficile à une organisation sensible, dans sa plus courte
entrevue avec le monde, de n'en pas recevoir de tendres
empreintes, de ne pas rendre aux objets certains témoignages. Les yeux une fois dirigés vers ce genre d'attrait,

le reste suit; l'éveil est donné; le cœur s'engage en se flattant de rester libre. C'est bientôt une blessure qui s'irrite, qui triomphe, ou qu'on ne guérit qu'en la traitant par d'autres blessures : on se trouve ainsi jeté loin de la douceur légère et de l'insouciance des commencements.

Mademoiselle de Liniers n'était pas une de ces beautés dont la simple apparition confond les sens et enlève, bien que ce fût réellement une beauté. Noble de maintien, régulière de traits, unie et pure de ton, elle apportait dans la société de ses grands-parents, et dans ses soins auprès de la petite Madeleine, une soumission parfaitement douce de toute sa personne, et la sensibilité passionnée, l'enthousiasme dont elle était pourvue, avait de bonne heure appris à obéir en elle à une sévère loi. J'appréciais ces mérites intérieurs, et le charme que j'éprouvais à la voir s'en augmentait. Quelquefois, quand j'étais venu au matin prendre M. de Greneuc pour la chasse, j'avais aperçu sa petite-fille agenouillée laçant les guêtres aux jambes du vieillard : cette pose d'un moment exprimait à mes yeux toute sa vie de devoir et de simplicité. D'autres fois aussi, à ces mêmes heures du matin, arrivant par un frais soleil de septembre le fusil sur l'épaule, je l'avais surprise au jardin, en négligé encore, du côté de ses ruches. L'essaim apprivoisé voltigeait autour d'elle, blond au-dessus de sa blonde tête, et semblait applaudir à sa voix. Mais mon chien, qui m'avait suivi par le jardin malgré ma défense, la reconnaissant, s'élançait en joyeux aboiements vers elle et sautait follement après l'essaim pour le saisir; celui-ci, tournoyant alors et redoublant de murmure, s'élevait avec une lenteur cadencée dans un rayon de soleil.

Notre familiarité avait cela d'attrayant qu'elle était indéfinie, et que le lien délicat qui flottait entre nous, n'ayant jamais été pressé, pouvait indifféremment se laisser ignorer ou sentir, et fuyait à volonté sous ce mutuel enjouement qui favorise les tendresses naissantes. Le plus souvent, dans le tête-à-tête, nous ne nous donnions pas de noms en causant, parce qu'aucun ne serait allé juste à la mesure du vague et particulier sentiment qui nous animait. Devant le monde, l'accent était toujours là pour corriger ce que l'usage imposait de trop cérémonieux, et l'affectation légère qu'on mettait alors dans le ton semblait sous-entendre qu'on aurait

eu droit entre soi à de moindres formules. Mais, seuls,
nous nous gardions d'ordinaire, nous nous dispensions
de tout nom, heureux de suivre bien uniment l'un à
côté de l'autre le fil de notre causerie, et cette aisance
même, qui au fond ne manquait pas de quelque embarras, était une grâce de plus dans notre situation, une
mystérieuse nuance. Il venait peu de monde à la Gastine et rarement, sans quoi cette vie d'abandon paisible ne se fût pas tant prolongée, et l'excitation du
dehors en eût vite tiré ce qu'elle recélait de passion
future. Un jour, à une partie de chasse, — à une Saint-
Hubert, — il y avait eu, au rond-point de la forêt voisine, rendez-vous d'une quinzaine de personnes des
environs : quelques femmes étaient venues à cheval en
amazones, parmi lesquelles mademoiselle Amélie. Le mouvement de la course, la fraîcheur matinale de l'air et du ciel,
l'entrain d'une conversation à chaque instant reprise et
variée, l'amour-propre qui s'éveille si gaiement en ces
circonstances, une pointe de rivalité enfin comme il est
inévitable dans une réunion d'hommes et de jeunes
femmes, tout m'avait enivré, enhardi, au point que,
saisissant un moment où la compagnie au galop s'était
un peu brisée, j'essayai, sous un prétexte assez gauche
de soudaine jalousie, d'entamer vivement ce qui jusqu'alors était demeuré entre nous inexpliqué et obscur.
Mais elle, au lieu de m'écouter avec sérieux suivant sa
coutume, et de me faire honte s'il le fallait, excitée
aussi de son côté par l'humeur folâtre de ce jour, dès
qu'elle vit où j'en voulais venir, lança brusquement son
cheval en avant du mien et m'échappa; et à chaque
fois que je tentai de renouer, le cheval partait toujours
avant le troisième mot de la phrase; les vents empor-
taient le reste. Cette espièglerie, prolongée jusqu'aux
éclats, avait fini par m'irriter. De retour vers le soir à
la Gastine, où une portion de la chasse nous accompagna, je jouai la supériorité, l'indifférence, et parus
fort occupé de causer avec la jeune dame du Breuil, à
laquelle je m'étais rattaché. Mademoiselle Amélie, sérieuse
et presque inquiète alors, passait et repassait dans le petit
salon où nous nous tenions à l'écart; mais moi, laissant
errer comme par distraction mes doigts sur le clavecin,
près duquel j'étais debout, je couvrais ainsi ma conversation futile, de manière qu'il ne lui en arrivât rien.
Puis, ce manège me semblant trop misérable, je rentrai
dans la chambre où presque toute la société se trou-

vait réunie, et là, comme il ne restait qu'une chaise libre et que mademoiselle Amélie me l'indiquait pour m'y asseoir, je la lui indiquai moi-même avec un coup d'œil expressif; elle refusait d'abord, j'insistai par le même coup d'œil; elle s'y assit à l'instant comme subjuguée d'une rapide pensée, et en prononçant *oui* à voix basse. Un demi-quart d'heure après, je fis un mouvement pour me lever et sortir; elle s'approcha de moi et me dit de ce ton doux et ferme, certain d'être obéi : *Vous ne vous en allez pas;* et je restai. Ce furent là les seules réponses que j'obtins jamais d'elle à mes questions de ce jour; ce furent là ses aveux.

Je ne voulais, mon ami, que vous raconter ma jeunesse dans ses crises principales et ses résultats, d'une manière profitable à la vôtre, et voilà que, dès les premiers pas, je me laisse rentraîner à l'enchantement volage des souvenirs. Ils sommeillaient, on les croyait disparus; mais, au moindre mouvement qu'on fait dans ces recoins de soi-même, au moindre rayon qu'on y dirige, c'est comme une poussière d'innombrables atomes qui s'élève et redemande à briller. Dans toute âme qui de bonne heure a vécu, le passé a déposé ses débris en sépultures successives que le gazon de la surface peut faire oublier; mais, dès qu'on se replonge en son cœur et qu'on en scrute les âges, on est effrayé de ce qu'il contient et de ce qu'il conserve : il y a en nous des mondes!

Ces souvenirs, du moins, que je me surprends ainsi à poursuivre jusqu'en leur tendre badinage, ne sont-ils pas trop coupables dans un homme de renoncement, et n'ont-ils plus pour moi de péril, ô mon Dieu? Est-il jamais assez tard dans la vie, est-on jamais assez avant dans la voie, pour pouvoir tourner impunément la tête vers ce qu'on a quitté, pour n'avoir plus à craindre l'amollissement qui se glisse en un dernier regard? Moi, qui ai la prétention de redresser ici et de fortifier la jeunesse d'un autre, n'ai-je pas à veiller plutôt sur mes cicatrices glacées, à tenir mes deux mains à ma poitrine et à mes entrailles, de peur de quelque violent assaut toujours menaçant? Sans doute, ô Seigneur, le cœur où vous habitez n'a rien de farouche; il abonde en douceur et en tolérance aimable; il lui est ordonné d'aimer. Mais ce doit être finalement en vue de vous qu'il aime; mais, s'il lui arrive de ranimer l'ombre des créatures chéries et de se répandre en mémoire vers le

passé, le repentir sérieux doit mêler alors son interces-
sion et ses larmes aux soupirs involontaires que notre
faiblesse éternise; la prière doit y jeter sa rosée qui
purifie : à ce prix seulement, il est permis au chrétien de
se souvenir, et je ne puis rendre justifiable que par là
le retour que j'entreprends pour cette fois encore, pour
cette dernière fois, ô mon Dieu!

Durant la chaleur de cerveau qui, au sortir de ma
simple enfance, m'avait tout d'un coup rempli de fumées
grossières, j'avais pêle-mêle entassé bien des rêves, et
d'étranges idées sur l'amour m'étaient survenues. En
même temps que la crainte d'arriver trop tard m'em-
brasait en secret d'un désir immédiat et brutal, qui,
s'il avait osé se produire, ne se fût guère embarrassé
du choix, je me livrais en revanche, dans les intervalles, au raffinement des plans romanesques; je me
proposais des passions subtiles relevées de toutes sortes
d'amorces. Mais, à aucun moment de cette alternative,
le sentiment permis, modeste et pur, ne trouvait de
place, et je perdais par degrés l'idée facile d'y rapporter
le bonheur. Cet effet se fit cruellement sentir à moi
dans la liaison dont je vous parle, mon ami, liaison si
propre, ce semble, à contenir un cœur comme le mien,
élevé dans une pieuse solitude et novice au monde.
Quelque charme croissant que je trouvasse à la cultiver, à la resserrer tous les jours, je m'aperçus vite que
mon vœu définitif ne s'y laissait pas enchaîner. Par-
delà l'horizon d'un astre si charmant, derrière la vapeur
d'une si blanche nuée, mon âme inquiète entrevoyait
une destinée encore, les orages et l'avenir. Je ne me
disais pas sans doute que ma vie pût se passer de
mademoiselle Amélie et se couronner de félicité sans elle;
mais, tout en me prêtant à une agréable espérance d'union
et à l'habitude insensible qui la devait nourrir, j'en
ajournais dans ma pensée le terme jusqu'après des événements inconnus. Les vertus mêmes de cette noble
personne, son régime égal d'ordre et de devoir, sa prudence naturelle qui s'enveloppait au besoin de quelque
froideur, tout ce qui l'eût rendue actuellement souhai-
table à qui l'eût méritée, opérait plutôt en sens contraire
sur une imagination déjà fantasque et pervertie. Cette
paix dans le mariage, précédée d'un accord ininter-
rompu dans l'amour, ne répondait en rien au tumulte
enivrant que j'avais invoqué. Pour me faire illusion à
moi-même sur mes motifs et m'en déguiser honnête-

ment le caprice déréglé, je m'objectais que mademoiselle de
Liniers était très riche par sa mère et par ses grands-
parents, beaucoup trop riche pour moi qui, avec peu
de bien de famille, n'avais d'ailleurs nulle consistance
acquise encore, nulle distinction personnelle à lui offrir.
Ainsi mon plus triste côté se décorait à mes propres
yeux d'un voile de délicatesse, et, lorsque par instants
ce voile recouvrait mal toute l'arrière-pensée, je ne
manquais pas d'autres sophismes commodes à y joindre,
et de bien des raisons également changeantes et mensongères.

« Ce que je souhaite, ce qu'il me faut pour me confirmer vraiment ce que je suis, répondais-je un soir de
mai, le long de l'enclos du verger en fleurs, à mademoiselle
de Liniers qui marchait nu-tête près de moi et poussait
devant elle la petite de Guémio, promenant au hasard
dans la brune chevelure de l'enfant une main que la
lune argentait ; — ce qu'il me faut, c'est une occasion
d'agir, une épreuve par où je sache ce que je vaux et le
donne à connaître aux autres ; c'est un pied dans ce
monde d'événements et de tourmentes, à bord de ce
vaisseau de la France d'où nous sommes comme vomis.
A quoi donc va se passer notre jeunesse ? La terre
tremble, les nations se choquent sans relâche, et nous
n'y sommes pas, et nous ne pouvons en être, ni contre
ni avec la France. Un moment, et ce moment a été
beau, le combat s'est ouvert par nous : on se mesurait
des deux parts ; Cazalès a parlé, Sombreuil a offert sa
poitrine, on a pu mourir. Nous, trop jeunes alors de
peu d'années, pleins de sève aujourd'hui, que faire ?
Les rois sont tombés, et, du fond de l'exil, la voix des
leurs ne nous arrive plus. Nos pères, qui devaient nous
conseiller, nous ont tous manqué en un même jour et
n'ont pas de tombe. L'oubli à notre égard a remplacé
la haine, et ce n'est plus la hache, mais le dédain qui
nous retranche. Au tonnerre roulant des batailles nous
opposons ici des trames d'araignée et des chuchoteries
de complots. Oh ! mademoiselle Amélie, dites, n'y a-t-il
pas de honte de vivre sous ce doux ciel quand, investis
de spectacles gigantesques, on ne peut exhaler sa part
d'âme et de génie, dans aucune mêlée, pour aucune
cause, ni par sa parole ni par son sang ? »

Et elle souriait avec tristesse à cet enthousiasme qui
débordait, applaudissant dans son cœur à ce que sa
lèvre appelait folie, et, chaque fois que revenait dans

mon discours cet élan impétueux vers l'action et vers
la gloire, elle répétait d'un ton plaintif, comme un
refrain de chanson qu'elle se serait chantée à voix basse
et sans y attacher trop de sens : *Vous l'aurez, vous l'aurez.*

Et mes idées, excitées par l'heure et par leur propre
mouvement, se poussaient d'un flot continu et s'éten-
daient à mille objets. Car rien n'est délicieux dans la
jeunesse comme ce torrent de vœux et de regrets aux
heures les plus oisives, dans lesquelles on introduit de
la sorte un simulacre d'action qui en double et en justifie la jouissance. Un moment, l'amour du savoir, cette
soif des saintes lettres qui m'avait altéré dès l'enfance,
me porta sur la dispersion des cloîtres ; je me supposais
ouvrier infatigable durant soixante années dans ces stu-
dieux asiles ; je semblais en redemander pour moi l'éternel et mortifié labeur. Puis, me retournant d'un espoir
jaloux vers des œuvres plus bruyantes ou plus tendres,
la palme de poésie tentait mon cœur, enflammait mon
front : « Je croyais sentir en moi, disais-je, beaucoup de
choses qu'on n'avait pas rendues comme cela encore. »
Et à ce vœu nouveau, elle, qui s'était tue à propos de
cloître, reprenait plus vivement, assez moqueuse, je crois,
et sans doute impatiente de me voir à ses côtés tant de
lointains désirs : *Oh ! vous l'aurez, vous l'aurez.*

Et, redescendant de l'idéal à une réflexion plus positive et aux détails de considération mondaine, je voulus
voir d'autres obstacles à mon début, à ma figure personnelle, dans mon peu de patrimoine et la ruine presque
entière des miens ; mais, cette fois, elle n'y put tenir,
et sur ce mot de fortune elle laissa échapper d'une
manière charmante, comme si le refrain l'emportait :
Oh ! bien, nous l'aurons !

Je l'entendis ! la lune brillait, l'arôme des fleurs nous
venait de dessus l'enclos ; au même instant la petite
de Guémio s'écriait de joie à la vue d'un ver luisant
dans un buisson ; toute cette soirée m'est encore présente. Pendant que mademoiselle Amélie caressait plus
complaisamment les boucles de cheveux de cette chère
petite qui lui servait de contenance et de refuge, j'aperçus
à son doigt une bague, présent de sa mère mourante, et
dont la pierre scintillait sous un rayon. J'affectai de la
remarquer, je la désirai voir, et pris de là occasion de
l'ôter à son doigt et de l'essayer au mien : elle m'allait,
je la lui rendis : tout se fit en silence. Peu d'instants

après, l'heure du départ étant venue, je sortais à cheval, elle d'un pas léger me précédant à la barrière, qu'elle referma ensuite derrière moi; et du dehors, par-dessus la haie que je côtoyai jusqu'à un certain détour, je lui jetai du geste un dernier salut.

Amour, naissant Amour, ou quoi que ce soit qui en approche; voix incertaine qui soupire en nous et qui chante, mélodie confuse qu'en souvenir d'Eden, une fois au moins dans la vie, le Créateur nous envoie sur les ailes de notre printemps! choix, aveu, promesse; bonheur accordé qui s'offrait alors, et dont je ne voulus pas : quel cœur un peu réfléchi ne s'est pas troublé, n'a pas reculé presque d'effroi au moment de vous presser et de vous saisir! A peine avais-je perdu de vue la couronne de hêtres de la Gastine, et le premier mouvement de course épuisé, entrant dans la bruyère, je laissai retomber la bride, et par degrés la rêverie me gagna. « Quoi! me fixer, me disais-je, me fixer là, même dans le bonheur! » et face à face avec cette idée solennelle, je tressaillis d'un frisson par tout le corps. Un pressentiment douloureux jusqu'à la défaillance s'élevait du fond de mon être, et, dans sa langueur bien intelligible, m'avertissait d'attendre, et que pour moi l'heure des résolutions décisives n'avait pas sonné. Le monde, les voyages, les hasards nombreux de la guerre et des cours, ces combinaisons mystérieuses dont la jeunesse est prodigue, s'ouvraient à mes regards sous la perspective de l'infini, et s'assemblaient, nageaient en formes mobiles, selon les jeux de la pâle lumière, au contour des halliers. J'aimais les émotions, les malheurs même à prévoir; je me disais : « Je reviendrai en ces lieux un jour, après m'être mêlé aux affaires lointaines, après avoir renouvelé mon âme bien des fois; riche de comparaisons, mûr d'une précoce expérience, je repasserai ici. Cette douce lune, comme ce soir, éclairera la bruyère, et le bouquet de noisetiers, et quelque parc blanchâtre de bergerie, là-bas, sous le massif obscur; lumière et tristesse, tous ces reflets d'aujourd'hui, tous ces vestiges de moi-même y seront. — Mais Elle, la retrouverai-je encore, m'aura-t-elle oublié ? » Et ces vicissitudes sans doute amères, que je me proposais avec de vagues pleurs, me souriaient à cette distance et me faisaient sentir la vie dans le présent. C'était par de tels dédales de pensées que m'égarait l'inconstance perfide, si chère aux cœurs humains.

A la dernière chasse dont je vous ai parlé, mon ami, j'avais eu l'occasion d'être présenté au marquis de Couaën, l'un des hommes les plus importants de la contrée, et que depuis longtemps je désirais connaître. A travers les distractions de cette folle journée, j'avais trouvé le moment de l'entretenir de cet état douloureux d'abaissement et d'inutilité où nous étions descendus; mes facultés étouffées s'étaient plaintes en sa présence, et il m'avait témoigné, en m'écoutant, une distinction beaucoup plus attentive que ne le semblait demander mon âge, et qui m'avait tout d'abord gagné à lui. Il m'invita à l'aller voir souvent dans sa terre de Couaën, à deux lieues de là, et je ne tardai pas de le faire. Mon entrée dans les choses du monde data véritablement de ce jour. Une idée de respect et d'attente se rattachait par tout le pays à ce manoir de Couaën et à la personne du possesseur. Le lieu, en effet, semblait devenu centre de beaucoup de mouvements occultes et d'assemblées fréquentes de la noblesse. A une courte distance de la mer, vers une côte fort brisée et fort déserte, on y était à portée de communications nocturnes avec les îles, et les pêcheurs que le gros temps avait poussés à ce rivage disaient avoir vu plus d'une fois dans le creux des rochers quelque embarcation qui n'appartenait à aucun des leurs. La vie du marquis lui-même prêtait aux conjectures. Les longues absences qu'il avait faites dans sa première jeunesse ajoutaient à sa considération imposante et à l'espèce de réserve voilée sous laquelle on le jugeait. Il avait servi de bonne heure, s'était battu à Gibraltar; puis les voyages l'avaient tenté; on savait qu'il s'était arrêté longtemps en Irlande, où il avait une branche de sa famille anciennement établie. Accouru, mais trop tard, au bruit de l'insurrection royaliste, il avait trouvé la première Vendée expirante dans son sang, et, reparti alors pour l'Irlande, il n'en était revenu que vers 97, amenant cette fois avec lui une jeune femme charmante, déjà mère, étrange et merveilleuse, disait-on, de beauté, qui, depuis trois ou quatre ans, déjà, vivait toute retirée en ce manoir, où des intrigues politiques paraissaient s'ourdir, et où j'étais convié d'aller.

On arrivait au château de Couaën tantôt par de longs et étroits sentiers au bord des haies, tantôt par des espèces de chemins couverts et creux, vrais ravins, séchés à peine en été, impraticables en hiver. Le domaine, qu'on n'apercevait qu'en y entrant, occupait un fond spacieux, d'une belle verdure, magnifiquement planté : derrière, à son autre face, il était défendu des vents de mer par une côte assez élevée qui, durant près d'une lieue, se prolongeait en divers accidents jusqu'au rivage, et s'y rompait en falaise. Toute l'apparence du bâti-ment annonçait un fort qui, dans les temps reculés, avait dû servir de refuge aux habitants du pays contre les coups de main des pirates. Une tour en brique, ronde, massive, au toit pointu écaillé d'ardoises, per-çait d'abord au-dessus du rideau de grands arbres, dont s'entouraient les jardins. La cour de la ferme traver-sée, et à la seconde barrière, la maison, principalement sur la gauche, était devant vous : on passait une espèce de pont qui, à vrai dire, n'en était plus un, puisque sur le côté on avait la grille du jardin avec lequel il correspondait de plain-pied ; mais à droite le fossé moins comblé, converti simplement en loge à pourceau ou en chenil, attestait l'ancienne forme. Au haut du pont, la voûte franchie, qu'une tourelle dominait encore, on entrait dans la cour intérieure, vaste, partagée en deux par une clôture vive, et dont la première moitié, dépen-dant des domesticités, servait aux décharges utiles : dans la moitié libre et séparée, un tapis de gazon bril-lant se déroulait sous les fenêtres du corps de logis sans étage et de la grosse tour du coin, au centre d'une plate-forme à peu près carrée, d'où la vue découvrait toute cette côte qui se dirigeait vers la mer, et l'avenue qui en garnissait la montée jusqu'au sommet. En approchant du bord de la plate-forme et des murs à hauteur d'appui, on s'apercevait qu'on était sur un rempart, — sur un rempart tapissé de pêchers et de vignes, régnant sur des prés, des pépinières au bas de la côte, et sur des

jardins, fossés autrefois, mais qu'on n'avait pas jugé à
propos d'exhausser comme ceux du devant, de sorte
que par cet endroit l'ordonnance primitive s'était conservée. C'est bien moins pour vous, mon ami, qui n'avez
pas vu ces lieux, ou qui, les eussiez-vous visités, ne
pourriez maintenant ressaisir mes impressions et mes
couleurs, que je les parcours avec ces détails dont j'ai
besoin de m'excuser. N'allez pas non plus trop essayer
de vous les représenter d'après cela; laissez-en l'image
flotter en vous; passez légèrement; la moindre idée vous
en sera suffisante. Mais pour moi, voyez-vous, je n'ai
jamais assez, quand j'y reviens, de m'appesantir sur les
contours du tableau; de m'attester, comme l'aveugle pour
les pierres des murs, qu'il est là, toujours debout dans
ma mémoire, et de calquer, même en froides paroles,
ces lignes, si peintes au-dedans de moi, de la maison
la mieux connue, du paysage le plus fidèle.

Je m'acheminais donc un jour vers cette calme
demeure, curieux, ému, avec un secret sentiment que
ma vie devait s'y orienter et y recevoir quelque impulsion définie; et comme, dans les embarras du chemin,
j'étais obligé souvent de ralentir le pas ou même de descendre, pour conduire à la main ma monture le long
des clos, par-dessus les sautoirs, je souriais en pensant
que c'était choisir une singulière route à dessein de
pénétrer dans le monde; que celle de Versailles avait
dû être plus large et plus commode pour nos pères,
assurément. Mais cette contradiction même, ce qu'il y
avait d'inconcevable dans ce détour, d'aller chercher au
fond du plus enfoui des vallons un point de départ à
mon essor, flattait une autre corde bien sensible chez
moi et répondait à l'une de mes profondes faiblesses.
Car si les glorieux préfèrent ouvertement le royal accès
et l'éclat, les romanesques, les voluptueux aiment le
mystère; et, jusqu'en leurs instants d'ambition et dans
leurs projets d'orgueil, le mystère, le silence, les retraites
de la nature et l'ombrage, en s'y joignant, les séduisent,
et leur ramènent confusément dans un voisinage gracieux la présence cachée, l'apparition possible de ce qui
leur est plus cher encore que toute ambition, de ce
qui enchante à leurs yeux toute gloire, de leur nymphe
fugitive Galatée, et de leur Armide.

Arrivé à Couaën, j'y trouvai le marquis seul avec sa
femme et deux beaux enfants près d'elle, dans le vaste
et antique salon dont les fenêtres s'ouvraient d'un côté

sur cette verdure de la plate-forme que je vous ai dite, et de l'autre donnaient, d'assez haut, sur les jardins que j'avais entrevus par la grille de gauche en entrant. Mon cœur battait, mes yeux regardaient à peine, quand le marquis venu à moi, et me nommant à sa femme, établit de prime abord une conversation cordiale où je fus vite lancé. Puis, après la demi-heure d'installation, il m'offrit une promenade aux jardins, et m'en fit voir les bosquets, la distribution et les points de vue, avec intérêt et mesure. La tour me frappait le plus; il m'y mena. Elle n'avait que deux étages habités : le premier, au niveau, ou de quelques marches seulement au-dessus du niveau du salon, auquel elle était contiguë, formait la jolie chambre de madame de Couaën, où je n'entrai pas, et que je ne fis qu'apercevoir de la porte; il y avait encore une autre chambre pour les enfants, et un cabinet profond ou office, tout entier creusé dans l'épaisseur du mur. Le second étage se composait d'une seule grande et haute pièce, aux trois quarts ronde, avec un cabinet pris également en entier dans le mur : c'était la salle d'étude, la bibliothèque du marquis, sa chambre à coucher peut-être, car un lit majestueux en meublait l'un des coins. On avait vue de là sur trois côtés, vue ouverte, seigneuriale et dominante sur la plate-forme du rempart et le revers de la montagne; double vue close, ombragée, sur les jardins du milieu et sur ceux d'en bas. Les combles de la tour, espèce de grenier muni d'une porte robuste à triple verrou, enfermaient une légion de rats, que, de sa bibliothèque, le marquis pouvait entendre à toute heure. La cavité inférieure, qui devait exister sous la chambre de madame de Couaën, et les souterrains qui en avaient probablement dépendu, étaient tout à fait abolis. Voilà ce que je sus, ce que je vis dès ce premier jour : je questionnais, je devinais, rien ne m'échappa; j'eus toujours le goût des intérieurs. D'autres ont les yeux tournés dès l'enfance vers les plaines admirables du ciel et ces steppes étoilés dont la contemplation les invite, et où ils démêleront des merveilles. L'Océan appelle ceux-là, et la vague monstrueuse vers laquelle ils soupirent du rivage est pour eux comme une amante. Pour d'autres, ce sont les forêts sauvages ou les mœurs des vieux peuples qui les poursuivent sans relâche autour de l'âtre domestique et près du fauteuil de l'aïeule. Oh! prêtez l'oreille, écoutez-vous! ne soyez ni trop prompts ni sourds,

discernez d'avec vos caprices passagers la voix fondamentale; priez, priez! Dieu souvent a parlé en ces
suggestions familières : Kepler, Colomb, Xavier, vous
en sûtes quelque chose! Moi, je n'ai pas attendu, je
n'ai pas prié, je n'ai pas discerné. J'avais le goût des
habitudes intimes, des convenances privées, du détail
des maisons : un intérieur nouveau où je pénétrais était
toujours une découverte agréable à mon cœur; j'en recevais dès le seuil une certaine commotion; en un clin
d'œil, avec attrait, j'en saisissais le cadre, j'en construisais les moindres rapports. C'était un don chez moi,
un signe auquel j'aurais dû lire l'intention de la Providence sur ma destinée. Les guides de l'âme dévote dans
les situations journalières, ces directeurs spirituels iné-
puisables en doux conseils, qui, du fond de leur cellule
ou à travers la grille des confessionnaux, vieillards
vierges en cheveux gris, sondaient si avant les particularités de la vie secrète et ses plus circonstanciés
détours, n'étaient pas sans doute marqués d'un autre
signe. Ils possédaient le don à un plus haut degré, j'ai
besoin de le croire, mais non plus distinctement que
moi. Et quel usage consolant ils en ont su faire! Tendre
François de Sales, j'étais né pour marcher vers le salut
sur vos traces embaumées! Mais au lieu de gouverner
en droiture mon talent naturel ou d'en relever à temps
le but, je me suis mis à l'égarer vers des fins toutes
contraires, à l'aiguiser en art futile ou funeste, et j'ai
passé une bonne partie de mes jours et de mes nuits
à côtoyer des parcs comme un voleur et à convoiter les
gynécées. Plus tard même, quand la Grâce m'eut touché et guéri, il n'était plus l'heure de revenir sur ce
point. Ce qui m'aurait semblé la meilleure route à
l'origine était devenu mon écueil : j'ai dû l'éviter et
me faire violence pour m'appliquer ailleurs; des portions moins séduisantes de l'héritage m'ont réclamé;
haletant, mais serein sous ma croix, je gravis d'autres
sentiers de la sainte montagne.

Si les lieux et le simple arrangement du logis me
tenaient de la sorte, vous pouvez juger, mon ami, que le
marquis ne m'occupait guère moins lui-même; je ne
perdais aucun de ses traits. Il avait bien dès lors trente-
huit ans. Noble figure déjà labourée, un front sourcilleux, une bouche bienveillante, mais gardienne des projets de l'âme; le nez aquilin d'une élégante finesse;
quelques minces rides vers la naissance des tempes, de

ces rides que ne gravent ni la fatigue des marches ni le poids du soleil, mais qu'on sent nées du dedans à leurs racines attendries et à leur vive transparence; l'attitude haute et polie, séante au commandement; un de ces hommes qui portent en eux leur principe d'action et leur foyer, un homme enfin, dans le sens altier du mot, un caractère. Son regard parfaitement bleu, d'un bleu clair et dur, appelait à la fois mon regard et le déjouait : fixe, immobile par moments, il n'avait jamais de calme; tourné vers la beauté des campagnes, il ne la réfléchissait pas. Ce champ d'azur de son œil me faisait l'effet d'un désert monotone qu'aurait désolé une insaisissable ardeur. En connaissant mieux le marquis, mes premières divagations sur son compte se précisèrent. Il avait de l'ambition, d'actifs talents, une grande netteté dans l'audace; il avait longtemps erré hors des événements, en divers pays ou par les intervalles des mers, et s'y était dévoré. Une passion de cœur, violente et tardive, l'avait détourné au fond d'un comté de l'Irlande en des moments où son rôle était marqué partout autre part. Ces années à réparer le poussaient, et il jugeait d'ailleurs que les temps étaient redevenus plus propices à sa cause. La Révolution lui semblait à bout de ses fureurs, exténuée d'anarchie et ne vivant plus désormais qu'en une tête dont il s'agissait d'avoir raison. Ses rapports secrets avec d'illustres chefs militaires du dedans lui démontraient que cet édifice consulaire, imposant de loin, pouvait crouler à un signal convenu et briser l'idole. Comme la plupart des hommes d'entreprise, avec un discernement très vif des obstacles matériels, il tenait peu de compte des résistances d'en bas, des opinions générales, de ce qui n'avait pas une personnification distincte : il croyait qu'à tout instant donné un résultat politique était à même de se produire, si les hommes qui le voulaient fortement savaient vaincre les chefs adversaires. Sa pensée pourtant n'était pas que le droit pérît en un jour devant le fait, et que les affections, les croyances des populations se suppriment impunément; mais il séparait des réelles et antiques coutumes l'opinion vacillante des populaces : celle-ci n'entrait guère dans ses calculs, et quant aux coutumes elles-mêmes, il les estimait fort destructibles en un laps de temps assez court, à moins qu'elles ne trouvassent leur vengeur. En un mot, M. de Couaën s'en remettait peu volontiers à ce qu'on appelle force progressive des choses ou puissance des idées, et le sens du succès dans chaque importante lutte lui paraissait dépendre, en définitive, de l'adresse et de la décision de trois ou quatre individus notables : hors de là, et au-dessous, il ne voyait que pure cohue, fatalité écrasante, étouffement. Sa gloire la plus désirée eût été de devenir un de ces marquants individus qui jouent entre eux à un certain moment la partie du monde. Il n'en était pas indigne par sa capacité, assurément; mais loin du centre, sans action d'éclat antérieure, sans alliances ménagées de longue main, les positions principales lui manquaient. Ce qu'il pouvait avec ses seules ressources c'était d'aider, par une vigoureuse levée dans sa province, au coup que d'autres frapperaient plus au cœur, et il avait tout disposé merveilleusement à cet effet. Le petit château de Couaën formait comme la tige et le nœud d'une ramification étendue qui pénétrait de là en lignes tortueuses à l'intérieur du pays. Parmi ceux qui s'y employaient le plus près sous sa direction et qui semblaient parfois affairés à la réussite jusqu'à l'imprudence, je ne tardai pas de m'apercevoir que, nonobstant les démonstrations parfaites dont il les accueillait, le marquis comptait peu d'auxiliaires réels et qu'il ne faisait fond sur presque aucun; mais il touchait par eux à divers points de la population, ce qui lui suffisait : le cri une fois jeté, il n'attendait rien que de cette brave population et de lui-même.

Avec un esprit de forte volée, et qui, à une certaine hauteur, manœuvrait à l'aise dans n'importe quels sujets, le marquis était très inégalement instruit; en le pratiquant, on avait lieu d'être étonné de ce qu'il savait par places et de ce qu'il ignorait. Cela me frappa dès lors, malgré l'incomplet de mes propres connaissances à cette époque; on voyait que, détourné le plus souvent par les circonstances, et sentant sa destinée ailleurs, il n'avait cherché dans les livres qu'un passe-temps et un pis-aller. Il offrait donc, sous l'esprit et les observations générales dont il se couvrait, des suites d'un savoir assez solide, mais interrompu, à travers de grands espaces restés en friche. C'était de politique et de portions d'histoire que se composait surtout sa culture; je la comparais, à part moi, à des fragments de chaussée romaine en une contrée vaste et peu soumise. Le premier jour que je l'allai visiter, quand nous entrâmes dans sa bibliothèque, un livre récent était ouvert sur la table : j'en regardai le titre, j'y cherchai le nom de l'auteur, depuis célèbre : « Quel est ce gentilhomme de l'Aveyron ? » lui dis-je. — « Ah! répondit-il, une de mes connaissances de jeunesse dans le Midi, une profonde tête, et opiniâtre! Toutes les théories de morale et de politique de nos philosophes supposaient je ne sais quel sauvage de l'Aveyron, et n'eussent pas été fâchées de nous ramener là : mais voici que l'Aveyron leur gardait un gentilhomme qui mettra à la raison philosophes et sauvages. » Ce furent ses paroles mêmes.

De madame de Couaën et de ce qu'elle me parut à cette visite et aux suivantes, j'ai peu à vous dire, mon ami, sinon qu'elle était effectivement fort belle, mais d'une de ces beautés étrangères et rares auxquelles nos yeux ont besoin de s'accommoder. Je me trouvais encore, après six mois de liaison, dans un grand vague d'opinion sur elle, dans une suspension de sentiments, qui, bien loin de tenir à l'indifférence, venait plutôt d'un raffinement de respect et de mon scrupule excessif à m'interroger moi-même à son égard. Présent, je la saluais sans trop lui adresser la parole, je lui répondais sans presque me tourner vers elle, je la voyais sans la regarder : ainsi l'on fait pour une jeune mère qui allaite son enfant devant vous. C'était comme une chaste image interdite sur laquelle ma vue répandait un nuage en entrant, et, au départ, je tirais le rideau sur les souvenirs. Mais qui sait les adresses de l'intention maligne et les connivences qui se passent en nous ? peut-être nuage et rideau n'étaient-ils là que pour sauver le trouble au début, et permettre à l'habitude de multiplier dans l'ombre ses imperceptibles germes.

J'allais beaucoup au château de Couaën, mais, dans les commencements surtout, j'y séjournais peu. Quand la soirée avancée ou quelque orage me retenait à coucher, j'en repartais le lendemain de grand matin. Je fus vite au courant du monde qu'on y voyait et dans le secret des faibles et prétentions d'un chacun. Ce qui de loin m'avait paru une initiation considérable, n'était, vu de près, qu'un jeu assez bruyant dont les masques me divertissaient par leur confusion quand ils ne m'étourdissaient pas. Il n'y avait que le marquis de supérieur parmi ces hommes chez qui, pour la plupart, l'étroitesse de vues égalait la droiture : je m'attachais à lui de plus en plus.

Mes courses à la Gastine s'étaient ralenties, bien que

sans interruption et avec tous les dehors de la bien-
séance. J'avais une excellente excuse de mes retards
dans ma fréquentation de M. de Couaën et mon assiduité à ses conciliabules ; la conformité de principes et
d'illusions politiques faisait qu'on ne me désapprouvait
pas. Mademoiselle de Liniers, dans sa délicate fierté, jouissait intérieurement de ma réussite auprès du personnage le plus autorisé du pays, et, comme les femmes
qui aiment, mettant du dévouement aux moindres choses,
elle sacrifiait avec bonheur le plaisir de me voir aussi
souvent que d'abord à ce qu'elle croyait le chemin de
mon avancement. Nos conversations, même entre nous
seuls, en quittant par degrés le crépuscule habituel et
les confins de nos propres sentiments, étaient devenues
variées, moins à voix basse, plus traversées de piquant
et d'éclat : l'abondante matière que j'y apportais du
dehors ne les laissait pas s'attendrir ou languir. Je faisais
donc d'amusantes peintures des personnages, et de leurs
conflits d'amour-propre, et des fausses alertes où ils
donnaient ; j'en faisais de nobles de M. de Couaën et
de son sang-froid toujours net au milieu de ces échauffe-
ments. Si je me taisais de la marquise, mademoiselle de
Liniers se chargeait de rompre mes faibles barrières sur
un sujet qui l'attirait par-dessus tous les autres. L'apparence de la jeune femme, le caractère de sa beauté (ne
l'ayant jamais rencontrée jusque-là), son attitude et
l'emploi de ses heures dans des compagnies si en dispa-
rate avec elle, l'âge de ses deux enfants, lequel était
le plus beau et si la fille ressemblait à sa mère ; que
sais-je encore ? avait-elle dans l'accent quelque chose
d'étranger, parlait-elle aussi bien que nous la langue,
aimait-elle à se répandre sur les souvenirs de sa famille
et de sa première patrie ?... ces mille questions se succédaient aux lèvres de mademoiselle de Liniers, sans curiosité vaine, sans le moindre éveil de coquetterie rivale,
avec un intérêt bienveillant et vrai, comme tout ce qui
sortait d'une âme si décente. Pour moi, je ne pouvais
me dispenser de complaire à tant de naturels désirs, et,
une fois sur cette pente, je m'oubliais aux redites et
aux développements. Puisque elle-même écartait de ses
mains le voile dont j'imaginais de recouvrir en moi ce
coin gracieux, il me semblait qu'il m'était bien permis
en ces moments d'y lancer quelque coup d'œil qui fît
trêve à mes contraintes, et de profiter d'une ouverture
dont je n'étais pas l'auteur, pour m'informer à mon

tour de ce que ma mémoire contenait déjà. Ce n'est pas
moi du moins qui ai ouvert, murmurait tout bas la
conscience; ce n'est pas moi qui ai commencé, me
disais-je; et j'allais, je pénétrais cependant, et les discours que j'en faisais ne se terminaient pas. Toute la
Gastine n'était plus qu'un écho des secrètes merveilles
de Couaën. Si les sentiments dont j'eus à m'effrayer par
la suite s'essayèrent dès lors à former chez moi quelques
points distants et obscurs, ce dut être à la faveur de
semblables entretiens où, pleine de son sujet, sollicitée
à le ressaisir, notre parole en détermine en nous les
premiers contours.

IV

L'hiver, qui me parut long, s'écoula : avec le printemps,
mes retours au manoir se multiplièrent et n'eurent
plus de nombre. Tout un cercle de saisons avait déjà
passé sur notre connaissance; j'étais devenu un vieil
ami. La chambre que j'occupais désormais, non plus
pour une nuit seulement, mais quelquefois pour une
semaine entière et au-delà, avait vue sur les jardins et
sur la cour de la ferme, au-dessus de la voûte d'entrée.
J'y demeurais les matinées à lire, à méditer des systèmes de métaphysique auxquels mon inquiet scepticisme prenait goût, et que j'allais puiser, la plupart,
aux ouvrages des auteurs anglais, depuis Hobbes jusqu'à Hume, introduits dans la bibliothèque du marquis
par un oncle esprit fort. Quelques écrits bien contraires
du *Philosophe inconnu* me tombèrent aussi sous la main,
mais alors je m'y attachai peu. Cette curiosité de recherche
avait un périlleux attrait pour moi, et, sous le prétexte d'un zèle honnête pour la vérité, elle décomposait
activement mon reste de croyance. Lorsqu'au travers
de ces spéculations ruineuses sur la liberté morale de
l'homme et sur l'enchaînement plus ou moins fatal des
motifs, quelque bouffée du printemps m'arrivait, quand
un torrent d'odeurs pénétrantes et de poussières d'éta-
mines montait dans la brise matinale jusqu'à ma fenêtre,
ou que, le cri de la barrière du jardin m'avertissant,
j'entrevoyais d'en haut la marquise avec ses femmes,
en robe flottante, se dirigeant par les allées pour boire
les eaux, selon sa coutume de huit heures en été, à la
source ferrugineuse qui coulait au bas, — à cet aspect,
sous ces parfums, aux fuyantes lueurs de ces images,
rejeté soudainement dans le sensible, je me trouvais
bien au dépourvu en présence de moi-même. Mon

entendement, baissant le front, n'avait rien à diminuer
du désœuvrement de mon cœur, le livre rien à prétendre dans mes soupirs. Plus de foi à un chemin de
salut, plus de recours familier à l'Amour permanent et
invisible; point de prière. Je ne savais prier que mon
désir, invoquer que son but aveugle; j'étais comme un
vaincu désarmé qui tend les bras. Toute cette philosophie de la matinée (admirez le triomphe!) aboutissait
d'ordinaire à quelque passage d'anglais à demi compris,
sur lequel j'avais soin d'interroger M. de Couaën au
déjeuner : la marquise, en effet, qui était là, se donnait
parfois la peine de me faire répéter le passage pour
m'en dire le sens et redresser ma prononciation.

La politique, qui m'avait enflammé d'abord, m'agréait
peu, sinon lorsque j'en causais seul à seul avec M. de
Couaën, et que nous nous élevions par degrés au spectacle général, à l'appréciation comparée des événements.
Quant à l'entreprise où je le vis embarqué et où j'étais
résolu de le suivre, elle me sembla d'autant plus aven-
turée que j'en connus mieux les ressorts. M. de Couaën
sentait lui-même combien il en était peu le maître, et
s'en dévorait. Perdu dans son buisson, au coin le plus
reculé de la scène, l'initiative lui devait venir d'ailleurs;
il ne pouvait rien sans le signal nécessaire, et le moindre
dérangement au centre, à Londres ou à Paris, une
humeur de Pichegru, une indécision de Moreau, éter-
nisaient les délais. Pourtant il fallait que, lui, tînt sa
machination toujours prête sans éclat, et ménageât à un
taux convenable l'ardeur aisément exagérée ou défail-
lante de ses principaux auxiliaires. Le talent qu'il usait
à cet étroit manège était prodigieux, et j'en souffrais
autant que je l'admirais. Ma patience, certes, n'accompagnait pas jusqu'au bout la sienne, et durant la plupart des conversations véhémentes qu'il soutenait avec
une sérénité et une aisance infinies, je m'esquivais de
mon mieux, tantôt sur le pied de frivole jeune homme,
tantôt fort de mon titre de philosophe que quelques-uns
de ces messieurs m'accordaient. A dîner, plutôt que
d'essuyer en face des redites que j'avais entendues cent
fois, je me rabattais volontiers du côté des enfants qui
mangeaient habituellement avec nous, si ce n'est les
jours de très grand monde; et, comme les assiettes
qu'on nous servait offraient à leur fond, les unes de
larges fleurs bleues, les autres des fleurs moindres et
quelques-unes rien, l'anxiété de ces gentils petits êtres

était au comble pour savoir à chaque plat nouveau si
le bon Dieu leur enverrait une assiette à fleurs, à
grandes ou à moyennes fleurs : c'était devenu une
manière de récompenser le plus ou moins de sagesse
des matins. Grâce aux clins d'œil de la mère et aux
miens, la providence du vieux serviteur n'y commettait
pas trop de méprises. Je préférais de beaucoup, pour
mon compte, ces anxiétés riantes à celles de nos dignes
convives et à leurs tumultueux élans dans des sujets
plus graves, mais moins définis ; il est vrai que naturellement madame de Couaën témoignait la même
préférence.

Je n'étais pourtant pas encore pris d'amour, mon
aimable ami, — non, je ne l'étais pas. Dans ces bosquets où, un livre à la main, comme prétexte de solitude en cas de rencontre, je m'enfonçais avant le soir ;
en mes après-dînées silencieuses, durant cet automne
de la journée, où les ardeurs éblouissantes du ciel
s'étalent en une claire lumière, si largement réfléchie,
et où la voix secrète du cœur est en nous le plus
distincte, dégagée de la pesanteur de midi et des innombrables désirs du matin ; à ces moments de rêverie, sur
les bancs des berceaux, dans la pépinière du fond et au
bord de son vivier limpide, partout où j'errais, je ne
nommais aucun nom, je n'avais aucun chiffre à graver,
je n'emportais aucune image. Madame de Couaën éloignait
mademoiselle de Liniers, sans régner elle-même ; d'autres
apparitions s'y joignaient ; je me troublais à chacune ;
un paysan rencontré avec sa bergère me semblait un
roi. Ainsi, pour ne pas aimer d'objet déterminé, je ne
les désirais tous que plus misérablement ; les plaisirs
simples de ces heures et de ces lieux n'en étaient que
plus corrompus par ma sensibilité débordée. Il vient un
âge dans la vie, où un beau site, l'air tiède, une promenade à pas lents sous l'ombrage, un entretien amical
ou la réflexion indifféremment suffisent ; le rêve du
bonheur humain n'imagine plus rien de mieux : mais,
dans la vive jeunesse, tous les biens naturels ne servent
que de cadre et d'accompagnement à une seule pensée.
Cette pensée restant inaccomplie, cet être dont Dieu a
permis la recherche modérée à la plupart des hommes,
ne se rencontrant pas d'abord, trop souvent le cœur
blasphème ; on s'exaspère, on s'égare ; on froisse du pied
le gazon naissant, et l'on en brise les humbles fleurs,
comme on arrache les bourgeons aux branches du che-

min; on repousse d'une narine enflammée ce doux
zéphyr qui fraîchit; on insulte par des regards désespérés au don magnifique de cette lumière.

Et ces doux sites, ces tièdes séjours, cependant, qui,
à l'âge de la sensibilité extrême, ont paru vides, cuisants
et amèrement déserts, et qui plus tard, notre sensibilité
diminuant, la remplissent, ne laissent de trace durable
en nous que dans le premier cas. Dès qu'ils deviennent
suffisants au bonheur, ils se succèdent, se confondent
et s'oublient : ceux-là seuls revivent dans le souvenir
avec un perpétuel enchantement, qui semblèrent souvent intolérables à l'âge de l'impatience ardente.

A cet âge où j'étais alors et où vous n'êtes déjà plus,
mon jeune ami, les sens et l'amour ne font qu'un à
nos yeux; on désire tout ce qui flatte les sens, on croit
pouvoir aimer tout ce qu'on désire. Je donnais aveuglément dans l'illusion. Le cœur, en cette crise, est si plein
de facultés sans objet et d'une portée inconnue; la vie
du dehors et la nôtre sont si peu débrouillées pour nous;
un phosphore si rapide traverse, allume nos regards;
de telles irradiations s'en échappent par étincelles, et
pleuvent alentour sur les choses; dès que la voix du
désir s'élève et à moins qu'une autre voix souveraine
n'y coupe court, l'être entier frissonne d'un si magné-
tique mouvement, — que, sur la foi de tant d'annonces,
on ne peut croire que l'amour n'est pas là chez nous,
prêt à suivre, avec son enthousiasme intarissable, les
perfections toujours nouvelles dont il dispose, et l'éternité
de ses promesses. Mais qu'on aille, qu'on condescende
à ces leurres; qu'on n'interdise pas au désir cette parole
charmeresse qu'il insinue; qu'on ne scelle pas à jamais
ses sens sous l'inviolable bandeau du mystère, les offrant
en holocauste à l'union sans tache de la divine Epouse;
ou qu'on ne les confine pas de bonne heure (dans un
ordre humain et secondaire) au cercle sacré du mariage,
encore sous l'œil du divin Amour; — qu'on aille donc
et qu'on essaie un peu de ces vaines délices. Comme
le divorce de l'amour et des sens se fait vite, forcément! douleur ou dégoût, comme leur distinction profonde se manifeste! A mesure que les sens avancent et
se déchaînent en un endroit, l'amour vrai tarit et s'en
retire. Plus les sens deviennent prodigues et faciles,
plus l'amour se contient, s'appauvrit ou fait l'avare :
quelquefois il s'en dédouble nettement, et rompant tout
lien avec eux, il se réfugie, se platonise et s'exalte sur

un sommet inaccessible, tandis que les sens s'abandonnent dans la vallée aux courants épais des vapeurs grossières. Plus les sens alors s'acharnent à leur pâture, plus, lui, par une sorte de représailles, se subtilise dans son essence. Mais cette contradiction d'activité est désastreuse. Si les sens agissent trop à l'inverse de l'amour, tout différents qu'ils sont de lui, ils le tuent d'ordinaire; en s'usant eux-mêmes, ils raréfient en nous la faculté d'aimer. Car, si les sens ne sont pas du tout dans l'homme la même chose que l'amour, il y a en ce monde une alliance passagère, mais réelle, entre l'amour et les sens, pour la fin secondaire de la reproduction naturelle et l'harmonie légitime du mariage. De là l'apparente confusion où ils s'offrent d'abord; de là aussi, dans l'excès des diversions sensuelles, et passé un certain terme, la ruine en nous de la puissance d'amour : autrement, d'alliance absolue, d'identité entre eux, il n'y en a pas. Dans un bon nombre de sensibilités orageuses que la religion n'a pas dirigées, mais que le vice ou la vanité n'ont pas entièrement perdues, c'est donc quand les sens ont jeté leur premier feu et que leur violence fait moins de bruit au-dedans, que l'âme malade discerne plus clairement sous la leur la voix de l'amour, la voix du besoin de l'amour. Cette voix qui s'entend à part, surtout dans la seconde jeunesse, est loin de la fraîcheur et de la mélodie que les sens lui prêtaient durant leur mutuelle confusion. Un peu âpre désormais, altérée et souffrante, non plus virginale comme au seuil du chaste hymen, non plus insidieuse comme au banquet des faux plaisirs, mais grave, détrompée, véridique et nue dans sa plainte, elle réclame sur cette terre un cœur que nous aimions et qui nous aime pour toujours. Oh! contre cette voix-là, mon ami, si l'homme sait l'entendre, s'il sait en traduire le vrai sens, je ne saurais me montrer bien sévère. Elle est, dans l'intervalle de répit des erreurs à l'endurcissement, un suprême appel de l'infini en nous, une douloureuse protestation, sous forme humaine, de nos instincts immortels et de notre puissance aimante. Pour qui la réchauffe en son sein et l'écoute longuement parler, elle peut devenir le signal du bienheureux retour. Soit que, ne trouvant pas sur son chemin cette âme incomparable qu'elle implore, l'âme fatiguée, mais courageuse, passe outre, et dans son dégoût de tout divertissement, dans sa soif croissante d'aimer, détachée, repentante, ne s'arrête plus

qu'à la source supérieure où elle se plonge; soit que,
par une rencontre bien rare, et qui est dans ce pèlerinage la plus rafraîchissante des bénédictions, apercevant
enfin l'âme désirée, elle se porte au-devant, se fasse
reconnaître d'elle, et s'initie et remonte avec elle et par
elle aux régions du véritable Amour. L'amour humain
en ce cas forme comme un degré sans souillure vers le
trône incorruptible. Mais, si ce destin est beau, louable,
et bien doux même dans ses sacrifices, il ne faut pas
s'en déguiser le revers glissant; à force de vouloir être
un appui l'un pour l'autre, on doit craindre de se devenir
un écueil. Voulez-vous savoir si l'amour humain que
vous ressentez demeure pur et digne de confiance, s'il
continue à vous mûrir sainement et à vous préparer;
redites-vous ces paroles d'un doux Maître : « L'Amour
est circonspect, humble et droit; il n'est ni amolli, ni
léger, ni adonné aux choses vaines; il est sobre, chaste,
stable, plein de quiétude et gardé de sentinelles à toutes
les portes des sens, *et in cunctis sensibus custoditus*. »
Redites-vous encore : « L'Amour est patient, prudent
et fidèle, et il n'agit jamais en vue de lui-même, et
seipsum nunquam quaerens. Car, ajoute le doux Maître,
dès l'instant que quelqu'un agit en vue de lui-même,
dès cet instant il est déchu de l'Amour. » Voilà ce qu'on
doit se demander, mon ami, et ce qui peut avertir à
chaque pas si l'amour humain que l'on suit rapproche,
et s'il est sur le chemin qui mène. D'autres, je l'avoue,
sont plus rigoureux que moi, et l'arrachent sans hésitation des sentiers du salut; mais, après tant d'épreuves,
je ne puis m'empêcher de lui être indulgent. Un jour,
l'amant de Laure, le docte et mélodieux Pétrarque, dans
une semaine de retraite pieuse, crut voir entrer le grand
Augustin, son patron révéré, qui lui parla. Et le grand
Saint, après avoir rassuré le fidèle tremblant, se mit à
l'interroger, et il examinait cette vie en directeur attentif,
et il y portait dans chaque partie son conseil : les honneurs, l'étude, la poésie et la gloire, tour à tour, y passèrent, et, lorsqu'il arriva à Laure, il la retrancha. Mais
Pétrarque, qui s'était incliné à chaque décision du Saint,
se récria ici plein de douleur, et supplia à genoux celui
qui avait pleuré sur Didon de lui laisser l'idée de Laure.
Et pourquoi aussi, ô le plus tendre des docteurs, ô le
plus irréfragable des Pères, s'il m'est permis de le demander humblement, pourquoi ne la lui laissais-tu pas ? Est-il
donc absolument interdit d'aimer en idée une créature

de choix, quand plus on l'aime, plus on se sent disposé
à croire, à souffrir et à prier; quand plus on prie et l'on
s'élève, plus on se sent en goût de l'aimer? Qu'y a-t-il
surtout quand cette créature unique est déjà morte et
ravie, quand elle se trouve déjà par rapport à nous sur
l'autre rive du Temps, du côté de Dieu?

L'Amour divin, dont tout bien émane et par qui tout
se soutient, peut nous être figuré sur l'autel que nul
n'a vu en face ni ne verra, au centre des cieux et des
mondes; et de là il darde, il rayonne, il ébranle; il
pénètre à divers degrés et meut toute vie, et s'il arrivait
pur et seul (merus) à nos cœurs dans ce monde mortel,
il ne les enivrerait pas, il ne les éblouirait pas : il les
ferait éclater comme un cristal, il les fondrait, il les
boirait sur l'heure, fussent-ils du plus invincible diamant, de même à peu près que le soleil, sa pâle image,
embraserait le globe s'il y dardait ses rayons à nu.
Mais comme l'air est là dans la nature, merveilleux et
presque invisible, accueillant le soleil, vêtissant la terre [1],
lui étalant, lui distribuant les feux d'en haut en lumière
variée et en chaleur tolérable, ainsi, au-devant du pur
Amour divin, pour les cœurs fidèles, est ici-bas la Charité, qui ne connaît ni vide ni relâche, qui embrasse
tous les hommes, les met entre Dieu et chacun, et
opère dans la sphère humaine des âmes cette distribution bienfaisante des saintes et ardentes fontaines. Trop
souvent, il est vrai, ce qui fut vicié à l'origine, les éléments où s'est infiltré le mal, les germes devenus corruptibles, fermentent et s'allument dans l'air transpa-
rent, à la chaleur du soleil . de là les tempêtes et les
foudres. De même, au sein de la charité obscurcie, les
exhalaisons de l'orgueil et des passions engendrent les
haines et les guerres. Il est pourtant de belles âmes,
si tendrement douées, si fortement nourries, qu'elles
reçoivent en elles à tous les instants l'Amour divin,
inaltérable et vif, par les millions de rayons de la charité
immense, et le rendent aux hommes leurs frères en
mille bienfaits aimables, en pleurs abondants versés sur
toutes les blessures et en dévouements sublimes; et si,
à quelque heure triste, elles sentent expirer au hasard
ces rayons trop nombreux et trop disséminés, elles n'ont,

---

1. *Vêtissant* : on en demande pardon pour Amaury à la gram-
maire, mais l'expression nous a semblé commandée; *vêtant*, qui
passe pour exact, n'est pas possible. *(Note de l'Editeur.)*

pour les ressaisir en esprit, qu'à les regarder tous sortir, comme à leur source, de la poitrine du Pontife miséricordieux, une fois mort et toujours présent, de cette poitrine lumineuse et douce où dormit Jean le bien-aimé. Mais d'autres âmes, mon ami, sont moins promptes et moins sereines; elles ne sont ni si fermes à leur centre ni d'une célérité de rayons si diffusible; elles s'évanouiraient à vouloir directement tant embrasser, et, dans l'obscurcissement où le monde d'au-delà est accoutumé de nous paraître, l'Amour divin, ne leur arrivant que par la charité universelle, les toucherait d'une impression trop incertaine. La Charité d'ailleurs, pour être toute-puissante sur un cœur, réclame presque nécessairement sa virginité, et bien des âmes, capables d'aimer, ont commencé par se ternir. Ces âmes donc, dans leur retour au sentiment du Saint, peuvent consulter, autant que je crois, un miroir plus circonscrit et plus rapproché où l'Amour suprême se symbolise à leurs yeux, quelque front brillant et chéri sur lequel il pose son flambeau, la vue d'une paupière céleste dans laquelle il daigne éclater; elles peuvent user chastement d'un amour unique pour remonter par degrés à l'amour de tous et à l'Amour du Seul Bon. Ah! si elles y réussissent par cette voie, si ce qu'elles ressentent n'est ni un égoïsme exclusif ni une pesante idolâtrie, si en passant par le voile de la figure aimée les rayons sacrés ne s'y brisent pas comme sur la pierre, si à aucun moment ils ne deviennent coupants comme des glaives ou perçants comme des éclairs, s'ils demeurent reconnaissables à travers le disque vivant qui doit à la fois les concentrer, les élargir et les peindre pour notre infirme prunelle, ah! tout est bien, tout est sauf, tout se répare. Et quand l'être aimé meurt avant nous, quand les rayons de l'Amour saint nous arrivent désormais à travers cette forme glorieuse, transfigurée, de l'amante, et son enveloppe incorporelle, on a moins à craindre encore qu'ils ne dévient, qu'ils ne se brisent, et ne nous soient dangereux et trompeurs : la présence à nos côtés, la descente en nos nuits, de l'Ombre angélique, ne fait alors qu'attendrir davantage, voiler de reflets mieux adoucis, rechanger et rajeunir sans cesse en notre exil cette lumière où elle nage, dont elle est vêtue, et qui, grâce à elle, commence dès ici-bas, au milieu des pleurs, notre immortelle nourriture.

Mais où vais-je de la sorte, mon ami? j'étais avec

vous, ce me semble, dans les bosquets de Couaën, où je m'oubliais; j'y poursuivais sous mille formes le fantôme qui m'enveloppait de son nuage, qui oppressait mon front et mes yeux, mais dont je ne pouvais démêler la figure. Rien ne m'était plus funeste, disais-je, que cette application continue sur un tel objet. Couvés ainsi, fondus sourdement par une pensée échauffée, les sens et l'amour entraînent dans un obscur mélange nos autres facultés et tous nos principes. C'est un lent ravage intérieur et comme une dissolution souterraine dont, à la première découverte, on a lieu d'être effrayé. Tandis que chez le jeune homme vraiment chaste, qui tempère sa pensée, toutes les vertus de l'âme, comme tous les tissus du corps, s'affermissent, et que l'honnête gaieté, l'ouverture aux plaisirs simples, l'énergie du vouloir, l'inviolable foi dans l'amitié, l'attendrissement cordial envers les hommes, le frein des serments, la franchise de parole et quelque rudesse même que l'usage polira, composent un naturel admirable où chaque qualité tient son rang et où tout s'appuie, ici dans la chasteté illusoire, par l'effet de cette liquéfaction prolongée qu'elle favorise, les fondements les plus intimes se submergent et s'affaissent; l'ordonnance naturelle et chrétienne des vertus entre en confusion; la substance propre de l'âme est amollie. On garde les dehors, mais le dedans se noie; on n'a commis aucun acte, mais on prépare en soi une infraction universelle. Cette chasteté menteuse, où chauffe un amas de tous les levains, est sans doute pire à la longue que ne le serait d'abord une incontinence ménagée.

D'autres idées, plus raisonnables si l'on veut, plus consistantes du moins, avaient part aussi à mes excursions pensives. J'étais venu à Couaën pour m'ouvrir un accès dans la vie, pour gravir, en y faisant brèche, sur la scène active du monde; malgré ma confiance en mon noble guide, je commençais à croire que je m'étais abusé. Je me sentais dans une voie fausse, impossible, et qui n'aboutissait pas. Il me semblait que toutes les peines que nous prenions, nous imaginant avancer, se pouvaient comparer à la marche d'une bande de naufragés sur une plage périlleuse : ainsi nous nous traînions, le long de notre langue de sable, de rocher en rocher, guettant un fanal, rêvant une issue, sans vouloir reconnaître que nous tournions le dos à la terre et que la marée montante du siècle, qui nous avait dès longtemps coupé l'unique point de retour, gagnait à chaque moment sous nos pas. La tristesse inexprimable qu'à certaines heures du soir, j'avais vue s'étendre et redoubler dans le réseau plus bleuâtre des veines au front douloureux du marquis, me donnait à soupçonner que, malgré la décision de ces sortes de caractères, il n'était pas sans anxiété lui-même, et qu'entre les chances diverses de l'avenir, le néant de ses projets lui revenait amèrement. Je compatissais avant tout aux déchirements d'un tel cœur, et j'étais à mille lieues de me repentir de m'être engagé; mais je souffrais aussi pour mon propre compte dans mes facultés non assouvies, dans ce besoin de périls et de renom qui bourdonnait à mon oreille, dans ces aptitudes multiples qui, exercées à temps et s'appuyant de l'occasion, eussent fait de moi, je l'osais croire, un orateur politique, un homme d'Etat ou un guerrier. Ma pensée habituelle de jouissance et d'amour, qui recouvrait toutes les autres et les minait peu à peu, ne les détruisait pas d'un seul coup : en me baignant dans le lac débordé de mes langueurs, je heurtais fréquemment quelque pointe de ces rochers plus sévères.

Un jour que je m'étais ainsi, comme à plaisir, endolori de blessures et abreuvé de pleurs, qu'après avoir sondé longuement les endroits défectueux de ma destinée, j'avais invoqué pour tout secours ce sentiment unique, absorbant, qui eût été à mes yeux la rançon de l'univers et mon dédommagement suprême; un jour que j'avais perdu de plus abondants soupirs, effeuillé plus de bourgeons et de tiges d'osier fleuri, tendu dans l'air des mains plus suppliantes à quelque invisible anneau de cette chaîne qui me semblait comme celle des dieux à Platon; ce jour-là, un 6 juillet, s'il m'en souvient, chargé de tout le fardeau de ma jeunesse, je sortais des bosquets par le carré des parterres, ma coiffure rabattue sur le visage, les regards à mes pieds; et le fond flottant de ma pensée était ceci : « Jusqu'à quand l'attendre ? en quel lieu la poursuivre ? existe-t-elle quelque part ? en est-il une sous le ciel, une seule que je doive rencontrer ? » Soudain, mon nom prononcé par une voix m'arriva dans le silence : je levai la tête et j'aperçus madame de Couaën assise à la fenêtre de sa chambre de la tour, qui me faisait signe du geste et m'appelait. En deux bonds je fus sous cette fenêtre bienheureuse, que j'atteignais presque de la main, et d'où une charmante tête, dans le cadre de la verdure, s'inclinait vers moi avec ces mots : « Pour sauvage, vous l'êtes, me disait-elle; vous allez me ramasser pourtant mon aiguille d'ivoire, mon aiguille à broder, qui est tombée là, voyez, quelque part au bas de ce pêcher ou dans les branches. Vous me la rapporterez, s'il vous plaît, en personne et à l'instant; et puis, si je l'ose alors, je requerrai votre compagnie pour une corvée de ma façon. » Je ramassai l'objet sans le voir, je franchis grille du jardin, voûte d'entrée et cour intérieure sans presque toucher à la terre : en une seconde de temps j'étais à la porte de madame de Couaën, où, avant de tourner la clef, j'attendis une ou deux autres secondes pour ne pas paraître avoir trop couru. Je frappai même deux petits coups légers comme si j'eusse craint de la surprendre, et ce ne fut que sur la réponse du dedans que j'ouvris. Une odeur suave me monta aux sens. Je pénétrais dans ce séjour intime pour la première fois. Tout y était simple, mais tout y brillait : des meubles polis quoique antiques, une guitare suspendue, un crucifix d'ivoire à droite dans l'enfoncement du lit, à gauche la cheminée garnie de porcelaines rares, de cristaux rapportés d'Irlande, et un petit portrait en médaillon de chaque côté; elle en face de moi à la fenêtre, toujours assise, une chaise devant pour ses pieds, une broderie au tambour sur ses genoux, un de ses coudes sur la broderie qui semblait oubliée, et dans cet oubli levant au ciel une tête douce, altière, étincelante. Elle ne bougea pas d'abord, et à peine si elle regarda : « Voici de quoi il s'agit, me dit-elle, en recevant l'aiguille que je lui rendais. M. de Couaën est sorti pour tout le soir, il reconduit ces messieurs. Je songe que je voudrais aller à la montagne, à la chapelle Saint-Pierre-de-Mer; c'est un devoir; m'accompagnerez-vous ? Il y a bien pour une heure à marcher lentement, mais il nous reste assez de soleil. » Et sans attendre que j'eusse dit oui, toute à sa pensée, elle était debout, elle s'apprêtait, et nous sortîmes.

Je lui donnais le bras, la promenade était longue; j'avais une soirée entière de bonheur devant moi. Délicieux moments où l'on ne demande rien, où l'on n'espère rien, où l'on croit ne rien désirer! Que de soins affectueux j'osais lui rendre dans les moindres mouvements et sans factice esclavage! comme mon bras, en soulevant timidement le sien, le sollicitait de s'appuyer! Et quand nous traversâmes le pré où paissait le taureau

farouche, et quand nous franchîmes le petit pont sur
le ruisseau ferrugineux, et quand nous montâmes la côte
jonchée de cailloux, que d'attentions naturelles et discrètes l'environnèrent! J'étais ingénieux à ménager sa
marche, je lui faisais une route sinueuse; il semblait
que moi-même de mes mains je posasse ses pieds aux
places les plus douces et que j'étendisse un tapis merveilleux sous ses pas. Elle recevait ces soins admirablement, quelquefois avec un demi-sourire; le plus souvent elle s'y prêtait sans avoir l'air d'y prendre garde,
et durant ce temps, comme pour récompense, elle
m'entretenait de sa famille, de sa patrie et d'elle. Son
nom de naissance était Lucy O'Neilly. Elle avait perdu
très jeune son père; une mère aimante l'avait élevée.
Son frère aîné, patriote ardent, avait vu dans la Révolution française un puissant moyen d'émancipation pour
l'Irlande : il s'était consacré, l'un des premiers, à cette
ligue généreuse des amis du pays avec lord Fitz-Gérald
dont il était parent, et qui eut une si triste fin. Le séjour
que M. de Couaën avait fait près d'eux répondait en
plein à cette époque d'héroïque égarement. Entre lui et
le frère de celle qu'il aimait, des dissidences violentes
d'opinion avaient éclaté. Le gentilhomme républicain,
chef de famille, refusa longtemps sa sœur à l'étranger
adversaire. Plus d'une fois leur querelle à ce sujet fut
près d'en venir au sang, et il avait fallu toute la fermeté
d'affection de la douce Lucy, toute l'inépuisable effusion
de la mère, pour amortir le choc de ces deux orgueils et
faire triompher l'amour. Cette mère si bonne et d'une
santé déjà souffrante, on avait dû pourtant la quitter.
Les nouvelles qu'on recevait d'abord étaient rares, dif-
ficiles à cause de la guerre active : depuis quelques
mois seulement on les avait plus fréquentes, mais aussi
bien tristes et donnant peu d'espoir de la conserver.
Madame de Couaën avait reçu une lettre le matin même,
et cette course à Saint-Pierre-de-Mer que nous faisions,
était un pèlerinage qui avait pour but une prière.

Elle me déroulait ces circonstances avec une plénitude naïve de paroles, y semant un pittoresque inattendu
et nuançant ses pensées successives, sans marquer jamais
d'autre passion que celle d'aimer. Nous avions atteint
le haut de la côte, nous marchions sur un plateau inégal,
hérissé de genêts, d'où s'élevaient çà et là quelques
arbres maigres, tordus à leur pied par les vents. Le
rivage, à une petite demi-lieue en face de nous, était

sourcilleux et sombre. Quoique le soleil à l'horizon touchât presque l'Océan et l'embrasât de mille splendeurs, les vagues plus rapprochées, qu'encaissaient comme dans une baie anguleuse les hautes masses des rochers, se couvraient déjà des teintes épaissies du soir. Cette solitude, en ce moment surtout, donnait l'idée d'une sauvage grandeur. Elle en parut frappée; après un assez long silence, je la vis plus pâle que de coutume sous ses cheveux de jais, et son œil aigu, attaché fixement à l'horizon des flots, s'y plongeait avec l'expression indéfinissable d'une fille du bord des mers. « C'est votre Irlande que vous cherchez, lui dis-je, mais n'est-elle pas ici en réalité avec sa bruyère et ses plages ? » — « Oh! non, s'écria-t-elle, verdure et blancheur ne sont pas ici comme là-bas; là-bas, c'est moins rude et plus découpé; c'est ma patrie tout humide au matin, verdoyante d'herbe et ruisselante de fontaines. Les cimes, les lacs de l'Irlande reluisent au soleil comme ces cristaux de ma chambre. Oh! non, toute l'Irlande n'est pas ici! » L'accent de souffrance dont elle prononça ces derniers mots, m'avertit que c'était moins encore aux lieux qu'aux êtres éloignés que s'adressait son regard. En descendant par beaucoup d'inégalités de terrain, et en suivant la trace déchirée d'un ruisseau qui courait au rivage, nous étions arrivés à la chapelle où elle devait prier. Cette chapelle, depuis longtemps sans prêtre et même sans gardien, n'était pas ruinée, comme on aurait pu croire, ni dénuée de tout ornement. Madame de Couaën avait pris soin d'en faire réparer la toiture; elle y envoyait chaque semaine une ou deux fois pour les soins de propreté et l'entretien d'une lampe sur l'autel. De plus, la dévotion des pêcheurs et habitants de la côte, qui dans les périls se liaient par quelque vœu, y suspendait des offrandes que la sainteté de l'endroit, tout ouvert qu'il était, suffisait bien à défendre. J'entrai avec elle un instant dans l'humble nef; mais, quand je la vis s'agenouiller, je sortis par une sorte de pudeur, craignant de mêler quelque mouvement étranger à une invocation si pure. Il me sembla qu'il valait mieux que son soupir de colombe montât seul au Ciel. En cela je me dissimulais la vertu de cet acte divin enseigné au moindre de nous par Jésus; j'oubliais que toute prière est bonne, acceptable; que la prière même du plus souillé des hommes, si elle sort du cœur, peut ajouter quelque chose à celle d'un ange.

Une pensée m'a bien des fois occupé depuis. Si, en
ce moment de crise, j'avais prié à genoux avec ferveur
pour sa mère et pour elle, plusieurs des chances mauvaises que je ne sus pas conjurer, n'eussent-elles pas
été changées par là dans l'avenir de ma vie et peut-être
dans l'avenir de la sienne ? Un acte méritoire de cette
nature, placé à l'origine de mon sentiment, n'était-il pas
capable d'en ordonner différemment l'usage, d'en mieux
incliner le cours ? Car les bonnes prières, même quand
elles n'atteignent pas leur but direct, rejaillissent à
notre insu par d'autres effets salutaires; elles vont souvent frapper dans les profondeurs de Dieu quelque
ressort caché qui n'attendait que ce coup pour agir, et
d'où s'imprime une tournure nouvelle au gouvernement
d'une âme.

Mais, quoique par l'effet du spectacle, de la promenade et des impressions de ce soir, je me sentisse dans
une disposition vraiment plus religieuse qu'il ne m'était
arrivé depuis longtemps, je ne la réalisai pas. Laissant
madame de Couaën prosternée à la chapelle, je m'approchai d'un débris de guérite en pierre au bord de la
falaise : l'espace, l'abîme mugissant, le disque rougi de
l'astre qui se noyait à demi, me saisirent, et je rêvai.
Je rêvai, ce qui n'est pas du tout, mon ami, la même
chose que prier, mais ce qui en tient lieu pour les âmes
du siècle, la sensation vague les dispensant commodément de tout effort de volonté. Rêver, vous le savez
trop, c'est ne rien vouloir, c'est répandre au hasard
sur les choses la sensation présente et se dilater déme-
surément par l'univers en se mêlant soi-même à chaque
objet senti, tandis que la prière est voulue, qu'elle est
humble, recueillie à mains jointes, et jusqu'en ses plus
chères demandes, couronnée de désintéressement. Cet
effort désintéressé fut surtout ce qui me manqua ce
soir-là et ce que m'eût donné la prière. Je voilais, j'en-
veloppais de mille façons ma chimère personnelle; je la
dispersais dans les vents, sur les flots; je la confiais et
la reprenais à la nature; je ne m'immolai pas un seul
instant. Le soleil était entièrement couché quand elle
sortit et revint vers moi : l'absence de l'astre laissait
aux masses rembrunies du rivage et aux flots montants
qui s'y brisaient leur solennité plus lugubre. Pour elle,
un reste de larmes baignait ses paupières, et elle s'avançait ainsi dans toute la beauté de sa pâleur. J'étais ému
vivement, et, lui prenant la main, à deux pas de l'abîme,

je me mis à lui parler, plus que je n'avais encore osé faire, de ce qui devait consoler, soutenir dans les épreuves un cœur comme le sien, de ce qui veillerait d'en haut sur elle, de ce qui l'environnait ici-bas et de ce qui l'aimait. Elle m'écoutait dire, avec ce regard particulier fixé à l'horizon, et pour toute parole : « Oh! c'est si bon d'être aimé! » répondit-elle; et nous nous remîmes en marche silencieux.

Notre retour fut moins long que l'aller; une fois arrivés à la côte, nous n'eûmes plus qu'à descendre. Comme il faisait assez de jour, nous distinguâmes bientôt M. de Couaën en face sur la plate-forme du château : il nous avait reconnus et nous regardait venir, seuls êtres en mouvement dans la montagne, précédant les ombres du soir. Nous hâtions le pas en lui envoyant de loin quelques signes, elle surtout agitant par les rubans son grand chapeau détaché : plus près du logis, les arbres et un chemin tournant nous éclipsèrent. Au moment de notre entrée dans la cour, madame de Couaën la première courut légèrement à sa rencontre et prévint ses questions par quelques mots que je n'entendis pas, mais qui expliquaient l'objet de cette promenade. Il accueillit avec lenteur sa justification empressée, paraissant en jouir, immobile et souriant, un peu voûté, toute sa personne exprimant une bien tendre complaisance. Après qu'elle eut fini, il l'entoura de son bras comme un père satisfait, et la souleva presque jusqu'à lui, la baisant aux cheveux, car elle dérobait le front. Un glaive soudain ne m'eût pas autrement frappé; mon cœur et mes yeux, à travers le jour tombant, n'avaient rien perdu de cette chaste scène : mon règne insensé expira. Je compris amèrement ce que je n'avais que vaguement senti encore, ce qui, dès ce soir même, devint le cuisant aiguillon de mes nuits, combien la moindre caresse de l'amour, la plus indifférente familiarité du mariage laisse loin en arrière les plus vives avances de l'amitié. C'est là en effet l'éternel châtiment de ces amitiés indiscrètes où l'on s'embarque; c'en est le ver corrupteur et rongeur. L'envahissante jeunesse, qui ne veut rien à demi, s'irrite d'une inégalité où son orgueil est intéressé comme ses sens; elle remue, elle retourne sans relâche cette pensée jalouse. De celle-là aux plus dangereuses, il n'y a qu'à se laisser pousser; on est sur la pente des sentiers obliques.

V

Le lendemain et les jours suivants, mon humeur me
parut comme changée; ma douleur même était un signe
que j'interrogeais avec espoir. Toutes mes sensations,
toutes mes idées vacillantes commençaient à s'ébranler,
à se mouvoir dans un certain ordre; j'étais sorti de
mon néant, j'aimais. Une fumée légère de supériorité,
l'orgueil d'un cœur qui s'était cru longtemps stérile,
m'exaltèrent durant les premiers moments de cette
découverte. Au lieu d'être plus triste et rêveur comme
le sont d'ordinaire les personnes ainsi atteintes, je mar-
quai une gaieté bizarre. Les bosquets me virent moins;
je restais en compagnie et m'y mêlais aux discussions
avec un feu et un développement inaccoutumés. Madame
de Couaën me regardait d'un air d'étonnement : un génie
s'éveillait en moi; car j'étais de ceux, mon ami, dont
la force tient à la tendresse, et qui demandent toute
inspiration à l'amour. Le soir, retiré dans ma chambre,
une souffrance plus aiguë, mais moins désespérée qu'auparavant, suspendait ma lecture et gagnait mes songes;
au réveil, mon premier mouvement était de me sonder
l'âme pour y retrouver ma blessure : j'aurais trop craint
d'être guéri.

Mais on s'habitue aux blessures qui persistent : si
rien ne les renouvelle et ne les ravive, on les discerne
bientôt malaisément de ses autres affections fondamen-
tales. On est tenté de croire qu'elles s'assoupissent,
tandis qu'au contraire elles minent sourdement. Une
semaine au plus écoulée, il y avait déjà des doutes en
moi et une incertitude qui ramenait toute ma langueur.
Je me disais : Est-ce donc là en réalité l'amour ? Depuis
l'heure où j'avais douloureusement senti cet amour s'engendrer dans mon chaos, où je l'avais salué en mon

sein avec le tressaillement et presque l'orgueil d'une
mère, je ne savais guère rien de nouveau sur son compte;
ma vie reprenait son train uniforme de tristesse. Je
voyais, il est vrai, madame de Couaën seule et l'accompagnais volontiers; mais c'étaient des scènes plus ou moins
semblables, des répétitions toujours délicieuses, elle présente; toujours vaines et sans trace, elle évanouie. Cet
amour qui ne s'essayait pas en venait par instants à ne
plus se reconnaître. Mon ami, mon ami, que puis-je
vous dire? je n'ai pas à vous raconter d'aventures. En
ce moment et plus tard encore, ce sera perpétuellement
de même, une vie monotone et subtile, des pages blanches,
des jours vides, des intervalles immenses pour des
riens, des attentes dévorantes et si longues qu'elles fini-
raient par rendre stupide; peu d'actes, des sentiments
sans fin; des amas de commentaires sur un distique
gracieux comme dans les jours de décadence. Ainsi j'ai
vécu : ainsi vont les années fécondes. J'ai peu vu directement, peu pratiqué, je n'ai rien entamé en plein; mais
j'ai côtoyé par les principaux endroits un certain nombre
d'existences, et la mienne propre, je l'ai côtoyée, plutôt que traversée et remplie; j'ai conçu et deviné beaucoup, bien qu'avec une sorte d'aridité pour reproduire,
comme quand on n'a pas varié soi-même l'expérience
et qu'on a rayonné longtemps dans l'espace, dans la
spéculation, dans la solitude.

Cinq ou six heures de retraite studieuse et de lecture
par jour (ce dont je ne me suis jamais déshabitué au
milieu de mes distractions les plus contraires) suffisaient
à entretenir le don naturel d'intelligence que Dieu ne
voulait pas laisser dépérir en moi : le reste du temps
allait à la fantaisie et aux hasards du loisir. J'ai dit que
les bosquets m'agréaient moins; en effet, quand il me
prenait envie d'errer seul, je choisissais plutôt désormais la montagne et la grève; elle avait semé sur ces
rocs un souvenir que j'y respirais. Nous y retournâmes
tous les deux quelquefois encore; je l'accompagnais aussi
au canal d'un moulin à eau situé dans la prairie au-delà
des pépinières et des vergers, et dont le fracas écumeux,
sans parler des canards à la nage, amusait beaucoup les
enfants. Une grande surveillance était nécessaire en un
tel lieu sur ces petits êtres, de peur de quelque imprudence. Je ne m'en remettais pas aux femmes, et j'y
avais l'œil moi-même sans me lasser un seul instant,
tandis qu'elle, assise, confiante en mes soins, travaillait

nonchalamment, et, d'un air pensif, suivait mes discours bien souvent interrompus, ou m'en tenait de judicieux et profonds sur les choses de l'âme : car ce tour d'imagination qui lui était propre ne faussait en rien son parfait jugement; elle m'offrait l'image d'une nature à la fois romanesque et sensée. Autant j'évitais de la regarder auparavant, autant j'étais devenu avide de la contempler alors; je couvais curieusement ce noble et doux visage; je pénétrais cette expression ingénue, d'une rareté singulière, et qui ne m'avait pas parlé tout d'abord; j'épelais, en quelque sorte, chaque ligne de cette grande beauté, comme un livre divin, un peu difficile, que quelque ange familier m'aurait tenu complaisamment ouvert.

Elle restait calme, sereine, patiente sous mes regards, de même que mon regard descendait inaltérable et pur sur son front. Elle se laissait lire, elle se laissait comprendre; elle trouvait cela simple et bon dans son innocence; et d'ordinaire, je le crois en vérité, elle ne le remarquait pas. Mais un jour, sous les saules de ce canal, sa jeune enfant, qui était restée en silence près de nous, me dit, comme après y avoir sérieusement pensé : « Pourquoi donc regardez-vous toujours maman ainsi ? »

Vous me demandiez, belle enfant, sous les saules du canal pourquoi je regardais ainsi votre mère; et j'aurais presque pu vous le dire, si vous-même aviez pu m'entendre, tant il y avait de respect dans l'intention de ce regard : c'est que la beauté, toute espèce de beauté, n'est pas chose facile, accessible à chacun, intelligible de prime abord; c'est que, par-delà la beauté vulgaire, il en est une autre à laquelle on s'initie, et dont on monte lentement les degrés comme ceux d'un temple ou d'une colline sainte. Il y a en ce monde la beauté selon les sens, il y a la beauté selon l'âme : la première, charnelle, opaque, immédiatement discernable; la seconde, qui ne frappe pas moins peut-être à la simple vue, mais qui demande qu'on s'y élève davantage, qu'on en pénètre la transparente substance et qu'on en saisisse les symboles voilés. Idole et symbole, révélation et piège, voilà le double aspect de l'humaine beauté depuis Eve. De même qu'il y a en nous l'amour et les sens, de même il y a au-dehors deux sortes de beauté pour y correspondre. La vraie beauté, plus ou moins mêlée, plus ou moins complète, est souvent difficile à sentir dans ce qu'elle a de pur; elle nous apparaît tard, tout ainsi que l'amour vrai en nous est lent à se séparer. L'enfant ne comprend pas la beauté : quelques couleurs rouges et brillantes, qui jouent vivement à son œil, lui en composent une bizarre image. L'adolescent, qui la poursuit et l'adore, s'y méprend presque toujours; dans sa fougue aveugle, impétueuse, on le voit embrasser à genoux les pierres grossières des chemins, comme il ferait les statues de porphyre de la déesse. Il faut le plus souvent que les sens soient déjà un peu émoussés pour que le sentiment distinct de la beauté nous vienne. Heureux alors qui sait apprécier cette beauté tardive, qui s'y voue encore à temps et se crée un cœur digne de la réfléchir! Le voluptueux, qui sent la beauté et qui la goûte, en est le fléau; il la profane de son hommage; il ne tend qu'à la dégrader et à l'obscurcir; au lieu de s'élever par elle, il jouit de la rabaisser aux amours lascives; il la précipite à jamais et la sacrifie. La noble beauté, au contraire, quand l'âme qui l'habite est demeurée fidèle à son principe, ne périra pas avec cette enveloppe terrestre; elle méritera de persister ailleurs, rectifiée selon le vrai, épurée selon l'amour, et sous cette forme nouvelle qui ne changera plus, il sera permis encore à qui la servait ici-bas de continuer de l'aimer; nous avons besoin d'espérer cela, et rien, ô mon Dieu! ne nous interdit de le croire.

Tout novice, tout indigne que j'étais alors, et si je ne me rendais pas compte aussi nettement de ces distinctions, je les pressentais en partie, du moins en sa présence. Je faisais des progrès chaque jour dans l'intelligence de cette âme tout intérieure et de la forme achevée qui me l'exprimait. Je saisissais de plus en plus le symbole : mais évitais-je tout à fait le piège ? mais, en étudiant la lampe sous l'albâtre, ne m'arrêtais-je pas trop aux contours ? Ce regard fixe et avide ne cherchait-il donc uniquement qu'à comprendre ? ne tâchait-il pas quelquefois de se faire comprendre aussi et d'interroger ? ne se retirait-il point par moments, rebuté du calme et du front sans trouble dont on l'accueillait, comme si c'eût été un refus ? ne s'irritait-il jamais que l'enfant inattentif l'eût pu juger singulier, et que l'objet passionnément chéri parût le trouver si simple ?

Et puis la beauté la plus égale et la mieux soutenue ici-bas a nécessairement ses heures d'éclipse et de défaillance; elle ne nous offre pas dans un jour constant sa portion idéale, éternelle. Il est des saisons et des mois où elle devient sujette aux langueurs. Elle se lève dans un nuage qui ne la quitte pas et qui la revêt d'une tiédeur perfide. Ses yeux nagent, ses bras retombent, tout son corps s'oublie en d'incroyables postures; sa voix flatteuse va au cœur et fait mourir. Quand on approche, l'émotion gagne, le trouble est contagieux; chaque geste, chaque parole d'elle semble une faveur. On dirait que ses cheveux, négligemment amassés sur sa tête, vont se dénouer ces jours-là au moindre soupir et vous noyer le visage; une volupté odorante s'exhale de sa personne comme d'une tige en fleur. Ivresse et poison! fuyez : toute femme en certains moments est séductrice.

A ces moments, en effet, je voulais fuir, je fuyais même quelquefois et m'absentais de Couaën pour plusieurs jours. L'idée de mariage alors me revenait : un amour virginal, à moi seul, et dans le devoir, ne pouvait-il donc balancer, me disais-je, l'attrait énervant de ces molles amitiés avec les jeunes femmes ? Je m'y rejetais éperdument; je me peignais le foyer, son repos sérieux, ses douceurs fortes et permises. Les préludes gracieux que j'avais auparavant connus à la Gastine, se réveillaient d'eux-mêmes sous mes regards et recommençaient en moi un chaste et rougissant tableau de flamme naissante. Deux mauvais vers de ma façon, dont je me souviens encore, se mêlaient, je ne sais trop comment, à ce vague épithalame :

> Et, des yeux, les amants se peuvent adorer,
> Sous les yeux des parents qui semblent ignorer !

Mais, subterfuge bizarre! au lieu de me diriger dans ces instants vers mademoiselle de Liniers, qui était toute trouvée, et près de laquelle, au fond, je me regardais bien comme assez engagé pour ne rien conclure ailleurs, j'allais imaginer des projets d'union avec quelqu'une des jeunes filles que j'avais pu apercevoir aux châteaux d'alentour. Puis, quand j'avais brodé de la sorte une pure fantaisie, et que mon cœur, derrière cela, se croyait fort comme sous la cuirasse, je raccourais à Couaën consulter la dame judicieuse. Elle se prêtait indulgemment à ces projets contradictoires, à ces folles ébauches que je poursuivais surtout pour côtoyer de plus près et plus aveuglément son amour, pour m'initier avec

elle dans mille détails familiers dont elle était le but
constant. Quand nous avions causé à loisir des beautés
campagnardes entre lesquelles hésitait mon choix, elle
s'employait, en riant, à me donner occasion de les
rencontrer. Ces amitiés captieuses sont si sûres d'elles-
mêmes qu'elles ne font pas les jalouses. Il y avait à
une demi-lieue de Couaën un gentillâtre singulier, petit
et vieux, veuf avec une fille de dix-sept ans qu'on disait
belle : madame de Couaën me mena chez eux un jour.
Je connaissais déjà le père pour l'avoir vu à nos réunions
politiques où il s'emportait quelquefois, bien que son
correctif d'habitude, après chaque phrase, fût : « Pour
moi, messieurs, je ne conspire pas. » A part son roya-
lisme un peu impatient, le digne homme, en parfait
contraste avec ses turbulents voisins, offrait un ensemble
de goûts paisibles et méticuleux que des infirmités
naturelles avaient de bonne heure encouragés. Sa première éducation, fort mince, l'avait laissé à court, même
en matière d'orthographe. Toutefois, M. de Vacquerie
aimait la lecture, faisait des extraits et copiait au net
les beaux endroits, les endroits sensibles principalement : il recevait les ouvrages de Delille dans leur
primeur. Tous les deux ans, un voyage à Paris le tenait
au courant d'une foule de petites inventions à la mode
dont il était curieux. Il avait chez lui, pour mieux faire
accueil aux visiteurs, un orgue de Barbarie avec des
airs nouveaux et des cylindres de rechange, une optique
avec des estampes représentant les vues des capitales,
un microscope avec des puces et autres insectes, un jeu
de solitaire sur une tablette du salon, et enfin sa fille,
gentil visage en pomme d'api, intéressante miniature. Il
fallait entendre, en revenant de là avec madame de
Couaën, comme nous déroulions dans notre enjouement
l'inventaire de cette dot future que m'allait apporter
l'héritière de ces lieux : ajoutez-y pourtant un joli bois
qui couvrait presque une demi-paroisse et deux gardes-
chasses pour la montre. De son côté, mademoiselle de
Liniers que je visitais toujours, quoique plus rarement,
ne témoignait pas une si insouciante humeur ; mais, dans
sa candeur de soupçon, ce n'était nullement madame
de Couaën, c'étaient plutôt mes autres relations qui
commençaient à l'inquiéter. Situation mensongère de
nos trois cœurs ! illusion trois fois moqueuse !

Mon amour serpentait par ces faux-fuyants sinueux,
comme une eau sous l'herbe qui la dérobe. Je le per-

dais de vue, je l'entendais seulement bruire; parfois
même je l'aurais cru évanoui tout à fait, si quelque
accident ne m'avait averti. Comme cet amour ne s'essayait jamais directement du côté de la personne aimée,
il ne se démontrait à moi que par opposition avec les
autres sentiments étrangers qui pouvaient traverser son
cours. La plus forte preuve que j'eus en ce genre, fut
ma résistance soutenue aux intentions peu équivoques
d'une femme des environs qui ne négligeait rien pour
m'attirer. Mariée assez maussadement, je pense, âgée
de trente-six ans à peu près, sans enfants, en proie à
l'ennui des heures et aux désirs extrêmes de cette
seconde jeunesse prête à s'échapper, elle m'avait distingué en diverses rencontres : je la vis venir au trouble
insinuant de ses regards et aux vagues discours plato-
niques où elle s'efforçait de m'envelopper. Mes sens
frémirent, mais mon cœur répugna : quelques mois plus
tôt, je me fusse abandonné avec transport. Un jour que
je m'étais laissé inviter chez elle, dans une lecture au
jardin qu'elle m'avait demandée, elle m'interrompit folâ-
trement, m'arracha le livre des mains et se mit à fuir,
en semant à poignées des roses qu'elle arrachait aux
touffes des bosquets. Le péril fut vif par la surprise;
je n'eus garde de m'y exposer derechef. Ma force de
résolution en cette circonstance me fit bien fermement
sentir à quels autels mystérieux je m'appuyais.

Cependant l'impatience de ma situation me ressai-
sissait par fréquents et soudains assauts. Tout déguisement tombait alors, toute subtilité s'envolait, comme
une toile légère sous la risée de l'orage. Je tendais ma
chaîne, je l'agitais avec orgueil, je ne la voulais plus ni
rompre ni cacher; je la voulais emporter au désert.
Combien de fois, cette chaîne adorée, il me sembla la
traîner sur mes pas et l'entendre bruyamment retentir le
long de la grève où je marchais contre le vent, respirant la pluie saline qui me frappait en plein le visage,
et mêlant mon cri inarticulé aux glapissements des
goélands et des flots! Les yeux vers l'Ouest, devant
moi l'Océan et ses sillons arides, mon regard s'arrêtait
volontiers à une petite île dépouillée qui surgissait à
peu de distance du promontoire voisin. Antique séjour,
dit-on, d'un collège de Druides; puis, plus tard, monastère chrétien; aujourd'hui déserte, à l'exception de
quelques huttes misérables; j'imaginai, à force de la
voir, de m'y installer en solitaire, de cultiver sur ce

roc sans verdure ma pensée éternelle et sans fleur, et
de n'en revenir visiter l'objet vivant qu'une fois par
semaine au plus dans la dévotion d'un pèlerinage. Un
jour donc, prétextant une absence, et sans confier ma
résolution à personne, je passai en canot dans l'île dès
le matin. J'en parcourus tout d'abord avec une sorte de
joie sauvage les ruines, les escarpements, les pierres
monumentales; j'en fis plusieurs fois le tour. Tant que
le soleil brilla sur l'horizon, ce fut bien : mais la nuit
en tombant m'y sembla morne et mauvaise. La journée
et le soir du lendemain redoublèrent mes angoisses; de
mortels ennuis m'obsédèrent. Les ténébreux désirs, les
pensées immondes naissaient pour moi de toutes parts
dans ces sites austères où je m'étais promis pureté
d'âme et constance. Sur cet espace resserré je rôdais
aux mêmes endroits jusqu'au vertige; je ne savais où
me fuir, de quel dieu sanglant épouvanter ma mollesse;
je me collais les mains et la face aux blocs de granit.
Cet altier stoïcisme de la veille m'avait rudement précipité à un mépris abject de moi. Le sommeil me vint
enfin sous le toit d'un pêcheur, mais un sommeil trouble,
épais, agité, pesant comme la pierre d'un sépulcre et
bigarré comme elle de figures et d'emblèmes pénibles.
Ô Dieu! le soir de la vie, la nuit surtout qui doit suivre,
ressemblerait-elle pour le lâche voluptueux à ces soirs
et à ces nuits de l'île des Druides ? ô Dieu! grâce s'il
en est ainsi, grâce! je veux me retremper en toi avant
le soir, te prier tandis que le soleil luit toujours et
qu'un peu de force me reste; je veux m'entourer d'ac-
tions bonnes, de souvenirs nombreux et pacifiants, pour
que mon dernier sommeil soit doux, pour qu'un songe
heureux, paisiblement déployé, enlève mon âme des
bras de l'agonie et la dirige aux lumières du rivage.

À peine guéri de mon projet de retraite dans l'île, je
me reportai plus loin; je méditai une solitude moins
étroite et moins âpre derrière un plus large bras de
l'Océan. Madame de Couaën m'avait souvent entretenu
de sa maison natale, à un mille de Kildare, dans le
comté de ce nom; elle y avait vécu jusqu'à son départ
d'Irlande, et sa mère y habitait encore. Je connaissais,
pour les lui avoir fait décrire en mainte circonstance,
les moindres particularités de ces lieux, la longue allée
entre une double haie vive qui menait à la porte grillée,
les grands ormes de la cour, et, du côté du jardin,
cette bibliothèque favorite aux fenêtres cintrées où cou-

raient le chèvrefeuille et la rose; j'avais présents à
toute heure les pots d'œillets qui embaumaient, les
caisses de myrte sur les gradins du perron; la musique
des oiseaux, à deux pas, dans les buissons du boulin-
grin; latéralement les touffes épaisses d'ombrage, et, en
face, au milieu, une échappée à travers la plus fraîche
culture dont la rivière Currah animait le fond. C'est là,
dans ce cadre verdoyant, que mon amour se figurait la
douce Lucy, en robe blanche, nu-tête, donnant le bras
à sa mère affaiblie, la faisant asseoir sur un banc au
soleil, lui remettant à la main sa longue canne dès qu'il
fallait se lever et marcher : « Oh! oui, m'écriai-je involontairement devant cette fille pieuse, quand j'étais
témoin de ses trop vives inquiétudes; oui, madame,
j'irai rejoindre votre mère là-bas, lui porter vos tendresses, la consoler de votre absence, la soigner en votre
place; je tiendrai à vous plus uniquement que jamais;
je serai pour elle un autre vous-même. » Et je me faisais
redire, comme à un messager intime, chaque objet en
détail, les fleurs aimées, les bancs le mieux caressés de
la chaleur, les places marquées par des souvenirs. Elle
souriait au milieu de sa confidence, avec une tristesse
incrédule et pourtant reconnaissante : mais, moi, je me
prenais sérieusement à cette pensée; les moyens d'exécution se joignaient, se combinaient dans ma tête : il
n'y avait que l'idée du péril où je laisserais M. de Couaën,
qui me pût encore retenir. Ayant réfléchi cependant
qu'une intrigue importante était alors entamée à Londres;
qu'en y passant j'y pouvais être à nos amis d'une utilité
majeure; que d'ailleurs un éclat immédiat paraissait de
moins en moins probable à cause de la trêve avec l'Angleterre; mêlant, je le crois bien, à ces raisons, sans me
l'avouer, une obscure volonté de retour, mon dernier
scrupule ne tint pas, et j'attendis de pied ferme l'occasion prévue.

Vers la fin de l'automne, en effet, un soir, sous la
brume et l'ombre, il nous arriva des îles une barque
avec trois hommes et de secrètes dépêches. M. de
Couaën était depuis quelques jours absent chez l'ancien gouverneur de..., à plus de vingt lieues de là, trop
loin pour qu'on eût le temps de le faire avertir; car la
barque repartait à la nuit suivante. On put toutefois
remettre un paquet cacheté qu'il avait eu la précaution
de confier à sa femme en nous quittant. Je pris langue
dans le jour avec ces hommes, et il fut convenu sans

peine qu'ils m'emmèneraient. J'écrivis une longue lettre, particulièrement adressée à madame de Couaën, mais de manière qu'elle me servît aussi d'explication et d'excuse auprès de lui. J'y exposais mon projet, mes sentiments envers tous deux, mon vœu profond de ne tenir désormais au monde, à l'existence, que par eux seuls; j'y dépeignais le désordre de mon âme en termes expressifs, mais transfigurés; j'y parlais de retour, sans date fixe, bien qu'avec certitude. Cette lettre écrite, je la plaçai dans ma chambre à un endroit apparent, et, comme minuit approchait, je regagnai la falaise. La marée qui devait nous emmener était presque haute; nos hommes pourtant, qui amassaient des forces par un peu de sommeil, ne paraissaient pas; nous en avions bien encore pour une heure au moins. Je m'assis donc, en attendant, précisément à cette guérite, non loin de la chapelle, là où j'étais déjà venu le jour de la prière. Les mêmes pensées, grossies d'une infinité d'autres, s'élevaient dans mon sein. L'onde, et l'ombre, et mon âme, tout redoublait de profondeur et d'infini en moi comme autour de moi. C'était une nuit froide et brune, sans nuages, où les étoiles éclairaient peu, où les vagues bondissantes ressemblaient à un noir troupeau, où perçait au ciel, comme un signe magique, le plus mince et le plus pâle des croissants. A cette heure d'un adieu solennel et presque tendre, le Génie de ces lieux se dévoilait à mon regard avec plus d'autorité que jamais, et, sans s'abaisser en rien ni s'amollir, il se personnifiait insensiblement dans la divinité de mon cœur. Les temps reculés, les prêtresses merveilleuses, le lien perpétuel et sacré de l'Armorique et de l'Irlande, ces saints confesseurs, dit-on, qui faisaient le voyage en mouillant à peine leur sandale sur la crête aplanie des flots, je sentais tout cela comme une chose présente, familière, comme un accident de mon amour. D'innombrables cercles nébuleux, dans l'étendue de l'Océan visible et de l'Océan des âges, vibraient autour d'un seul point de ma pensée et m'environnaient d'un charme puissant. Au plus fort de cette redoutable harmonie où je me noyais pour me retrouver sans cesse, il me sembla que des airs et des eaux s'élevait une voix qui criait mon nom : la voix s'approchait et devenait par moments distincte; il y avait des intervalles de grand silence. Mais un dernier cri se fit entendre, un cri, cette fois, qui me nommait avec détresse; un accent humain, réel et déchirant. Je me levai tout saisi d'effroi. Qu'aperçus-je alors ? une femme errante, en sarrau flottant, sans ceinture, les cheveux comme épars, courant à moi dans un noble égarement, et agitant à la main quelque chose de blanc qu'elle me montrait. Ame de ces plages, fatidique beauté, Velléda immortelle! par cette veille d'automne, sous cette lune naissante, était-ce vous ? il ne lui manquait que la faucille d'or.

C'était celle que vous avez vous-même devinée, mon ami; c'était Elle, pas une autre qu'Elle, Elle devant moi, à cette heure, sur ce roc désert où déjà nos mains s'étaient pressées; Elle, me criant de bruyère en bruyère et me cherchant! Je demeurais muet, je croyais à une fascination; il me fallut plusieurs minutes avant de comprendre. Or voici ce qui s'était passé. Durant toute la guerre, les nouvelles d'Irlande ne nous parvenaient qu'indirectement, avec nos périlleuses dépêches de Londres. Depuis la paix, la correspondance de famille s'était faite à découvert; quelques lettres pourtant, par un reste d'habitude, avaient continué de suivre l'ancien détour. Ce soir-là, avant de s'endormir, madame de Couaën eut fortement l'idée qu'il en pouvait être ainsi, et elle s'était hasardée à ouvrir le paquet qu'elle n'avait pas visité la veille. Une lettre à son adresse la frappa aussitôt; c'était l'écriture de son frère : sa mère était morte! Cette lettre fatale à la main, elle courut à ma chambre sans m'y trouver : on m'avait vu sortir; elle n'en demanda pas davantage, et, soit vague instinct vers une route connue, soit conclusion soudaine que je ne pouvais être autre part, à cette heure, qu'au lieu de l'embarquement, elle s'y trouva toute portée : ses pieds l'y avaient conduite par un entraînement rapide.

Je l'apaisai; son sein se gonfla : je tirai d'elle des réponses et des larmes. L'ayant contrainte à s'asseoir un moment, j'osai toucher de la main ses pieds de marbre. Et puis nous revînmes doucement, comme nous étions revenus tant de fois. Pour mieux rassasier sa douleur, pour lui montrer combien, à l'instant de l'annonce funeste, ma pensée, non moins que la sienne, était d'avance tout entière à l'objet ravi, je lui contai le projet qu'avait arrêté sa venue; elle lut la lettre que j'avais écrite : son trouble fut grand, nous mêlions nos âmes : « Oh! promettez que vous ne partirez jamais, me disait-elle; M. de Couaën vous aime tant! vous nous êtes nécessaire. Ma mère n'est plus, j'ai besoin de vous pour vous parler d'elle et de ces choses que vous seul savez écouter. » — Le lendemain, après une conversation inépuisable sur l'objet révéré, tout d'un coup, et sans liaison apparente, elle s'écria en me regardant de ce long regard fixe qui n'était qu'à elle : « Dites, vous resterez avec nous toujours, vous ne vous marierez jamais! » Je ne répondais qu'en suffoquant de sanglots, et par mes pleurs sur ses mains que je baisais.

VI

M. de Couaën arriva le jour suivant. Les dépêches étaient graves et plus décisives que nous n'aurions pu croire. Une rupture de l'Angleterre paraissait imminente; nos amis projetaient de petits débarquements successifs; tout d'ailleurs se nouait étroitement à Paris. M. de Couaën, ayant le besoin de s'y rendre lui-même, nous annonça qu'il partait incontinent; mais par réflexion, et pour dérouter les conjectures, il fut convenu qu'il emmènerait sa femme et ses enfants, et que je les accompagnerais : cela ainsi aurait tout l'air d'un voyage en famille. Le vieux serviteur François, durant cette quinzaine, restait chargé du soin de la côte. La veille de ce prompt départ, madame de Couaën étant occupée aux préparatifs, je pris le chemin, désormais bien lumineux, de la colline : je ne l'avais pas encore monté si léger, si bondissant de cœur, avec plus de souffle à la face et dans mes cheveux. Le monde intérieur se peuplait enfin pour moi, le monde du dehors et de l'action allait s'ouvrir; je n'avais jamais tant goûté à la fois de cette double vie. L'inquiétude pourtant de l'entreprise si prochaine aggravait un peu mon émotion, et, bien qu'il s'y mêlât en perspective mille occasions enviables de services et de dévouement, je ne pouvais me dérober à l'idée d'un bonheur inaccompli, mais cher, mais ignoré, paisible et croissant, qu'on aventure. Le marquis surtout me semblait incompréhensible. Moi, je concevais mon imprévoyance apparente; je les suivais, lui et elle, et leur fortune. Lui, au contraire, que suivait-il ? Quelle fatalité orageuse lui interdisait de jouir ? Il était clair qu'il allait se briser quelque part, nous briser plus ou moins tous ensemble; je n'osais d'avance augurer, en ce qui le concernait, sur quel écueil ni avec quelle chance

de naufrage. Tandis que j'alternais ainsi d'elle à lui et
que je me posais inévitablement, au début de toute
combinaison attrayante, l'énigme silencieuse de cette
noble figure, voilà qu'ayant atteint la bruyère, je l'aperçus lui-même de loin, qui marchait à pas lents et s'arrêtait par pauses fréquentes, les mains enfoncées jusqu'au
coude dans ses poches de derrière, et la tête sur sa
poitrine, comme quelqu'un d'absorbé qui s'oublie. J'étais
à son côté qu'il ne m'avait point entendu encore, tant
son attention au-dedans était forte, tant aussi le vent
de mer soufflait contre nous et chassait les bruits, et
tant l'herbe fine de la bruyère assoupissait mes pas!
Quand je le saluai par son nom, il se redressa brusquement comme découvert dans sa blessure; il reprit et
garda une attitude de corps moins abandonnée; mais le
bleu amer de ses yeux, l'endolorissement humide de
ses tempes, laissaient à jour son âme, et, sous une forme
assez abstraite et générale, la conversation qu'il entama
poursuivit tout haut sa pensée.

J'ai remarqué maintes fois, mon ami, que les hommes
d'action, les esprits fermes et résolus, même les plus
ignorants, quand ils s'abattent sur les pures idées, y
font des percées profondes; qu'ils se prennent et se
heurtent à des angles singuliers, et ne les lâchent pas.
Jetés à la rencontre dans la métaphysique, ils y che-
vauchent étrangement et la traversent par les biais les
plus courts, par des sentiers audacieux et rapides.
Comme le nombre des questions sérieuses n'est pas
infini pour l'homme, comme le nombre des solutions
l'est encore moins, il y a une sorte de curiosité à voir
les éternels sujets de méditation remaniés au pli de
l'expérience active, et la rude énergie d'un mortel
héroïque se tailler, en passant, une ceinture à sa guise,
au lieu de la trame oiseuse et subtile, toile de Pénélope
des dialecticiens et des philosophes.

M. de Couaën, d'une voix altérée que j'entends
encore, me tenait donc de mélancoliques discours dont
voici le mouvement et le sens :

« Amaury, Amaury, c'est une rude arène que la vie,
une ingrate bruyère; et j'étais en train de me le dire
quand vous êtes venu. Il y a une loi probablement, un
ordre absolu sur nos têtes, quelque horloge vigilante et
infaillible des astres et des mondes : mais, pour nous
autres, hommes, ces lointains accords sont comme s'ils
n'étaient pas. L'ouragan qui souffle sur nos plages peut

faire à merveille dans une harmonie plus haute; mais le grain de sable qui tournoie, s'il a la pensée, doit croire au chaos. Depuis que l'homme est, dit-on, sorti du chêne, il n'est pas moins assujetti à l'aquilon que devant : ici battu, rabougri, stérilisé (et il frappait de sa canne une yeuse maigre et nouée du chemin), plus loin majestueux, dominant et tout en ombrage, et pourtant la vigueur du tronc que voilà n'est pas la moindre. Les destinées des hommes ne répondent point à leur énergie d'âme. Au fond, cette énergie est tout dans chacun; rien ne se fait ou ne se tente sans elle; mais entre elle et le développement où elle aspire, il y a l'intervalle aride, le règne des choses, le hasard des lieux et des rencontres. S'il est un effet général que l'humanité en masse doive accomplir par rapport à l'ensemble de la loi éternelle, je m'en inquiète peu. Les individus ignorent quel est cet effet; ils y concourent à l'aveugle, l'un en tombant comme l'autre en marchant. Nul ne peut dire qu'il est plus fait que son voisin pour y aider. Il y a une telle infinité d'individus et de coups de dés humains qui conviennent à ce but en se compensant diversement, que la fin s'accomplit sous toutes les contradictions apparentes; le phénomène ment perpétuellement à la loi; le monde va, et l'homme pâtit; l'espèce chemine, et les individus sont broyés!...

« Non, en fait de destinée humaine individuelle, en fait même d'événements principaux et de personnages de l'histoire, je ne sais rien à proclamer de nécessairement et régulièrement coordonné; je ne sais rien qui, selon moi, au point de vue où nous sommes, n'ait pu aussi bien être autre, et offrir une scène et des figures toutes différentes. » Et il prenait l'exemple le plus saillant, qui m'est toujours resté : « Vous jugez peut-être le 9 thermidor, avec la chute de Robespierre et des siens, un événement nécessaire; il y a du vrai en un sens : on était las des monstres. Et pourtant si, ce jour de thermidor, la Commune et Robespierre avaient vaincu, ce qui était matériellement fort possible, Robespierre ne serait pas tombé. Qui sait alors la tournure nouvelle ? Il eût ménagé la transition lui-même; l'hypocrite se serait tempéré; il aurait parodié jusqu'au bout Octave, et ce serait lui au lieu de l'autre, lui, l'ancien triumvir, que nous aurions à vaincre aujourd'hui, et qui peut-être nous vaincrait...

« Je crois volontiers, cher Amaury, à une loi suprême,

absolue, à une ordonnance ou fatalité universelle; je crois encore à l'énergie individuelle que je sens en moi : mais entre la fatalité souveraine et sacrée, celle de l'ensemble, le ciel d'airain des sphères harmonieuses, et cette énergie propre à chaque mortel, je vois un champ vague, nébuleux, inextricable, région des vents contraires, où rien pour nous ne se rejoint, où toute combinaison humaine peut être ou n'être pas. Dans l'ordre absolu, j'ignore si tout se tient, si le dedans de notre navire terrestre est lié dans ses moindres mouvements aux vicissitudes supérieures. Un remuement de rats, à quelque fond de cale, se rattache-t-il au cours de la lune, aux moussons de l'Océan ? Que cela soit ou non en réalité, pour nous, hommes, aucun lien de cette sorte n'est appréciable. Tel qu'un équipage nombreux à bord de cette terre, nous nous démêlons donc entre nous. L'heure, le rang, les circonstances, un câble ici ou là entre les jambes, une foule de causes variables qu'on peut appeler *hasard*, se combinent avec l'énergie de chacun, pour l'aider ou la combattre. Cette énergie, tantôt triomphe, tantôt succombe; il n'est qu'heur et malheur, voilà tout...

« Quand on se sent vigoureux d'âme, plein d'aptitude et d'essor, et que pourtant la destinée favorable nous manque, on la voudrait du moins noblement et grandement contraire. A défaut d'éclat glorieux, on réclamerait de sanglantes infortunes et des rigueurs acharnées, pour ne rien éprouver à demi. Mais non : c'est trop demander, ô homme! Aux plus grands cœurs, l'infortune souvent elle-même est médiocre; un guignon obscur vous use. Au lieu du tonnerre, c'est un brouillard. Vous avez un délabrement lent et partiel, et pas une grande ruine...

« Voyez, voyez, s'écriait-il (et il me montrait la mer qui battait la pointe du promontoire : de temps à autre, une vague plus haute jaillissait en écume contre la pointe et montait avec blancheur dans un coin de soleil couchant, qui seul perçait le ciel couvert), voyez cette vague qui brille et s'élance à la crête du rocher, comme une divinité marine : voilà le grand homme, l'homme qui arrive à la cime; mais au prix de combien d'autres avortés! Bien des vagues se pressaient dans la même ambition, aussi fortes et aussi puissantes : nul œil ne les discernera; nulle voix ne les appellera déesses. Les unes en grondant retombent en ce sein mobile qu'elles ont un moment gonflé, les autres expirent dans quelque anse cachée, dans un antre du bord, comme un phoque obscur. Pour une qui s'élance et surgit de son piédestal, que de vaincues rongent la base et ne servent qu'à lancer plus haut l'heureuse et la triomphante! ainsi sur l'océan des hommes. Une seule différence, c'est que la vague heureuse est lancée au but comme un trait, tandis qu'une fois au-dessus du niveau commun, l'énergie humaine, jusque-là comprimée, réagit, se déploie, pose le pied où elle veut, et tient l'empire...

« Cet homme qui monte et grandit chaque jour, que j'admire et que je hais; que demain, si l'on n'y met ordre, ses victoires couronneront César; cet homme dont j'irais baiser le gant, si je ne lui réservais une lame au cœur, — vous le croyez sans pareil à son époque : le mugissement public le salue; écoutez! on le proclame déjà l'unique, l'indispensable, le géant de notre âge. Il a ses pareils, Amaury, j'en réponds; il a des égaux, peu nombreux, je le sais; mais il en a! Il en a jusque dans la foule qui se rue sous ses balcons; il en a qui mourront sergents dans son armée, ou colonels peut-être; il en a qui mourront à le haïr et à ne pouvoir le vaincre; il en a qui vivront assez pour le subir jusqu'au bout dans son orgueil et dans sa démence.

« Vous, Amaury, jeunes gens, à l'âge de l'action qu'on se figure prochaine et de l'enthousiasme exubérant, vous ne sentez pas ainsi. Vous ne comptez pas, vous ne mesurez pas. Vous acceptez avec ivresse vos rivaux et l'univers, vous confiant en vous-mêmes, et sans discuter les chances! (Je n'ai pas besoin de dire qu'ici le marquis se méprenait à mon égard.) Vous leur faites la part généreuse. Pourvu que le combat s'engage sur l'heure, que vous importe le soleil dans les yeux ? le résultat qui va suivre vous paraît d'avance la justice même, et plus que suffisant à tout redresser. Mais plus tard, aux abords de la grise saison, quand le sort a chicané sans pudeur, quand la bataille a reculé dès l'aurore et qu'on est harassé de contretemps, on se fait chagrin, raisonneur et sévère. Il est dur de voir les occasions, une à une, s'écouler, nos pareils s'ancrer et s'établir, de nouvelles générations qui nous poussent, et la barque de notre fortune, comme un point noir à l'horizon, repartir sans avoir abordé, et se perdre dans l'immensité, le nombre et l'oubli...

« Tel homme vous paraît bizarre, taciturne et déplacé. Vous avez vécu près de lui, avec lui; vous l'avez accosté

maintes fois. Vous l'avez rencontré aux eaux deux étés
consécutifs; il a dîné avec vous, deux hivers, à la table
de la garnison; vous le croyez connaître. Pour vous il
est jugé d'un mot : nature incomplète et atrabilaire,
dites-vous; et le voilà retranché des hauts rangs. Savez-
vous donc ce que cet homme a dans l'âme, ce qu'il
pourrait devenir s'il n'était barré à jamais par les choses,
s'il se sentait tant soit peu dans sa voie, s'il lui était
donné un matin, au sortir de ses broussailles, d'embrasser d'un coup d'œil toute sa destinée ?

« Puis, lorsqu'une fois ils sont arrivés à bon terme,
on exagère, on amplifie après coup les hommes; on fait
d'eux des trophées ou des mannequins gigantesques; on
les affuble d'idées quasi surnaturelles; on leur met dans
les poches vingt sortes de systèmes, placets des rêveurs
et rhéteurs à la postérité. Niaiserie et mensonge que
tout cela! — Eh! bonnes gens, sachez-le bien; il y a
par le monde tel maussade personnage, crotté comme
vous peut-être, et tout à fait de même étoffe que vos
demi-dieux. Il y a bien des virtualités sans *exertion* (mot
fort juste qui nous manque, Amaury, et que la marquise prononcerait beaucoup mieux que moi), bien des
germes pareils, qui avortent obscurément, ou s'arrêtent
à des degrés inférieurs, faute d'occasion, de fraîche brise
et de soleil. »

Comme je voyais le marquis tourner obstinément sur
la même idée et s'y embarrasser avec fatigue, je pris
sur moi de l'interrompre : « Cette multiplicité, cette
déperdition des facultés humaines en ce monde, lui
dis-je, est consolante à la fois et triste : triste pour tel
ou tel individu sans doute; consolante à l'égard de l'ensemble. Cela montre que le gros même du genre humain
aujourd'hui se compose, se recrute d'une noble et précieuse matière, et qu'il n'est plus destiné en lot au
premier Nemrod venu, comme autrefois. J'aime mieux
cette nombreuse infortune refoulée et gémissante qu'un
niveau dormant; j'aime mieux ces têtes de princes, de
capitaines, d'orateurs, étouffés et luttant à la nage, qu'un
paisible troupeau d'animaux sous un ou deux pasteurs. »

— Mais, lui, n'entendait pas la chose dans le sens de
mes conclusions. Toute son ironie contre les individus
hors de ligne ne tournait pas à la pensée du grand
nombre, à la considération de l'importance croissante
et bientôt dominante d'une masse ainsi mue des plus
généreux ferments. Il dévorait simplement comme un

outrage, de ne pas être un des mortels d'exception qui se tiennent tête et rompent entre eux la paille du sort, un des chasseurs de peuples, s'il le fallait, ou des pasteurs. M. de Couaën n'avait pas le sentiment des temps modernes.

Le soir tombait, nous redescendions tous les deux assez pesamment l'éternelle et chère montagne. C'était presque dans le ciel le même instant de déclin que quand j'étais redescendu la première fois avec elle, il y avait un peu plus d'un an; et à cette saison avancée, sous cette froide teinte automnale, le souvenir de la soirée sereine se ranimait en moi par le contraste des moindres circonstances. A la conversation remplie de tout à l'heure avaient succédé quelques-uns de ces mots rares et insignifiants qui témoignent la fatigue d'une pensée prolongée : le marquis, de plus en plus sombre, poussait intérieurement la sienne. Comme je levais les yeux au tournant de la descente, j'aperçus vers l'angle du rempart, à l'endroit juste d'où la première fois il nous avait vus venir, celle même que je conduisais alors. Elle nous guettait du logis à son tour et brillait de loin sur sa plate-forme, comme une apparition de châtelaine, blanche dans l'ombre, calme et clémente : « Regardez, ne pus-je m'empêcher de m'écrier en touchant le bras du marquis, regardez, ne voilà-t-il pas l'Espérance ?

Lucia nimica di ciascun crudele!

C'est Dante, marquis. Dante le poète des proscrits et des âmes fortes comme la vôtre, qui dit cela. » Un bref sourire fronça railleusement sa lèvre; il le recouvrit aussitôt de quelques mots affectueux.

Vous figurez-vous nettement, mon ami, le cours de la pente et le point tournant de l'avenue où se passaient ces choses ? avez-vous bien noté, dans ses accidents les plus simples, cette route toujours la même ? vous y ai-je assez souvent ramené, pour vous la peindre ? si vous la visitiez, la reconnaîtriez-vous ? si je meurs demain, ce coin désert du monde se conservera-t-il en une mémoire ? Ou plutôt ne vous ai-je pas lassé en pure perte sur des traces sans but ? n'avez-vous pas trouvé, à me suivre, la montée bien lente, la contemplation bien longue, et le retour par trop appesanti ? n'avez-vous pas été rebuté devant ces ennuis que j'aime, et cette monotone gran-

deur ? Si cela est, mon ami, patience! voici qu'enfin
nous quittons ces lieux... Couaën, dans trois semaines,
me reverra un instant; mais non plus la montagne. Une
seule fois encore, la dernière et la suprême, quand j'y
reviendrai, sept longues années auront pesé sur ma
tête : ce sera le lendemain ou le soir des plus formi-
dables et des plus agonisantes de mes heures d'ici-bas;
ma destinée profane sera close, scellée à jamais sous la
pierre. Pèlerin courbé et saignant, vous me verrez porter la cendre du sacrifice au haut de cette même colline
où naquit mon désir : le marquis et moi, appuyés l'un
sur l'autre, nous la monterons!

Et pourtant, un inexprimable regret se mêle à la pensée du premier charme. Les hommes, dont la jeunesse
et l'adolescence se sont passées à rêver dans des sentiers
déserts, s'y attachent et y laissent, en s'en allant, de
bien douces portions d'eux-mêmes, comme les agneaux
leur plus blanche laine aux buissons. Ainsi, hélas! je
laissai beaucoup à la bruyère de la Gastine; ainsi surtout à celle de Couaën. Bruyères chéries, ronces solitaires qui m'avez dérobé, quand je m'en revenais impru-
demment, qu'avez-vous fait de mon vêtement de lin et
de la blonde toison de ma jeunesse ?

VII

Le voyage fut pour moi, mon ami, ce qu'est toujours le premier voyage hors du canton natal, un voyage avec celle qu'on aime : l'ivresse d'abord de se sentir mouvoir et lancer indolemment d'un essor rapide à l'encontre de la destinée; l'orgueil naïf d'être regardé, envié, le long des villages, sur le devant des maisons, par ceux qui demeurent; la confusion joyeuse, comme dans une fête, des actes les plus ordinaires de la vie; une curiosité égale à celle de l'enfant qu'on tient entre les genoux, et qui s'écrie, et dont on partage l'allégresse tout en affectant l'insouciance; beaucoup de côtes que l'on monte à pied par le sentier le plus court, d'un air d'habitude et avec la nouveauté de la découverte; des conversations infinies, près de la glace baissée, sous toutes les lueurs du ciel, mais qui redoublent quand la lune levée idéalise le paysage et que le sommeil ne vient pas; — puis, quand le sommeil est venu, le silence dont jouit celui qui veille; les fantaisies qu'il attache aux arbres qui passent; une légère idée de péril qu'il caresse; mille gênes délicieuses, ignorées, qu'il s'impose, et qu'interrompent bientôt les gais accidents du souper et de la couchée. Toute cette féerie variée de la route alla expirer, le soir du cinquième ou sixième jour, dans la fatigue, la brume et le tumulte; nous étions au faubourg de Paris.

Notre descente se fit à deux pas du Val-de-Grâce, en ce même cul-de-sac des Feuillantines dont vous m'avez plus d'une fois entretenu et que l'enfance d'un de vos illustres amis vous a rendu cher. Que de souvenirs, à votre insu, vous suscitiez en moi, quand vous prononciez le nom de ce lieu, en croyant me l'apprendre! Madame de Cursy, tante de M. de Couaën, ancienne

supérieure d'un couvent à Rennes, vivait là en communauté avec quelques religieuses de son âge : elle nous
attendait et nous reçut dans sa maison. M. de Couaën
avait cru possible d'accepter son hospitalité, pour cette
fois, sans la compromettre. C'était une personne de
vraie dévotion, d'une soixantaine d'années approchant,
petite de taille, ridée, jaunie, macérée de visage, mais
avec je ne sais quel éclair de l'aurore inaltérable; une
de ces créatures dont la chair contrite s'est faite de
bonne heure à l'image du Crucifié, et qu'un reflet du
glorieux suaire illumine au front dans l'ombre comme
une des saintes femmes au Sépulcre. Heureuses les
âmes qui passent ici-bas de la sorte sous un rayon voilé,
et chez qui l'amoureux sourire intérieur anime toujours
et ne dissipe jamais le perpétuel nuage! Sa figure avait
bien quelque chose du tour altier de son neveu, mais
corrigé par une douceur de chaque moment, et la
noblesse subsistante de ses manières se confondait avec
son humilité de servante de Dieu pour familiariser tout
d'abord et mettre à l'aise en sa présence. Elle connaissait déjà madame de Couaën pour l'avoir reçue dans deux
voyages précédents; mais elle n'avait pas vu encore les
enfants. Ils la goûtèrent au premier aspect, et, à notre
exemple, l'appelèrent *Mère*. Je fus accueilli comme de
la famille. Un souper abondant nous répara, et, comme
on le prolongeait insensiblement en récits, elle se chargea elle-même de nous rappeler notre fatigue. A peine
nous avait-elle conduits dans nos chambres, à nos lits
protégés de Christs et de buis bénits, que je sentis le
profond silence de cette maison se détacher dans le
bruissement lointain de la grande ville, et je rêvai pour
la première fois au bord de cet autre Océan.

Le lendemain dimanche, par un beau soleil d'onze
heures et la messe entendue à l'église Saint-Jacques-du-
Haut-Pas (car celle du petit couvent s'était dite avant
notre lever), nous nous dirigeâmes vers le brillant Paris
dont je n'avais saisi la veille que le murmure nocturne.
Oh! quand les ponts furent traversés et que les Tuileries repeuplées nous apparurent; quand, dans cette cour
trop étroite, je vis reluire et bondir généraux, aides
de camp, garde consulaire, et les jeunes femmes aux
fenêtres les saluer; quand le Premier Consul lui-même
sortant à cheval au coup de midi, vingt musiques guerrières jouèrent à la fois, *Veillons au salut de l'Empire;*
quand tous les coursiers hennirent et se cabrèrent, et

que dans l'ondulation croisée des panaches, des crinières de casques et des étendards, une acclamation tonnante partit jusqu'aux nues..., ô misère! je me reconnus bien petit alors, bien chétif, et plus broyé en chacun de mes membres que la poussière sous le fer des chevaux. La respiration me manquait. Il me revint à l'esprit, en ce moment, ce que j'avais lu chez Plutarque de ces corbeaux qui tombèrent morts dans l'acclamation insensée de la Grèce à son prétendu libérateur. En jetant les yeux sur le marquis, qui était près de moi, il me sembla plus déplorable encore. Une désolation livide assiégeait et battait son front, comme eût fait l'aile d'un vautour invisible; sa lèvre pâlie se rongeait; son œil avait de la haine. Il nous quitta presque aussitôt, en nous recommandant quelque promenade par les jardins. Moi, je n'avais pas de haine, mais plutôt un regret jaloux, un saignement en dedans, suffocant et sans issue. Le sentiment de précoce abnégation, contre lequel s'amassait ainsi ma sève généreuse, fut long, vous le verrez, à s'établir, à s'acclimater en moi. Dans le cours des années oisives qui vont suivre, il se compliqua fréquemment de colères étouffées; il eut d'ardents accès au milieu de mes autres blessures et les irrita souvent.

Mais, quand on est jeune et qu'on aime, tout va d'abord à l'amour. Toute souffrance l'enrichit, toute passion même étrangère s'y verse et l'augmente. L'ambition ne se plaint d'être indigente que parce qu'elle lui voudrait prodiguer les trônes. La curiosité, qui jouit des sites nouveaux, ne fait que lui quêter de frais asiles et lui choisir en idée des ombrages. Enviez, désirez, imaginez, cœurs de vingt ans; élargissez-vous! déplacez vos horizons; attisez votre soif de guerre; distrayez-vous le regard! la fin du désir, le terme et la palme de l'effort est toujours l'amour. Si je l'avais eu alors, l'amour dans sa vérité et sa certitude; si l'être trop pur, à qui je vouais un feu sans aliment et sans éclat, ne m'avait fait à jamais douter, jusqu'au fond de moi, du mot souverain *Je t'aime;* si dans ces Tuileries inconnues, sous les marronniers effeuillés, autour du vert tapis solitaire que foule Atalante, quelques paroles fatales, éternelles, avaient osé s'embraser et m'échapper; si enfin, coupable et brûlant que j'étais alors, j'avais cru fermement à mon mal, ah! du moins, que ce mal m'eût paru meilleur que tout! comme il eût éclipsé le reste! Groupes dorés, resplendissant matin du siècle, astre consulaire, comme

je vous aurais méprisés! L'homme qui aime et qui est
sûr d'aimer, s'il passe à l'écart le long d'une foule enivrée et glorieuse, est pareil au Juif avare qui porterait
un diamant hors de prix, solide et limpide, enchâssé
dans son cœur, de quoi acheter au centuple cette fête
qu'il dédaigne comme mesquine, et ceux qui l'admirent,
et ceux qui la donnent, tandis que lui, d'un simple
regard sur le cristal magique, il y peut à volonté découvrir plus de conquêtes que Cyrus, plus de magnificences
que Salomon.

Quoique mon amour ne dût jamais figurer au-dedans
un cristal d'une telle transparence et si merveilleusement doué, quoiqu'il ne se dessinât au plus que par
lignes tremblantes, égarées et confuses, le mouvement
toutefois qu'il subissait, et les secousses diverses, aidaient
à l'accroître et lui donnaient plus de corps et de réalité.
Le dépaysement surtout et la variété des lieux, quand
on commence d'aimer, tournent au profit de l'amour;
comme tout ce qu'il rencontre lui est tributaire, il ressemble à ces eaux qui grossissent plus vite en se dépla-
çant. Si l'on passe d'une longue et calme résidence à
un séjour brusquement étranger, cela devient très sensible; toutes les portions vagues de notre âme, qui
là-bas s'enracinaient aux lieux, détachées maintenant et
comme veuves, se replient et s'implantent à l'endroit
de l'unique pensée. L'excitation des sens, l'échauffement
d'imagination, dont les bocages de Couaën m'avaient
mal préservé et que des spectacles journaliers, mortels
aux scrupules, venaient redoubler en moi, étaient une
autre cause, moins délicate, d'accélération passionnée;
ce fut la principale, hélas! et la plus aveugle; il faut y
insister, j'en rougis de honte! je n'aurai ici à vous raconter
que des ravages.

Vous ne sauriez vous faire qu'une pâle idée, mon
ami, du Paris d'alors, tel qu'il était dans l'opulence de
son désordre, la frénésie de ses plaisirs, l'étalage émouvant de ses tableaux. La chute du vieux siècle, en se
joignant à l'adolescente vigueur du nôtre, formait un
confluent rapide, turbulent, de limon agité et d'écume
bouillonnante. Nos armées oisives et la multitude d'étrangers de toute nation, accourus pendant cette courte paix,
étaient comme une crue subite qui faisait déborder le
beau fleuve. Je ne pus, il est vrai, qu'entrevoir et deviner tant d'ivresse tumultueuse dans ces deux semaines
que dura mon premier séjour; mais, quoique je sortisse

peu seul et que j'accompagnasse d'ordinaire madame de Couaën, mon regard fut prompt à tout construire. En passant sur les places et le long des rues, j'observais mal le précepte du Sage et je laissais ma vue vaguer çà et là : mon coup d'œil oblique, qu'on aurait jugé nonchalant, franchissait les coins et perçait les murailles. Elle à mon bras, on m'eût cru absorbé en un doux soin, et j'avais tout vu alentour. Une ou deux fois, le soir, après avoir fait route avec M. de Couaën jusqu'à ses rendez-vous politiques, près de Clichy, où je le quittais, je m'en revins seul, et de la Madeleine aux Feuillantines je traversai, comme à la nage, cette mer impure. Je m'y plongeais d'abord à la course au plus profond milieu, multipliant dans ma curiosité déchaînée ce peu d'instants libres : « L'ombre est épaisse, la foule est inconnue ; les lumières trompeuses du soir éblouissent sans éclairer ; nul œil redouté ne me voit », disais-je en mon cœur. J'allais donc et me lançais avec une furie sauvage. Je me perdais, je me retrouvais toujours. Les plus étroits défilés, les plus populeux carrefours et les plus jonchés de pièges, m'appelaient de préférence ; je les découvrais avec certitude ; un instinct funeste m'y dirigeait. C'étaient des circuits étranges, inexplicables, un labyrinthe tournoyant comme celui des damnés luxurieux. Je repassais plusieurs fois, tout haletant, aux mêmes angles. Il semblait que je reconnusse d'avance les fosses les plus profondes, de peur de n'y pas tomber ; ou encore, je revenais effleurer le péril, de l'air effaré dont on le fuit. Mille propos de miel ou de boue m'accueillaient au passage ; mille mortelles images m'atteignaient ; je les emportais dans ma chair palpitante, courant, rebroussant comme un cerf aux abois, le front en eau, les pieds brisés, les lèvres arides. Une telle fatigue amenait vite avec elle son abrutissement. A peine conservais-je assez d'idées lucides et de ressort pour me tirer de l'attraction empestée, pour rompre cette enlaçante spirale en pente rapide, au bas de laquelle est la ruine. Et lorsque j'avais regagné l'autre rive, lorsque, échappé au naufrage sur ma nouvelle montagne, j'arrivais au petit couvent où les bonnes religieuses et madame de Couaën n'avaient pas achevé de souper, il se trouvait que ma course dévorante à travers ces mondes de corruption n'avait pas duré plus d'une heure.

La vue si calme offerte en entrant, la nappe frugale, le sel et l'huile des mets, ces pieux visages silencieux et reposés, à droite et à gauche de madame de Cursy, une bonne odeur de Sainte-Cène qui s'exhalait, et les grâces en commun de la fin, tout cela me rafraîchissait un peu d'abord et dissipait le plus épais de mon sang à mes joues et dans mes yeux. Pourtant aucune crainte salutaire ne renaissait en moi; les sources sacrées ne se rouvraient plus. Il me restait au fond une sécheresse coupable, un souvenir inassouvi que j'entretenais, tout le soir, jusque sous le regard chaste et clément. Le reflet de cette lampe modeste, qui n'aurait dû luire que sur un cœur voilé de scrupules, tombait, sans le savoir, en des régions profanées.

Un matin, par une légère et blanche gelée de décembre, nous étions au Jardin des Plantes, madame de Couaën et moi avec les enfants, que l'idée de la ménagerie poursuivait jusque dans leurs songes. Après bien des allées et des détours, assis sur un banc, tandis qu'ils couraient devant nous, nous jouissions de cette beauté des premiers frimas, de la clarté frissonnante du ciel et de l'allégresse involontaire qu'elle inspire : « Ainsi, disais-je, ainsi sans doute dans la vie, quand tout est dépouillé en nous, quand nous descendons les avenues sans feuillage, il est de ces jours où les cœurs rajeunis étincellent comme au printemps : les premiers tintements de l'âge glacé nous arrivent dans un angélus presque joyeux. Est-ce illusion décevante; un écho perdu de la jeunesse sur cette pente qui mène à la mort ? Est-ce annonce et promesse d'un séjour d'au-delà ? » — « C'est promesse assurément », disait-elle. — « Oui, reprenais-je, c'est quelque appel lointain, une excitation affectueuse de se hâter et d'avoir confiance à l'entrée des jours ténébreux, de ces jours dont il est dit *non placent*. » Et je lui expliquais, dans toute la tristesse que j'y supposais, ce *non placent*. Mais auprès de nous, sur le même banc, deux personnes, deux femmes, d'un âge et d'une apparence assez respectables, s'entretenaient, et, comme le mot de *machine infernale* revenait souvent, nous prêtâmes malgré nous l'oreille; c'était en effet de l'attentat de nivôse, échoué il y avait juste deux ans à pareil jour, qu'il était question; et l'horreur naïve avec laquelle ces femmes en parlaient me fit venir une sueur au visage : madame de Couaën elle-même, d'ordinaire indifférente sur ces sujets, pâlit. En quels complots étions-nous donc embarqués ? où tendions-nous ? avec quels hommes ? par quels moyens ? et quel serait le jugement public sur nos têtes ?

Cette pensée fut à la fois celle de madame de Couaën et la mienne; nous n'eûmes pas besoin de nous la communiquer; un long silence coupa les gracieuses mysticités que nous déduisions tout à l'heure. Elle se plaignit de souffrir, et je la reconduisis. Mais, moi, remué dans mes plus sombres idées par ce que j'avais entendu, je ne me tins pas au logis, et m'en revins seul à la même allée du jardin. Les femmes qui causaient sur le banc n'y étaient plus : deux autres avaient succédé, dont l'une jeune, de mise éclatante et équivoque. Sous le nuage de mes yeux, elle me sembla belle. Regards, chuchotements, marcher lent et tortueux, rires aigus, aussi perfides que le sifflement de l'oiseleur, tout un manège bientôt commença. Je m'y prêtai de loin plus qu'il n'aurait fallu : la pensée coupable remplaçait en moi la pensée sombre. Aux moments de perplexité et d'amertume, si Dieu est absent, si ce n'est pas à l'autel du bon conseil, si c'est dans les places et les rues qu'on se réfugie, la diversion sensuelle se substitue aisément au souci moral dont elle dispense. L'avenir prochain qui gêne à prévoir, l'éternité entière elle-même, disparaissent dans un point chatouilleux du présent. Les fruits sauvages des haies nous sont bons parce qu'ils engourdissent : l'homme se fait semblable aux petits des brutes. Pour me servir, mon ami, des fortes et chastes comparaisons de l'Ecriture, on est d'abord comme un agneau en gaieté qui suit une autre que sa mère; qui suit par caprice matinal et comme en se promettant de fuir. Les détours sont longs, riants à l'entrée et fleuris; la distance rassure : cette allée encore, puis cette autre; au coin prochain de la charmille, il sera temps de se dérober; et le coin de la charmille est passé, et l'on suit toujours. L'entraînement machinal prend le dessus peu à peu; déjà l'on ne bondit plus; on ne dit plus : « A ce coin là-bas, je fuirai »; on baisse le front; les sentiers se resserrent, les pas alourdis s'enchaînent : l'imprudent agneau est devenu comme le bœuf stupide que l'on mène immoler. J'en étais là, mon ami; je me livrais tête baissée, sans plus savoir, quand une rencontre subite, qu'elles firent au tournant d'une grille, emporta les folles créatures : des éclats bruyants, accompagnés de moqueries, m'apprirent que j'étais éconduit et délivré. Mon premier mouvement, l'avouerai-je, fut un âpre et sot dépit; je me sentais toute la confusion du mal, sans en avoir consommé le grossier bénéfice. Pourtant le remords lui-même arriva. Quand je fus rentré auprès de madame de Couaën; que je la revis pâle, ayant pleuré et tout entière encore à l'incident du matin; quand elle me dit : « C'est singulier, voici la première fois que je songe sérieusement aux choses; d'aujourd'hui seulement elles m'apparaissent dans leur vérité. Les paroles de ces femmes ont été un trait affreux de lumière, dont je reste atteinte. Nous sommes engagés, nos amis et nous, mon mari, ces chers enfants que voilà (et elle les baisait avec tressaillement), dans une voie de ruine et de crimes. Comment n'avais-je jamais envisagé cela ? Mais non, l'idée de ma pauvre mère et notre douce vie ombragée de là-bas m'avaient tout masqué. J'ai toujours été absorbée dans une seule pensée à la fois. » — En l'entendant s'exhaler de la sorte, je ne trouvais pas en moi ce que j'y aurais voulu d'inépuisable et de tendre pour mêler à sa blessure; mon âme n'était plus une pure fontaine à ses pieds, pour réfléchir et noyer ses pleurs. L'esprit sincèrement gémissant se retirait de dessous mes paroles; tout en les prononçant de bouche, souillé d'intention, j'avais honte de moi, bien autrement honte, je vous assure, qu'après les mauvais soirs où j'avais erré confusément : car ici c'était une figure distincte, la première de cette espèce que j'eusse remarquée, suivie, — et à la face du soleil!

Ceci se passait la veille de Noël, l'avant-veille de notre départ. M. de Couaën s'était suffisamment entendu avec les personnages du parti; pour moi, je n'avais été immiscé à aucune relation directe. Cette journée de Noël fut employée par nous au repos et aux saints offices. Le petit couvent s'emplit, bien avant l'aube, de cantiques, de lampes et d'encens : ces vieilles voix de Carmélites semblaient rajeunir. Nous allâmes toutefois le matin à Saint-Jacques-du-Haut-Pas, pour y jouir plus en grand de la solennité renaissante. L'impression de madame de Couaën ne s'était pas dissipée; sa souffrance, qui avait pris un air de calme, reparaissait dans l'attitude insistante et profondément affectée de sa prière. Rempli de cette vue, sollicité par de si touchants alentours, convaincu au-dedans d'humiliante fragilité, l'idole de ma raison ne tint pas; un rayon du berceau divin, du berceau de Bethléem, m'effleura un moment; je me retrouvai en présence de mes jours les plus vifs de croyance et de grâce, avec un indicible sentiment de leur fuite; je souhaitai de les ressaisir, j'étendis la main vers ce berceau rédempteur qui me les offrait. Oh! qu'elle demeure étendue, cette main suppliante, qu'elle ne se lasse pas, qu'elle se dessèche avant que de retomber! Où étiez-vous, Anges du ciel, mes bons patrons, pour la soutenir ? J'ai faibli jusque-là sans doute, j'ai divagué dangereusement, j'ai convoité et caressé l'écueil; mais il y avait lieu au simple retour encore; cette année chrétienne, en commençant, m'eût pu prendre dans son cours, comme le flux d'une marée plus haute reprend l'esquif oublié des marées précédentes. Ma réforme se serait faite avant l'entière chute; rien d'absolument mortel n'était consommé. Hélas ! non pourtant, j'étais déjà trop sous la prise mortelle, trop au bord de ma perte, pour qu'un autre effort qu'un effort désespéré m'en tirât; je m'agenouillai et m'agitai vainement sur la pente. Dans ce geste d'un moment vers le berceau lumineux, c'était moins une arche abritée et sûre, à l'entrée du déluge des grandes eaux, que j'invoquais pour mon salut de l'avenir, qu'une innocente corbeille de fruits aimables et regrettés que je saluais d'une imagination passagère. La volonté en moi ne voulut pas; la grâce d'en haut glissa comme une lueur. Combien d'autres Noëls semblables, que celui-ci m'eût épargnés, combien de Pâques me revirent de la sorte, mais ayant déjà roulé au fond et tout dégradé, ô mon Dieu! formant des vœux impuissants, des résolutions à chaque heure contredites; me proposant, Seigneur, des points d'appui et des temps d'arrêt solennels dans cette rechute insensée, tantôt suspendue à votre crèche, tantôt aux angles du saint tombeau; implorant pour me tenir un des clous mêmes de votre Croix, et m'écriant : « A partir de cette Pâques du moins ou de ce Noël, je veux mourir et renaître; je jure de ne plus retomber! » et la facilité déplorable, énervante, semblait redoubler avec mes efforts; jusqu'au jour enfin, où la volonté et la grâce concordant mystérieusement, et comme deux ailes égales venues à la fois, me portèrent à l'asile de tendresse et de fixité, au roc solide qui donne la source jaillissante.

Nous quittâmes Paris après beaucoup d'adieux à madame de Cursy, qui nous fit promettre de bientôt revenir. Notre retour, par des pluies continuelles, fut morne et peu riant. Madame de Couaën demeurait pâle, préoccupée; le marquis s'absorbait en silence dans les desseins qu'il venait d'explorer de près; et moi, outre l'inquiétude commune, j'avais mon propre désordre, l'embrasement et la lutte animée sur tous les points intérieurs. Si je m'occupais avec quelque attention des enfants qui seuls n'avaient pas changé en gaieté, mes yeux, rencontrant ceux de madame de Couaën constamment attachés à ces chers objets, y faisaient déborder l'amertume. Dans ce court voyage, si gracieux au départ, et durant lequel rien d'effectif en apparence, rien de matériellement sensible, n'était survenu, que de calme détruit sans retour, que d'illusions envolées! Infirmité de nos vues et de nos désirs! un peu plus d'éclaircissement çà et là, un horizon plus agrandi sous nos regards, suffisent pour tout déjouer.

VIII

Cette tristesse pourtant n'était, à vrai dire, dans notre cas qu'un pressentiment troublé qui anticipait de peu sur les choses, comme en mer la couleur changée des eaux qui annonce l'approche des fonds dangereux. Les événements bien vite la justifièrent. En arrivant à Couaën fort avant dans le soir, nous apprîmes que plusieurs détachements de soldats s'étaient répandus, depuis quelques jours, sur les côtes voisines, et que la nôtre, celle de Saint-Pierre-de-Mer, venait elle-même d'être occupée : il paraissait qu'ayant eu vent des débarquements projetés, on les voulait prévenir. Mais, en cet instant, je pus à peine m'enquérir des détails : un mot pour moi, apporté dans le courant de cette dernière journée, me marquait que mon oncle, atteint de paralysie, n'avait probablement que peu d'heures à vivre. Je repartis à cheval avant de m'être assis au salon, et, laissant Couaën dans son anxiété que je partageais, je me hâtai, battu de présages, et sous la plus nébuleuse des nuits, vers mes propres douleurs.

Vous avez quelquefois, mon ami, traversé les crises inévitables ; vous avez perdu quelque être cher, vous avez fermé les yeux de quelqu'un. La nuit, par les chemins, ainsi que moi, vous vous êtes hâté, dans quelque froide angoisse, ne sachant si le mourant ne serait pas déjà mort à votre arrivée, ralentissant le trot tout d'un coup quand vous approchiez des fenêtres et que vous touchiez au pavé des rues et de la cour, de peur d'éveiller le moribond chéri, reposant peut-être en ce moment d'un sommeil léger et salutaire, ou de vous heurter peut-être à son sommeil éternel. Vous avez assisté, je suppose, à quelque affliction de mère qui ne veut pas être consolée ; vous avez serré dans une étreinte muette la main d'un père altier et sensible qui a enseveli son unique enfant mâle. Le hasard ou la pitié vous a certes conduit dans quelque galetas hideux de la misère; vous y avez vu sur la paille des accouchées amaigries, des nourrissons criant la faim, ou aussi deux vieillards paralytiques, époux, l'un qui parle encore ne pouvant marcher, l'autre qui se traîne encore ne pouvant se faire entendre; vous avez respiré cette sueur des membres du pauvre, plus vivifiante ici-bas, à qui va l'essuyer, que l'encens que brûlent les anges, et vous êtes sorti de là prêt à confesser la Croix et la charité.

— A minuit, secoué en sursaut, au milieu d'un rêve, par des cris lugubres, vous avez vu peut-être votre chambre rougie des reflets de l'incendie, et vous couvrant à peine de vêtements, la langue épaisse de salive, la lèvre noire et desséchée, vous avez couru droit à votre vieille mère étonnée pour l'emporter hors du péril; vous l'avez déposée en lieu sûr, et, revenu seul alors, vous avez, sans espoir de secours, calculé les progrès du désastre, le temps que ce pan de mur mettrait à brûler, puis cet autre, puis ce toit, songeant en vous-même où vous coucheriez demain! — La pauvreté peut-être aussi, comme il arrive subitement en nos temps de vicissitudes, vous a saisi au dépourvu, et vous avez formé des résolutions fortes et pieuses de travail pour le soutien des vôtres. Enfin, mon ami, vous avez passé à coup sûr par quelqu'une de ces heures sacrées, où la vie humaine s'entrouvre violemment sous la verge d'airain et où le fond réel se découvre... Eh bien! en ces moments, dites-moi, à ces heures de vraie vie, de vie déchirée et profonde, dites, si l'idée a pu s'en présenter à vous, que vous ont paru les sens et les images qui les flattent, et leurs plaisirs? dites; combien bas! honteux! déviés! extinction de tout esprit et de toute flamme, et pour parler sans nuances, crapuleux dans leur ivresse et abrutissants dans leur pâture! Oui, si durant une veille de la Toussaint, sous les portiques de marbre du plus beau cloître sicilien baigné par les flots, quand la procession des moines circule à pieds nus sur les dalles, chantant les prières qui délivrent, — si tout d'un coup, à travers les grilles des soupiraux, s'exhalait une infecte bouffée des égouts de nos grandes villes, l'effet ne serait pas autre que celui des plaisirs et de la volupté, quand ils nous reviennent en ces moments où la douleur sévère, la mort, l'amour en ce qu'il a d'éternel, triomphent et nous retrempent dans la réalité des choses de Dieu. Chaque fois que, du sein de ces ondes mobiles et contradictoires où nous errons, le bras du Puissant nous replonge dans le courant secret et glacé, dans cette espèce de Jourdain qui se dirige, d'une onde rigoureuse, au-dessous des tiédeurs et des corruptions de notre Océan, à chaque fois nous éprouvons ce même frisson de dégoût soulevé par l'idée de la Sirène, et nous vomissons les joies de la chair. Et si cela nous affecte ainsi, parce qu'une douleur purifiante nous visite et que nous assistons à la mort des autres, demandons-nous souvent : Que sera-ce donc aux abords de la nôtre ? Que sera-ce après, au choc formidable du rivage ?

Quand j'arrivai à la maison, mon pauvre oncle respirait encore, mais il n'y avait plus aucun espoir, et son râle suprême était l'unique signe de vie. Depuis plusieurs heures, il ne soulevait plus les paupières, il ne balbutiait plus et ne témoignait plus rien entendre : ses derniers mots avaient été pour s'enquérir si je venais. Debout près du lit, je serrai doucement sa main dans la mienne et lui adressai la parole en me nommant. Il me sembla sentir une pression légère qui répondait ; une velléité de sourire à l'angle des lèvres acheva sa pensée, et jusqu'au dernier souffle, cette pression de sa main, quand je parlais, se renouvela : il m'avait du moins reconnu. Ainsi je perdis l'être qui m'avait le plus aveuglément et le plus naïvement aimé au monde, qui m'avait le plus aimé par les entrailles.

J'étais en effet orphelin de père et de mère dès le bas âge, ce que j'ai omis de vous dire en commençant. Mon père, officier aux armées navales, avait péri sur le pont de sa frégate par un accident survenu dans une manœuvre. Ma mère, qui l'avait suivi de près, m'était restée, à l'horizon de la mémoire, comme dans l'azur lointain d'un souvenir. Je me voyais en une antichambre carrelée où l'on me baignait d'ordinaire, les jours de dimanche et de fête : j'étais nu au bain, et le soleil, qui entrait par la porte ouverte de la cour, tombait à terre sur le carreau en formant de longs losanges que je dessinerais encore. Mais tout à coup une musique militaire, jouant dans la rue et annonçant le passage de quelque troupe, se fit entendre ; je voulais voir, je m'écriai pour qu'on me portât aux fenêtres de la chambre voisine ; et les femmes qui étaient là hésitaient ou s'y refusaient, quand une autre femme pâle, en noir, entra brusquement, avec un grand bouquet de fleurs rouges, ce me semble, à la main ; et elle me prit humide dans une couverture et me mena aux soldats qui passaient. Cette femme en noir, dans mon idée, ce devait être ma mère. Mais la scène elle-même, le bain, la musique guerrière, tout cela n'était peut-être qu'un songe suscité après coup dans mon imagination attendrie par les récits qu'on me faisait journellement. On me parlait beaucoup de ma mère : mon oncle, qui était son frère germain, et dont la nature casanière, sensible et un peu verbeuse, ne sortait pas de quelques impressions du passé, m'avait nourri du plus pur lait domestique. Quoique d'une naissance fort inférieure à la qualité de mon père, elle était si renommée dans le pays, dès avant son mariage, par sa perle de beauté et de souriante sagesse, que presque personne ne jugea qu'il y eût mésalliance. Ç'avait été un roman que leur rencontre, et les scrupules de la jeune fille, et la poursuite passionnée de mon père, qui accourait de Brest, dès qu'il le pouvait, et quelquefois pour une demi-heure de nuit seulement, durant laquelle, rôdant sous la fenêtre, il n'apercevait qu'une ombre indécise à travers la vitre et le rideau. Tant de soins vainquirent ce cœur ; et un jour, par un radieux après-midi, conduite en chaloupe dans la rade de Brest, la belle mariée avait lestement monté l'échelle de la frégate l'*Elisabeth*, où un bal galant l'attendait. Sur ce voyage et cette fête dont il avait été dans le temps, mon bon oncle revenait sans cesse, ou plutôt il n'en était pas revenu encore, et jusqu'à la fin il voyait se détacher dans cet encadrement, nouveau pour lui, d'échelles et de cordages, les grâces et le triomphe de sa sœur. — Eh bien ! oui ! toujours uniquement, jamais assez ! recommencez sans crainte, Oncle maternel, recommencez jusqu'à ce que je me souvienne autant que vous, jusqu'à ce que je me figure moi-même avoir vu. L'imagination de l'enfance est tendre, facile non moins que fidèle ; le miroir est vierge et non terni ; gravez-y avec le diamant, ravivez-y cent fois ces pures empreintes ! Comme les souvenirs ainsi communiqués nous font entrer dans la fleur des choses précédentes, et repoussent doucement notre berceau en arrière ! comme ils sont les nuées de notre aurore et le char de notre étoile du matin ! Les plus attrayantes couleurs de notre idéal, par la suite, sont dérobées à ces reflets d'une époque légèrement antérieure où nous berce la tradition de famille et où nous croyons volontiers avoir existé. Mon idéal à moi, quand j'avais un idéal humain, s'illuminait de bien des éclairs de ces années dont je n'ai jamais pu recueillir que les échos. Au milieu des rentrées pavoisées de D'Estaing et de Suffren, que me déroulait

la fantaisie, je me suis peint souvent le grand escalier de
Versailles où m'aurait présenté mon père en quelqu'un
de ses voyages, et, quand je voguais dans les chimères,
c'est toujours à l'une des chasses de ces royales forêts que
je transportais invinciblement ma première entrevue
avec M. de Couaën, mais avec M. de Couaën honoré et
puissant alors, comme il le méritait. N'êtes-vous donc
pas ainsi, mon ami ? ne vous semble-t-il pas que vous
ayez vécu avec pompe et fraîcheur en ces années que je
vous raconte ? Ces matins pourprés du Consulat n'ont-ils
pas une incroyable fascination de réminiscence pour vous
qui n'étiez pas né encore ? N'avez-vous pas remarqué
comme le temps où nous aurions le mieux aimé vivre est
celui qui précède immédiatement le temps où nous
sommes venus ?

Privé de mes parents, je ne manquai donc d'aucun
des soins affectueux qui cultivent une jeune nature. Mon
oncle, qui habitait la campagne où il avait quelque bien,
et toute la famille de ma mère, éparse aux environs, faisaient de moi l'objet de mille complaisances. Mon père
ne m'avait laissé que des cousins éloignés et des amis que
la Révolution dispersa encore, mais dont les survivants
ne perdirent jamais de vue en ma personne son nom et
son pur sang. A un grand fonds de reconnaissance pour
la bonne famille qui m'élevait, je joignais moi-même,
l'avouerai-je ? une secrète conscience de supériorité de
condition ; mais rien n'en perçait au-dehors, et, quand
plus tard je fus négligent et parus ingrat envers beaucoup de ces bons parents qui m'aimaient et m'avaient
comblé dès mon enfance, une si misérable pensée n'entra
nullement dans mon oubli : je ne faisais que suivre trop
au hasard le fil du courant qui m'écartait. Ces parents,
en effet, du côté de ma mère, qui me couvaient en
mémoire d'elle et que je cessai presque tout à coup de
voir en m'émancipant, je les aimais, je ne me souviens
d'eux qu'avec émotion ; ils comptent encore maintenant
dans le fond de ma vie : mais ils l'ignorent, ils l'ont
ignoré ; ils en ont souffert et s'en sont plaints. C'est que
la jeunesse est ingrate naturellement, d'humeur fugace et
passagère. Elle tourne vite le dos à ses jeux d'enfance, à
la verte haie de clôture, à ce champ nourricier dont elle
a butiné le miel et mangé les fruits. Elle va, elle part un
matin, comme l'essaim qui ne doit plus revenir, comme
le corbeau de l'Arche qui ne rapporta pas le rameau ; elle
garde du passé la fleur et la dissémine au-devant. Rejetant

bien loin, et d'un air d'injure, tout ce qu'elle ne s'est pas
donné, elle veut des liens à elle, des amis et des êtres rien
qu'à elle et qu'elle se soit choisis ; car elle croit sentir en
son sein des trésors à acheter des cœurs et des torrents
à les féconder. On la voit donc s'éprendre, pour la vie,
d'amis d'hier inconnus jusque-là, et prodiguer l'éternité
des serments aux vierges à peine entrevues. Toujours
excessive et hâtée, elle est peu clémente envers ce qu'elle
quitte ; elle déchire ce qu'elle détache ; elle rompt les
anciennes racines plutôt que de les laisser tomber. Dans
son essor vers les préférences agréables, dans ses chaînes
imprudentes au foyer de l'étrangère, elle méprise la
bonne nature qui aime sans savoir pourquoi, et parce
qu'on est plus ou moins proche par le sang.

Saisissez bien ma simple idée, mon ami ; je ne blâme
point la jeunesse d'être expansive, de ne pas vouloir
s'enraciner au seuil paternel et de se porter à la rencontre
des autres hommes. Je sais que nous ne vivons plus sous
l'ancienne loi, à l'ombre du palmier des patriarches ; que
les mots d'*inconnus* et d'*étrangère* n'ont plus le même sens
que du temps du Sage, et qu'il serait impie, en vérité, de
redire avec lui, tant la communion de l'Agneau a tout
changé : « Ne donnez pas à autrui votre fleur, et vos
années au cruel, de peur que les étrangers ne s'em-
plissent de vos forces et que vos sueurs n'aillent dans
une autre maison. » Il y a plus : cet élancement indéfini
de la jeunesse, ce détachement des liens du sang et de la
race, le peu d'acception qu'elle en fait, et son entière
ouverture de cœur, pourraient être un des précieux auxiliaires de la nouvelle alliance et de la fusion des hommes.
Mais il ne faudrait pas dissiper cette expansion, riche de
zèle, en traversée d'inconstance et d'erreur, en prédilec-
tions capricieuses et stériles. Et puis, certaines vertus ina-
liénables de l'ordre de famille ne devraient jamais disparaître même sous la loi de fraternité universelle, et quand
le règne évangélique se réaliserait sur la terre.

Avec une nature aimante et qui, bien dirigée, eût suffi
aux liens antérieurs comme aux adoptions nouvelles, je
sus être à la fois indiscret dans mes attaches au-dehors, et
ingrat pour ce que je laissais derrière. Mon tort le plus
réel à ce dernier égard, et qui me reste toujours au vif,
tellement que je saigne encore en y songeant, tomba sur
une bonne dame, parente et marraine de ma mère, et qui
avait transporté d'elle à moi les mêmes sentiments, aug-
mentés de ce qu'y ajoutent l'âge et le souvenir des morts

qu'on pleure. Il vint un moment, dans le fort de mes courses et diversions à la Gastine, où je la visitais moins souvent; et, après mon absorption à Couaën, je ne la vis plus du tout. Sa maison n'était pas très éloignée pourtant de la route qui menait de Couaën au logis de mon oncle; mais on ne passait pas précisément devant, et, une fois le premier embarras créé, j'attendis, j'ajournai, je n'osai plus. Elle se montra d'abord toute indulgente; elle s'informait de moi près de mon oncle, et mettait mes irrégularités sur le compte des occupations et des nouveaux devoirs; mais quand, après les mois et les saisons, les jours de l'an eux-mêmes se passèrent sans que je la visse, il lui échappa de se plaindre, et elle dit un jour : « Ne reverrai-je donc plus Amaury, une fois au moins avant ma mort ? » Je sus ce mot, je me promis d'y aller et je ne le fis pas. En partie mauvaise honte, en partie distraction aveugle, j'étais barbare. Qu'avez-vous pu penser de moi, ô vieille amie de ma mère ? qu'avez-vous pu lui dire au ciel en la rejoignant ? M'avez-vous cru véritablement ingrat et gâté de cœur ? m'avez-vous jugé plus fier et plus dur avec l'âge, et devenu soudainement méprisant pour ceux qui m'aimaient ? A l'heure suprême, où présent, vous m'eussiez béni comme une aïeule, avez-vous conçu contre mon oubli inexplicable des pensées sévères ? Et aujourd'hui que vous lisez en moi, aujourd'hui que j'ai si souvent prié pour vous et que votre nom fidèle me revient à chaque sacrifice dans la commémoration des morts, Ame bienfaitrice, au sein des joies de Marie, m'avez-vous pardonné ?

Comme les amitiés humaines sont petites, si Dieu ne s'y mêle! comme elles s'excluent l'une l'autre! comme elles se succèdent et se chassent, pareilles à des flots! Voyez, comptez déjà, mon ami. J'avais déserté le logis de la marraine de ma mère pour la Gastine, et voilà que la Gastine elle-même est bien loin. Couaën, qui a succédé, se maintiendra-t-il ? Nous sommes près, hélas! d'en partir, et, durant ces années qui suivront, je vais m'appliquer à l'oublier. O misère! cette maison où vous allez soir et matin, qui vous semble la vôtre et meilleure que la vôtre, et pour laquelle toute précédente douceur est négligée, si l'idée de Dieu n'intervient au seuil et ne vous y accompagne, cette maison, soyez-en sûr, aura tort un jour; elle sera évitée de vous comme un lieu funeste, et, quand votre chemin vous ramènera par hasard auprès, vous ferez le grand tour pour ne point l'apercevoir. Plus vous êtes doué vivement, et plus ce sera ainsi. Vous irez ensuite en une autre maison, puis en une troisième, comme un hôte errant qui essaie de s'établir, mais vous ne reviendrez pas à la première; et celle qui vous retiendra en vos dernières années et à laquelle vous paraîtrez plus fidèle, le devra simplement à l'habitude prise, à votre fatigue, à votre apathie finale, à cette impuissance d'aller plus loin et de recommencer. Et le sentiment de la fuite et du déplacement inévitable des liaisons purement humaines, lorsqu'on a déjà éprouvé deux ou trois successions de ce genre, devient tel en nous que, souvent, jeunes encore et avides d'un semblant d'aimer, nous n'avons plus assez de foi pour nous livrer sérieusement à des essais nouveaux. Le simulacre de durée qui embellit toute origine ne nous séduit plus. Nous montons donc l'escalier des amis d'aujourd'hui, nous disant que probablement, dans un an ou deux, nous en monterons quelque autre; et le jour où cette prévoyance nous vient, nous sommes morts de cœur à l'amitié. Il n'y a de durable et de placé hors de la merci des choses, à l'épreuve de l'absence même, des séparations violentes et des naufrages, que ces amitiés, pour parler avec un aimable moderne, *en présence desquelles Dieu nous aime* et qui nous aiment en présence de Dieu; sur lesquelles, aux heures orageuses, descend, comme un câble de salut, la foi aux mêmes objets éternels, et qui, aux heures sereines, reconnaissent et suivent la même étoile conductrice, venue d'Orient; amitiés diligentes, dont le premier acte est de déposer un noble type d'elles-mêmes dans le trésor céleste, où elles le recherchent ensuite et l'étudient sans cesse afin de l'égaler.

Tant que les derniers moments de mon oncle et les devoirs funéraires m'avaient retenu, je n'eus de nouvelles de Couaën que celles que j'envoyais quérir chaque jour; mais, le lendemain de l'enterrement, j'y pus aller moi-même passer quelques heures. On m'y apprit plus en détail l'occupation de la côte. Les soldats stationnaient dans les enfoncements, sans se montrer, et ne laissaient approcher personne; ils évitaient d'allumer des feux et observaient une garde plus rigoureuse surtout durant les nuits, comme espérant surprendre les arrivants à la descente. L'officier qui les commandait, et qu'on disait d'un haut grade, paraissait avoir des indications fort précises quant au lieu, bien qu'inexactes pour la date. M. de Couaën m'eut l'air peu ému : soit besoin de tout calmer

autour de lui, soit contenance familière à ces caractères
énergiques dès que le danger se dessine, soit conviction
réelle, il nous soutenait, avec le plus grand sang-froid du
monde, que la mine n'était pas éventée, que les indications
portaient nécessairement à faux, que ces mouvements
mêmes de troupes, deux ou trois mois à l'avance, le prou-
vaient. Il se refusa absolument aux précautions de sûreté
personnelle, et tout ce que je pus obtenir, c'est qu'il réu-
nirait ses papiers compromettants dans une armoire
secrète de la tour, avec permission à moi de les détruire
en cas d'urgence : nous n'avions, par bonheur, rien reçu
des armes et des poudres qu'on nous annonçait. Nos
autres amis et bruyants conspirateurs des environs
n'étaient pas si raffermis probablement; M. de Couaën
n'avait eu révélation d'aucun depuis son retour, tant
l'alerte soudaine avait dispersé ces coureurs de lièvres!
Le bon M. de Vacquerie, lui qui *ne conspirait pas*, était
encore le seul qui osât donner signe de vie, non pas de
sa personne, le pauvre homme! mais du moins par ses
deux gardes-chasse qui, à son ordre, allaient, venaient,
s'informant, avertissant, et sur un perpétuel qui-vive. Ils
se présentèrent deux fois à Couaën de la part de leur
maître, durant la courte après-midi que j'y passai, et, en
les voyant, madame de Couaën, toute triste qu'elle était,
ne put s'empêcher de répondre à mon sourire. Elle était
bien triste en effet, pâle, fixe et dans une monotonie de
pensée qui tendait à la stupeur. Une idée, que je n'ose
appeler superstitieuse, l'oppressait, et elle me la conta,
heureuse de trouver enfin à qui la dire. Notre douce chapelle de Saint-Pierre-de-Mer n'avait pas été respectée par
les *bleus* : ils s'y étaient installés dès l'abord, comme en
une espèce de quartier central. Le matin même de Noël,
le vieux François, qui, l'avant-veille encore au soir, était
revenu de la côte, laissant les choses à l'ordinaire, avait
trouvé le lieu envahi, la lampe éteinte ou brisée, et tout
un bivouac dans la nef. D'après certaines particularités
du récit et les divers renseignements sur l'heure de
l'arrivée des troupes en ce point, madame de Couaën
concluait que c'était la veille de Noël, au matin, qu'avait
eu lieu cette violation, et elle s'imaginait que la lampe
symbolique de l'autel, depuis tant d'années vigilante,
avait dû être éteinte au moment même où, ce jour-là,
nous autres, assis sur le banc du Jardin des Plantes,
avions entendu les paroles de ces femmes, dont elle s'était
sentie si instantanément blessée. Elle ne pouvait s'expli-

quer que de la sorte, disait-elle, sa commotion électrique
de là-bas, cette espèce de veine amère qui s'était rompue
alors dans sa poitrine, ce froid subit et glacé qui avait
soufflé sur son bonheur. L'explication mystérieuse qu'elle
se donnait me gagna moi-même, et, tout en essayant de
la combattre en elle, j'en restai préoccupé. J'y ai repensé
sérieusement depuis : ce n'est jamais moi qui nierai, bien
que je n'en aie été favorisé en aucun temps, ce mode de
communications étranges, ces harmonies intermédiaires,
que Dieu a tendues pour les rares usages, et dont l'aile
des esprits bons ou mauvais peut, en passant, tirer des
accords justes ou prestigieux.

Il est des époques et des nœuds dans notre vie où,
après une longue inaction, les événements surviennent
tous à la fois et s'engorgent comme en une issue trop
étroite : ainsi cette courte semaine ne suffisait pas aux
accidents. M. de Greneuc, infirme et alité depuis quelques
mois, étant mort vers le temps de notre voyage, madame
de Greneuc se décida à quitter cette résidence de deuil
pour une autre terre en Normandie. Je ne fis mes adieux
qu'aux derniers moments. La digne dame était morne et
sans parole. Mademoiselle Amélie, égale, attentive
comme toujours, avait sensiblement pâli, et sa voix,
redoublant de douceur dans sa simplicité, avait acquis,
même sur les tons très bas, un son liquide continu qui
allait à l'âme et faisait peine : combien il avait fallu de
larmes épanchées au-dedans pour attendrir à ce point et
pénétrer cette jeune voix! Elle se trouvait près de la porte
de la chambre quand j'y entrai; à mon apparition, une
subite rougeur la trahit, qui, en s'éteignant presque aussitôt, marqua mieux cette pâleur habituelle. Moi, j'étais
gauche, contraint, à faire pitié; je me rejetais dans les
banales ressources de condoléance et de politesse; je
n'entamais rien. Elle eut compassion de mon embarras,
et me remit avec aisance dans l'ancien train de causerie
et de questions sur Couaën; elle me fit conter notre
voyage. Madame de Greneuc nous ayant laissés seuls un
instant, j'essayai enfin d'aborder le point essentiel, sentant que c'était l'heure ou jamais, et en même temps ne
pouvant et n'osant qu'à demi. Oh! qu'il est difficile
d'avancer d'un pied ferme, quand les longues herbes d'un
sentier presque oublié sont devenues glissantes et vis-
queuses comme des serpents! « Quelque part qu'elle allât,
lui disais-je, elle devait compter sur mon souvenir
constant et profond, sur l'intérêt fidèle dont je l'accompa-

gnerais dans son séjour nouveau et dans ses ennuis.
Cette séparation, d'ailleurs, ne pouvait durer; nous nous
reverrions à coup sûr avant peu, et, jusque-là, il fallait
qu'elle crût à la vigilance de toutes mes pensées. » J'en
étais encore à tourner dans ce vague cercle quand
madame de Greneuc rentra. Paroles misérables, et pourtant aussi sobres d'artifice que mon intention lâche et
double le comportait! Je tâchais à la fois d'exprimer ce
que j'éprouvais réellement, et de paraître exprimer ce
que je n'éprouvais pas, d'être sincère avec moi et trompeur avec elle; ou plutôt, à le bien prendre, je ne cherchais qu'à me tirer décemment d'une crise pénible, sans
viser même à donner le change sur le fond; car cela signifiait trop clairement : « Comptez sur moi comme moi-
même, mais n'y comptez pas plus que moi. Je suis tout
vôtre, si jamais je puis l'être; je voudrais vouloir, et je ne
veux pas! » Mademoiselle Amélie, en m'entendant, était
restée naturelle, patiente, m'acceptant à ma mesure, ne
venant que jusqu'où j'allais, ne témoignant dépit ni surprise, ni persuasion outrée, ni résignation qui se mortifie :
à un moment où je lui tendais la main, elle me la toucha.
Enhardi pourtant par la rentrée de madame de Greneuc,
et souhaitant arriver à une espèce de conclusion, je me
mis à parler vivement des circonstances politiques et de
l'incertitude qui enveloppait encore toutes les existences
de jeunes hommes d'ici à un temps plus ou moins long,
à deux ans au moins, et je revins avec assez d'affectation
sur ce terme de deux ans auquel il fallait ajourner,
disais-je, toute détermination définitive. Mademoiselle
Amélie, en relevant le mot, m'indiqua qu'elle avait
compris et qu'elle consentait : « Vous avez raison,
reprit-elle; avant deux ans au moins, rien n'est possible
dans les existences privées, grâce à tout ce qui s'agite; il
serait peu sensé d'asseoir d'ici là aucun projet de vie »;
et elle ajouta : « Mais soyez prudent, vos amis vous en
supplient; soyez-le plus que par le passé. » Je me levai
là-dessus, profitant de son sourire. Je pris congé de
madame de Greneuc et d'elle; je les embrassai, et je
partis. Elle m'accompagna jusqu'à la barrière de la cour,
tout comme autrefois, malgré la neige qui était tombée.
Quelle supériorité de jeune fille elle garda jusqu'au bout,
et quelle dignité généreuse! Tels furent mes derniers
adieux à la Gastine; tel j'en sortis pour n'y jamais revenir,
embarrassé, honteux, la tête peu haute, peu loyal, et ne
pouvant sans inconvénient l'être plus. Combien cette

sortie humiliée différait d'avec les anciennes! Où était-elle cette molle et idéale soirée de mon triomphe rêveur! et qu'avais-je donc tant gagné depuis, qu'avais-je osé de si grand et goûté de si vif pour dédaigner et fouler toutes ces virginales promesses? — Je m'arrêtai court à cette pensée, et me repentis de l'avoir eue : assez d'ingratitude, ô mon Ame! plains et pleure ce que tu perds, mais ne renie pas ce que tu as trouvé!

En rentrant au logis après cette visite, je rencontrai d'abord l'un des deux éternels gardes-chasse de M. de Vacquerie. Ce dernier était à la ville au moment où M. de Couaën, qui y avait aussi fait un tour, venait d'être arrêté par ordre supérieur et dirigé immédiatement sur Paris. Le bon M. de Vacquerie avait à l'instant dépêché l'un de ses gardes vers madame de Couaën, au château, et l'autre à moi-même : ces pauvres gens ne s'étaient jamais vus si utiles. J'arrivai à Couaën avant la nuit; les officiers de police et magistrats, partis de la ville à la minute de l'arrestation, mais fourvoyés et attardés dans les ravins neigeux, n'y furent qu'une heure après moi; ce qu'il y avait de papiers dangereux était déjà anéanti. Madame de Couaën reçut ce monde avec une sorte de tranquillité, et me laissa tout faire; ils se saisirent de quelques lettres insignifiantes que j'avais oubliées à dessein. Le matin suivant, nous étions, elle et moi avec les enfants, en route pour Paris. Stricte convenance ou non dans ce rôle de conducteur à mon âge, il n'y avait pas ici à hésiter; j'étais l'ami le plus intime, le seul présent, les autres en fuite et en frayeur. Elle accepta mes offres, non comme des offres, — sans objection, sans remercîments, absorbée qu'elle était et douloureuse, toute à cette pensée du danger des siens. Ce fut ainsi durant le voyage : elle recevait chaque soin passivement, et comme un enfant docile. J'en étais à la fois touché comme de l'amitié la plus naïve, et blessé peut-être un peu dans cette portion d'égoïsme qui se mêle toujours au dévouement. J'agissais pourtant sans réserve : son inquiétude était bien la mienne. Je me demandais par moments avec effroi ce qu'elle deviendrait si l'on m'arrêtait aussi. Un grand besoin d'arriver nous occupait; notre éternel entretien, cette fois, dépouillé de charme, se composait de deux ou trois questions qu'elle me répétait sans cesse, et de mes réponses de vague assurance que je variais de mon mieux.

IX

Nous descendîmes le premier soir au petit couvent. Sauf cette nuit d'arrivée, madame de Couaën voulait aller loger ailleurs, de peur d'être par son séjour une occasion d'inquiétude; madame de Cursy s'y opposa formellement. Mais il fut convenu entre madame de Couaën et moi, nonobstant toutes raisons de *notre bonne tante*, comme nous l'appelions, qu'avant la fin de la semaine, je me mettrais à deux pas en quelque hôtel du quartier : nous avions pour prétexte mes études le matin au-dehors et mes sorties obligées du soir. Dès en arrivant, deux lettres furent écrites par madame de Couaën, l'une au général Clarke, son compatriote, que sa famille avait fort connu; l'autre à un ancien ami particulier de lord Fitz-Gérald, un personnage influent et assez considérable du nouveau régime; M. de Couaën, dans ses premiers voyages à Paris, au retour d'Irlande, avait eu quelque commencement de liaison avec lui. Je portai moi-même ces lettres le lendemain. Le général Clarke était absent en mission : on l'attendait dans la quinzaine. Quant à l'ami de Fitz-Gérald, il me reçut bien, se fit expliquer toute l'affaire et la prit à cœur; il me donna quelques points utiles de conduite, et, de son côté, promit d'agir sans délai. Selon son conseil, et avec un billet de lui, je courus aux bureaux de la Police, auprès de M. D..., qui pouvait mieux que personne m'éclairer sur la nature et la gravité des charges. C'était un homme poli et ferme, et dont la sévérité d'accueil ne me déplut pas. Je fus bien étonné, lorsqu'ayant lu mon nom dans le billet que je lui remis, il parut déjà me connaître. Il était en effet au courant de beaucoup de détails sur notre compte, et me déclara avoir de fortes préventions morales contre nous. Je me sentis pourtant soulagé quand il m'eut dit que la tournure essentielle de l'affaire dépendait surtout de ce que fournirait l'examen des papiers; que de nouvelles recherches à notre château avaient été ordonnées et déjà faites à l'heure où il me parlait, et que, s'il n'en résultait rien de plus accablant que dans la première visite, il croyait pouvoir augurer et même garantir un élargissement prochain, au moins partiel et rassurant. D'après quelques mots ironiquement paternels, à moi adressés, sur mon talent de dépister les gens, talent du reste auquel il ne fallait pas me fier outre mesure, je crus à la fin comprendre que, dans les derniers jours de notre précédent voyage, nous avions été suivis un soir, M. de Couaën et moi, par quelque espion; qu'au moment de notre séparation avant Clichy, l'honnête espion s'était attaché à moi de préférence, et que ma singulière course à travers Paris, dont il n'avait pu suivre que le début, lui avait fait l'effet du plus savant des stratagèmes. J'éclatai tout seul dans la rue d'un fou rire, quand cette idée me vint, oubliant trop ce qui aurait dû s'y mêler pour moi d'inséparable confusion; et, comme mon esprit va naturellement à moraliser sur toute chose, je pensai qu'il y a sans doute dans l'histoire force interprétations vraisemblables et autorisées qui ne sont guère moins bouffonnes que ne l'était celle-là.

Mes paroles confiantes rendirent du calme à madame de Couaën; elle vit l'ami de Fitz-Gérald; je la conduisis elle-même chez M. D... Le marquis cessa bientôt d'être au secret, et nous pûmes l'aller embrasser chaque jour en voisins, à la prison de Sainte-Pélagie, où il avait été transféré sur notre demande. La première fois que nous le retrouvâmes, il me frappa plus que jamais par la froideur et l'étendue de son affliction comprimée, par les grands traits creusés de son visage, par son majestueux front encore élargi sous des cheveux plus rares, par l'outrage envahissant de ses tempes qu'habitait depuis tant de nuits la douleur : car c'est là, toujours là, au point de défaut des tempes et des paupières, comme à une vitre transparente, que mon œil va lire d'abord l'état vrai d'un ami. Il s'était fait évidemment dans cette âme virile une dernière, une complète ruine d'ambition et d'espérance, un ensevelissement, en idée, de cette gloire qu'il n'avait jamais eue. Ce noble cœur d'un Charles Quint sans empire avait pris au-dedans le cilice, mais un cilice sans religion. Pour moi qui m'attachais, comme Caleb, à ses pensées, son deuil muet me sembla d'un caractère

durable, indélébile, égal à celui de tout conquérant
dépossédé : quelque abîme s'était ouvert en lui dans cette
convulsion sourde, un abîme qu'on voile aux yeux, mais
que rien ne comble plus. Le marquis d'ailleurs fut simple
avec nous, il fut tendre : « Eh bien ! vous me voyez guéri,
me dit-il en me tenant longtemps la main, — héroïque-
ment guéri ! Vous, Lucy, et ces deux pauvres enfants, et
vous, cher Amaury, vous êtes mon horizon, ma vie
désormais : à d'autres l'arène ! » Comme nous n'étions
jamais exactement seuls, cette fois ni les suivantes, la
conversation ne put s'engager à fond. Je lui portais des
livres ; madame de Couaën passait une heure environ à
broder devant lui. Nous causions de sujets indifférents,
dans la satisfaction d'en parler ensemble, et, pour le reste,
nous prenions patience. M. D... nous avait presque promis une maison de santé avec le printemps.

Madame de Couaën retrouvait par moments une sécurité nonchalante qui lui rendait la distraction et la rêverie,
bien que l'altération de sa santé ne disparût pas avec
l'inquiétude. Plus je la voyais, plus elle me devenait une
énigme de sensibilité et de profondeur, âme si troublée,
puis tout d'un coup si dormante, si noyée en elle ou si
tendue sur les deux ou trois êtres d'alentour, tantôt ne
sortant pas d'une particulière angoisse, tantôt ravie en
des espèces d'apathies mystérieuses et l'œil dans le bleu
des nues ; avec cela, nul goût d'aller ni de voir, aucun
souci du monde, des spectacles du dehors, ni des liaisons ;
elle n'en avait aucune, sinon une jeune dame qu'elle
connaissait pour l'avoir rencontrée chez l'ami de Fitz-
Gérald, et dont le mari, secrétaire du Grand Juge
Regnier, s'employait activement pour nous. Cette jeune
femme, d'un caractère intéressant et triste, s'était éprise
de madame de Couaën, et deux ou trois fois, sur ses instances, nous allâmes chez elle.

J'avais coutume de me figurer vers ce temps mon idée
sur les deux âmes que je contemplais à loisir chaque jour,
sur ces âmes de madame de Couaën et du marquis, par
une grande image allégorique que je veux vous dire.
C'était un paysage calme et grave, vert et désert, auquel
on arrivait par des gorges nues, déchirées, au-delà des
montagnes, après des ravins et des tourbières. Au sein de
ce paysage, un lac de belle étendue, mais non immense,
un de ces purs lacs d'Irlande, s'étendait sous un haut et
immuable rocher qui le dominait, et qui lui cachait tout
un côté du ciel et du soleil, tout l'Orient. Le lac était uni,

gracieux, sans fond, sans écume, sans autre rocher que
le gigantesque et l'unique, qui, en même temps qu'il le
commandait de son front, semblait l'enserrer de ses bras
et l'avoir engendré de ses flancs. Deux jeunes ruisseaux,
sources murmurantes et vives, nées des fentes du rocher,
traversaient distinctement le beau lac qui les retardait et
les modérait doucement dans leur cours, et hors de là
ils débordaient en fontaines. Moi, j'aimais naviguer sur
ce lac, côtoyer le rocher immobile, le mesurer durant des
heures, me couvrir de l'épaisseur de son ombre, étudier
ses profils bizarres et sévères, me demander ce qu'avait
été le géant, et ce qu'il aurait pu être s'il n'avait été pétri-
fié. J'aimais m'avancer, ramer au large lentement dans le
lac sans zéphyr, reconnaître et suivre sous sa masse dormante le mince courant des deux jolis ruisseaux jusqu'à
l'endroit où ils allaient s'élancer au-dehors et s'échapper
sur les gazons. Mais, tandis que je naviguais ainsi, que
de merveilles sous mes yeux, autour de moi; que de mystères! Par moments, sans qu'il y eût un souffle au ciel,
toutes les vagues du lac limpide, ridées, tendues sur un
point, s'agitaient avec une émotion incompréhensible que
rien dans la nature environnante ni dans l'air du ciel
n'expliquait; ce n'était jamais un courroux, c'était un
frémissement intérieur et une plainte. Les deux jolis ruisseaux s'arrêtaient alors et rebroussaient de cours; le lac
les retirait à lui comme avec un effroi de tendre mère. Et
puis, ces mêmes vagues, retombées subitement et cal-
mées, redevenaient un paresseux miroir ouvert aux étoiles,
à la lune et à la splendeur des nuits. D'autres fois, un
brouillard non moins inexplicable que le frémissement
de tout à l'heure couvrait le milieu du lac par un ciel
serein; ou bien on aurait dit, spectacle étrange! que ce
milieu réfléchissait plus d'étoiles et de clartés que ne lui
en offrait le dais céleste. Et aussi les bords les plus riants
vers les endroits opposés au rocher, les saules et les accidents touffus des rives, cessaient à certains moments de
se mirer en cette eau, qui était frappée comme de magique
oubli; l'oiseau qui passait à la surface, en l'effleurant
presque de l'aile, n'y jetait point son image; et moi, il me
semblait souvent, avec un découragement mortel et une
sorte d'abandon superstitieux, que je glissais sur une
onde qui ne s'en apercevait pas, qui ne me réfléchissait
pas!
   Mais pour rentrer, mon ami, dans le réel des choses,
voici comment nous vivions : je m'étais logé tout à côté

du petit couvent; j'y allais régulièrement vers midi, c'est-à-
dire à l'issue du dîner matinal qu'on y faisait. Pluie,
neige ou bise, la plupart du temps à pied, nous nous ren-
dions ensemble, madame de Couaën et moi, à la prison :
les enfants nous accompagnaient les jours de soleil. Nous
étions de retour à trois heures, et, après quelque conversation encore, je la quittais d'ordinaire, ne devant plus
reparaître qu'à sept heures, vers la fin du souper, à moins
que je ne soupasse moi-même au couvent, ce qui m'arrivait bien deux fois la semaine. Madame de Cursy et
quelques-unes des religieuses nous faisaient compagnie
pendant la première moitié du soir : mais, elles retirées
et les enfants endormis, nous demeurions très tard, très
avant même dans la nuit, près de la cendre éteinte, en
mille sortes de raisonnements, de ressouvenirs, de conjectures indéfinies sur le sort, la bizarrerie des rencontres,
des situations, la mobilité du drame humain; nous éton-
nant des moindres détails, nous en demandant le pourquoi, tirant de chaque chose l'esprit, ramenant tout à
deux ou trois idées d'invariable, d'invisible, et de
triomphe intérieur par l'âme; jamais ennuyés dans cet
écho mutuel de nos conclusions, toujours naturels dans
nos subtilités. Il fallait clore pourtant, et par un bonsoir
amical et léger comme si je n'avais fait que passer dans
le cabinet voisin, je suspendais l'entretien non achevé, de
même qu'on pose avant la fin d'une page le livre entrouvert. En deux bonds j'avais glissé au bas de l'escalier,
franchi la cour, et je sortais, refermant tout derrière moi
avec une clef qui m'était confiée à cet usage, afin de
n'assujettir personne. Le bruit de cette porte que je fer-
mais et de ma clef dans la serrure, le retentissement de
chacun de mes pas au-dehors, le long de ces murs solitaires, se réveillent et vibrent, hélas! en ce moment au-
dedans de moi, comme ferait une montre familière sous
le chevet. Dans ce court intervalle du petit couvent à
mon logis, quelquefois une heure du matin sonnait aux
horloges du Val-de-Grâce et de Saint-Jacques, heure
pénétrante et brève, plus solennelle encore à entendre et
plus nocturne que celle de minuit. Que de sensations rassemblées, quelle plénitude en moi durant ce trajet de si
peu de minutes, et si souvent pluvieux ou glacé! Je
n'étais pas glorieux, car nul œil vivant ne me voyait;
j'étais calme plutôt, satisfait de la laisser seule et peut-
être sur ma pensée, comblé intérieurement de sa parole
qui me revenait dans un arrière-goût délicieux, en équi-

libre avec moi-même, ne concevant pas que cette félicité
pût changer, et n'en désirant point au-delà. Oh! ces
moments étaient bien les plus beaux de ma vie d'alors et
les meilleurs. Après tout, les cœurs même des amants
fortunés n'en comptent guère de plus longs, et ce souvenir
du moins ne me donne pas trop à rougir. Le peu que je
faisais de bon en sacrifice auprès d'elle m'était payé, je
dois le croire, par ces rapides et lucides instants.

Mais cela ne composait pas un état habituel : ces deux
ou trois minutes superflues, jetées au bout de mes journées, ne s'y faisaient pas assez sentir pour les modifier en
rien : mon cœur aride avait bientôt bu cette rosée. Où en
étais-je donc de mes sentiments alors ? en quelle nuance
nouvelle ? sous quel reflet de mon nuage grossissant et
diffus ? C'est ce qui me devient de plus en plus difficile
à suivre, mon ami. Car, en avançant toujours, en perdant
les points les plus isolés qui me servaient de mesure, je
suis peu à peu comme sur l'Océan quand on a quitté le
rivage. Les jours, les spectacles, les horizons se continuent, se confondent; quelques tempêtes seules, une ou
deux rencontres, aident encore à distinguer cette monotonie de flots et d'erreurs.

Dès nos derniers événements, et quand les chagrins
réels, les inquiétudes positives m'avaient assailli, j'avais
un peu laissé de côté ma pensée intime; le trouble inévitable et l'agitation matérielle avaient prévalu; rien de vif
ne s'était mêlé à la molle région de mon âme. Ç'avait été
un obscurcissement sur ce point, et une fermentation
active, du reste de mon être, une ivresse bruyante des
choses inaccoutumées, un grand mouvement de jambes,
du sang dans la tête et mille objets dans les yeux. Mon
esprit, à l'improviste en ces embarras, s'en était tiré avec
assez de vigueur et d'adresse; mon dévouement pour mes
amis en peine n'avait pas faibli; mais ce dévouement,
même en ce qui la concernait, avait été souvent peu gracieux de sourire et peu caressant de langage, un dévouement sérieux, sombre, empressé et fatigué. Lorsqu'après
les premières secousses nous reprîmes une vie régulière,
et que je rentrai en moi pour me sonder et m'examiner,
il se trouva que ma disposition intérieure s'était défaite
toute seule; je n'en étais déjà plus à cette scène merveilleuse de la falaise, à cette sainte promesse, au milieu des
larmes, de rester à jamais donné et voué; mon éternelle
pensée d'esclave qui veut fuir m'était revenue : elle
m'était revenue insensiblement par la simple prédomi-

nance de mon activité en ces derniers temps, par l'atmosphère de ces lieux nouveaux où chaque haleine qu'on
respire convie à l'ambition ou aux sens, et aussi par ce
que j'avais cru entrevoir chez madame de Couaën de son
indifférence et de son invincible ravissement en d'autres
pensées plus légitimes. Me sentir ainsi relégué dans son
cœur à une place qui n'était ni la première, ni la seconde,
mais la cinquième peut-être! il y avait là un calcul intolérable; pourquoi le faisais-je ? Et c'est ce qu'on n'élude
pourtant pas, c'est ce qui se pose à chaque minute devant
nous en ces espèces d'amitiés. Je me disais donc, en me
sondant, qu'il fallait aller jusqu'au bout, servir loyalement
et sans idée de récompense; puis, M. de Couaën une fois
rendu à la liberté, reprendre la mienne et me lancer seul
sur ma barque à l'aventure. En attendant, je jouissais de
mon mieux des heures tardives et des longs entretiens.
Quant à elle, elle était bien ce que je vous ai dit; ce lac
où je vous l'ai figurée était son parfait emblème. Elle
avait certes une masse de sensibilité profonde, le plus
souvent flottante et sommeillante, quelquefois bizarrement soulevée sur un objet, et y faisant alors idée fixe,
passion, avec tous les accidents, toutes les distractions et
l'aveuglement naïf de la passion et cette belle ignorance
du reste de l'univers. Je l'avais déjà vue ainsi au sujet de
sa mère, et, depuis notre promenade de la veille de Noël
au Jardin des plantes, cette exaltation s'était portée sur
ses enfants. Les événements qui avaient succédé justi-
fiaient sans doute beaucoup d'inquiétude; mais, dans sa
naissance et dans son développement, cette inquiétude,
chez elle, ne restait pas moins singulière, passionnée sans
mesure, et comme en dehors des motifs naturels. Après
les deux ou trois premiers jours de notre arrivée à Paris,
cette espèce de tension violente de son âme, ce soulèvement des lames intérieures était brusquement tombé, plus
brusquement même que cela ne semblait possible en une
situation encore si ébranlée. Le bon sens de madame
de Couaën, qui ne l'abandonnait jamais, venait remar-
quablement au secours de ces écarts sensibles. Elle se
disait alors avec justesse qu'il valait beaucoup mieux que
le marquis eût été arrêté ainsi tôt que tard, et qu'il aurait
eu plus de peine à s'en tirer, l'affaire une fois plus engagée.
Si, en effet, il n'avait été arrêté qu'un an après, dans
l'arrestation générale de Moreau, Pichegru et Georges,
je ne sais comment on serait parvenu à sauver sa tête.
Madame de Couaën calmée arrivait donc à voir dans

cette prison une garantie efficace et vraiment heureuse
contre des périls plus grands; et, bien que cette perspective au-delà des grilles et des barreaux eût parfois pour
elle des retours moins gracieux, elle se livrait d'habitude
aux doux projets de la vie désormais recueillie et prudente
qui suivrait la sortie. Or, en ces moments, je la voyais
distraite encore et fixe, mais non plus sur une pensée du
dehors; ses rêveries la replongeaient partout ailleurs; elle
était rentrée, comme les Nymphes antiques, dans ses
royaumes mystérieux, sous les fontaines. Oh! par les
jolis jours de février, que faisait-elle ainsi dans ses
chambres, assise contre sa vitre, quand j'arrivais un peu
tard, vers une heure? Quel objet suivait-elle si attentive? quel fantôme se créait parmi les nuages cette
faculté vague et puissante qui, soulevée à deux reprises
sur des points tout à fait distincts, se retrouvait aujour-
d'hui comme sans emploi? Nul témoignage, nulle manifestation de sa part en ces moments. Les enfants, demeurés en bas avec madame de Cursy, après le dîner, ne la
troublaient en rien. A quoi pensait-elle? quel monde
infini, invisible, parcourait-elle en esprit? Ce n'était pas
le nôtre, ce n'étaient ni ses spectacles variés, ni ses fêtes,
ni ses paysages; la pompe, la couleur et l'or, l'émail
même des prairies, ne la touchaient pas. Dans son indifférence des choses, dans le règne souverain de sa fantaisie,
il y avait des jours de brume et de pluie où elle se parait,
dès le matin, avec une recherche ingénue, et des jours de
gai soleil où elle s'oubliait, jusqu'au moment de sortir,
en son premier négligé. J'avais peine d'abord, lorsque
j'arrivais, à la fixer vers moi, à rompre ou à diriger de
mon côté ce courant silencieux; et, quand elle s'échappait
en discours, c'était profond, continu, élevé, intarissable.
Sa santé demeurait souffrante, et son visage avait des
places d'une touchante pâleur; mais elle se plaignait peu
et se rendait peu compte. Seulement, les jours de ces
grandes pâleurs, je remarquais qu'elle était plus sujette
à la dévotion tendre; elle lisait alors, et priait, et sa prière
ne la remplissait pas. Moi, en entrant et la voyant ainsi,
je supposais volontiers quelque religieuse du Midi, la
Portugaise par exemple, immobile en sa cellule, regardant
les cieux et le Tage, et attendant éternellement celui qui
ne reviendra pas. Je me figurais encore la plus sainte des
amantes et la plus amante des saintes, Thérèse d'Avila,
au moment où son cœur, chastement embrasé, s'écrie:
« Soyons fidèle à Celui qui ne peut nous être infidèle! »

Et, m'apercevant bientôt que les blancs et pâles rayons
venaient d'un soleil de février, qu'au lieu d'orangers et
de Tage, nous n'avions en bas que le petit jardin au nord,
tout dépouillé par l'hiver, et que celle dont je me faisais
ce rêve était une épouse et une mère, je souriais de moi.
Et si je la saluais alors, soit que j'entrasse ou que je sortisse, et que ce fût un bonjour ou un adieu, le *bonjour* ou
l'*adieu, monsieur*, qui lui échappait d'une voix machinale,
me glaçait, comme ayant osé prétendre à un trop étroit
partage; ce mot si étranger et si négligent m'allait au
cœur, et je ressentais une soudaine défaillance, comme si
la rame me tombait des mains, en voyant que le lac ne
me réfléchissait pas. Mais il y avait bien d'autres moments
plus précis et mieux éclairés où elle semblait, au contraire,
se souvenir de moi; elle me comptait, elle me nommait
expressément dans tous ses projets; elle me faisait ras-
seoir plus d'une fois avant mon départ, et elle me disait
après de longues heures, quand je me levais : « Vous êtes
toujours pressé de me quitter. »

Un jour, légèrement indisposé de la veille, et ayant
plus tardé ce matin-là que d'ordinaire à l'aller trouver
pour notre visite à la prison, comme il faisait beau, elle
me vint prendre elle-même. On frappa à ma porte :
c'était sa bonne avec son fils qu'elle envoyait d'en bas
savoir si elle pouvait monter. Je courus à mon petit escalier pour la recevoir. Elle entra un moment, fit le tour de
cette simple chambre, en loua la propreté, l'air d'étude,
la discrète lumière; elle s'assit une seconde dans mon
unique fauteuil; — et ces lieux furent pour moi consacrés.

Puérilités! minutieuse idolâtrie! soupirs! troublantes
images qui me reviennent malgré moi, qui se pressent
autour de ma plume quand j'écris, comme la foule des
Ombres, dans le poète, autour du nocher qui les passe!
Fleurs trop légères, trop odorantes, qui pleuvent au
dépourvu sur ma tête peu sage, le long de ces sentiers
d'autrefois, où je ne comptais trouver entre les cyprès
que des avertissements dans la poussière et quelques tombeaux! Souvenirs qui vont presque contre mon but, mon
ami. Où en suis-je avec moi-même, et me les faut-il effacer? Faut-il que je poursuive néanmoins et que j'achève,
et qu'un jour vous lisiez cela? Si je les accueille en détail,
ces souvenirs trop distincts, si trop souvent il vous
semble que j'y ajoute complaisamment comme avec un
pinceau, si je leur accorde une place qu'ils méritent peut-

être bien autant que certains grands événements du monde, mais qui devient plus périlleuse par son intimité, est-ce donc que j'en regrette sérieusement l'émotion première ? est-ce que je regrette quelque chose de ces temps de repentir ? Ou bien, n'est-ce pas à leur esprit, en les racontant, que je m'attache ? n'est-ce pas le souffle de pur amour égaré dans ces riens qui me les a conservés ?

Mais ce qui, vu de loin, forme aux yeux, dans son ensemble, un assez agréable nuage, était dès lors, quand je vivais au milieu, si clairsemé et si vide, que les prévisions moins flatteuses s'y poursuivaient à loisir. Le marquis, sorti de prison, quitterait aussitôt Paris, et irait s'ensevelir à Couaën ou ailleurs pour toujours ; sa femme, sa famille, un moment isolées et sans guide, rentreraient à jamais en lui : devais-je y rentrer moi-même ? devais-je me ranger à sa suite, rival honteux et lâche, et m'enraciner, m'étioler sous son ombre ? Je prononçais donc bien bas, en ces quarts d'heure de réflexion, le vœu d'échapper à des liens trop étouffants, d'aborder le monde pour mon compte, et d'y essayer sous le ciel ma jeunesse ; de faire en ce Paris comme le mousse indocile qui, arrivé dans quelque port attrayant, s'y cache, et que le vaisseau, en partant, ne remmène pas. Toute l'activité récente qui s'était développée en moi, je vous l'ai dit, m'aiguillonnait d'autant à cette émancipation moitié orgueilleuse et moitié sensuelle. Souvent, aux instants de sa plus grande bonté, lorsque je venais de verser des larmes sur ses mains, et que je m'étais appelé bienheureux, je me relevais tout d'un coup sec, aride ; j'aurais voulu autre chose, non pas autre chose d'elle, mais autre chose qu'elle... ; ma liberté, d'abord..., et je ne saurais dire quoi. J'étais las d'un rôle, excédé et sans fraîcheur au seuil de cette félicité que je proclamais des lèvres. Tels, après tout, les cœurs des hommes : plus ils sont tendres et délicats, plus ils sont vite émoussés, dégoûtés et à bout. Qui de vous, amants humains, parmi les plus comblés, et au sein des accablantes faveurs, qui de vous n'a subi l'ennui ? Qui de vous, sous le coup même des mortelles délices, n'a désiré au-delà ou en deçà, n'a imaginé quelque diversion capricieuse, inconstante, et aux pieds de son idole, sur les terrasses embaumées, n'a souhaité peut-être quelque grossier échange, quelque vulgaire créature qui passe, ou tout simplement être seul pour son repos ? L'amour humain, aux endroits même où il semble profond comme l'Océan, a des sécheresses subites, inouïes : c'est la pau-

vreté de notre nature qui fait cela; cette fille d'Adam
relève par accès en nous une tête hideuse, et se montre
comme une mère mendiante en pleines noces au fils prodigue qui boit dans l'or et s'oublie. Dans l'amour de
Dieu, qui a aussi sa sensualité à craindre et son ivresse,
les plus grands saints ont bien éprouvé eux-mêmes leurs
sécheresses salutaires.

Ainsi, et par l'effet de ces aridités soudaines propres
à notre nature, à la mienne en particulier, et par ma pro-
pension croissante à entrevoir un avenir au-dehors, et
par mon respect réel pour le noble absent, et par ses distractions, à elle, et ses absences fréquentes en elle-même,
il arrivait que, dans cette nouvelle vie de familiarité plus
grande et sans témoins, j'observais la même mesure que
jamais; le même voile, toujours indécis pour moi, impénétrable pour elle, flottait entre nous deux sans que
j'usasse de l'occasion pour l'écarter et l'entrouvrir plus
souvent.

X

Mais, comme l'a remarqué dès longtemps le Sage, mieux vaut encore une passion éperdument manifeste qu'un amour caché; est-ce que l'homme peut couver le feu à demeure dans son sein, sans que ses vêtements prennent flamme? Je ne pus donc me préserver, mon ami. Si, dès le premier voyage, j'avais déjà reçu bien avant les traits empestés, que devais-je ressentir en ce nouveau et long séjour? Mes matins restaient assez purs, employés au travail, aux lectures diverses, aux nobles instincts naturels, à l'entretien de l'intelligence; il n'est pas rare de bien commencer le jour. Puis elle succédait; j'allais à elle, je l'entourais de moi, je vivais activement de l'air qu'elle respirait, et ma pensée attendrie demeurait pure encore. Mais, en la quittant, désœuvré, excité, durant ces vagues heures traînantes, qui, bien remplies, pouvaient être si calmes et si méditatives, mais qui trop souvent, pareilles aux lourdes années de la vie qui y répondent, ayant perdu la fraîcheur des choses matinales, succombent par degrés à l'envahissement matériel; en ces heures qui achèvent le jour, qui précèdent la rentrée au logis et l'abri du soir, que devenir? Je me plongeais d'ordinaire à travers Paris, dans les quartiers du milieu; j'y dînais de préférence, quand je n'étais pas attendu au petit couvent; et avant le dîner, et après surtout, je me procurais à l'aise l'émotion de mes courses palpitantes. Pour être sûr de dépister les espions, si j'en avais encore quelqu'un sur ma trace, il y avait trois ou quatre tours auxquels je ne manquais jamais en commençant, et je les faisais si brusques, si savamment rompus, si échappants, si dédaliens, qu'ils auraient détaché, secoué loin de moi la guêpe la plus acharnée, et que, même par un plein soleil, il semblait que c'était tout si mon ombre pouvait

me suivre. Cette première malice me mettait en joie
bizarre et en ricanement. Un détail inutile à vous préciser,
et qui tient à une singularité perdue dans le commencement de ces pages, me faisait retarder encore le jour de
ma défaite. L'émotion prolongée, que je me donnais au
sein du péril, était donc relevée d'une sorte de sécurité
précaire et d'un faux reste d'innocence. C'était toujours
la même façon ruineuse de pousser à bout au-dedans, de
mûrir, de *pourrir* presque en moi la pensée du mal avant
l'acte, d'amonceler mille ferments mortels avant de rien
produire. Mais, bien des fois, tandis que je côtoyais ainsi,
en courant, les bords escarpés, d'autant plus audacieux
que je me disais : « Ce n'est pas du moins pour aujour-
d'hui », bien des fois mon pied faillit glisser, le vertige
troublait ma vue, et j'allais être précipité malgré ma
sourde résistance.

Un jour enfin que toute objection probablement avait
disparu, je sortis du logis dans une résolution violente.
Ce jour-là, rien de particulier ne m'était arrivé; en la
voyant le matin (faut-il, hélas! que je mêle ce saint nom
par aucun rapprochement en de tels récits!), le matin,
dis-je, elle n'avait été pour moi ni trop distraite ni trop
attentive; elle ne m'avait ni troublé les sens ni froissé
l'âme. Je n'avais eu non plus, si je m'en souviens, ni
spectacle ulcérant pour mon ambition, ni querelle avec
personne, ni accès de colère, aucun de ces petits torts ou
désappointements qui, nous mettant mal avec nous-
même, nous rabaissent à l'ivresse, à la satisfaction brutale, comme dédommagement et oubli. Rien donc ne me
poussait, ce jour-là, que ma seule démence : mais je voulais en finir, et je m'étais dit cela en me levant. Une allégresse singulière, toute *sarcastique*, se trahissait dans mes
mouvements, dans mes gestes, et vibrait en métal dans
l'accent de ma voix; c'était comme, à travers les pierres
arides, le sifflement du serpent qui s'apprête. La conscience du mal certain que j'allais consommer m'animait
le front et le regard. De bonne heure avant le dîner, je
passai dans l'autre Paris; en marchant, je frappais d'un
talon plus sonore le pavé durci des ponts, et je portais
plus haut la tête vers ce ciel émaillé des vives parcelles
d'une gelée diffuse. Çà et là, à droite et à gauche, je
regardais fièrement comme pour m'applaudir. Qui donc
regardais-je ainsi, ô mon Dieu ? Comment cette joie et
ce rayonnement sinistre là où il aurait fallu se voiler ? et
d'où vient que je bondissais en de tels abords ? Je ne

tenais plus à la pureté que par le dernier lien matériel, et
ce faible lien me pesait, et j'étais fier d'aller le rompre,
comme le violent qui marche à une vengeance. C'est que
la volupté, qui produit vite l'humiliation, débute aussi
par l'orgueil; c'est que l'amour du plaisir n'est pas tout
chez elle; c'est que la vanité aussi, l'émulation dans le
mal, la révolte contre Dieu, sont là comme une irritation
de plus sur le seuil : le petit d'Israël, qui fut docile et pur,
veut devenir pareil aux géants. Ainsi, moi qui eusse rougi
d'être vu et suivi de personne en particulier, j'étais glorieux à l'avance devant tous ces inconnus et devant moi-
même.

Quoiqu'il fût grand jour encore, je me mis sans tarder
à parcourir les lieux et les rues accoutumés; je remarquai, mais d'un œil plus sévère, ces écueils qui, à la première vue, m'avaient tous paru gracieux et riants : il n'y
en avait presque aucun qui gardât le pouvoir de m'éblouir.
Mon cœur, cette fois, battait plus fort, à coups plus serrés et plus durs : je m'arrêtais par moments pour tâcher
de l'apaiser. Ne voulant rien fixer avant l'heure du soir,
et déjà bien las, je me jetai en un café, où je dînai seul,
au fond; j'en sortis repu, échauffé, dans le brouillard
piquant et les lumières de la nuit, tout entier de nouveau
à ma course et à ma recherche. Aussi ardent, quoique
moins difficile, je recommençai en quelques minutes mes
tours rapides, exterminants : il me restait assez peu de
délicatesse pour le choix, et de scrupules distincts;
j'avais seulement cette vague idée que, nulle des créatures
aperçues n'étant digne par l'âme des transports que
j'allais offrir, il fallait du moins que la beauté charnelle
triomphât et que ce fût Vénus elle-même. Je prolongeais
donc, outre mesure et contre mon but, l'exigeante
recherche, et bientôt comme de coutume, je perdis tout
sens, toute lucidité, si bien, que de guerre lasse, à la fin
(merveilleux bonheur!), je tombai sans choix aucun, sans
attrait, absurdement, à une place quelconque, et uniquement parce que je m'étais juré de tomber ce jour-là.

A partir de ce jour funeste, et une fois l'impur ruisseau franchi, un élément formidable fut introduit dans
mon être; ma jeunesse, longtemps contenue, déborda;
mes sens déchaînés se prodiguèrent. Il y a deux jeunesses
dont l'une suit l'autre en nous, mon ami : la première,
exubérante, ascendante, se suffisant toujours, ne croyant
pas à la fatigue, n'en faisant nul compte, embrassant à
la fois les choses contraires, et lançant de front tous ses

coursiers. Il y en a une seconde, déjà fatiguée et avertie, qui conserve presque les mêmes dehors, mais à qui une voix crie souvent *holà!* en dedans; qui ne cède guère qu'à regret, se repent vite d'avoir cédé, et ne mène plus d'un train égal l'esprit et le corps tout ensemble. J'entrais alors en plein dans la première. Ma vie double s'organisa désormais : d'une part, une vie inférieure, submergée, engloutie; de l'autre, une vie plus active de tête et de cœur. Les matins d'ordinaire, l'esprit, l'intelligence en moi prenait revanche avec excitation et avidité d'étude sur l'abaissement de la veille. Les soirs même, au retour, la vie subtile de cœur, à côté de mon amie, se substituait immédiatement au trouble épais de l'heure précédente. Quelquefois, au sortir à peine de cette fange, tandis que je regardais, en m'en revenant sur les places ou le long des quais, les étoiles et la lune sereine, ma pensée aussi s'éclaircissait; sous un charme voluptueux et affaibli, je voyais mieux, je sentais plus la nature, le ciel du soir, la vie qui passe; je me laissais bercer, comme les anciens Païens, à cette surface de l'abîme, dans l'écume légère; et j'apportais, aux pieds de celle dont toute la rêverie demeurait sacrée, une mélancolie de source coupable.

Ce cœur donc, qui avait palpité si rudement dans le mal, ce cœur humain contradictoire et changeant, dont il faut dire, comme le poète a dit de la poitrine du Centaure, *que les deux natures y sont conjointes*, ce déplorable cœur secouait la honte en un instant; il retournait son rôle et alternait tout d'un coup de la convulsion grossière à l'aspiration platonique. Je tuais, comme à volonté, mon remords, et voilà que j'étais dans l'amour subtil. Facilité abusive! versatilité mortelle à toute foi en nous et au véritable Amour! L'âme humaine, sujette à cette fatale habitude, au lieu d'être un foyer persistant et vivant, devient bientôt comme une machine ingénieuse qui s'électrise contrairement en un rien de temps et au gré des circonstances diverses. Le centre, à force de voyager d'un pôle à l'autre, n'existe plus nulle part; la volonté n'a plus d'appui. Notre personne morale se réduit à n'être qu'un composé délié de courants et de fluides, un amas mobile et tournoyant, une scène commode à mille jeux; espèce de nature, je ne dis pas hypocrite, mais toujours à demi sincère et toujours vaine.

Après le premier étourdissement dissipé et les premiers feux, il arriva que je gagnai une grande science, la connaissance raffinée du bien et du mal, en cette double

voie que je pratiquais, tantôt dans la mêlée des carrefours
et tantôt sur les nuées éthérées. Une analyse mystérieuse,
bien chèrement payée, m'enseignait chaque jour quelque
particularité de plus sur notre double nature, sur l'abus
que je faisais de l'une et de l'autre, sur le secret même
de leur union. Science stérile toute seule et impuissante;
instrument et portion déjà du châtiment! Je comprends
mieux ce qu'est l'homme, ce que je suis et ce que je laisse
derrière, à mesure que je m'aguerris et m'enfonce davantage en ces sentiers qui mènent à la mort.

J'appris d'abord, dans mes courses lascives, à discerner,
à poursuivre, à redouter et à désirer le genre de beauté
que j'appellerai funeste, celle qui est toujours un piège
mortel, jamais un angélique symbole, celle qui ne se peint
ni dans l'expression idéale du visage, ni dans le miroir
des yeux, ni dans les délicatesses du souris, ni dans le
voile nuancé des paupières : le visage humain n'est rien,
presque rien, dans cette beauté; l'œil et la voix qui, en
se mariant avec douceur, sont si voisins de l'âme, ne
font point partie ici de ce qu'on désire : c'est une beauté
réelle, mais accablante et toute de chair, qui semble
remonter en droite ligne aux filles des premières races
déchues, qui ne se juge point en face et en conver-
sant de vive voix, ainsi qu'il convient à l'homme, mais
de loin plutôt, sur le hasard de la nuque et des reins,
comme ferait le coup d'œil du chasseur pour les bêtes
sauvages : oh! j'ai compris cette beauté-là.

J'appris aussi combien cette beauté n'est pas la vraie;
qu'elle est contraire à l'esprit même; qu'elle tue, qu'elle
écrase, mais qu'elle n'attache pas; qu'en portant le plus
de ravages dans les sens, elle est celle qui a le moins
d'auxiliaires dans l'âme. Car, à travers ces courses mal-
faisantes, du plus loin que se dénonce une telle beauté,
comme on tremble! comme on pâlit! la sueur m'inonde :
vais-je m'élancer ou vais-je défaillir ? — Un peu de
patience, ô mon Ame! remets-toi et dis à ce corps qui
frémit : « Cette beauté mauvaise, à qui tu veux te livrer
à l'aveugle, et dont tu n'as qu'entrevu le front, demain
ou tout à l'heure, une autre, en passant, la remplacera
pour toi et en abolira l'empreinte. Tu seras dégoûté de
la précédente sans même en avoir joui; et ainsi de l'autre,
et ainsi de celle qui suivra. Pourquoi donc me tant troubler ? Sachons attendre seulement et résister au premier
regard. »

J'appris de la sorte que c'est par les yeux que pénètre

la blessure, et les préceptes rigides m'apparurent sensiblement dans leur exacte vérité : Tempérez vos yeux, munissez-les comme d'un cuir, ainsi qu'on fait aux mulets de peur qu'ils ne bronchent! Les yeux sont les fenêtres de l'âme par où entrent et sortent les traits! Je me rappelai bien des fois, dans mon propre exemple, cette rechute d'Alipe aux jeux du Cirque, lorsqu'entendant un grand cri, et malgré sa résolution de ne pas voir, il ouvrit pourtant les yeux, et qu'en ce clin d'œil involontaire toute la cruauté rentra dans son cœur. Ainsi rentrait souvent au mien, malgré mes efforts, la volupté cruelle et qui boit le sang. Oh! que le Prophète m'exprimait d'un mot cette dispersion lamentable, cette déroute, sur tous les points, d'une âme en proie aux yeux : *Oculus meus depraedatus est animam meam in cunctis filiabus urbis meae!*

J'appris, en ce temps, mon ami, que l'Amour vrai n'est pas du tout dans les sens : car si l'on aime vraiment une femme pure et qu'on en désire, à la rencontre, une impure, on croit soudain aimer celle-ci; elle obscurcit l'autre; on va, on suit, on s'y épuise; mais, à l'instant, ce qu'inspirait cette femme impure a disparu comme une fumée, et, dans l'extinction des sens, l'image de la première recommence à se montrer plus enviable, plus belle, et luisant en nous sur notre honte.

Au plus fort de ces moments, où je semblais céder à une fatalité invincible, j'appris que l'homme est libre, et dans quel sens il l'est véritablement : car la liberté de l'homme, je l'éprouvais intimement alors, consiste surtout dans le pouvoir qu'il a de se mettre ou de ne se mettre pas sous la prise des objets et à portée de leur tourbillon, suivant qu'il y est trop ou trop peu sensible. Vous vous trouvez tiède et froid pour la charité, courez aux lieux où sont les pauvres! vous vous savez vulnérable et fragile, évitez tout coin périlleux!

J'appris que la volupté est la transition, l'initiation, dans les caractères sincères et tendres, à des vices et à d'autres passions basses que de prime abord ils n'auraient jamais soupçonnées. Elle m'a fait concevoir l'ivrognerie, la gourmandise : car, le soir de certains jours, harassé et non assouvi, moi sobre d'ordinaire, j'entrais en des cafés et demandais quelque liqueur forte que je buvais avec flamme.

J'appris que pour l'homme chaque matin est une réparation, et chaque jour une ruine continuelle; mais la réparation devient de moins en moins suffisante, et la ruine va croissant.

J'entendis profondément et je rompis jusqu'à la moelle ce mot des textes sacrés : *Ne dederis mulieribus substantiam tuam;* ne jetez pas à toutes les sauterelles du désert vos fruits et vos fleurs, votre vertu et votre génie, votre foi, votre volonté, le plus cher de votre substance!

Et cet autre mot d'un Ancien, que j'avais lu d'abord sans y prendre garde, me revenait vivement : *J'ai tué en moi la bête féroce.* Oui, la bête féroce est en nous; elle triomphe durant cette première et méchante jeunesse; elle dévore à chacun les entrailles, comme le renard sauvage rongeait sous la robe l'enfant lacédémonien.

J'appris que, si la volupté et les excès qu'elle entraîne produisent d'ordinaire l'humiliation, son absence appelle aisément l'orgueil. Rapport inverse en effet, singulier équilibre de ces deux vices capitaux en nous, du vice extérieur, actif, ambitieux, glorieux et bruyant, et du vice mou, caché, oisif et furtif, savoureux et mystérieux! Avez-vous jamais remarqué ce jeu double, mon ami? quand la volupté diminue en moi et que je viens à bout de la repousser, l'orgueil, la satisfaction joyeuse et fière monte d'autant; mais, sitôt que l'autre reprend le dessus, il y a prostration graduelle, abandon et mépris de moi-même. Chez tout homme, l'un des deux vices a chance de dominer, mais non pas à l'exclusion entière de l'autre, quoiqu'il y ait certains cas extrêmes et monstrueux où un seul des deux emplit l'âme. Ce sont comme deux pôles aux dernières limites de la terre habitable; la majorité des hommes flotte dans l'intervalle et incline plus ou moins ici ou là. L'âme qui se fixerait à demeure dans l'une ou dans l'autre extrémité, serait atteinte de mort morale et deviendrait sur ce point comme stupide. Le pôle de l'orgueil est le plus habité de nos jours : j'ai connu plusieurs Nabuchodonosors. On a même essayé de ramener la volupté à l'autre passion envahissante, et de les grouper ensemble dans un chimérique hymen : Don Juan, idole menteuse, appartient à un siècle où il y a bien plus d'orgueil que d'amour du plaisir. Mais en laissant là toute vanterie et tout faste, en s'en tenant à ce qu'on a senti, il est constant que ces deux vices se lient d'ordinaire par un mouvement inverse et alternatif. Au moment de l'extrême volupté et de l'abaissement où elle nous plonge, l'orgueil est bien loin, son écueil altier a disparu; alors on s'écrie : « Oh! si je n'étais pas voluptueux! » croyant n'avoir que ce vice à combattre. Mais si vous combattez un peu, si vous avez l'air de vaincre, voilà que la satisfaction s'introduit, l'enflure du cœur commence ; la fierté jalouse, le désir de louange et d'éclat parmi les hommes vous chatouille et devient l'ennemi pressant. Ne vous applaudissez pourtant pas alors ; ne dites point : « Oh ! je n'ai plus que ce vice-là ! » Car, que vienne à passer une femme dont vous n'aperceviez par-derrière que la brune chevelure relevée, voilà vos désirs qui renaissent et qui courent devant. Il nous faut toujours combattre.

S'il est vrai que l'orgueil soit le plus souvent l'antagoniste de la volupté, l'amour-propre est encore plus l'ennemi de l'amour. J'appris cependant que, lorsqu'on n'est pas de force à prendre pour auxiliaire suprême l'Amour divin pur et à s'y appuyer, lorsqu'on ne considère pas assez le corps comme le temple de l'Esprit-Saint, et ses membres comme les membres du Christ, il doit être bon de ne pas purger son amour humain de tout respect humain et de tout amour-propre. Car, l'amour pour l'amante est trop humble, trop contrit, trop sacrifié, il peut, faute de l'Amour divin, laisser les sens abandonnés à eux-mêmes de leur côté, et par là il permet et il reçoit d'irréparables souillures.

J'appris enfin (et c'est là, ô mon ami, en cette science ténébreuse où je me plais trop à revenir, c'est le seul endroit qui m'ait été immédiatement fructueux), j'appris à peser, à corriger ce qu'a dit de la femme l'antique Salomon dans sa satiété de roi, à chérir ce qu'a dit de clément *le Philosophe inconnu*, ce Salomon moderne, invisible et plus doux ; à comprendre, à pratiquer, l'avouerais-je ? ce qu'a fait le Christ envers la Samaritaine ; à ne pas maudire ! Salomon, qui avait trouvé la femme *plus amère que la mort*, s'écrie « qu'il y a un homme sur mille, mais qu'il n'y a pas une femme entre toutes ». Le Philosophe profond, qui vécut voilé, a écrit aussi, en un moment de saint effroi, qu'*il n'y a pas de femmes*, tant la matière de la femme paraissait à ses yeux plus dégénérée et plus redoutable encore que celle de l'homme ! Mais, se souvenant bientôt que le Christ est venu et que Marie a engendré, il ajoute ces consolantes paroles : « Si Dieu pouvait avoir une mesure dans son amour, il devrait aimer la femme plus que l'homme. Quant à nous, nous ne pouvons nous dispenser de la chérir et de l'estimer plus que nous-même : car la femme la plus corrompue est plus facile à ramener qu'un homme qui n'aurait fait

même qu'un pas dans le mal. » Aussi, je ne vous ai jamais
maudites, ô créatures sur lesquelles on marche et qu'on
ne nomme pas; ni vous, superbes et forcenées, qui enlevez
audacieusement celui qui passe; ni vous, discrètes et
perfides, qui, le long des ombrages, semblez dire en
fuyant : « Les eaux furtives sont les plus douces, et le pain
qu'on dérobe est le plus savoureux! » Je ne vous ai pas
retranchées de l'humanité, vous toutes qui êtes un
peuple effréné, immense! Je vous ai trouvées souvent
meilleures que moi, dans le mal que vous me faisiez. Mes
misères intérieures, mes versatilités infinies m'ont aidé à
expliquer les vôtres. Rieuses, ulcérées ou repenties, je
vous ai plaintes, je me suis reconnu et j'ai gémi pour moi
en vous. Comme les abîmes de vos cœurs, comme les
opprobres de vos sens étaient les miens! ô femmes, à qui
l'on ne jette même plus la pierre, ô Cananéennes!

Mais que cette pitié pour les créatures ne soit pas, je
vous prie, de l'indulgence pour l'œuvre! La manière de
juger du siècle en ce point, comme sur tant d'autres,
tient à une sorte d'indifférence qui en use d'ailleurs selon
son plaisir, à un mépris tolérant qui se satisfait et ferme
les yeux. Les matérialistes (et de nos jours la plupart des
hommes le sont du moins en pratique) envisagent le fait
de volupté comme indépendant presque du reste de la
conduite, comme agissant simplement dans l'ordre animal par fatigue ou excitation : les plus physiologistes
vous parleront même d'une réaction réputée avantageuse
au cerveau. Les pères, frères aînés et tuteurs, dans les
conseils qu'ils donnent à ce propos, en font, communément, une affaire d'hygiène, d'économie, de régularité. Il
y a dans tout ceci un oubli profond du côté le plus essentiel et le plus délicat. Le chef de l'Empire, qui, pendant
l'intervalle des camps, n'était pas fâché que notre Capoue
absorbât les idées superflues de ses guerriers, entrevoyait
mieux la vérité haute. Ce n'est, en effet, dans aucun des
actes extérieurs et superficiels que se trahit cet inconvénient d'un désordre de sens assez ménagé; militaires,
commis ou courtiers, n'en seront pas moins très suffisants
à la bataille prochaine, à la promenade du boulevard, à
leur conversation encravatée, à leur tracas financier et
bureaucratique. Mais si nous entrons dans la sphère vive
et spirituelle, dans celle des idées, là tout contrecoup est
un désastre, toute déperdition une décadence. De ce
point de vue, lequel n'a rien d'imaginaire, je vous jure,
qui dira combien dans une grande ville, à de certaines

heures du soir et de la nuit, il se tarit périodiquement de trésors de génie, de belles et bienfaisantes œuvres, de larmes d'attendrissement, de velléités fécondes détournées ainsi avant de naître, tuées en essence, jetées au vent dans une prodigalité insensée ? Tel, qui était né capable d'un monument grandiose, coupera, chaque soir, à plaisir, sa pensée, et ne lancera au monde que des fragments. Tel, en qui une création sublime de l'esprit allait éclore sous une continence sévère, manquera l'heure, le passage de l'astre, le moment enflammé qui ne se rencontrera plus. Tel, disposé par la nature à la bonté, à l'aumône et à une charmante tendresse, deviendra lâche, inerte ou même dur. Ce caractère, qui était près de la consistance, restera dissipé et volage. Cette imagination, qui demain aurait brillé d'un mol éclat velouté, ne le revêtira pas. Un cœur, qui aurait aimé tard et beaucoup, gaspillera en chemin sa faculté de sentir. L'homme qui fût resté probe et incorruptible, s'il se disperse, à vingt-cinq ans, aux délices, apprendra à fléchir à quarante et s'accommodera aux puissants. Et tant de suites proviendront de cette seule infraction, même modérément répétée. En de telles limites, l'hygiène n'a rien à dire ; qui sait ? l'homme positif peut-être en vaut mieux. Mais ce qu'il y a de plus subtil et de plus vivant dans la matière, ainsi jeté, tué à mauvaise fin, et n'étant plus là en nous, comme la riche étincelle divine, pour courir, pour remonter en tous sens et se transformer, cette *âme du sang* dont il est parlé dans l'Ecriture, en s'en allant, altère l'homme et l'appauvrit dans sa virtualité secrète, le frappe dans ses sources supérieures et reculées. Voies insondables de la justice ! solidarité de tout notre être ! mystère, qui est celui de la mort et de la vie !

Ne vous effrayez pas, mon ami ; ne rougissez pas ! Je ne vous en dirai jamais plus long qu'à cette heure ; je ne détaillerai jamais plus ma pensée. Vous savez l'endroit de la chute, vous en mesurez de l'œil l'étendue ; je n'apporterai pas le limon à poignées. Je n'ignore pas que le repentir lui-même ne doit repasser dans de tels souvenirs qu'avec circonspection et tremblement, en se bouchant maintes fois les yeux et les oreilles. Bossuet a signalé ce vice, favori du genre humain, auquel on ne pense point sans péril, même pour le blâmer. La chaire chrétienne ne le désigne que de loin et obscurément ; saint Paul désire que, sous aucun de ses mille noms, il n'en soit fait mention entre fidèles. Ce cas de réserve sainte n'est point, par malheur, le nôtre; des soins plus appropriés nous conviennent. C'est donc moi, malade un peu guéri, qui parle uniquement à vous, malade qui vous désespérez. Ces pages ne sont qu'une confession de moi à Dieu, et de moi à vous.

Oh! du moins, dans mon vaste égarement, je n'eus jamais d'attache expresse et distincte; entre tant de fantômes entassés, aucun en particulier ne me revient. Le seul nom que je profère est toujours béni. Images de ces temps, redoublez encore de confusion! Ténèbres des anciens soirs, ressaisissez vos objets épars, faites-les tous rentrer, s'il se peut, en un même nuage!

Elle, elle seule demeurait pour moi l'être incomparable, le but rayonnant et inaccessible, le bien idéal et excellent. Ma vie se reprenait d'autant plus nécessairement à la sienne par certains côtés de tendresse et d'adoration, que je sentais d'autre part le flot rongeur m'en séparer davantage. Le mécontentement que j'avais désormais de moi produisait plus souvent entre nous des inégalités, des secousses passagères; et, au point où nous en étions, chaque secousse resserrait le lien. Peut-être aussi j'abordais plus hardiment l'intimité avec elle, assuré du préservatif ruineux. Au moindre ennui, à la moindre émotion trop vive, par dégoût ou par ardeur, j'allais, j'errais, j'usais ma disposition du moment, et je rentrais plus calme et me croyant insensible à ses pieds.

XI

Nous atteignîmes le printemps. M. D... nous tint parole, et le marquis put être transféré à une maison de santé près de Passy. Madame de Couaën décida de se loger immédiatement à Auteuil, pour être à portée de faire sa visite chaque jour. Ce qui la fixa vers ce lieu, outre l'agrément du bois et le bon air qu'y respireraient les enfants, ce fut que la jeune femme obligeante dont j'ai parlé, épouse du secrétaire intime, madame R., y passait les étés d'ordinaire, qu'elle devait y aller avant peu de semaines, et que son instant désir d'avoir madame de Couaën pour voisine prévenait chez celle-ci toute hésitation. Je continuai d'habiter mon logis près du petit couvent; mais j'allais chaque après-midi à Auteuil; quand il était un peu tard, je me rendais directement à la maison de santé, où je trouvais madame de Couaën déjà arrivée et établie; nous y dînions en famille, je la reconduisais à la brune et m'en revenais ensuite coucher à mon faubourg : je servais ainsi de lien, de messager continuel entre madame de Cursy et sa nièce.

Mes heures du matin, vous ai-je dit, étaient très employées à la lecture, à l'étude, à me mettre au fait des sources nombreuses de science qu'offrait alors Paris : cet âge actif de la jeunesse embrasse tout, suffit à tout. Je fréquentais plusieurs fois par *décade*, au Jardin des Plantes, le cours d'histoire naturelle de M. de Lamarck; cet enseignement, dont je ne me dissimulais d'ailleurs ni les paradoxes hypothétiques, ni la contradiction avec d'autres systèmes plus positifs et plus avancés, avait pour moi un attrait puissant par les graves questions primordiales qu'il soulevait toujours, par le ton passionné et presque douloureux qui s'y mêlait à la science. M. de Lamarck était dès lors comme le dernier représentant de cette grande école de physiciens et observateurs généraux, qui avait régné depuis Thalès et Démocrite jusqu'à Buffon; il se montrait mortellement opposé aux chimistes, aux expérimentateurs et analystes *en petit*, ainsi qu'il les désignait. Sa haine, son hostilité philosophique contre le Déluge, la Création génésiaque et tout ce qui rappelait la théorie chrétienne, n'était pas moindre. Sa conception des choses avait beaucoup de simplicité, de nudité, et beaucoup de tristesse. Il construisait le monde avec le moins d'éléments, le moins de crises et le plus de durée possible. Selon lui, les choses se faisaient d'elles-mêmes, toutes seules, par continuité, moyennant des laps de temps suffisants, et sans passage ni transformation instantanée à travers des crises, des cataclysmes ou commotions générales, des centres, nœuds ou organes disposés à dessein pour les aider et les redoubler. Une longue patience aveugle, c'était son Génie de l'Univers. La forme actuelle de la terre, à l'entendre, dépendait uniquement de la dégradation lente des eaux pluviales, des oscillations quotidiennes et du déplacement successif des mers; il n'admettait aucun grand remuement d'entrailles dans cette Cybèle, ni le renouvellement de sa face par quelque astre passager. De même dans l'ordre organique, une fois admis ce pouvoir mystérieux de la vie aussi petit et aussi élémentaire que possible, il le supposait se développant lui-même, se composant, se confectionnant peu à peu avec le temps; le besoin sourd, la seule habitude dans les milieux divers faisait naître à la longue les organes, contrairement au pouvoir constant de la nature qui les détruisait : car M. de Lamarck séparait la vie d'avec la nature. La nature, à ses yeux, c'était la pierre et la cendre, le granit de la tombe, la mort! La vie n'y intervenait que comme un accident étrange et singulièrement industrieux, une lutte prolongée, avec plus ou moins de succès et d'équilibre çà et là, mais toujours finalement vaincue; l'immobilité froide était régnante après comme devant. J'aimais ces questions d'origine et de fin, ce cadre d'une nature morne, ces ébauches de la vitalité obscure. Ma raison, suspendue et comme penchée à ces limites, jouissait de sa propre confusion. J'étais loin assurément d'accueillir ces hypothèses par trop simplifiantes, cette série uniforme de continuité, que réfutait, à défaut de ma science, mon sentiment abondant de création et de brusque jeunesse; mais les hardiesses de l'homme de génie me faisaient penser. Et puis, dans sa résistance opi-

niâtre aux systèmes de toutes parts surgissants, aux théories nouvelles de la terre, à cette chimie de Lavoisier, qui
était une destruction, une révolution aussi, il me rappelait
involontairement cette semblable obstination imposante
de M. de Couaën dans une autre voie; quand il dénon-
çait avec amertume la prétendue conspiration générale des
savants en vogue contre lui et contre ses travaux, je le
voyais vaincu, étouffé, malheureux comme notre ami : il
avait eu, du moins, le temps de se faire illustre.

En suivant ce cours de M. de Lamarck, j'eus occasion
d'y connaître un jeune homme d'esprit et de mérite qui
y venait assidûment. Nous causions volontiers ensemble
des idées de la leçon, des matières philosophiques en
litige. Il était plus âgé que moi; sorti des écoles de l'Ora-
toire, vers les premières années de la Révolution, et très
versé dans les écrits et les personnages récents. Il parlait
à merveille des opinions de MM. Cabanis et Destutt-
Tracy, et de la société d'Auteuil, qu'il me révéla, et dans
laquelle il avait été introduit, du vivant même de
madame Helvétius. Je l'écoutais avec charme, je l'interrogeais beaucoup, et il alla au-devant d'un désir que je
n'eusse osé exprimer, en m'offrant de me présenter à l'un
des dîners philosophiques qui avaient lieu encore tous les
tridis, mais que leur nuance idéologique et républicaine
pouvait d'un moment à l'autre faire cesser. Quelques
pages sur l'analyse de l'*Imagination*, que je lui avais
confiées, et qui avaient plu extrêmement à deux des philosophes, servirent de passeport à sa demande en ma
faveur. Il se hâta, heureusement pour moi, et j'eus l'honneur d'assister au dernier, je crois, de ces dîners des
tridis : c'était chez un restaurateur au coin de la rue du
Bac, du côté du pont. Je me sentis saisi de respect et
frappé de silence au milieu de ces hommes graves et tous
plus ou moins célèbres, moi venu d'un bord si différent.
Je ne perdis pas une seule de leurs paroles; elles étaient
simples, d'une logique suivie, nettes et ingénieuses,
pleines de précision et de bien dire. Garat seul poussait
un peu au brillant. La politique, qui laissait percer des
ombres sous l'enjouement des convives, n'éclata qu'à la
fin comme un orage. Un mot de quelqu'un contre l'affectation à l'Empire rompit la discussion philosophique qui
s'était assez maintenue jusque-là : Cabanis et Chénier
eurent de l'éloquence. Des accents tout nouveaux
m'apportaient les mots de république, de liberté et de
patrie. C'est l'unique fois que je vis ces hommes dont les

traditions ne vous ont pas été étrangères, mon ami, et que plusieurs des survivants vous ont peints beaucoup mieux que je ne les ai pu connaître. Dans mon souci des divines portions de notre nature qu'ils ont négligées, vous ne m'avez jamais entendu porter contre eux d'anathème.

Quand j'arrivais à Auteuil ou à la maison de santé, au sortir de ces études et de ces cours, j'en étais plein, j'en parlais souvent même à madame de Couaën seule; je lui désignais sur la place la maison de madame Helvétius devant laquelle nous passions. Elle souriait de ce qu'elle appelait mes engouements, et me grondait de mes nouveautés de systèmes. Si j'essayais de lui expliquer la formation de la surface terrestre par les eaux pluviales et par le déplacement des mers, elle écoutait avec ingénuité, s'appliquait d'abord à comprendre, et secouait bientôt la tête d'un air sensé qui voulait dire : « Comment pouvez-vous croire à de tels récits ? »

Quelque indifférente que je me la figurasse d'ordinaire, il y avait des moments où elle portait une attention presque inquiète sur ma façon d'être et de penser, et ces légères craintes de sa part, rencontrant mon mécontentement secret et la conscience de mes misères, troublaient l'espèce de résignation habituelle à mon amour, et agitaient notre incomplète harmonie. C'était à Auteuil, un soir d'avril; dans un petit chemin prolongé dont la terre était rouge et tendre, nous nous promenions solitaires : la saison peu avancée n'avait jeté au fond du taillis que ces milliers de feuilles qui pointent et qui ne sont pas poussées encore. Nous avions, dans toute la longueur de l'allée, un fond de ciel clair, sans un seul nuage, sans rougeur vive et sans étoiles; nous n'allions ni du côté du soleil couché ni du côté de la lune levante. Quelque chose de vague, de fuyant, d'indécis, de clair-obscur et de clairsemé, composait cette vue et ce moment; une douce vapeur rousse végétale était répandue sur tout cela. Au lieu d'être heureux et de jouir de ces beautés, comme il était simple, en y abandonnant nos cœurs, une petite altercation s'engagea; madame de Couaën me pressait plus qu'elle n'avait jamais fait sur ces symptômes de mobilité et de goûts divers que le nouveau séjour de Paris développait en moi; elle m'entrevoyait depuis peu sous un aspect tout autre, disait-elle; elle ne lisait à travers mes ardeurs d'esprit et mes acquisitions multipliées, qu'une triste possibilité de changement futur. Si, demain, il

nous était donné de repartir, redeviendrais-je aisément
l'habitant de Couaën, le pèlerin modeste de Saint-
Pierre-de-Mer et de la Colline ? — J'avais peine à lui
faire entendre que l'avidité de savoir est distincte en
nous de la fidélité d'aimer ; qu'il y a dans l'homme
une grande inquiétude d'apprendre qui a besoin d'errer, de se jeter au-dehors, pour ne pas dévorer le dedans ;
que, dans ce manque de foi fixe où j'étais, et avec un
large sens ouvert, toutes les idées m'arrivant d'abord
par le côté intelligible et plausible, je devais avoir l'air
de les croire, de les épouser éperdument pêle-mêle,
tandis que je ne faisais réellement que les connaître
jusqu'au bout et les déduire avec activité, sauf à les
juger, à les secouer au loin, une fois comprises. Les
noms de Lamarck et des précédents philosophes me
revenaient assez souvent à la bouche dans cet entretien,
et elle se lassait de les entendre. Il faut dire autre chose
encore. La veille, j'étais arrivé plus tard que de coutume à la maison de santé, ayant fait visite, en venant,
à la jeune dame R., que quelque indisposition retenait
à Paris. Cette visite, que, dans la circonstance, madame
de Couaën avait trouvée inutile, était au fond de ce
reproche général qu'elle m'adressait : son insistance
tenait plutôt à ce point qu'à tout le reste. Etait-elle précisément soupçonneuse ? Etais-je en faute ? Qu'y avait-il
déjà ? Il n'y avait rien qui se pût appeler du moindre
nom, et pourtant, lorsqu'après avoir insisté et combattu
longtemps dans les hauteurs, elle se rabattit tout d'un
coup sur ce grief, honteuse et troublée du mot qui
lui échappait, le ton dont je m'expliquai là-dessus la
blessa par quelque aigreur. Elle me cria *chut* avec souffrance, comme pour arrêter à temps ma parole : « Quel
ton inouï vous avez! » dit-elle. Je ne pus m'empêcher
de répondre : « C'est aux choses que vous dites *chut*,
bien plus qu'au ton! » Nous brisâmes par un silence.
Un moment après, je trouvai encore moyen d'être dur
à propos des enfants dont elle me parla : en fait de préceptes d'éducation, j'étais dur volontiers, sévère comme
quelqu'un qui connaît déjà la corruption du cœur ; elle
était indulgente et confiante au bon naturel, comme
l'innocence. Nous nous quittâmes mal, ou du moins je
la quittai mal ce soir-là.

Demain elle n'y songera plus, me disais-je au retour
pour m'étourdir ; et j'allais, tantôt peiné de la peine
que je lui avais dû faire, tantôt m'irritant à l'idée de

sa facilité d'oubli. Le lendemain, de bon matin contre
mon ordinaire, j'étais à Auteuil ; en me voyant entrer,
les larmes lui vinrent : « J'ai eu tort, dit-elle, de vous
faire ces reproches ; mais vous avez été un peu rude
pour la forme. J'ai eu bien tort pourtant. » Et elle
s'accusait elle-même dans son caractère en louant mon
amitié ; elle s'imputait de troubler les meilleurs moments
par ses tristes humeurs. — « Oh ! non pas, m'écriai-je
alors, c'est moi seul qui ai eu tout le tort ; promettez
que vous croirez que c'est moi seul qui l'ai eu. » Et
quand elle eut dit *oui*, nous sortîmes vers le bois, dans
la rosée partout brillante, chacun avec une larme aux
paupières. Tout en marchant, je lui pressais la main et
murmurais à son oreille : « Que vous êtes bonne ! » —
« Oh ! c'est pour vous que je suis ainsi, répliquait-elle
avec un tendre enjouement : je ne serais si bonne,
savez-vous ? pour personne autre. » Puis elle retirait
sa main, toute larme séchait subitement en ses yeux,
et elle rentrait dans sa paix d'innocence et son insouciance apparente. Nous passâmes ensemble cette journée entière ; je l'accompagnai à la maison de santé et
la ramenai de bonne heure après le dîner. Plus d'une
fois dans ce jour, la trouvant pâle et altérée de visage,
je la regardai fixement ; mais elle souriait avec tranquillité à mon regard et ne se plaignait pas. Le soir,
nous nous retrouvâmes dans la même promenade que
la veille, unis enfin et charmés, au milieu de toutes
sortes de conversations pareilles à cette vue du ciel
et du sentier, douces, nuancées, fuyantes, sans étoile
vive, sans trop d'éclat ni trop d'ombre, mais délicates
aussi, *subobscures*, parsemées d'une sobre teinte indéfinissable comme cette rousseur printanière des bois sur
un fond de sérénité. Oh ! seulement, que ces entretiens
perdus, que cette légère allée où je repasse, ne soient
pas comptés parmi les autres sentiers qui mènent à
l'éternelle ruine ! Qu'il me soit permis plutôt d'y voir,
à travers mes pleurs, un de ces petits chemins réservés,
tels que les peindrait le Poète chrétien, et le long desquels gravissent, au tomber du jour, les âmes qui
arriveront !

Le malheur de ces fugitifs instants, qui semblent
participer de la félicité invisible, c'est qu'on ne peut
humainement s'y tenir. Il faut que l'amante soit morte
ou séparée de nous par un perpétuel éloignement, que
le cloître ou l'autel s'élève entre elle et nos désirs ; il

faut que la religion soit là, en un mot, pour éterniser cette chaste nuance, et faire qu'elle ne se dénature pas. A moins d'être de ceux qui pleurent, qui se repentent, qui jeûnent et qui prient, qui passent leurs nuits et leurs jours à sacrifier, à atténuer tout suspect mouvement, on a bientôt franchi la limite qui serait peut-être permise, si elle était exactement observable. A peine eus-je quitté l'entretien ce soir-là, je m'en revenais heureux, paisible d'abord, sans ivresse, récapitulant en moi-même cette infinité d'impressions tendres, contemplant un pur sable d'or au sein de ma pensée. Mais, m'étant repris aux témoignages plus vifs du matin, suivis de sa part d'un si grand calme et de son habituelle égalité d'humeur, je ne tardai pas à me trouver mécontent ; tantôt j'affaiblissais en idée, tantôt j'exagérais ces témoignages d'affectueuse indulgence, je les tourmentais pour y chercher ce qui n'y était pas ; ma conclusion fut qu'elle n'y avait point sans doute attaché la valeur équivoque que j'y aurais voulue maintenant, que je n'avais nullement désirée alors. D'irritation en irritation, la nuit plus sombre et le tumulte de la ville s'en mêlant, j'en vins à secouer le préservatif d'une journée si pure, à me garder moins du bourbier au bord duquel je passais, et à y perdre tout délicat souvenir. Dans l'épais sommeil apoplectique qui châtia cette rentrée coupable, aucun rêve cristallin et léger ne me reporta vers la rousse allée prête à verdir et ne me rouvrit l'âme aux pudiques mystères.

Deux ou trois jours après, étant retourné avec elle à cette promenade favorite du bois, nous la retrouvâmes bien changée. Il était tombé dans la nuit une de ces grosses pluies chaudes qui décident le printemps. Les plus larges feuilles en abondance vêtissaient les arbres ; la terre suait ; de petits nuages pommelés brouillaient les cieux ; une sève turgescente découlait à tous les rameaux. Au logis, les feux des cheminées, qui, la veille, brillaient encore, s'éteignaient sans avoir la force de surmonter cette atmosphère pesamment attiédie. L'air charriait de grasses odeurs. Nos corps aussi étaient oppressés, et nos poitrines gonflées d'ennui. « Oh! ce n'est plus là notre allée, s'écria-t-elle avec surprise en la voyant si touffue ; êtes-vous comme moi ? et d'où vient que je l'aime moins ainsi ? » Et se sentant bientôt lasse, elle demanda de s'en revenir. —

La nature extérieure, pas plus que le cœur de l'homme, ne s'arrête longtemps à ces nuances angéliques qui appellent un autre soleil. Cette nature champêtre tant vantée se fait en certains cas l'auxiliaire et la complice de la nature intérieure corrompue. Bonne inspiratrice d'ordinaire, et nous entretenant volontiers de Dieu, elle a pourtant des jours de mauvais conseil; elle redevient païenne, soumise encore au vieux Pan et toute peuplée d'Hamadryades. Une solitude trop fleurie et trop touffue, pour un solitaire trop jeune, doit être souvent une dangereuse compagne : Jérôme eut besoin d'abord contre lui-même de l'affreux désert de Chalcide; il recommande en maint endroit l'âpreté dans le choix des déserts. Le grand peintre chrétien, Raphaël, par un instinctif sentiment d'harmonie et comme de pudeur, n'a jamais semé aux arbres lointains de ses paysages, derrière les têtes de ses Vierges, que quelques feuilles si rares qu'on les peut compter.

XII

Je reçus dans un paquet arrivé de Couaën, une lettre, déjà ancienne, que mademoiselle de Liniers m'écrivait au nom de madame de Greneuc, pour demander l'état de mes inquiétudes; ce qu'étaient devenus les dangers de mes amis, et aussi les miens. Ce peu de mots simples qui avaient dû traverser avec effort un cœur saignant et réprimé, ces caractères purs, où nulle part ne se trahissait une main émue, réveillèrent en moi les mille traces d'un passé presque assoupi : je m'effrayai d'avoir tant changé depuis hier et tant vécu. Madame de Couaën lut la lettre et fut touchée, à sa manière, de ce discret parfum. Quelques lignes reconnaissantes de sa main ajoutèrent à la réponse que je fis.

La jeune dame R. était enfin installée à Auteuil : son mari, très occupé, n'y venait qu'irrégulièrement et n'y restait qu'un petit nombre d'heures; bien qu'il fût homme aimable, et parfait d'attentions pour elle, on s'apercevait que quelque cause profonde de refroidissement contribuait à fixer entre eux ces relations d'égards plutôt que de tendresse. Sans être entièrement délaissée, elle semblait donc désabusée, triste et un peu veuve. Dans ses visites de chaque jour à madame de Couaën, qu'elle tâchait d'obliger de toutes les manières imaginables, il ne lui arrivait guère d'ouvrir la bouche sur elle-même. Elle paraissait voir notre intimité sans envie, d'un sourire silencieux et doux. Le plus souvent, lorsque j'arrivais et que j'étais assis, elle nous laissait sous quelque prétexte après un instant.

Cette vie régulière nous mena ainsi durant plusieurs mois. On était tout à la fin d'août ou peut-être au commencement de septembre, lorsqu'un jour où madame de Couaën indisposée gardait le logis, j'allai seul à la maison de santé. Le marquis n'était pas dans son appartement; je le découvris, après quelque recherche, à l'extrémité du jardin, au plus épais des bosquets; il s'y promenait avec une autre personne que je n'avais jamais vue, et il me fut évident, par l'attention qu'ils donnèrent à mon approche, que je rompais un entretien confidentiel. Cette personne n'avait rien d'ailleurs que de naturel et d'ouvert; jeune encore, d'une taille robuste, d'un embonpoint marqué, mais plein d'aisance; une de ces physionomies qui préviennent par un mélange de distinction et de rondeur; l'accent agréable, l'œil à fleur de tête, clair et résolu. Mais le marquis, bien que toujours maître de lui dans les choses volontaires, avait en ce moment, pour moi qui le connaissais, le teint du visage et le ton de la voix très altérés, comme lorsque ses cordes profondes étaient en jeu. Avant que la personne eût parlé de prendre congé, il me pria d'attendre là, au même endroit du jardin, et tous les deux continuèrent de s'entretenir en s'éloignant. Lorsqu'il reparut, après quelques mots insignifiants qui ne détournaient pas nos pensées : « Savez-vous qui vient de sortir ? me dit-il tout d'un coup très bas et en me serrant le bras violemment. C'est Georges, le général Georges qui nous arrive d'Angleterre! » A ce nom, je fus moi-même comme bouleversé : « Vous n'allez pas du moins vous rembarquer dans une entreprise ? » m'écriai-je. — « Eh non! faut-il vous le répéter encore ? (et il accompagnait sa réponse d'un rire aigu attristant) ne le savez-vous pas assez ? ma vie, à moi, est faite, je ne ressusciterai pas. Georges est venu pour des indications que, seul, je pouvais lui donner; je ne le verrai plus. » La disposition sardonique du marquis me faisait peine; elle s'adoucit un peu sitôt qu'il donna cours aux sentiments qui l'agitaient. Je l'interrogeai d'abord sur Georges; il prit feu à ce sujet et m'instruisit beaucoup.

Georges, je le savais bien déjà, n'était pas un conspirateur vulgaire ni un de ces braves désespérés, comme on en peut trouver dans toutes les causes. Plusieurs détails de sa correspondance avec le marquis m'avaient attesté chez lui de la grandeur, du plan, et une conception vigoureuse; mais les deux dernières années l'avaient surtout mûri : les hommes de tous rangs, qu'il avait pratiqués et serrés de près durant son exil, étaient désormais une vaste échelle pour son jugement. Le besoin de purger cet attentat de nivôse, dont l'idée, sinon le mode précis, lui appartenait bien, pesait à son cœur et le provoquait à quelque grand dessein. Ce dessein avait germé, il avait pris forme, et le moment de l'œuvre était venu. La guerre entre l'Angleterre et la France éclatant, Georges s'était fait débarquer avec quelques-uns des siens; d'autres allaient suivre, tous déterminés, tous choisis de sa main et sûrs à ses yeux comme il l'était de lui-même. Le ralliement de ces hommes d'élite serait long, et durerait deux mois et plus peut-être. Qu'importe ? la témérité de Georges et de ses officiers s'alliait à tant de prudence, et cette prudence employait d'ailleurs, comme un de ses moyens, la témérité. Pichegru, quand tout serait prêt ici, arriverait à son tour; Moreau et lui conviendraient d'un dernier mot. Que si M. le comte d'Artois osait risquer sa personne dans l'entreprise, ce serait le mieux; Georges le conseillait, l'exigeait presque, pour ennoblir et *loyaliser* sur l'heure l'exécution. Mais, que le prince daignât ou non répondre au rendez-vous, ce n'était plus, en tout cas, d'un meurtre, d'un assassinat qu'il s'agissait. Le choc, cette fois, ne serait pas aveugle et infernal; on s'aborderait militairement par l'épée. Georges et ses trois cents, à l'heure dite, dans une rencontre inégale et chevaleresque, assailliraient le Premier Consul entouré des siens, sous le soleil de quelque cérémonie, au seuil du Panthéon, au parvis Notre-Dame, à l'esplanade des Invalides. Lui tombé, on dirait à l'armée le nom de Moreau, au peuple celui du prince. C'était là le triomphe expiatoire, la revanche de Georges : l'aventurier touchait au sublime du héros.

En me déroulant cette magnifique espérance, le marquis en recevait à son front comme un éclair; il s'animait jusqu'à paraître y croire. Un moment, l'idée me vint (et rien n'a jamais pu m'en dissuader depuis) que, le cas échéant, il avait dit à Georges de l'avertir et lui avait juré d'être une des trois cents épées.

Moi-même, en l'entendant, une noble rougeur me gagna; de rapides projets me traversèrent. Puis, revenant particulièrement à l'homme, je m'étonnai; je tâchai de m'expliquer tant de caractère dans le personnage que tout à l'heure j'avais vu. Nous reconnûmes en lui une des plus belles natures loyales et valeureuses, toutes les qualités qui vont aux coups d'éclat, aux destinées en dehors. « Mais ce n'est qu'un admirable géné-

ral et un héros de guerre », disait le marquis redevenu
sombre. Je rentrais dans sa pensée en lui définissant
Georges un de ces hommes tels que César, en passant,
les eût désignés du regard pour commander sa dixième
légion, tels qu'il ne dut craindre jamais, ce me semble,
d'en rencontrer quand il marchait au Sénat.

C'est alors que, tirant de son portefeuille un papier
soigneusement enfermé, il me dit : « Puisque nous en
sommes aux héros, en voici bien un autre encore : lisez
cela ; Georges, qui l'a vu, en a pleuré d'admiration. »

Le papier que me donnait ainsi à lire le marquis, et
dont il ne m'avait jamais dit mot, était une lettre d'un
ancien officier de Georges, M. de Limoëlan, l'un des
deux qui avaient dirigé le coup forcené de nivôse.
Homme de formes aimables, de dévotion austère, il
avait tout accepté du moyen en vue de la fin. Mais,
échappé comme par miracle, il vit dans la catastrophe
avortée une manifeste sentence de Dieu ; le mauvais
succès tournait son action en crime ; il s'était cru digne
de servir d'instrument de sang, et il avait été broyé
sur la pierre et rejeté. Dans un profond mépris de lui-
même, il résolut donc de ne jamais reparaître aux yeux
de son parti, de s'abîmer au monde, de ne vivre ici-bas
que comme un criminel sacré, pour faire sa peine. A
cette fin, ayant trouvé du service sur quelque bord
comme simple matelot, il était parvenu ensuite à gagner
une côte étrangère, celle du Portugal, je crois ; et un
couvent l'y avait reçu. C'est de ce couvent qu'une
première lettre, écrite par lui à sa sœur et arrivée à
Jersey, avait été portée à Couaën parmi d'autres papiers
adressés au marquis. Celui-ci l'avait décachetée, la
croyant de sa propre correspondance, et l'enveloppe en
ayant été brûlée aussitôt, comme c'était l'usage, il avait
fallu attendre pour savoir où l'envoyer. Lors de l'arrestation, l'original de la lettre avait été saisi. M. D...,
touché de ce qu'elle contenait, promit de la faire par-
venir à la sœur, et M. de Couaën obtint d'en transcrire
quelques passages, comme je l'ai plus tard obtenu de
lui. Je veux, mon ami, vous en citer un :

« Insensé ! écrivait Limoëlan, j'ai été contre le dessein suprême que j'osais prétendre servir. Cet homme
m'est véritablement inviolable, et l'oint du Seigneur.
Au moment même où je guettais sa venue, à ce coin
fatal, j'ai prié pour lui, je t'ai prié de le sauver contre
nous, ô Seigneur, s'il était nécessaire à ton peuple. Je

n'aurai jamais assez de soupirs et de veilles pour te prier sur lui encore... Et pourtant cet homme m'était haïssable, et je l'avais jugé le plus grand obstacle à tes desseins. La nuit, dans mes songes ou dans les désirs que tu semblais m'envoyer par tes anges, cette pensée de l'écraser me revenait sans relâche; je m'étais condamné à tout pour cela; je m'étais ceint de corde, et j'avais jeûné longuement pour mériter d'être le plus vil instrument de tes œuvres. J'ai revêtu la blouse, j'ai ramassé les pierres dans la boue, j'ai conduit une charrette infâme, comme le valet du bourreau. Et puis, l'heure venue, j'ai remis l'honneur de la consommation à un autre, et j'ai guetté derrière une borne comme un espion. — Erreur! débilité humaine! voilà que j'ai été contre Dieu et contre mes frères innocents! je passerai ce reste de jours à laver de mes pleurs, à user de mon front le pavé et à mourir! — ... Toi seule, ô ma sœur, qui m'aimes encore et qui t'attendris sur moi, tu seras mon dernier lien avec les vivants; nul, excepté toi, ne me saura respirant sous ma pénitence. Car je suis réellement mort au monde et perclus dans mes membres, ô ma sœur, avec tous ces hommes innocents que j'ai frappés de stupeur, de surdité et de mort. Pauvres âmes dont je réponds et que j'ai lancées à l'improviste devant Dieu! Souvent, dans ma cellule de novice, afin de m'exercer comme au jour du crime, je me tiens de longues demi-heures en la même posture où j'étais au coin de cette rue de Malte, le cou tendu en avant, le corps plié, penché et sans appui, ne touchant le mur qu'avec un doigt pour ne pas tomber; jusqu'à ce que bientôt je sois devenu sourd et aveugle comme ceux que j'ai assourdis et aveuglés, engourdi comme ceux que j'ai paralysés, sans idée ni conscience de rien comme ceux dont j'ai ébranlé l'intelligence. Je me change moi-même en statue de sel par châtiment... Le sommeil m'a fui; mais si, vers le matin, il m'arrive de succomber quelques minutes, je m'éveille toujours en sursaut par une explosion déchirante. »

« Voilà un saint, me dit le marquis, lorsque j'eus achevé ma lecture; voilà un martyr! Georges, lui, est un héros, mais moi, Amaury, que suis-je donc? Georges, aventureux, déterminé, portera brillamment, s'il le faut, cette tête ronde et bouclée sous la hache, ou tombera sous la foudre, dans la mêlée; Limoëlan, meurtri, se répare, se guérit à sa manière dans son cilice. Mais, moi, que fais-je ? ai-je une route, une issue possible à mon destin; qu'est-ce que j'expie, ou qu'est-ce que je tente; ai-je la Croix, ai-je l'épée ? — Savez-vous, Amaury, comment pour nous tout ce pompeux naufrage va finir ? Quelque grasse ville de la Touraine ou du Maine me sera assignée pour port avec une métairie et une basse-cour. Clémence du sort! ce serait même trop désormais que mon rocher de Couaën, où je blanchissais à compter les vagues et à aspirer la tempête. » Le marquis disait juste, il devinait l'issue probable; M. D... m'avait déjà fait espérer cela. Quant à cette comparaison par laquelle il s'effaçait à plaisir devant Limoëlan et Georges, j'accordais qu'il différait notablement de l'un et de l'autre : mais c'est qu'il avait bien autrement de *pensée* que tous deux. Le seul rôle que réclamait sa nature était entier et complexe; je le classais, génie inoccupé, dans la race des ambitieux politiques les plus nobles et les plus ardents.

Comme je tâchais de lui faire sentir par des exemples le jugement qui m'affectait à son sujet, de relever son deuil et d'honorer à ses yeux une plaie si rare; comme je parlais abondamment, ému des précédentes circonstances, et que, lui, se taisait pourtant et ne répondait pas plus que s'il avait cessé de suivre l'entretien, je m'exaltai, tout en marchant, jusqu'à m'écrier : « Sur cette bruyère de Couaën que vous craignez de ne pas bientôt revoir, en face de cette plage sans port et sans navires, sur ce théâtre d'une religion abolie, j'irai, et je m'arrêterai devant quelque pierre informe du temps des Druides; je la consacrerai en méditant alentour, et je prononcerai dessus ces mots : *Aux grands hommes inconnus!*

« Oh! oui, continuais-je (ou du moins c'était bien le sens), oui, aux grands hommes qui n'ont pas brillé, aux amants qui n'ont pas aimé! à cette élite infinie que ne visitèrent jamais l'occasion, le bonheur ou la gloire! aux fleurs des bruyères! aux perles du fond des mers! à ce que savent d'odeurs inconnues les brises qui passent! à ce que savent de pensées et de pleurs les chevets des hommes!

« Tout ce qu'il y a de grands hommes çà et là étouffés me semble composer, n'est-ce pas vrai ? un chœur mystérieux, muet dans son nuage, avare de ses soupirs; c'est un autre Panthéon funèbre, je l'entrevois d'aujourd'hui, un limbe inénarrable qu'habitent ces grandes

et méritantes âmes des mortels inconnus. Vous m'y
introduirez souvent, ô Vous que je vénère! Je croirai
apprendre en ces catacombes immenses la profondeur
et la misère humaine, bien mieux que sous l'étroite
voûte de leur Panthéon resplendissant. »

Et dans ce jaillissement d'idées que favorisait son
silence, j'ajoutais encore : « Il n'y a point de Panthéon
ici-bas; il n'y a de vrai Capitole pour aucun mortel :
tout triomphe en ce monde, même pour les fronts
rayonnants, n'est jamais, je m'imagine, qu'une défaite
plus ou moins déguisée. Mettez à part deux ou trois
hommes, une fois trouvés, en chaque genre, deux ou
trois existences quasi fabuleuses qui, dans leur plénitude, sont plutôt pour l'humanité des allégories abrégées
et des manières d'exprimer ses rêves, — hors de là, dans
la réalité, les rêves, les projets, les espérances me font
l'effet de ressembler, chez tous, à un gros de troupes
fraîches, qui doit passer, dès le matin, un long défilé
montueux, entre deux rangs d'archers embusqués, invisibles, inévitables. Si, avant le soir, le chef de la troupe
et quelque bataillon écharpé arrivent à la ville prochaine avec une apparence de drapeau, on appelle cela
un triomphe. Si, dans nos projets, dans nos ambitions,
dans nos amours, quelque partie a moins souffert que
le reste, on appelle cela de la gloire ou du bonheur.
Mais combien de désirs, de vœux, d'ornements secrets,
et des plus beaux, ont dû rester en chemin, que nul
n'a sus! Oh! pour qui se rend justice à lui-même, pour
qui lit en son cœur après le triomphe comme avant,
pour Dieu qui voit le fond et qui compte les morts en
nous, il n'est que vrai, j'en suis sûr, de dire : Le triomphe
humain n'existe pas! » — A ces derniers mots, le marquis, ébranlé enfin, posa et laissa quelque temps sa
main avec bonté sur mon épaule : « Eh! quoi! vous
aussi, Amaury, vous savez déjà et de si près ces choses! »

Mais les paroles de mes lèvres étaient plus avancées
que l'état de mon âme, et me donnaient pour plus mûr
que je ne l'étais devenu. Quand Dieu n'habite pas à toute
heure le dedans pour l'affermir, la nature fait payer cher
aux jeunes gens ces sagesses précoces de langage. A peine
avais-je quitté le marquis que j'étais atteint de son mal;
j'emportais secrètement en moi la disposition ulcérée que
je venais de combattre et peut-être de soulager en lui.
Cette irritation à mon propre sujet redoublait à chaque
pas; tous mes anciens tableaux d'avenir, toutes mes puis-

sances d'illusion se remuèrent. Je voyais en ce moment
passer à la fois tout ce que j'avais combiné et caressé dès
l'enfance, et le reste qui parlait de se réaliser encore.
Sous une infinité de formes, sous mille reflets de soleil et
mille drapeaux, les amours, les ambitions, la foule des
désirs, les tendresses qui lient les êtres, les pensées qui
roulent des mondes, accouraient et s'animaient dans ma
vallée, pareilles aux recrues bruyantes d'une armée
innombrable. Je les embrassais du regard, comme Xerxès
du haut de son promontoire, et je pleurais, mais avec rage ;
je pleurais de les entendre crier la *bataille* et de ne pouvoir sur aucun point la livrer, de les entendre crier la *faim*
et de ne savoir par où les nourrir. Ma réflexion raisonnée,
quelque part que je l'appliquasse, venait à l'appui de
cette vision peu imaginaire. La France avec l'Angleterre
déjà, bientôt avec l'Europe, recommençait ses chocs turbulents ; j'en avais, de ce que j'appelais ma lâcheté inac-
tive, pour tout le temps de ma jeunesse. Les études
diverses, les recherches de la vérité pure, les systèmes à
l'enchaînement desquels je me livrais, comme on se livre
à une veine de jeu pour s'étourdir, ces occupations, si
nécessaires à mon esprit, ne me remplissaient pas, et il
m'était d'ailleurs évident que, si l'on voulait s'adonner
de ce côté avec trop de sérieux et de vigueur, l'Homme
qui était l'éternel obstacle y saurait mettre ordre.
L'amour, pour qui j'étais né, ne me faisait sentir que ses
langueurs ou ses pointes sanglantes ; le plaisir ne me laissait boire que sa lie. Des deux jeunes femmes que je
fréquentais journellement et que je me figurais toujours
au loin, m'apparaissant avec grâce du milieu des bois où
j'arrivais, celle qui avait mon culte était dans une situation réservée, inaccessible : que ne semblait-elle moins
sacrée à mes yeux, osais-je me dire ; que n'était-elle aussi
bien à la place de l'autre, qui pâlissait et soupirait comme
par ennui ! — Les amis uniques, dont la destinée commandait la mienne, allaient être relégués demain dans quelque
ville étouffante et tracassière. Je ne me comprenais pas
vivant loin d'eux et me détachant ; je ne concevais pas
non plus que je pusse les suivre. De même donc qu'autrefois, pour sortir de mes broussailles perdues, les projets
de l'île des Druides et puis de la fuite en Irlande m'avaient
saisi, je me rejetai aujourd'hui vers cette idée de Georges ;
je résolus de le découvrir, de m'offrir à lui, de le
contraindre à m'accepter. Je me disais : Si le marquis en
est, comment peux-tu n'en pas être ! s'il n'en est pas, s'il

reste à ceux de son foyer, toi, du moins, sois de l'entreprise, sois-en, pour n'avoir pas plus tard à vivre loin d'eux, pour ne pas voir se faner lentement une amitié si belle, pour mourir dans l'éclat et qu'Elle et lui te pleurent!

Il ne s'agissait plus que de retrouver Georges. Toute question directe au marquis eût donné du soupçon; mais, conjecturant sur quelques mots que c'était du côté du Panthéon qu'il devait être logé, je fis choix d'un endroit voisin de la place, près duquel il était difficile qu'il n'eût point à passer souvent. En croisant aux environs de ces lieux, pendant des heures suffisantes, je finirais certes par le rencontrer une fois, et j'étais bien sûr de le reconnaître. Quelque simple et fondé que fût mon raisonnement, l'exécution me coûta de longs efforts de patience, et, durant près d'une semaine, j'eus à courir d'insipides bordées dans cette croisière. Toutes mes heures de liberté y allaient : on s'était aperçu déjà chez mes amis et on me faisait reproche de mes visites inquiètes, abrégées; j'épuisais les prétextes. Je vis bientôt qu'à moins d'un jour tout entier employé à cette attente, il y avait pour moi trop peu à en espérer. Ayant donc prévenu mes amis de cette absence d'un jour entier, que je motivai comme je pus, me voilà aiguisant mon regard et ma vigilance. Ce ne fut que le soir de cette lente journée, à la brune, au moment où les travaux cessent et où les ouvriers et les femmes du peuple, en rentrant, produisent un certain mouvement inaccoutumé sur ces places et dans ces rues solitaires, ce fut seulement alors que je distinguai du commun des passants un homme de belle stature et d'une démarche heureuse. A l'instant je me dirigeai du mieux possible pour le voir venir en face, puis je me mis à le suivre quelque temps, confondu avec d'autres qui nous traversaient; je le dépassai sans affectation en le coudoyant presque, je me laissai dépasser à mon tour. Plus de doute; c'était bien le guide que je cherchais, c'était l'héroïque *brigand*, l'adversaire à mort de César. Arrivés à un coin où nous nous trouvâmes à peu près seuls, je m'avançai rapidement vers lui : « Général... », lui dis-je en le saluant. Il tressaillit et son geste fut comme de porter la main à quelque arme cachée. Le nom de M. de Couaën, que je jetai à la hâte, et la circonstance rappelée de notre précédente rencontre, réparèrent en un clin d'œil la brusquerie. Le marquis d'ailleurs avait parlé de moi au général en le reconduisant. Je m'ouvris sans détour, sans trop d'embarras; je lui racontai comment je

devais à la confiance du marquis de m'être enflammé pour
le futur tournoi. Aux représentations amicales qu'il me
fit sur la gravité du risque et le peu de nécessité de m'y
lancer n'étant pas du métier, je répondis par un aveu
succinct, mais expressif, de ma situation, de mon ennui,
de mon impatience d'agir. C'était, il le vit bien, l'emploi
chevaleresque de mes forces qui me tentait, plutôt que
la satisfaction d'une haine politique. Mon récit franc lui
alla au cœur; il me tendit la main, me promit le secret
vis-à-vis du marquis, et que, si le choc avait lieu, j'en
serais pour sûr. En attendant, il exigeait que nous n'eussions aucune relation suivie, pour ne pas me compromettre en pure perte. Avant de nous séparer, j'obtins
pourtant qu'il m'accompagnât une minute jusqu'à ma
chambre, tout près de là, afin de savoir de ses propres
yeux où m'atteindre, afin aussi de connaître un asile de
plus au besoin.

Ceci réglé, il y eut d'abord en moi un grand calme et
un entier contentement. J'étais débarrassé du poids intérieur qui me pesait le plus, du souci indéfini de l'avenir.
Une espèce de colonne éclatante ou sombre, mais grandiose et toute posée, déterminait mon horizon; il me semblait que, d'ici là, j'avais le droit de vivre, de m'ébattre
dans la plaine et de me multiplier. Toutes les vivacités
de l'âge, toutes les irradiations de la jeunesse brillèrent
de nouveau. Mes amis me revirent plus à eux, plus
expansif et ingénieux à leur plaire. Je pouvais assister
désormais aux parades, aux splendeurs militaires sans
haine ni aigreur : mon regard était celui d'un rival qui
s'apprête et qui mesure, en passant, la hauteur du camp
ennemi avec une sorte d'orgueil. Comme simulacre et
prélude, j'allais à une salle d'armes, et je me remis
à l'escrime passionnément. Dans mon amour des
contraires, les études elles-mêmes gagnaient à cette allégresse nouvelle; mes lectures n'avaient jamais été si
variées en nombre, si fécondes en réflexions et en souvenirs. On aurait dit qu'un jour plus délicat éclairait sous
mes doigts les pages. C'est vers ce temps, je le crois bien,
que, pareilles à un rêve d'Endymion, les peintures de
Bernardin de Saint-Pierre m'offrirent la douceur lactée
de leur ciel, les massifs blanchâtres de leurs paysages, et
cette monotonie mélodieuse, comme le son d'une flûte,
sous la lune, dans les forêts. Les écrits tout récents d'un
compatriote déjà célèbre, M. de Chateaubriand, me frappaient plus que ceux de Saint-Pierre, et peut-être d'abord

m'appelaient moins, offensé souvent et déconcerté que
j'étais de tant d'éclairs. Mais ayant lu, un soir, le bel
épisode de *René*, j'écrivis sur mon cahier de pensées un
jugement tumultueux qui, je m'en souviens, commençait
par ces mots : « J'ai lu *René* et j'ai frémi; je m'y suis
reconnu tout entier, etc. » Combien d'autres, depuis
vingt ans, ont frémi ainsi et se sont crus en face d'eux-
mêmes devant ce portrait immortel! Tel est le propre de
ces miroirs magiques où le génie a concentré sa vraie
douleur, que, pendant des générations, tous ceux qui
s'approchent pour regarder s'y reconnaissent tour à tour.
— Et pourtant mon mal était bien à moi, moins vague,
moins altier et idéal que celui que j'admirais, et, sous ses
transformations diverses, tenant à un motif plus défini.

Aimer, être aimé, unir le plaisir à l'amour, me sentir
libre en restant fidèle, garder ma secrète chaîne jusqu'en
de passagères infidélités; ne polir mon esprit, ne l'orner
de lumières ou de grâces que pour me rendre amant
plus cher, pour donner davantage à l'objet possédé et lui
expliquer le monde : tel était le plan de vie molle auquel
en définitive je rattachais tout bonheur; telle était la guérison malade qui m'aurait suffi. Quant à cette gloire des
écrivains ou des guerriers, qui m'apportait par instants
ses murmures, une fois comblé d'autre part, je l'aurais
fait taire : tout zéphir des bois eût chassé mes regrets.
L'action ambitieuse, je l'aurais prise aisément en pitié;
l'étude, je n'en eusse tiré que la fleur. Il est doux à
l'esclave d'amour de cultiver l'oubli. La religion, hélas!
je l'aurais accommodée sans doute aussi au gré de mon
cœur et de mes sens; j'en aurais emprunté de quoi nourrir
et bercer mes fades remords; j'en aurais fait un couronnement profane à ma tendresse. Voilà, de rêve en rêve,
en quel abandon j'étais venu. Excepté la volupté, mon
ami, je n'ai jamais, durant ces temps, voulu aucune autre
chose en elle-même; quand j'avais l'air de vouloir et
d'agir d'un autre côté, c'était toujours au fond en vertu
du secret ressort. Ce que le philosophe Helvétius a dit
du motif unique de l'homme en général, n'était que vrai
de moi.

Et l'âge, qui vient si vite pour les amants, et les années
sérieuses, et la mort, qu'en faisais-je donc? quelle part
laissais-je en idée à ces envoyés terribles? — Oh! dans
ce plan d'un Elysée terrestre, je ne voyais jamais mon
idole, ni moi, survivant de beaucoup aux flatteuses
années. Il y a pourtant dans le lent déclin d'une beauté

qu'on aime, dans les mille souvenirs qui s'attachent à cet éclat à demi flétri, il y a là une douceur triste que je pressentais assez pour vouloir la goûter jusqu'au bout. Mais, cette mélancolie dernière étant aussi respirée, et avant l'extrême fin de cette automne de la jeunesse, je supposais toujours (moi présent et à genoux) la mort languissante de mon amie au sein de la religion qui pardonne. Et après peu d'années de veuvage de cœur et de solitude errante, je m'éteignais pieusement à mon tour, vers *quarante-trois ans* au plus tard. C'était un terme passé lequel je ne me supportais plus sur la terre. Raffiné mélange, n'est-ce pas ? d'épicuréisme et de foi à l'âme, d'oubli et de connaissance de Dieu! perfide image, qui n'était cependant pas tout mensonge, et où se peignait, vous le verrez, une inconcevable lueur d'avenir! Et je n'avais pas besoin, pour que ce fût là mon roman de bonheur, de le croire aucunement réalisable; car il continuait de flotter à mes yeux en ces moments mêmes où j'espérais une tout autre issue.

Mais, pour revenir aux lectures dont je vous parlais, celle qui contrastait sans doute le plus avec le tourbillon agité de cette crise, et qui me rappela un moment assez haut vers la région invisible, avait pour objet quelques écrits d'un théosophe que j'aime à vous citer souvent, parce qu'il a beaucoup influé sur moi. Le livre *des Erreurs et de la Vérité* et *l'Homme de Désir*, m'apportèrent avec obscurité plusieurs dogmes précieux, mêlés et comme dissous au milieu de mystiques odeurs. Une Réponse de Saint-Martin à Garat, que j'avais trouvée dans le Recueil des Ecoles Normales, me renvoya à ces deux ouvrages, dont j'avais déjà feuilleté le premier à Couaën, mais sans m'y arrêter. Cette Réponse elle-même où le sage énonce ses principes le plus simplement qu'il a jamais fait, cette manière calme et fondamentale, si opposée en tout à l'adresse de langage et, comme l'auteur les désigne, aux brillantes fusillades à poudre de l'adversaire, ce ton prudent, toujours religieux à l'idée, me remettaient aisément en des voies de spiritualisme; car, sur ce point, j'étais distrait et égaré plutôt que déserteur. Une vérité entre autres m'y toucha sensiblement, et fit *révélation* en moi; c'est l'endroit où il est dit que « l'homme naît et vit dans les pensées ».

Bien des vérités qu'on croit savoir de reste et tenir, si elles viennent à nous être exprimées d'une certaine manière imprévue, se manifestent réellement pour la pre-

mière fois; en nous arrivant sous un angle qui ne s'était
pas rencontré jusqu'alors, elles font subitement étincelle.
Ainsi ce mot opéra à l'instant sur moi, comme si j'avais
les yeux dessillés. Toutes les choses visibles du monde
et de la nature, toutes les œuvres et tous les êtres, outre
leur signification matérielle, de première vue, d'ordre
élémentaire et d'utilité, me parurent acquérir la signification morale d'une pensée, — de quelque pensée d'harmonie, de beauté, de tristesse, d'attendrissement, d'austérité ou d'admiration. Et il était au pouvoir de mon sens
moral intérieur, en s'y dirigeant, d'interpréter ou du
moins de soupçonner ces signes divers, de cueillir ou du
moins d'odorer les fruits du verger mystérieux, de dégager
quelques syllabes de cette grande parole qui, fixée ici,
errante là, frémissait partout dans la nature. J'y voyais
exactement le contraire du monde désolant de Lamarck,
dont la base était muette et morte. La Création, comme
un vestibule jadis souillé, se rouvrait à l'homme, ornée de
vases sonores, de tiges inclinées, pleine de voix amies,
d'insinuations en général bonnes, et probablement peuplée en réalité d'innombrables Esprits vigilants. Au-dessous des animaux et des fleurs, les pierres elles-mêmes,
dans leur empêchement grossier, les pierres des rues et
des murs n'étaient pas dénuées de toute participation à
la parole universelle. Mais plus la matière devenait
légère, plus les signes volatils et insaisissables, et plus ils
étaient pénétrants. Pendant plusieurs jours, tandis que
je marchais sous cette impression, le long des rues
désertes, la face aux nuages, le front balayé des souffles
de l'air, il me semblait que je sentais en effet, au-dessus
de ma tête, flotter et glisser les pensées.

Ce qu'il y a de surprenant, c'est qu'on peut être
homme et tout à fait ignorer cela. On peut être homme
de valeur, de génie spécial et de mérite humain, et ne
sentir nullement les ondulations de cette vraie atmosphère qui nous baigne; ou, si l'on n'évite pas sans doute
d'en être atteint en quelque moment, on sait y rester
glacé, s'en préserver comme d'un mauvais air, et fermer
les canaux supérieurs de l'esprit à ces influences aimables
qui le veulent nourrir.

Il est donc un grand nombre d'hommes, et d'hommes
de talents divers, dont on doit dire qu'ils ne vivent
jamais dans les pensées. Parmi ceux-là, il en est d'habiles
à toutes les sortes d'anatomie, de logique et de tactique,
aux récits des faits et des histoires, à l'observation ou à

l'expression des phénomènes, et de ce premier masque qu'on appelle *la réalité*. Mais au-delà du sens immédiat, ne leur demandez rien des choses. Ils se sont retranchés de bonne heure la cime aérée, ils se sont établis dans l'étage qu'ils estiment le seul solide; ils n'en sortent pas. Ce vide exact qu'ils font autour d'eux, par rapport à l'atmosphère divine, les appesantit et les attache avec succès à ces travaux plus ou moins ingénieux où ils excellent. Qui croirait, à voir de tels exemples, que les pensées sont l'aliment naturel des esprits ? S'il en circule quelques-unes devant eux dans les conversations, ils ne s'y mêlent que pour les nier ou les restreindre, ou bien ils se taisent jusqu'à ce qu'elles soient passées. S'il leur en vient au réveil, dans le lit, par surprise, entendez leur aveu! ils se hâtent de les secouer, non pas comme orageuses parfois, ce qui serait prudent, mais comme vagues, comme follement remuantes et importunes en tant que pensées. Quelle idée écrasée se font de la nature humaine, des hommes, rares après tout, et qui en sont eux-mêmes un ornement! Si on leur crie, comme Descartes à Gassendi : *O Chair!* ils s'honorent, comme celui-ci, de l'injure, et vous répondent en raillant : *O Esprit!* — Que ce soit chez eux caractère, habitude ou système, remercions le Ciel d'être moins négatifs que cela, mon ami. La nourriture délicate et préparatoire des âmes est souvent la vôtre; ne désespérez pas! S'il convient de la tempérer dans l'usage, comme trop enivrante en cette vie et peu rassasiante sans la foi, il serait mortel de s'en sevrer. A certains moments que discerne d'abord un cœur sincère, laissons sans crainte les pensées venir, les sources d'en haut s'essayer; ouvrons-nous à cette rosée qui pleut des nuages : la Grâce elle-même n'est qu'une goutte féconde.

Le soudain attrait qu'avait pour moi la lecture de Saint-Martin, me suggéra l'envie toute naturelle d'entrevoir sa personne. Je n'aurais jamais songé à l'aborder, lui si humble, à l'interroger, lui, homme de prière et de silence; je désirais de l'apercevoir seulement. M'étant informé à son sujet auprès de mon ami l'idéologue, j'appris que, durant l'été, il vivait volontiers à Aulnay, dans la maison du sénateur Lenoir-Laroche. Un jour de septembre, à tout hasard et dans le plein de ma disposition précédente, je tentai ce petit pèlerinage : « Si je le rencontre en quelque sentier, me disais-je, je le devinerai bien, et le doute même où je resterai ensuite ajoutera à l'effet de sa vue. » J'allai, et par une sorte de retenue conforme à l'objet, sans vouloir questionner personne, je parcourus cet étroit vallon, ce coteau boisé, qu'il regardait, le doux vieillard, comme un des lieux les plus agréables de la terre. Je rôdai aux charmilles des jardins, je crus découvrir les détours par lesquels il gravissait de préférence ; en m'asseyant au haut, je m'imaginai occuper une des places qui lui étaient familières : mais je ne fis pas de rencontre qui pût prêter à ma fantaisie. Cette course timide dans les bois, sur les traces de l'homme pieux, me laissa un intérêt, riant d'abord, bientôt solennel et consacré. Après moins de quinze jours, je sus qu'il ne se trouvait pas à Aulnay lors de ma visite, mais qu'y étant retourné depuis, il venait subitement d'y mourir.

C'est peut-être plus tard, quoique je veuille vous le mentionner ici, que certains endroits de Vauvenargues me causèrent une inexprimable sensation par leur convenance parfaite avec le train d'esprit et de conduite où j'étais. Lorsqu'il écrit à son jeune ami Hippolyte sur la *gloire* et sur les *plaisirs,* je l'entendais, le philosophe de trente ans, dévoré, mûri, comme Pascal, par la douleur, et de jour en jour plus chrétien, je l'entendais m'adresser d'un ton enchanteur ces conseils, qui pourraient non moins justement trouver leur sens, de moi à vous [1] : « Vous avez une erreur plus douce, mon aimable ami, oserai-je aussi la combattre ? Les plaisirs vous ont asservi ; vous les inspirez ; ils vous touchent ; vous portez leurs fers. Comment vous épargneraient-ils dans une si vive jeunesse, s'ils tentent même la raison et l'expérience de l'âge avancé ? Mon charmant ami, je vous plains : vous savez tout ce qu'ils promettent et le peu qu'ils tiennent toujours... Vous n'ignorez pas quel dégoût suit la volupté, quelle nonchalance elle inspire, quel oubli profond des devoirs, quels frivoles soins, quelles craintes, quelles distractions insensées ! » Je savais par cœur cette phrase, je me la redisais souvent avec les mêmes inflexions de mélancolie, qu'autrefois, enfant, je mettais aux vers de Properce. Je rougissais de confusion à ces graves paroles, aussi complaisantes que celles d'une mère. Et si, s'adressant encore à son jeune ami, il lui écrivait au sujet de la gloire : « Quand vous êtes de garde au bord d'un fleuve où la pluie éteint tous les feux pendant la nuit et pénètre dans vos habits, vous dites : Heureux qui peut dormir sous une cabane écartée, loin du bruit des eaux! Le jour vient, les ombres s'effacent et les gardes sont relevées, vous rentrez dans le camp; la fatigue et le bruit vous plongent dans un doux sommeil, et vous vous levez plus serein pour prendre un repas délicieux. Au contraire, un jeune homme né pour la vertu, que la tendresse d'une mère retient dans les murailles d'une ville forte..., celui-ci, au sein du repos, est inquiet et agité; il cherche les lieux solitaires; les fêtes, les jeux, les spectacles ne l'attirent point : la pensée de ce qui se passe en Moravie occupe ses jours, et, pendant la nuit, il rêve des combats et des batailles qu'on donne sans lui » ; comme ce retour vers la Moravie me revenait naturellement aux lèvres pour exprimer mes souffrances jalouses dans l'inaction, loin des victoires! Il n'était pas jusqu'à ces consonances en *i* qui ne me touchassent, et où je ne visse une harmonie découragée.

Et vous croirez maintenant, mon ami, que mes heures ne suffisaient pas à des emplois si divers; que ces contradictions d'actes et de pensées n'y pouvaient tenir ensemble; qu'au moment et dans les journées du moins de ces nobles méditations, les plaisirs grossiers avaient tort; que tous ces objets de mes récits se suivaient, se succédaient peut-être à distance, mais ne coexistaient pas! Détrompez-vous, reportez les yeux sur vous-même; songez à ce que l'homme allie d'inexplicable, surtout à ce que cet âge merveilleux de la vie embrasse et condense. Je courais au vallon à la recherche du sage, je rentrais dans la ville à la piste du conspirateur guerrier. J'invoquais le choc sanglant, je lançais mon âme au plus fluide de l'air et dans l'azur. Puis, quelque forme épaisse de beauté me rentraînait. Et derrière tout cela, une pensée fidèle, un sentiment voilé, puissant dans sa langueur, transpirant, se retrouvant en chaque point : le désir sans espérance, la lampe sans éclat, — mon amour!

XIII

L'élan prodigieux que m'avait donné ma rencontre avec Georges s'étant ainsi déployé en tous sens et assez tôt épuisé, je retombai peu à peu, selon le penchant de ma nature, à considérer les difficultés de l'entreprise, ses lenteurs, et la déconvenue probable avant un commencement même d'exécution. Ce nouveau coup d'œil me replaça en face de mes propres embarras, de mes ennuis habituels, et quelques irritations involontaires rompirent la courte allégresse. Et si Elle, d'ordinaire acceptant et laissant dire, s'apercevait de ces changements en moi, si elle semblait s'inquiéter (ce qui lui arrivait plus souvent) de me voir autre, de m'entendre me plaindre et menacer en l'air et souhaiter de partir ou de mourir, si elle me reprochait alors doucement de ne pas aimer assez, au-delà de tout, d'être inconstant et de vouloir de moindres biens, je lui disais en m'emparant de ses paroles et en appuyant sur l'intention : « Mais, vous, aimeriez-vous sans égal qui vous aimerait sans mesure, aimeriez-vous au-delà de tout, au-delà de cet époux et de ces enfants ? » C'étaient les jours où j'avais été le plus sensuellement égaré que je me montrais ainsi égoïste et dur. Son souci de son mari et de ses enfants me rebutait alors ; à la moindre maladie des uns, à l'idée de la prochaine sortie de l'autre, je la trouvais pleine d'un objet qui n'était pas moi. Le trône que je convoitais en son cœur me paraissait, le dirai-je ? grossièrement usurpé par eux. Oh ! que l'amour humain est intolérant, injurieux, dès qu'il s'abandonne sans frein à lui-même ! En ces moments où il vise à la conquête, où il s'altère et s'aigrit dans les obstacles, je le comparerais à ces despotes d'Asie qui, pour se faire voie au trône, égorgent tous leurs proches et leurs frères. Ainsi l'amour brutal et despotique, si on le laissait agir d'après l'instinct, s'il restait barbare en ses jalousies, et si le Christianisme ne le touchait pas, égorgerait volontiers pour la dédicace de son autel tous les autres amours. Mais, quand je m'exprimais en ce sens d'égoïsme et d'exigence, avec quelque ménagement dans les termes, bien qu'assez à nu pour le fond, elle ne me comprenait pas, elle ne pouvait admettre en mon esprit cette exclusion acharnée, elle ne concevait pas qu'aimer fût l'ennemi d'aimer, et que de ces amours divers et parents il dût résulter autre chose qu'une émulation d'ardeur et de tendresse. Tous les amours vrais, à ses yeux, naissaient d'une même tige, et comme les branches du Chandelier d'or. Je la voyais donc souffrir de ma prétention farouche et s'en troubler.

Puis, d'autres fois, quand les sens et par conséquent l'égoïsme s'en mêlaient moins, quand les derniers soirs avaient été meilleurs, et qu'en moi le véritable amour s'éclaircissait un peu, alors je redevenais doux, tolérant en sa présence, sacrifiant ma part avec bonheur et m'effaçant. Et elle se faisait si vite à me prendre ainsi, elle s'épanouissait comme dans un air si facile, et nous nous entendions avec tant d'accord ! Une après-midi[1], en arrivant chez elle, je l'avais trouvée dans sa chambre, au milieu d'une quantité de lettres entrouvertes, éparses sur les meubles, sur les fauteuils, et une cassette encore pleine à côté. C'étaient ses anciennes lettres d'amour d'il y avait huit ans, la correspondance secrète du marquis et d'elle avant le mariage, lorsque les difficultés de famille et la colère du frère les séparaient. Cette chère cassette, d'abord enlevée dans la saisie de Couaën, lui avait été rendue depuis déjà plusieurs mois; mais, ce jour-là, elle s'était mise, au réveil, à la rouvrir par hasard, et jusqu'à l'heure où j'arrivai elle n'avait pas quitté, oubliant de s'habiller et de descendre. Une lettre avait succédé à une autre; les scènes, les joies et les transes d'autrefois étaient sorties une à une de ce coffret odorant comme une guirlande dès longtemps fanée, comme cette garniture du premier vêtement nuptial, qui y avait été en effet renfermée et qui en sortait à demi. Les années de la famille, de la patrie et du virginal amour, s'étaient levées et avaient fait cercle autour d'elle. Lorsque j'entrai, elle ne se

---

1. Ce mot d'*après-midi* avait été mis indifféremment et au gré de l'oreille tantôt au féminin, tantôt au masculin dans les éditions précédentes; on a été plus régulier dans celle-ci. *(Note de l'Editeur.)*

dérangea point et demeura sous l'émotion où elle était,
les yeux humides, la tête renversée contre un coussin,
une lettre sur ses genoux, et ses bras dans l'abandon.
Elle me permit de toucher de mes mains ces lettres
sacrées; elle m'en expliquait les circonstances et les
occasions pleines d'alarmes. Je pus même en lire deux
ou trois de lui à elle, mais pas une seule d'elle à lui;
elle s'y opposa dans sa pudeur. J'admirai le ton de cet
amour frémissant et soumis chez un homme dont les
portions opposées du caractère m'étaient si connues.
Les lettres qu'il m'arriva de lire portaient précisément
sur de tendres promesses qu'il faisait de contenir son
ressentiment à l'égard du frère de Lucy, et en général
de s'abstenir de mouvements trop altiers; car elle lui
avait reproché, à ce qu'il semblait, son dédain amer
des autres hommes et l'opiniâtre orgueil du sang.
Comme je finissais de lire à demi-voix la lettre, et
qu'apercevant à terre cette garniture nuptiale dont j'ai
parlé, je lui demandais de l'emporter en gage de la
confidence inviolable, elle consentit d'un signe sans
avoir l'air d'y répondre; et, en même temps, se fiant
tout entière à l'état clément de mon âme, elle me disait :
« Bientôt, quand M. de Couaën va être sorti, oh! nous
serons paisibles alors et réunis pour longtemps. Nous
bénirons son malheur, nous l'adoucirons. Une vie de
campagne et d'isolement absolu sera la nôtre. Nous
reverrons Couaën un jour, quoi que vous en disiez;
vous y serez avec nous. Mes enfants grandiront, et vous
les formerez de vos soins; ma propre enfance refleurira.
Nous deviendrons pieux en pratique, nous célébrerons
ensemble les anniversaires de la mort de ma mère; nous
ferons le bien. C'est le moyen sûr d'éloigner du cœur
les haines qui sont en nous un poison. Déjà vous êtes
plus calme et résigné, je vous vois moins de ces colères
ambitieuses à propos des choses inaccessibles; vous ne
détestez plus personne au monde, n'est-ce pas ? Il en
sera ainsi de lui; nous le forcerons de rendre grâces
de ses maux. Nous croirons bien tous à l'autre vie, car
celle-ci ne suffira jamais à l'étendue de nos affections
et de notre bonheur. »

Ainsi parlait la femme pure, et je l'écoutais muet
d'enchantement. La femme pure croit à ces plans d'avenir, elle serait capable de s'y conformer jusqu'au bout
avec félicité, et je la juge par là bien supérieure à l'homme.
Mais l'homme qui aime, et qui, entendant ces arrange-

ments heureux tomber d'une bouche persuasive, y croit
un moment et s'estime capable d'y prêter sa vie, n'est
réellement pas de force à cela comme il le pense. Tandis
que la femme aimée, au cœur pudique, confiante et sans
désir, est assez comblée de voir à côté d'elle son ami,
de lui abandonner au plus sa main pour un instant,
et de le traiter comme une sœur sa sœur chérie, l'homme,
fût-il doué du Ciel comme Abel ou Jean, souffre inévitablement en secret de sa position incomplète et
fausse; il se sent blessé dans sa nature secondaire, sourdement grondante, agressive; les moments en apparence les plus harmonieux lui deviennent vite une douleur, un péril, une honte; de là des retours irrités et
cruels.

Mais, si ce qui est de l'intérieur sacrifice s'étendait
en puissance, si ce qui est de la nature infirme et secondaire s'évanouissait peu à peu et expirait; si l'homme
atteignait à aimer purement comme la femme pure le
sait faire; si la tunique modeste d'Abel et de Jean le
vêtissait de plus en plus jusqu'aux pieds; si l'on suppose les aigreurs, la corruption des sens, l'envieuse pauvreté d'un exclusif amour, combattues, vaincues par
degrés à force de piété, de vigilance, de recours à l'autre
vie, d'activité généreuse dépensée pour l'être aimé, et
de bienfaits répandus à toute heure autour de lui, en
son nom, on aurait certes sur la terre une ombre du
grand Amour qui règne au-delà et de cette amplexion
unanime dans l'ordre de Dieu. Car, dans cet ordre
désiré, les foyers et les centres individuels des précédentes tendresses se maintiennent, comme je l'espère.
La mère, la sœur, l'épouse, l'amie sanctifiante, ne cessent
pas d'être reconnues de nous sous l'œil céleste, et d'être
nommées. L'âme transportée retrouve en des propor-
tions plus belles tous ses bons amours, chacun d'eux
en elle n'étant qu'un encouragement aux autres, un
élancement intarissable vers celui qui les couronne à la
fois et les justifie.

Et comme, dans l'éclair paisible des moments que je
vous raconte, nous embrassions d'avance un reflet de ces
profondeurs et que nous nous en figurions un côté réalisable dès ici-bas, les projets attachants se pressaient sur
nos lèvres et multipliaient nos discours. Et c'étaient des
joies, des douceurs qui la faisaient bénir Dieu de son
sort et d'être ainsi entourée, et qui chez elle, après,
dans la solitude, se conservaient à l'état parfait et s'exal-

taient peut-être encore, mais que moi bien vite, retiré
à part, je défaisais et je corrompais.

L'automne finissait, et les jours de lent adieu qu'elle
prolonge sont les plus sentis et les plus savoureux; nous
en jouîmes aussi avant que possible, jusqu'à ce qu'enfin, le bois étant presque dépouillé et la dernière feuille
tremblante n'attendant plus que la prochaine bise, on
dût laisser Auteuil pour Paris. Le marquis avait obtenu
de choisir sa maison de santé sur un boulevard voisin
de notre faubourg. Madame de Couaën se réinstalla au
petit couvent, à sa grande satisfaction et à celle de
madame de Cursy, des enfants et de tout le monde.
Notre manière de vivre se trouva donc peu changée.
Seulement (est-il temps de l'avouer ici?) l'absence de
la jeune dame R. fut cause que je la remarquai davantage quand elle vint. Si elle demeurait jusqu'au soir, je
la reconduisais d'ordinaire jusque chez elle; et, en la
quittant pour retraverser seul cette mer trop connue où
je m'abandonnais, une voix moqueuse me rappelait tout
bas, d'un ton de mondaine sagesse, que j'étais las à
l'excès de l'amitié sans la possession et de la possession sans amour. J'avais beau éviter de peser sur l'idée
perfide, il m'arrivait, chaque fois que la visite avait
lieu, de regarder plus volontiers du côté de cette faible
étoile qui brillait dans les yeux de madame R.

Un jour où l'on était réuni chez madame de Couaën,
celle-ci présente et d'autres personnes encore qui s'entretenaient, je m'approchai de madame R., qui était
debout dans l'embrasure d'une croisée, et je lui demandai, par manière de compliment, des nouvelles d'une
jeune amie de province dont elle nous parlait quelquefois et à qui elle racontait sa vie : « Savez-vous ce que
cette petite personne s'avisait hier de m'écrire ? dit-elle;
elle s'informe à toute force de ce que devient *mon ami*
M. Amaury! » — « Eh! quoi ? ne sommes-nous pas
amis en effet ? répliquai-je; puisque vous en doutiez,
convenons d'aujourd'hui que nous le sommes »; et je
lui offris la main pour sceller l'engagement : elle y mit
la sienne en répétant mes derniers mots. Ceci se passait sans affectation, et les yeux qui auraient aperçu
le geste n'auraient pu en être étonnés. En la reconduisant depuis, à l'instant de nous séparer, je lui serrais
d'habitude la main et lui disais : « Vous n'avez pas
oublié, j'espère, ce que nous sommes maintenant », ou
quelque autre mot pareil lancé dans l'intervalle de

temps où sa porte se refermait. Je lui aurais fait, si j'avais écouté mon caprice, plus de visites que je n'eusse pu en motiver; je ne perdais du moins aucune occasion de lui être agréable. Mais ce n'était rien d'impérieux à quoi je cédasse véritablement; je ne faisais qu'essayer du singulier attrait qui se glisse en ces complications naissantes. Après quelque adieu tendre qui m'était échappé de la sorte, et qu'un *oui* suave avait accueilli, souvent j'éprouvais, au retour, un flatteur mouvement d'orgueil de donner ainsi mon cœur à l'une, mon sourire et un mot à l'autre, de les satisfaire toutes les deux, et, moi, de n'être pas rempli. Et puis ce contentement futile se mêlait vite de remords, d'inquiets scrupules suscités à l'idée de madame de Couaën, d'excuses secrètes et de petits accommodements de conscience que j'avais peine à me procurer. Je serais presque retourné vers madame R. en ces seconds moments pour lui demander à elle-même : « N'est-ce pas qu'il n'y a rien de mal ni aucune duplicité à ce que je fais ? »

Je n'avais toujours pas d'information de Georges, quoique j'eusse tenté à diverses reprises de le rejoindre, et le marquis n'en paraissait guère avoir plus que moi. Sa conjecture et la mienne étaient que les deux ou trois cents hommes, nécessaires au groupe, ne se réuniraient pas, et qu'en traînant ainsi, l'affaire perdait toute bonne chance. Nos craintes pour Georges et les siens étaient vives ; je dérobais au marquis une moitié de mon angoisse. Il eût été urgent dans l'intérêt de sa sécurité, à lui, que sa translation à Blois ou ailleurs se décidât au plus tôt et avant que la découverte d'une conspiration royaliste le vînt sans doute envelopper dans le péril d'un jugement ; mais cette translation pouvait être une si forte contrariété pour son honneur, elle devait être un si redoutable déchirement pour nous et une épreuve si douloureuse à notre amitié, que je n'osais presser activement en ce sens M. D... ou le mari de madame R. Chaque fois qu'il s'agissait de cette terminaison probable, le marquis parlait de la grasse prison qui l'attendait, avec un dégoût et presque une horreur, qui me marquait assez son énergique vœu d'être présent ici à tout événement. M. D..., que je continuais de voir de temps à autre, témoignait au contraire un désir empressé que cette solution eût lieu. A certaines phrases couvertes qu'il jetait avec intention peut-être, je crus saisir qu'il avait vent confus de quelque chose qui se tramait

dans l'air alentour : cet indice était peu propre à me
calmer.

Les derniers mois de l'année s'écoulèrent ainsi, sans
que rien d'autrement saillant me revienne, soit que les
incidents aient langui en effet, soit que la mémoire ne
me les rende pas. J'étais affairé et sans relâche, dépaysé
à l'entrée de la terne saison, plongé en une vie peu
franche. La Toussaint et la Noël de cette année n'ont
rien à me dire, maintenant que j'y repense : ce sont
en moi d'étranges marques d'oubli. A l'éblouissante
quinzaine qu'avait ouverte la rencontre avec Georges,
une sorte de brouillard et d'éclipse avait succédé. D'où
vient qu'il y a des endroits de lointains souvenirs, si
nets, si perceptibles dans les plus insignifiantes circonstances ? d'où vient qu'il en est tout à côté de si troubles
et indistincts ? Cela tient moins, mon ami, aux circonstances en elles-mêmes qu'à l'état essentiel de l'âme
dans le moment des circonstances survenues, au plus
ou moins de clarté active où elle était, les recevant en
son onde et coulant derrière. Nous nous souvenons
du passé à travers et avec notre âme d'aujourd'hui, et
il faut qu'elle ne soit pas trop brumeuse; mais nous
nous souvenons dans notre âme d'autrefois, et il faut
qu'aux endroits des souvenirs elle puisse nous luire au
loin, d'un flot d'argent, comme une rivière dans la
prairie.

Que je vous parle une fois ici du souvenir, selon moi,
tel que je le sens, et j'ai beaucoup senti à ce sujet! Si
le souvenir, pour la plupart des âmes, dans des situations analogues à la mienne, est une tentation rude,
pour moi, mon ami, il est plutôt une persuasion, un
rappel au bien, une sollicitation presque toujours salutaire dans sa vivacité. Est-ce là une excuse, par hasard,
que je chercherais à mes yeux, pour ces milliers de
fleurs et d'épines où je me rengage ? je ne le crois pas
en vérité, ô mon Dieu! D'autres ont besoin surtout de
moins s'appesantir sur leur passé. Dès qu'ils l'ont
racheté par assez de larmes, ils doivent rompre et se
détacher exactement; l'espérance robuste les soulève
et les pousse, ouvriers assidus de la prophétie : ils ont
l'ardent exemple de Jérôme. Mais, sans que ce soit, je
le pense, une contradiction avec les espérances immor-
telles, et dans tout ce qui est de l'ordre humain, moi,
j'ai toujours eu à cœur le souvenir plutôt que l'espérance, le sentiment et la plainte des choses évanouies

plutôt que l'étreinte du futur. Le souvenir, en mes moments d'équilibre, a toujours été le fond reposant et le plus bleu de ma vie, ma porte familière de rentrée au Ciel. Je me suis, en un mot, constamment senti plus pieux, quand je me suis beaucoup et le plus également souvenu. En tout temps, même dans les années turbulentes et ascendantes, j'ai dû au souvenir une grande part de mes impressions profondes. Dans les divers âges de la vie que j'ai parcourus, comme j'anticipais prématurément l'expérience d'idées et le désappointement ordinaire à l'âge qui succède, je vivais peu de la jouissance actuelle, et c'était du souvenir encore que les plus fraîches réparations me venaient. Quand je goûtais un vif bonheur, j'avais besoin, pour le compléter, de me figurer qu'il était déjà enfui loin de moi, et que je repasserais un jour aux mêmes lieux, et que ce serait alors une délicieuse tristesse que ce bonheur à l'état de souvenir. Dans ma vue des événements du dehors et mes jugements sur l'histoire présente, j'étais ainsi : le sentiment d'un passé encore tiède et récemment inhumé m'enlaçait par des sympathies invincibles. Dans mes faubourgs, sur mes boulevards favoris, les enceintes de clôture des communautés désertes, les grilles de derrière des jardins abandonnés, me recomposaient un monde où il semblait que j'eusse vécu. Quand ma lèvre de jeune homme brûlait de saluer les aurores nouvelles, quelque chose au fond de moi pleurait ce qui s'en est allé. Mais, à certaines heures, à certains jours, en particulier aux soirs du dimanche, cette impression augmente; tous mes anciens souvenirs se réveillent et sont naturellement convoqués. Tous les anneaux rompus du passé se remettent à trembler dans leur cours, à se chercher les uns les autres, éclairés d'une molle et magique lumière. Aujourd'hui, en cet instant même, mon ami, c'est un de ces soirs du dimanche; et dans la contrée étrangère d'où je vous écris, tandis que les mille cloches en fête sonnent le Salut et l'*Ave Maria*, toute ma vie écoulée se rassemble dans un sentiment merveilleux, tous mes souvenirs répondent, comme ils feraient sous des cieux et à des échos accoutumés. Depuis la ferme de mon oncle, depuis cette première lueur indécise que j'ai gardée de ma mère, combien de points s'éclairent par degrés et se remuent! combien de débris isolés, peu marquants, non motivés, ce semble, dans leur réveil, et pourtant pleins de vie cachée et d'un sens

austère! Oh! non pas vous seulement, Etres inévitables,
qui fûtes tout pour moi, pour lesquels je dois prier et
me saigner une veine chaque jour; non pas seulement
les scènes où vous êtes debout mêlés et qui font à jamais
image en moi; mais les moindres incidents épars, les
cailloux les plus fortuits de ce long chemin, des seuils
que je n'ai franchis qu'une fois, des visages de jeunes
filles ou de vieillards que je n'ai qu'entrevus, des êtres
amis qui se croient oubliés ou qui m'ont toujours cru
indifférent, d'autres dont je n'ai su l'existence et les
histoires que par des amis perdus eux-mêmes dès longtemps, et ceux plus inconnus, à l'âme desquels je paie
souvent mon *De profundis*, parce que j'ai obstinément
retenu leur nom pour l'avoir lu au hasard, sur quelque
croix de bois chancelante, dans un cimetière où j'errais;
que sais-je ? plusieurs apparitions aussi, moins pures
d'origine, mais cependant voilées d'une rassurante tristesse, tout me revient et me parle; les temps et les lieux
se rejoignent; et il s'exhale de ce vaste champ qui frémit, de cette vallée de Josaphat en moi-même, un sentiment inexprimable et rien que religieux! — Mais ce
qui a pu trouver place dans les deux ou trois mois
d'alors ne me revient pas plus nettement.

  Ce n'est que vers la dernière moitié de janvier, qu'un
soir, étant rentré assez tard et près de me mettre au lit,
un coup de marteau, fortement donné à la porte extérieure d'en bas, rompit, en quelque sorte, les lenteurs,
et je recommence la série active. D'après la disposition
du logis, qui ressemblait à ceux de province, n'ayant
qu'un premier étage où j'étais et que je partageais seulement avec des voisins très retirés, je pensai bien que
c'était à moi que s'adressait cette visite à heure indue.
Je descendis ouvrir, et la chandelle éclaira la figure de
Georges. Je l'accueillis avec autant de surprise que de
vraie joie. Il arrivait, le soir même, d'un voyage qu'il
avait fait à la côte pour recevoir Pichegru et d'autres
nouveaux débarqués d'importance. Après avoir laissé
ses compagnons en lieu sûr, comme il se dirigeait lui-
même vers son ancienne retraite, il s'était ressouvenu
de moi, s'était détourné exprès de son chemin pour
passer sous ma fenêtre; et, y apercevant de la lumière
à travers la jalousie, soit caprice amical, soit curiosité
de connaître ce que, dans ses rapports journaliers avec
nous, la Police avait pu trahir de soupçons récents, il
avait songé à me demander asile pour cette nuit. Je

l'en remerciai comme d'un honneur, comme d'un bien-
fait. Mes espérances impétueuses s'agitaient en foule,
ramenées sur l'heure à l'assaut. Je lui montrai d'abord
et lui donnai à toucher mon épée et les autres armes
dont je m'étais pourvu; et, comme je manquais de
poudre, il me dit d'être tranquille sur cet objet. Après
les premiers préparatifs de nuit dont je voulus sans
retard nous débarrasser, après le dédoublement du lit
que nous fîmes de nos mains, la conversation s'engagea
aussi longue que je le pouvais désirer, et franchement
communicative. Ce que je discernai dans les paroles de
Georges, ce fut un droit sens qui ne se détournait
volontiers d'aucun côté, la certitude de juger due au
maniement des hommes, son mépris pour beaucoup, et
au sein du parti principalement; mais, avec cela, une
résolution inébranlable de servir ce parti, comme si ce
n'était que sa propre cause, après tout, et non uniquement celle des Princes et autres puissants qu'il entendît
servir. Et, en effet, l'esprit absolu de conservation,
maintenir son droit et sa coutume, son chaume et sa
haie, comme le Roi son trône, et le noble son donjon,
voilà quelle me parut toute la politique de Georges. Il
se considérait au milieu de ces gentilshommes qu'il
goûtait peu, et de ces Princes qui l'affublaient de cor-
dons sans le suivre, comme au service de sa propre
idée et de la défense commune : de là, une source habituelle de grandeur. Il visait évidemment au résultat
et au fait bien plus qu'à la gloire. Dans les difficultés
de raisonnement, dans les conjonctures où le bon sens
reste court, sa foi venait à l'aide, et il s'en remettait
avec une impulsion insouciante, et selon son mot favori,
à la garde de Dieu. Il avait plus d'un trait du marin
expérimenté et dévot de nos grèves, qui fait l'impossible dans l'orage, et s'en remet du reste au Ciel. Sous sa
franche cordialité, sous ses formes rondes et presque
avenantes, je ne tardai pas à découvrir, à deux ou trois
mots qu'il lâcha, ce je ne sais quoi de rude, de peu
humanisable, d'anciennement féroce, si j'ose le dire,
que j'épiais en lui d'après ses antécédents, que beaucoup de mes compatriotes ont gardé de leurs aïeux, et
que je n'ai tant dépouillé, je le crains, qu'aux dépens
de la partie forte de mon caractère. Mais qu'ai-je là à
regretter ? Il ne doit rien survivre de l'Hébreu, du Celte
ni du Sicambre, dans le Chrétien. — Il m'interrogeait
avec intérêt sur M. de Couaën, dont il avait pris une

haute idée, ne le connaissant d'ailleurs que par sa correspondance et par cette visite récente qu'il lui avait
faite; car, avant la pacification de 1800, le marquis,
peu installé encore dans la contrée, n'avait pas eu occasion de s'entendre avec Georges. Comme je cherchais
à exposer l'idée particulière que je me faisais du marquis, de ses facultés éminentes et du malheur de leur
étouffement, Georges fut long à me comprendre et à
entrer dans mes distinctions; ces soucis de pouvoir et
de gloire lui semblaient des superfluités, à lui, intrépide et dévot. Pures inquiétudes de gens d'esprit et
d'esprits forts! me disait-il, en m'écoutant décrire cette
mélancolie. L'activité dans le péril devait, selon lui,
distraire de tout : « Est-ce sa femme, ses enfants qui
l'arrêtent ?... mais non... Que lui manque-t-il donc,
puisqu'il a du cœur ? » Cet aveu fondamental que
Georges faisait du courage de notre ami me confirma
dans le soupçon que celui-ci s'était engagé en cas d'entreprise. Quoi qu'il en soit, je prolongeais l'explication
vivement et avec assez peu de succès. Singulière grada-
tion des esprits entre eux! le marquis semblait chimérique et transcendant à Georges, tandis qu'il eût paru
à bon droit positif, terrestre et trop soucieux de l'action
aux yeux du théosophe et du poète. A la fin, quand
j'eus bien épuisé mon analyse et mes comparaisons sur
ce chapitre du marquis, que je l'eus montré jeune, en
ses nombreux voyages, livrant ses pensées au vent des
mers et ensemençant la plaine aride, quand je fus à
bout de le suivre dans son attente desséchante sur sa
bruyère, Georges, qui, depuis quelques moments, avait
cessé d'écouter, m'interrompit : « Allons, s'écria-t-il,
je crois vous entendre, vous voulez dire un M. Pitt qui
n'aurait jamais eu d'emploi. » Et au sujet de madame
de Couaën, comme il m'échappait, à travers mes développements sur le marquis, de la peindre avec complaisance et de m'étendre autour d'elle plus qu'il n'était
besoin : « Eh bien! oui, me dit-il brusquement, vous
en êtes un peu amoureux, passons! » L'accent dont il
prononça ce mot tenait des habitudes brèves du chef
militaire et de la sévérité puritaine du croyant. J'en fus
froissé dans ma délicatesse; j'avais senti la touche dure
d'une main de fer. Ce que je racontai à Georges des
vagues appréhensions de M. D... ne l'épouvanta nullement : l'exécution, qui touchait à son terme, devance-
rait toute découverte; le groupe, qui, grâce à l'inertie

du grand nombre, ne se montait qu'à une cinquantaine d'hommes (moi compris, me dit-il), était à la rigueur suffisant; Pichegru, d'ici à trois jours, s'aboucherait avec Moreau, et il fallait espérer qu'étant tous deux gens de guerre, ils parleraient peu et nous laisseraient vite agir.

La nuit s'avançait, et je souhaitai bon sommeil à Georges. Il me fit voir que, selon sa coutume, il mettait ses pistolets fidèles sous son chevet. Je remarquai qu'il s'agenouilla pour prier, durant quelques instants.

Le matin, un peu tard, nous dormions encore, lorsqu'un coup frappé à la porte de la chambre nous éveilla; je me levai et me couvris à la hâte, et, comme j'hésitais avant d'ouvrir, Georges m'ordonna de le faire. Un rire impoli faillit me prendre, quand je vis que l'interrupteur n'était autre que M. de Vacquerie en personne. Arrivé pour la saison d'hiver à Paris, où cette fois il avait amené sa fille, il venait d'abord (et seul, bien entendu) me rendre une visite matinale et s'enquérir de toutes choses. Je le reçus un moment à la porte, le prévenant qu'un de mes amis, avec qui j'étais allé la veille au spectacle, avait partagé, cette nuit, ma chambre, et m'excusant du désordre; puis, étant rentré dire en deux mots à Georges ce qui en était, j'introduisis ce bon M. de Vacquerie. Il ne manqua pas de mettre l'entretien comme d'habitude sur la prudence heureuse dont il se félicitait, et il s'attacha longuement à ce point capital qu'on pouvait être mécontent et avoir entre amis son franc-parler, sans conspirer pour cela. L'arrestation du marquis lui donnait beau jeu, et il n'épargnait pas les sages leçons à l'usage de nous autres jeunes gens. Georges au lit se taisait, et je le voyais tantôt sourire de pitié, tantôt frémir de mépris, et, à la fin, de colère. Je commençais à redouter quelque éclat. Pour le conjurer, je relançai le plus avant que je pus M. de Vacquerie sur sa fille, ses achats futurs, le dernier poème de Delille et les nouveautés d'estampes et de gravures de Landon. Je lui sauvai ainsi la griffe du lion, que le bonhomme n'a jamais sue si près de lui. Mais à peine avait-il le pied dehors, que Georges ne se tint pas, et que son indignation contre cette gentillâtrerie, sur laquelle il avait trop compté, n'eut plus de bornes. Le plébéien farouche, devant qui ses nobles lieutenants ne trouvaient pas grâce toujours, me fut révélé à nu; il était terrible de la sorte; il y avait, mal-

gré lui, du paysan révolté dans sa colère. Georges,
Georges, ai-je souvent pensé depuis, la cause que vous
servîtes d'une si implacable ardeur, était-ce bien la
vôtre ? vos instincts courageux ne se fourvoyaient-ils
pas ? fils du meunier, que ne fûtes-vous jeté d'abord
dans les rangs des bleus ? vous eussiez suppléé Kléber ;
on vous eût certes vu disputer à Ney, cet autre héros
de même trempe et de même sang, le privilège de *brave
des braves*.

Georges, levé, était prêt à sortir : la séparation eut
quelque chose de sévère. Il me fit renouveler ma promesse et mon serment. « Avant huit jours donc, ajouta-
t-il impérativement, vous aurez sans doute de mes
nouvelles : à la garde de Dieu ! » En cas qu'on ne me
trouvât pas chez moi, une simple carte, glissée sous
ma porte, avec un lieu et une heure de rendez-vous,
devait m'avertir. Là-dessus il me laissa. Je restai sur
le seuil à le suivre du regard, jusqu'à ce qu'il eût disparu. A partir de ce moment, je ne m'appartenais
plus en réalité ; j'étais tout aux ordres du général Georges.

XIV

Envisagée à cette courte distance et à ce degré de précision, l'aventure m'offrit désormais son côté sombre. Un sentiment grave, oppressé, ne me quitta point; j'étais enveloppé dans une œuvre sinistre. La portion toujours peu morale qui se mêle aux entreprises politiques et aux complots n'étant point dissimulée en moi par une conviction aveuglante, ressortait en détail à mes yeux. Je me voyais, pour le plaisir de jouer ma vie dans ce coup de main meurtrier, compromettant l'avenir du marquis, lequel n'en était peut-être pas, ainsi que je l'imaginais à la légère; empoisonnant d'une douleur certaine un doux cœur qui m'aimait, violant toute reconnaissance envers MM. D... et R., et, pour prix de leurs bons procédés, les rendant responsables de mon ingratitude. Je n'avais la haine ni aucun fanatisme pour excuse : le besoin de changement et d'émotion extraordinaire, qui me poussait, n'était, à le nommer crûment, qu'un délire du plus exigeant égoïsme. Voilà ce que je ne pouvais me taire. A la veille d'une conspiration comme d'un duel, on a beau s'étourdir, on sent au fond de son âme qu'on n'est pas dans le vrai ni dans le juste, et pourtant l'honneur humain nous tient et l'on continue. En me disant tout bas ces choses, je ne me repentais donc pas.

Deux jours après la nuit mémorable, madame R. nous ayant envoyé offrir une loge de Feydeau, madame de Couaën fit prier M. de Vacquerie de nous accorder sa fille pour la soirée : car, lui, le bon *dilettante* campagnard, tout ami des ariettes qu'il était, il allait peu volontiers au théâtre, par scrupule. J'accompagnai seul ces trois dames; et dans la loge étroite, pendant les heures mélodieuses, que de palpitations voilées, que de nuances diverses, sympathiques ou rivales, durent éclore et se

succéder en nos cœurs! J'excepterai au plus mademoiselle de Vacquerie, qui, accoudée sur le devant sans distraction, était tout yeux et tout oreilles, comme une jeune
fille, à ce spectacle pour elle si nouveau. Mais, près d'elle,
madame de Couaën, nonchalamment appuyée et tournée
à demi vers nous; près de moi, sur le second rang,
madame R., qui interceptait sans envie nos regards, et
moi-même, qui, bien qu'inégalement, partageais mes
soins de l'une à l'autre et recueillais leur âme tour à tour :
telle était parmi nous la vraie scène de cette soirée. La
musique, les chants, le jeu du fond, le théâtre rempli,
agité, l'éblouissement et le murmure, n'étaient là que
pour faire écho à nos paroles, pour favoriser notre silence
et encadrer notre rêverie. Seule de nous trois, madame de
Couaën n'avait pas d'arrière-pensée; elle était heureuse,
confiante au lendemain, environnée d'amis de son choix,
réjouie de toutes les fleurs désirables dans les sentiers
du devoir; je lisais cela à son attitude oublieuse, à son
sourire errant qui répondait aux questions et aux regards,
aux monosyllabes éteints qu'elle laissait tomber, si je
m'informais de sa pâleur. Quand j'avais témoigné assez
de sollicitude, je me retournais, comme de son consentement, vers madame R., afin que celle-ci ne fût pas trop
jalouse; un moment, je surpris à ce doux visage une
impression plus triste et une larme mal dévorée dans
laquelle elle semblait dire : « Oh! que ne suis-je, moi,
aimée ainsi! » Mon désir secret rejoignit le sien en cet
instant, et j'y revins surtout après, dans mes réflexions
de la nuit. Cette attention accordée à madame R. me
parut moins coupable cette fois, ma vie étant désormais
précaire et sujette à de courtes chances. Il me fallait bien,
avant de mourir, entendre de quelque bouche ce mot,
Je t'aime, ce seul mot, me disais-je, qui fait qu'on a vécu.
Or, en cherchant uniquement de quel côté j'étais en
mesure d'espérer cette prompte parole, il n'y avait pas,
selon moi, à hésiter entre madame de Couaën et
madame R. C'est en de tels calculs de satisfaction superfi-
cielle et de vanité que je passais ces nuits troublées qui
pouvaient être les dernières. Une catastrophe turbulente
n'était propre à inspirer qu'une préparation digne d'elle.

Pendant la soirée du spectacle, madame R. m'avait
parlé d'un bal qui devait avoir lieu le surlendemain chez
une de ses amies, et elle m'avait offert de m'y présenter.
Je n'avais guère trop répondu alors ; mais, dans ma disposition nouvelle, je lui fis savoir par un mot de billet, que

j'acceptais, et que je l'irais prendre. Je n'y manquai pas
en effet. Elle était belle ce soir-là dans sa parure, d'un
teint rehaussé et raffermi, d'une humeur animée qui me
l'entourait d'un tout autre jour que devant. Cette langueur triste avait fait place, sous les bougies, à je ne sais
quelles folles étincelles. Moi-même, dans la sorte
d'ivresse de tête où j'étais, j'aiguillonnais sa gaieté rieuse
qui allait pourtant contre mon but et la faisait à chaque
instant m'échapper. Au milieu d'une contredanse que je
dansais avec elle, j'essayai quelques mots mystérieux et
sombres en vue de la menaçante destinée; ils ne réus-
sirent pas. Elle donnait davantage dans mes autres propos,
mais en y répondant d'un ton à demi tendre et moqueur
qui ne les acceptait pas tout à fait au sérieux, soit qu'elle
ne les crût pas tels réellement, soit qu'elle prît plaisir à
me laisser m'aventurer ainsi. Quand les paroles deve-
naient trop claires et pressantes, elle s'arrangeait si bien
qu'un tiers survenait toujours ou que la foule nous séparait. M'étant assis près d'elle vers la fin, de manière
qu'elle ne pût m'éviter, elle s'y prêta comme à un jeu
d'abord, puis s'avisa de frapper ma main et le bras du
fauteuil où je l'appuyais, à coups vifs et serrés d'éventail,
comme pour arrêter à mes lèvres les paroles; et bientôt
elle se levait et glissait à travers les groupes éclaircis,
légère, rusée et triomphante. C'était une métamorphose
de fée que je voyais en elle; j'en restai fasciné et confondu.
Ma gaieté d'emprunt tomba. Je la reconduisis peu après
jusque chez elle, à deux pas, en gardant presque le
silence, et je rentrai au logis dans un grand désordre
intérieur. Toutes les fois que je rentrais maintenant, je
n'ouvrais jamais ma porte sans une certaine émotion,
regardant si la carte décisive n'avait pas été glissée dessous, durant mon absence.

Je ne pensais, mon ami, vous parler de moi que par
rapport à notre maladie commune; je voulais surtout
vous enseigner de mon exemple, et, ne m'attachant
qu'au fond, vous épargner et m'interdire les broderies
trop mondaines. Mais à mesure que j'ai avancé, mon
dessein a fléchi, et je me suis mis à épeler de nouveau sur
le cadran d'autrefois tous mes jours et toutes mes
heures. Ma mémoire s'est ouverte, et le passé flot à flot
m'a rentraîné. Convient-il donc que vous lisiez cela?
convient-il que je persiste à vous le retracer? L'attrait qui
m'induit à tout dire n'est-il pas un attrait perfide? ne
sera-ce pas un legs inutile, ou même funeste, adressé à

mon ami, que ces rares conseils perdus dans des enveloppes frivoles et dans des parfums énervants ? — Conscience bien écoutée, voix du cœur dans la prière, j'ose à peine ici vous dire : Conseillez-moi!...

Le lendemain matin de ce bal, vers huit heures, j'étais au lit encore, très absorbé à démêler le tourbillon de la nuit et la conduite de madame R., quand un mot de son mari, apporté au galop par une ordonnance, me pria de le venir à l'instant trouver à l'hôtel du ministère; car il n'avait pas du tout paru à cette soirée. La coïncidence était brusque et surprenante : mais je ne doutai pas, en y réfléchissant, qu'il n'eût à m'entretenir de notre affaire politique. Et, en effet, voici ce que j'appris de sa bouche en arrivant. Les soupçons confus, mais de toutes parts multipliés, s'étaient accrus depuis les derniers jours. Sans rien savoir de précis, on pouvait conclure de mille indices l'existence d'une machination. Le Premier Consul, durant la nuit même, après un vif débat entre ses conseillers, voulant en finir de ces doutes harcelants, avait décrété la mise en jugement de quatre ou cinq royalistes détenus pour cause antérieure. M. de Couaën, par insigne bonheur, n'en était pas. Mais, si son nom aussi bien était venu à la bouche du Consul, le coup eût frappé sans révocation possible, ni moyen d'arrêter les suites judiciaires. Il importait donc à ses amis de le mettre au plus tôt à l'abri de l'orage qui n'était pas calmé, et il n'y avait d'efficace en ce moment qu'un ordre de prompte translation à Blois, où il habiterait sous la surveillance de la haute Police. M. R. m'offrait la signature de son ministre, à qui il en avait parlé. L'ordre passerait comme mesure de rigueur, mais c'en était une, selon lui, de précaution et de prudence. Je jugeais tout à fait en ce sens, et avec plus de motifs encore. Je n'hésitai pas à le presser de rendre au marquis et à nous cet inappréciable service. Il fut convenu qu'il tâcherait de faire signer dès le soir même l'ordre de translation exécutoire d'ici à cinq jours. Et moi je raccourus tout d'un trait en avertir le marquis et y préparer madame de Couaën.

Le marquis reçut la nouvelle sans s'étonner, bien qu'avec un débordement d'amertume. Comme je lui faisais remarquer l'importance pour lui de n'être pas actuellement impliqué dans une action judiciaire : « C'est bien, c'est bien, me dit-il; eh! ne faut-il pas que le destin continue ? n'être rien en rien, ne laisser son nom nulle part derrière soi, pas même au greffe du tribunal! Il y a

une parodie, savez-vous, du Capitole et de la Roche Tar-
péienne des Anciens, c'est de tomber à la sourdine d'un
pigeonnier sur un fumier. » Je le ramenai aux apprêts et
aux arrangements du départ; je lui exposai, un peu en
tremblant, qu'il me serait difficile d'être moi-même de ce
prochain voyage. Sans deviner toutes mes raisons, il en
prévint quelques-unes, telles que l'utilité dont je pouvais
lui être en restant et l'intérêt de ma présence, ne fût-ce
que pour nous tenir au courant de nos braves amis :
« Après quelques semaines qui nous paraîtront bien
longues, ajouta-t-il avec un sourire abattu, vous viendrez,
j'y compte, rejoindre les exilés. » Madame de Couaën fut
plus rebelle à convaincre; aux premiers mots que je lui
apportai du départ : « C'est un salut, s'écria-t-elle, c'est
la délivrance : partons au plus tôt; voilà le commencement de notre rêve. » Elle ne concevait rien à mon air
peu joyeux; les raisons du retard la touchaient très vaguement, et il fallut, à la fin, que j'exagérasse le péril du
marquis, pour la faire consentir à mon séjour. Mes promesses d'ailleurs, mes serments de rejoindre se renouve-
laient au bout de chaque phrase. Mais, quand le bruit du
soudain départ se répandit dans le petit couvent, ce fut
une désolation générale; les bonnes religieuses entouraient madame de Couaën, et madame de Cursy gardait
tendrement embrassés les enfants. Il fut décidé qu'une
messe serait dite chaque matin, pendant les trois derniers
jours, pour le salut du marquis et une favorable issue des
choses.

L'après-midi s'avançait; il me prit une extrême impatience de retrouver Georges, de l'informer de ce que je
savais, et d'entendre de lui un mot déterminant. J'ignorais l'endroit précis de sa retraite, et ma ressource fut de
croiser aux mêmes lieux où je l'avais déjà rencontré.
Durant deux longues heures, sous la bise, je recommençai
la tentative. Mon cerveau s'exaltait dans l'attente stérile;
il me sembla que je voyais repasser souvent certaines
figures qui rôdaient également aux environs, et sans doute
dans des intentions moins bienveillantes. Je rentrai de
guerre lasse à la nuit close, et, ne découvrant sous ma
porte carte ni billet, pour occuper ma fièvre errante, je
me fis conduire en cabriolet jusque chez madame R. Elle
était seule, un manteau jeté sur son vêtement blanc, assez
altérée de la veille et tout autre, aussi affaiblie qu'elle
avait été vive. Je me sentais mal sûr de moi et n'y restai
que peu de moments, hâtant derechef ma course vers nos

lointains boulevards. Les grossières délices trouvaient place encore dans quelque intervalle de ces empressements contraires.

Lorsque j'arrivai dans la chambre du marquis, il était en train d'écrire et tournait le dos à madame de Couaën assise sur une espèce de sofa près de la cheminée; je m'y jetai à côté d'elle, et, plein d'une frénésie à froid et sans but, je me mis à parler d'abord comme un homme désespéré, en proie aux plus violentes tristesses : « Tout à l'heure en longeant ces désertes allées, disais-je, je songeais qu'il serait, ma foi, commode de se tuer là, un peu tard, en s'en revenant; on passerait pour avoir été assassiné; l'honneur humain resterait sauf, en même temps qu'on serait quitte d'une vie insupportable à qui n'est pas aimé! » Pourquoi disais-je ces paroles ? qu'en attendais-je ? comment sortirent-elles si hardiment de ma bouche, puisqu'elles n'étaient pas méditées ? quel démon animait ma langue ? Il y a des jours où il faut croire véritablement à une possession insensée. Le marquis ne répondit pas et ne fit même pas attention, je pense, appliqué qu'il était ailleurs; mais, elle, sa joue devint pourpre, des pleurs assaillirent ses paupières, et elle me saisit irrésistiblement une main qu'elle garda et qu'elle tordait dans ses doigts. J'ignore quels mots je balbutiai alors pour rétracter les premiers. Mais comme elle s'approchait et se penchait de plus en plus en suppliante, je lui effleurai de mon autre main la ceinture, et peu s'en fallut que je ne l'attirasse contre ma poitrine. L'instant d'après elle était remise, et tout s'apaisa. Le marquis avait fini d'écrire; il n'était guère tard, mais elle se leva pour partir, alléguant doucement un peu de souffrance, et son air défait en montrait assez. A peine en route et seuls, son premier mot fut de me demander : « M'en voulez-vous donc aujourd'hui ? et de quoi ? » — Et comme je l'assurai que rien d'elle ne m'avait blessé : — « Dans ce cas vous avez prononcé des paroles bien ingrates; n'en dites jamais de telles! elles sont capables de rendre folle l'amitié. » J'étais effrayé moi-même de ces rudes effets que j'avais produits avec mon exclamation fortuite. A la porte du petit couvent, où je la quittai, elle me fit promettre, en signe complet d'oubli, de venir la prendre le lendemain de bonne heure pour des courses d'emplettes, de visites, et afin de causer ensemble de l'avenir longuement et librement.

Mais, au lieu de demeurer pénétré de tant de marques,

et de m'arrêter à cette impression dernière qui, sur la pente d'une périlleuse tendresse, m'avertissait du moins d'être bon et reconnaissant, voici que la disposition maligne se ranima au-dedans, comme une manière d'animal étrange qui, à certains jours maudits, s'agite et ronge en nous. L'image, tour à tour fuyante ou languissante, de l'autre femme reparut dans toute sa ruse. L'orgueil d'émouvoir ainsi deux êtres à la fois, de faire dépendre peut-être deux bonheurs de mon seul caprice, puis une crainte furieuse de les voir m'échapper toutes les deux, le désir croissant, la soif, avant de mourir, de ce mot, *Je t'aime*, prononcé au plus tôt par l'une ou par l'autre; c'étaient là les misérables combats que j'emportais dans ma nuit. Le résultat absurde de ce tiraillement nouveau fut d'écrire une longue lettre, datée de minuit, à madame R., une lettre qui ne devait lui être remise que le jour même où s'effectuerait l'entreprise; car, en cette fumée de pensées, j'y comptais encore. Je lui disais qu'un grand duel, dont elle entendrait assez parler, réclamait mon bras, et que j'allais certes y périr; mais que je voulais auparavant lui déclarer mon cœur, et rendre le portrait caché qu'il recélait. Suivaient alors mille aveux, mille souvenirs relevés et interprétés. Et l'imagination en ce genre est si mobile, le cœur si bizarre et si aisément mensonger, qu'à mesure que je prodiguais ces expansions d'un jeune Werther, je me les persuadais suffisamment. Cette lettre écrite, cachetée, et l'adresse mise, je la serrai dans mon portefeuille, bien certain, en cas d'aventure, de frapper par là un coup de plus au sein de quelqu'un. Ayant ainsi épuisé toutes les incohérences et les excès de ma situation, harassé et à bout d'idées, je fus long encore à attendre les pesanteurs du sommeil. Oh! que ces tourbillons de la vie, que ces torrents gonflés et heurtés sont aussi creux et vides! qu'ils ne laissent ni une goutte désaltérante ni un brin d'herbe fraîche derrière eux! Et combien, mon ami, une pensée douce et juste, un seul chaste souvenir dilaté dans l'absence, une maxime saine refleurie en nous sur les coteaux solitaires, remplissent mieux tout un jour que ces conflits dévorants!

Au réveil, comme je me disposais à m'aller informer près de M. R., une ordonnance m'apporta de sa part l'avis que la translation à Blois était signée. Je ne le vis pas moins à son ministère, et je passai de là chez M. D... Il fut réglé avec ce dernier que le départ se ferait de la cour de la Conciergerie le surlendemain, vers six heures du soir, dans une chaise ordinaire; un lieutenant de gendarmerie y occuperait une place jusqu'à la destination. Ces soins conclus, j'étais de retour avant midi à mon rendez-vous du couvent, et madame de Couaën et moi nous partions, emmenant les enfants qui nous en priaient avec larmes. Le ciel était beau et la gelée rayonnait sous le soleil. Nous nous fîmes descendre à l'entrée des Tuileries, et nous y marchâmes lentement le long des terrasses égayées. En parlant de ce douloureux départ, je ne pus ou ne daignai pas dissimuler comme la veille, et, d'après plusieurs de mes réponses, il fut aisé à madame de Couaën de comprendre que je n'étais point du tout certain de m'attacher à leur avenir de là-bas. Elle s'offensait à bon droit d'une résolution si vacillante, elle interrogeait opiniâtrement mes motifs, et ne craignait pas de se dénoncer à mes yeux avec son incurable besoin d'être aimée, — d'être aimée uniquement comme par sa mère, disait-elle; — et je lui répliquais plus en face que jamais : « Et vous, aimeriez-vous donc uniquement ? » Et comme son cercle éternel était : « Mais vous êtes bien venu avec nous jusqu'ici; pourquoi n'y viendriez-vous pas encore ? pourquoi, si ce n'est parce que vous ne nous aimez plus autant ? » poussé alors dans mes derniers refuges, je lui tins à peu près ce langage : « Pourquoi ? pourquoi ? Si vous le voulez absolument, Madame, je vous le déclarerai enfin, dussé-je vous déplaire; rappelez-vous bien seulement que c'est vous qui l'aurez voulu. Vous ne voyez dans mon incertitude de vous rejoindre qu'une preuve qu'on vous aime moins; n'y pourriez-vous lire plus justement une crainte qu'on a de vous aimer trop ? Supposez par grâce, un moment, que quelqu'un en soit venu à craindre de trop aimer un Etre de pureté et de devoir, hors de toute portée, et en qui cette pensée même qu'on puisse l'aimer ainsi n'entre pas, et dites après, si ces contradictions de conduite et de volonté, qui vous blessent, ne deviennent pas explicables. Quoique d'hier et de peu de pratique réelle, j'ai réfléchi d'avance sur la marche de la passion, et je crois la savoir comme si je l'avais cent fois vérifiée. Je trouvais dernièrement dans un moraliste très consommé un tableau qui va vous peindre à merveille la succession de sentiments que je redoute en moi. Quand l'homme au cœur honnête s'aperçoit d'abord qu'il aime un être chaste, défendu, inespérable, il ressent un grand trouble mêlé d'un mystérieux bonheur, et il ne forme certainement alors d'autre désir

que de continuer en secret d'aimer, que de servir à
genoux dans l'ombre, et de se répandre en pur zèle par
mille muets témoignages. Mais cette première nuance, si
l'on n'y prend garde, s'épuise dans une courte durée et
se défleurit; une autre la remplace. Voici le désintéressement qui cesse. On ne se contente plus d'aimer, de se
vouer et de servir sans rien vouloir; on veut être vu et
distingué, on veut que l'œil adoré nous devine, et qu'en
lisant le motif caché, il ne se courrouce pas. Et si cet œil
indulgent n'est pas courroucé, ce nous semble, s'il nous
sourit même avec encouragement et gratitude, on se dit
qu'il n'a pas tout deviné sans doute, on veut éprouver
jusqu'où sa tolérance ira, et se produire devant lui avec
le sentiment à nu. Jusqu'à ce qu'on ait proféré sans
détour ce mot, *Je vous aime*, on n'est donc pas en repos.
Mais, dans le premier moment où on le profère, on ne
demande et l'on ne croit désirer autre chose que d'être
écouté. Patience! le mot a échappé en tremblant, il est
entendu sans trop de colère, il est pardonné et permis.
Le cœur de l'amant recommence à se creuser un vide
encore. L'aveu, désormais répété à chaque heure, est-il
bien saisi dans toute sa force ? Est-il simplement toléré,
ou serait-il tout bas appuyé ? Comment le savoir, si
l'autre aveu n'y répond ? Et voilà à l'instant cet autre
aveu qu'on sollicite! Oh! qu'il descende seulement pour
tout animer et tout embellir! Il hésite; on l'attire, on
l'arrache comme par l'aile; il arrive plus timide et plus
palpitant que le premier. On l'apprivoise; il s'accoutume
et chante bientôt avec soupirs. Mais alors ce n'est déjà
plus qu'un mot dont on se lasse : que prouve un mot, si
doux qu'il soit ? se dit-on par ce côté murmurant de la
nature qui s'obstine à douter, qui veut en toutes choses
toucher et voir. Il faut des preuves. Mais les preuves
elles-mêmes ont leur partie légère et réputée insignifiante;
tant qu'elles ne sortent pas de certaines bornes, elles ne
sont que complaisance peut-être et un leurre par compassion : on en réclame de vraiment sérieuses pour se
convaincre. Une fois à ce degré, n'attendez plus que
confusion et délire. »

— « Mais il n'est rien de tout ceci, s'écria-t-elle en
retirant presque son bras par un mouvement d'effroi.
Non, vos suppositions sont des systèmes; vous tourmen-
tez votre vie et la nôtre avec les dires de vos philosophes.
N'est-ce pas que vous ne désirez rien en ce moment, et
que vous vous trouvez heureux ainsi. » Je l'assurai, en

effet, que j'étais heureux et actuellement sans désir ;
j'allais pourtant continuer mes distinctions prévoyantes :
mais, en serrant contre ma poitrine ce bras qui avait
voulu se retirer, je sentis qu'il appuyait sur le portefeuille
même où était renfermée ma lettre de la veille à
madame R. La honte, l'ennui de tous ces discours à demi
mensongers et factices me monta subitement au cœur
comme une nausée. Nous touchions à une issue du jardin
vers le quartier où madame de Couaën avait affaire, et
j'inclinais notre marche pour sortir ; mais elle-même me
dit que ses courses n'avaient rien de pressant, et qu'elle
aimait mieux, si je consentais, se promener encore. Je
me promis bien, en cet instant, de ne pas donner suite à
la lettre parjure, et, un peu relevé à mes yeux par ma
résolution intérieure, je m'abandonnai plus volontiers à
l'action prolongée du doux soleil pénétrant et de ces
autres rayons plus rapprochés qui m'arrivaient dans une
fraîche haleine. Je rétractai par degrés, comme elle le
voulut, mes précédentes paroles ; je lui accordai que
c'étaient des suppositions fantastiques et presque des
jeux comme ceux des patineurs du bassin qui se plaisent
à alarmer pour preuve d'adresse. Car, attentifs à ce gai
tableau dont nous approchions, les enfants marchaient
devant nous en se tenant par la main, et ils se retournaient souvent avec des cris et des rires, pour nous le
faire admirer. Et madame de Couaën, me trouvant docile
et radouci à sa voix, répétait d'un air d'heureux triomphe :
« Eh bien donc, à quoi bon tous ces échafaudages que
vous entassiez ? vous voyez maintenant qu'il n'en est
rien. Vous nous aimez toujours de même ; ou, si vous
avez aimé un moment comme il ne faut pas, ce n'est déjà
plus. S'il y avait danger d'ailleurs, je vous guérirais.
Vous viendrez à Blois comme partout où nous serons.
M. de Couaën a en vous une confiance parfaite, et j'en
ai une immense. » Elle ne fit que très peu des courses
projetées ce jour-là. En passant chez madame R., nous
ne la trouvâmes pas heureusement, et j'inscrivis le nom
de madame de Couaën, sans y joindre le mien. Nous
voulûmes réserver la visite à mademoiselle de Vacquerie
et le reste pour le lendemain, afin d'avoir à recommencer
la même promenade. — A peine rentré dans ma chambre,
je m'empressai de brûler cette lettre à madame R., et je
fus allégé et comme absous en la voyant s'anéantir. La
facilité avec laquelle l'objet lui-même s'affaiblit en ma
pensée pour quelque temps me montra mieux la folie de

mon transport, et combien nous nous créons au cerveau de fausses ardeurs par caprice forcé et à coups d'aiguillon.

La promenade du lendemain fut très semblable à la meilleure moitié de la première, et repassa, comme à souhait sur les mêmes traces : blanc soleil, temps vif et gelée franche; retour aux propos de la veille dans les allées déjà parcourues. Il y eut bien encore, en commençant, quelque débat entre nous sur la manière dont j'avais besoin, moi aussi, d'être aimé. Elle m'accordait de m'aimer à l'égal et comme l'aîné de ses enfants. C'était une glorieuse part et qui fermait la bouche à la plainte, en n'apaisant pas le désir. Toutes les fois qu'il s'agissait de la difficulté pour moi de me maintenir dans la nuance permise, et que, sans reproduire le raisonnement de la veille, j'y faisais quelque allusion, elle rompait court à plus d'insistance et répliquait d'un air assez mystérieux et confus : « Oh! pour cela, j'ai bien réfléchi à vos paroles d'hier; j'ai songé à un moyen de prévenir le mal, et j'en sais un possible, je le crois bien. » Et si je lui demandais quel moyen merveilleux elle avait trouvé, elle éludait la réponse. Cette réticence à la fin me piqua; ce ne fut qu'aux derniers tours de la promenade, que, pressée de questions et d'envie secrète de dire, elle s'y décida non sans beaucoup d'embarras charmant et de prière de ne pas me moquer : « Je n'entends rien à ces sujets, balbutiait-elle; mais puisque les désirs, qui vont croissant, à ce que vous prétendez, diminuent au contraire et passent (vous en convenez vous-même) une fois qu'ils sont satisfaits, pourquoi ne pas supposer à l'avance qu'ils sont satisfaits dès longtemps, et ne pas garder tout de suite le simple et doux sentiment qui doit survivre ? » Avant d'achever ces mots, elle avait rougi de mille couleurs. — « Et voilà votre grand moyen, lui dis-je : est-ce donc qu'on peut supposer ces choses à volonté, enfant que vous êtes ! » — Mais il lui semblait que cette supposition pouvait toujours se faire. — « Allons, consolez-vous, ajoutai-je; je sais, moi, un moyen plus efficace que le vôtre. J'ai remarqué que le désir, en ce qu'il a de fixe, d'habituel et d'incorrigible, est toujours un peu en raison de l'espérance. C'est d'espérance toujours que se nourrit obscurément et à la dérobée le désir, sans quoi il finirait par périr d'inanition et du sentiment de son inutilité. Le désir n'est guère qu'une première espérance aveugle, audacieuse, déguisée et jetée en avant au hasard, comme une sentinelle perdue près du camp ennemi; mais il sent

derrière lui, pour se soutenir, le groupe des autres espérances. Or, je me convaincrai bien par rapport à vous,
Madame, du néant de toute espérance, et je découragerai
ainsi mon désir. » — « Eh bien! c'est cela, me dit-elle;
j'étais bien sûre qu'il y avait en effet un moyen; vous
l'avez trouvé. Et puis il ne s'agit que de veiller là-dessus
peu d'années encore; l'âge viendra assez tôt, qui, de lui-
même, arrangera tout. » C'est par de tels échanges ingénus
ou subtils, qu'en ces derniers moments d'illusion
mutuelle, se flattaient et s'épanouissaient nos cœurs.

Chez M. de Vacquerie, où nous étions allés à travers
notre promenade, il avait été dit dans la conversation
je ne sais quel mot insignifiant sur madame de Greneuc
et mademoiselle Amélie, qui m'avait fait une impression pénible, comme tout ce qui se rattachait à ces
temps et à cette histoire. L'idée de mes torts anciens
confirma en moi la résolution de n'en pas avoir du
moins de nouveaux. J'en revins à projeter sérieusement
une vie de sacrifice. La noble image de mademoiselle
Amélie m'inspirait naturellement cela. Je me dis donc
que, si l'affaire de Georges me laissait libre, ainsi qu'il
devenait à chaque instant plus probable, j'irais et j'habi-
terais à Blois, mettant mon avenir entier à décorer
l'existence de mes amis. Tout empire de madame R.
avait disparu. Pour mieux m'affermir dans mon dessein
et m'enlever le prétexte même des scrupules honorables,
je m'avisai, en rentrant, d'écrire au marquis; dans cette
lettre, après bien des effusions et des entourages sur
ses blessures, je lui touchais quelque chose de l'état
de mon pauvre cœur, de certaines anxiétés vagues que
j'y ressentais, et des passions toujours promptes de la
jeunesse, lui demandant s'il ne voyait d'inconvénient
pour personne à cette union de plus en plus étroite
où il me conviait. Je n'aurais jamais pris sur moi de
lui articuler en face un mot à ce sujet; je n'aurais point
d'ailleurs été sûr de le faire dans la mesure délicate
qui convenait, et c'est pourquoi je préférais écrire.
N'y avait-il pas aussi dans cette singulière démarche
une arrière-pensée non avouée d'être plus libre désormais selon l'occasion et plus dégagé de procédés à son
égard, l'ayant, en quelque sorte, averti? Je ne pense
point que cette méchante finesse se soit glissée là-des-
sous; mais la nature est si tortueuse et si doublée de
replis, que je n'oserais rien affirmer. Le soir donc, en
le quittant, je lui remis un peu honteusement la lettre,

et lui dis de lire cela et qu'il me donnerait réponse le lendemain.

Nous étions au lendemain, au jour du départ. Vers huit heures et demie, j'assistai, dans la chapelle du petit couvent, avec madame de Couaën, les enfants et toute la communauté, à la messe qui avait pour but spécial d'implorer un heureux voyage et un séjour là-bas non troublé. Au lieu d'un livre de messe, comme un simple fidèle, et de suivre pas à pas les saints mystères, j'y avais porté, pour lire, le volume de l'*Imitation* : je comptais méditer et non prier. Mais ce traité si excellent, joint à l'impression de la solennité dans l'étroite enceinte, aux hymnes par moments chantées tout haut, qui succédaient à la récitation murmurée du prêtre, opéra inopinément sur moi et me sollicita à de vifs retours. J'y lisais, dans ce précieux livre, toutes sortes de réponses directes aux questions sourdes qui m'agitaient; par exemple : « Ne soyez familier près d'aucune femme, mais, en commun, recommandez toutes les honnêtes femmes à Dieu. » Et, si je m'alléguais que ce verset s'appliquait surtout à des moines, je trouvais bientôt cet autre que je ne pouvais récuser : « Opposez-vous au mal dès l'origine, car voici la marche : d'abord une simple pensée qui traverse l'esprit, puis une image forte qui s'y attache, le plaisir par degrés qu'on y prend, et le mouvement à mauvaise fin, et l'abandon. » Et plus loin, à propos des vaines délices qu'on poursuit dans le désordre et qu'on recueille dans l'amertume, je lisais encore et répétais avec adhésion fervente (et j'aurais frappé ma poitrine, si j'avais osé) : « Oh! qu'elles sont courtes, qu'elles sont fausses, qu'elles sont déréglées et honteuses toutes! » Et au moment où, pénétré de ces misères et saisi d'un élan nouveau, je m'écriais en moi-même : « Que ne puis-je persévérer en ces pensées! » comme je reprenais le livre et le rouvrais au hasard, un des rayons du matin, m'arrivant par un coin du vitrage bleu du fond, tomba tout exprès, pour illuminer à mes yeux ce verset secourable : « Quelqu'un dont la vie se passait dans l'anxiété, et qui flottait fréquemment entre la crainte et l'espérance, un certain jour, sous le poids d'un chagrin, étant entré dans une église, s'y prosterna devant un autel en prière, et il se disait tout bas : Oh! si je savais que je dusse dorénavant persévérer! Et incontinent il entendit au-dedans de lui l'oracle divin qui répondait : « Si tu savais cela,

que voudrais-tu faire ? Fais donc maintenant ce que
tu voudrais faire alors et tu seras apaisé. » Il me parut
que j'étais exactement ce *quelqu'un*, à qui s'adressait
la règle infaillible; l'inspiration du bienfaisant conseil
se répandit sur toute cette journée et les suivantes : vous
verrez si elle durera.

Etant allé dans la matinée chez le marquis, il me
reçut avec un mouvement vrai d'affection et une rapi-
dité délicate qui m'adoucit l'embarras : « Mon cher
Amaury, dit-il aussitôt, je vous remercie de votre consolation si inépuisable et de votre cordiale confiance.
J'avais déjà pensé aussi à quelques inconvénients que
vous m'indiquez, et je n'avais pas été convaincu. C'est
vous-même surtout que vous devez consulter en définitive. Mais ne vous mettez pas, je vous prie, à tour-
menter avec votre pensée inquiète une situation simple,
que tous les bons et loyaux sentiments garantissent.
On se crée parfois les inconvénients à force d'y songer
et de les craindre; comme si l'on creusait un beau fruit
intact pour s'assurer du dedans. C'est là un défaut
dont vous avez à vous garder, mon précoce ami. N'imi-
tez pas ceux qui se dévorent! Que si vous voulez savoir,
après cela, mon avis et mon espoir, je vous dirai qu'hier
je comptais sur votre prochaine et habituelle présence
à Blois au milieu de nous, et qu'aujourd'hui je n'y
compte pas moins. » J'étais trop mal à l'aise en pareille
matière, trop ému de cette tendresse de l'homme fort,
pour y répondre au long; j'aurais craint d'ailleurs, en
levant les yeux, de surprendre une rougeur à sa sévère
et chaste joue. Je lui serrai vite la main, en murmurant
que je m'abandonnais à lui, et nous changeâmes de sujet.

Le départ n'ayant lieu qu'au commencement de la
soirée, nous dînâmes tous réunis au petit couvent. Le
marquis avait obtenu d'en être, et le banquet d'adieu
se célébra au complet. On se mit à table vers trois
heures; ce fut lent, recueilli et silencieux. On ne s'en-
tretint guère d'abord que des détails du voyage, mais
un profond sentiment concentré unissait les âmes. Nous
étions douze, je crois, et pas un seul d'indifférent.
Madame R. elle-même, survenue avant la fin, s'était
assise de côté. Tandis que dans la dernière heure, les
propos se mêlant davantage, madame de Cursy et son
neveu reparlaient d'époques et de personnes anciennes,
du bout de la table où j'étais, il m'arriva de contempler
au jour tombant et d'interpréter tous ces visages. Que

d'êtres de choix dans ce petit et obscur réfectoire! pensais-je en moi-même; que de vertus! que de souffrances! La vie humaine n'était-elle pas là tout entière représentée? Sur cette figure sillonnée de rides, sans trace de sang et comme morte, de madame de Cursy, apparaissait le calme céleste, mérité dès ici-bas, la possession acquise de l'impérissable port au sein des tempêtes. A côté d'elle et de ses religieuses, l'idéale figure de sa nièce me peignait l'amour pur encore, l'amour ne se passant plus pourtant de simulacre humain et d'appui, mais, moyennant cet appui d'un cœur qu'il réclame, se faisant aussi, dès cette vie, un port, un cloître, une sécurité sainte, une ignorance profonde. Puis deux beaux enfants qui se jouaient dans la gaieté de leur âge et la mobilité de l'innocence: en eux, en eux seuls de nous tous, les grâces et les tremblantes promesses de l'avenir! Au-dessus, et par naturel contraste, ce front foudroyé du père, comme d'un Roi proscrit, naufragé, qui s'assied à la table d'une abbaye fidèle et que son deuil trahit sous son dépouillement et sa nudité. Et madame R. aussi, sur sa chaise de côté, autre blessée silencieuse, représentant mélancolique de ce monde du dehors, pour les affections frêles, attiédies, abusées, insuffisantes! Oh! que d'êtres de choix et de douleur! répétais-je; quelle réunion à l'écart! que de passions saignantes; que de passions guéries! que d'âmes sans faste! Et moi qui restais là, interprétant le tableau, passant tour à tour à chaque personnage, qu'étais-je et que voulais-je moi-même? Oh! ce n'était pas le monde qui me rattirait alors vers ses objets. Entre cette intéressante tristesse de madame R. et cette austérité sereine de madame de Cursy, je n'eusse pas hésité un moment, j'eusse dit: Dieu et la solitude plutôt que le monde! mais ce qui s'offrait le plus selon mon vœu, c'était la perspective d'alléger l'angoisse de cœur du Roi naufragé, de seconder cet autre cœur tendre qui avait besoin d'un miroir humain, et de lui en servir en pur désintéressement de pensée et reflétant au fond le ciel.

Entrez bien dans mon émotion d'alors, mon ami, entrez dans l'impression agrandie que j'en retrouve à cette heure! Vous qui m'avez tant suivi sur la Colline, n'ayez pas d'ennui de vous asseoir. Il y a peu à faire pour que ce banquet, où j'assistai presque en silence, représente l'ensemble de ma première vie, et en soit,

dans les portions les plus avouables, une expressive
figure. Le jour baisse, les lumières ne sont pas encore
apportées, la blancheur joue diversement à tous ces
fronts. Comptez et distinguez ce petit nombre d'êtres;
ils ont le plus influé sur moi. Eloignez, éloignez davantage cette chaise de madame R.; supposez-en une, également à distance, où s'entrevoie la blanche robe de
mademoiselle Amélie. Que madame de Couaën resplen-
disse dans l'ombre plus fixement! Que quelques formes
vagues, quelques soupirs familiers attestent la présence,
à l'entour, des parents chers et trop tôt perdus! Ces
cinq ou six religieuses, dont les noms et les visages se
confondent pour moi, c'est comme un chœur voilé des
bonnes âmes qu'on a rencontrées en son chemin. Ne
voilà-t-il pas, mon ami, toute une vie évoquée et peinte?
N'auriez-vous donc pas aussi dans le souvenir quelque
banquet obscurément solennel, quelque cadre ineffaçable où se tiennent rassemblés les êtres principaux de
votre jeunesse? Qui n'a pas eu la Pâques juive du
pèlerinage? qui n'a pas eu, quelque soir, un reflet du
souper d'Emmaüs?

L'entretien se prolongeait, et peut-être mon rêve,
lorsqu'on annonça que l'officier de police chargé d'accompagner M. de Couaën à la Conciergerie venait d'arriver. Nous nous levâmes à l'instant, et ce ne fut plus
que préparatifs et confusion d'adieux. Le marquis et
son surveillant montèrent bientôt dans une voiture;
madame de Couaën, les enfants, madame R. et moi,
nous suivîmes dans une autre. Descendus à la cour de la
Conciergerie, nous y trouvâmes la chaise tout attelée.
Il était nuit close, les lanternes éclairaient tristement
notre attente. Le lieutenant de gendarmerie désigné
pour le voyage étant enfin apparu, il n'y eut plus qu'à
s'embrasser et à s'envoyer de courtes paroles d'espérance: « A bientôt, dans trois semaines! » m'écriai-je en
agitant une dernière fois la main. Et je m'éloignai à
pas lents, donnant le bras à madame R., que je reconduisis jusqu'à sa porte, — tous les deux remplis de ce
départ, et sans dire mot d'autre chose.

Ma jeunesse n'est point à son terme; elle ne fait, ce
semble, que commencer aux yeux du monde; on la croirait fertile en promesses, tournant le front aux futures
jouissances: et pourtant, mon ami, le plus beau de
sa course est achevé dès à présent; le plus regrettable

s'en est allé. Arrêtons-nous un instant pour pleurer sur
elle comme si elle était morte, car elle a reçu la blessure dont plus tard elle mourra. Je puis répéter aujour-
d'hui avec le grand Saint pénitent : Et voilà que mon
enfance est morte, et je vis. Et voilà que mon adolescence et la plus belle portion de ma jeunesse sont mortes,
et je vis. Les âges que nous vivons sont comme des
amis tendres, et d'abord indispensables, qui ne se distinguent en rien de nous-même. Nous les aimons, nous
habitons en eux; ils ne font qu'un avec nous. Leur
bras familier s'appuie à notre épaule; leurs grâces nous
décorent. Ils nous sont Euryale, et nous leur sommes
Nisus. Mais, une fois en pleine route, ces âges si charmants sont des amis bientôt lassés qui se détachent
peu à peu, et que nous-même nous laissons derrière
comme trop lents, ou dont nous sépare, au passage,
quelque torrent irrésistible. Ils expirent donc, ces amis
d'abord tant aimés; ils tombent en chemin, plus jeunes
que nous, plus innocents, et nous poursuivons le voyage
avec des compagnons nouveaux, dans une carrière de
moins en moins riante et simple. Mon enfance m'a
connu si pur! que dirait-elle en me voyant si intrigué,
si capable de ruse, et par moments si sali ? Que dirait
Euryale, s'il voyait son Nisus l'ayant oublié, parjure à
la vertu, et s'énervant lâchement au sein d'une esclave ?
Répétons-nous souvent : Oh! que nos âges d'autrefois,
ces jeunes amis morts, s'ils revenaient au monde, rou-
giraient de nous voir ainsi déchus !

Mon enfance est donc morte, elle est morte assez
tard, et, si je voulais vous marquer son dernier jour,
ce serait probablement celui où, entrant à la Gastine,
j'y cherchai pour la première fois avec trouble un doux
visage. Ce seuil, si souvent foulé depuis, est comme la
pierre sous laquelle dort enseveli le dernier jour de mon
enfance. Ce qui restait d'elle dans mon adolescence
commencée expira alors, et je devins un adolescent
plus décidé, un jeune homme. Que si je cherche, après,
quand s'éteignit la dernière lueur d'adolescence mêlée
à l'aurore de ma jeunesse, ce fut, je crois, sur la pâle
bruyère, au retour de la Gastine, le soir où mon cœur
inconstant répugna aux suites du virginal aveu. Ce fut
là que cette adolescence, bonne, aimante, pastorale, et
qui ne rêve qu'éternelle fidélité dans une chaumière,
me quitta, moi, déjà trop ambitieux et trop subtil pour
elle. Elle me quitta sous la lune, à travers les genêts,

comme une sœur blessée qui s'éloigne sans bruit en pleurant, et il y eut peut-être dans ma tristesse délicieuse un sentiment d'adieu vers cet âge indécis qui venait de fuir. A compter de cette heure commença mon entière jeunesse, et je n'eus plus qu'elle pour compagne assidue. Mais, si cet âge a deux génies dont l'un succède à l'autre, trop vite émoussé, il me semble que le premier, le plus frais des deux et le plus brillant (bien que souillé lui-même) est atteint déjà d'un coup funeste, d'un déchirement dont il va languir, et qu'un compagnon moins enchanteur s'essaiera désormais en moi à le remplacer. Bois de Couaën, pente de la Montagne, et vous aussi, allée d'Auteuil, terrasses des Tuileries, table frugale du couvent, récents objets embrassés avec tant d'amour, vous sentirai-je jamais de la même âme que dans ces vives journées ? si je vous revois par la suite et dès demain, sera-ce jamais sous vos couleurs d'hier ?

Ainsi les phases s'accomplissent en nous, ainsi nos âges intérieurs se déroulent silencieusement et se séparent. Nous sommes au fond comme un lieu rempli des inhumations précédentes, comme une salle de festin funèbre où siègent tous ces fantômes des âges que nous avons vécus. Et ils se heurtent ensemble, et ils nous troublent en gémissant, ou dorment d'un sommeil agité. Heureux si, à la longue et à force d'expiations pratiquées par nous, ils deviennent de purs esprits réconciliés, qui veillent du dedans, et qui chantent de concert, implorant la délivrance commune!

Si les âges successifs par où l'on passe sont comme des amis dont les premiers tombent en chemin et dont les plus aguerris remplacent et supplantent les plus tendres, il s'ensuit que les âges derniers venus sont seulement de ces amis qu'on rencontre tard, et avec qui on ne lie jamais une si étroite tendresse. La fraîche écorce du cœur s'est refermée et endurcie. Ils ne nous connaissent pas dès l'origine, ils ne rentrent pas jusqu'en nos replis antérieurs, et nous leur rendons leur indifférence au milieu même du commerce actif où nous paraissons être ensemble. Aussi ces âges moyens laissent-ils en nous peu de traces intimement gravées. Pour corriger cette indifférence et ce froid trop naturel aux derniers âges, il faut qu'en mourant chacun des premiers lègue aux suivants ses souvenirs, son flambeau allumé, comme il est dit des générations dans le

beau vers du poète; il faut que chaque âge mort soit
enseveli et honoré avec piété par son successeur, ou
racheté et expié par lui. De la sorte, les âges se suivent
en nous, en n'étant pas étrangers les uns aux autres ni
à nous qui les portons; ils entretiennent et perpétuent
l'esprit d'une même vie. Nous arrivons vieux en face
d'un âge ami, qui a reçu de ses devanciers la tradition
de notre enfance, et qui sait de quoi nous parler longtemps; nous vivons avec cette vieillesse, d'ordinaire
fâcheuse, comme avec un saint vieillard qui nous présen-
terait chaque jour dans ses bras notre berceau.

Il me semble que le génie des fraîches années vient
de recevoir en moi une atteinte, vous disais-je. Mais du
moins sa douleur a répondu par de graves et pieuses
promesses. Saura-t-il et saurai-je les tenir? Si son
union avec moi a été trop souvent jusque-là gâtée de
mollesse, de honteux désirs, d'abandon sensuel, de ruse
égoïste et de raffinement, ce dernier jour a été repen-
tant et soucieux du bien. Est-ce assez pour qu'un vœu
formé le matin mérite si aisément de s'accomplir? Oh!
trop de mauvais germes sont chez moi en travail, trop
de corruption a entamé mon cœur; les penchants acquis
veulent pousser leur cours. Si j'étais resté chaste, mon
ami, si je l'étais resté de fait et aussi de pensée, autant
qu'on le peut toujours en s'observant, il est à croire
que dans la position ambiguë, délicate, à laquelle je
n'eusse sans doute pas échappé pour cela, j'aurais eu
néanmoins la force de nourrir la bonne inspiration
naissante et de la mener à fin. Qu'eût-elle été, cette
inspiration bonne? que m'eût conseillé en une conjonc-
ture si compliquée la vertu elle-même? Aurait-ce été,
en effet, d'aller à Blois, de subir aussitôt que possible
ce séjour plein de gêne, d'attrait et de vigilance? N'eût-ce
pas été plutôt le retour régulier et guérissant vers mademoiselle de Liniers? Aurait-ce pu être déjà l'abjura-
tion du monde, l'étude sacrée, et la haute avenue du
sacerdoce? Si je m'étais trouvé en de tels moments
assez maître de moi, de ma volonté et de mes actes,
pour les apporter en humilité aux pieds de Dieu et
attendre sans rien enfreindre, qu'en fût-il sorti par le
complément de sa grâce? Je ne sais; mais, à coup sûr,
la diversion nouvelle où vous m'allez voir jeté sera
le contraire de ce qui eût été bien. C'est que j'avais
beau être humble et non aveuglé par mon amour, et
en quête d'une droite issue, le plus misérable vice, auquel

mes yeux ne savaient pas se fermer, perdait en un moment tout l'effort d'une journée d'examen sincère, et ruinait l'équilibre supérieur, s'il eût été près de s'établir. C'est que, malgré toutes les velléités de conscience, tous les élans et les soupirs d'en haut, rien de suivi, de désintéressé et de pur n'était praticable avec cette secousse de l'abîme, avec cet écroulement fréquent et caché. Qu'importe de veiller et d'observer au front des tours, et d'interroger les étoiles, si le traître et le lâche livrent à chaque instant la porte souterraine par où pénètrent les eaux ?

Vous ne dédaignez pas, mon ami, ces explications arrachées au fond même de l'individu, ni les ressorts privés derrière lesquels je vous introduis si avant. Plus je serre de près mon mal et vous l'indique à sa source, plus il y a de chance pour que vous disiez : « C'est comme cela en moi », et que vous preniez courage en songeant d'où je suis revenu. Ce n'est pas de la petite morale en vérité (et il n'y en a pas de petite) que je vous fais ici dans cette confession où mon âme exprime votre âme ; c'est de la morale unique, universelle. Après tout, les grands événements du dehors et ce qu'on appelle les intérêts généraux se traduisent en chaque homme et entrent, pour ainsi dire, en lui par des coins qui ont toujours quelque chose de très particulier. Ceux qui ont l'air de mépriser le plus ces détails, et qui parlent magnifiquement au nom de l'humanité entière, consultent, autant que personne, des passions qui ne concernent qu'eux et des mouvements privés qu'ils n'avouent pas. C'est toujours plus ou moins l'ambition de se mettre en tête et de mener, le désir du bruit ou du pouvoir, la satisfaction d'écraser ses adversaires, de démentir ses envieux, de tenir jusqu'au bout un rôle applaudi ; si l'on pesait l'amour du seul bien, que resterait-il souvent ? Et quant aux résultats qui sortent de mobiles si divers, je trouve que les vagues influences sociales, ainsi briguées et exercées au hasard, doivent trop prêter à des applications téméraires et à de douteuses conséquences : cette grande morale aventureuse, qui ne s'arrête pas d'abord à quelque mal causé çà et là, finit-elle nécessairement par quelque bien ? Mais, sans prétendre nier ce qui se rapporte aussi en cette voie à une part de conviction généreuse, sans contester la parole libre et une honnête audace à qui croit avoir une vérité, combien, selon moi, le perfectionnement graduel, la guérison intérieure et ce qui en provient, l'action, autour de soi, prudente, continue, effective, les bons exemples qui transpirent et fructifient, conduisent plus sûrement au but, même à ce but social tant proposé! Lorsqu'on se jette dans l'action sociale avant d'être guéri et pacifié au-dedans, on court risque d'irriter en soi bien des germes équivoques. Jésus purgeait le Temple avant d'y prêcher la foule. Tournons-nous donc, mon ami, en toute assiduité, au nettoiement et à la clarté du dedans. La vraie charité pour les hommes sort de là ou y mène. Pureté pour soi, charité pour tous, c'est-à-dire morale individuelle et morale sociale, c'est une même génération de vertus en nous. Si la pureté commence et ne suscite pas la charité, elle ne reste pas pureté longtemps, elle devient terne et sordide. Si la charité commence et ne procure pas la pureté, c'est qu'elle n'est qu'une flamme d'un moment et de peu d'ardeur. Je ne saurais vous exprimer combien ce lien rapide entre les deux me paraît nécessaire. Isolé de bonne heure et jeté de côté, en proie à une longue lutte intestine, j'ai pu m'écouter de près, et j'ai senti toujours les sources du bien, même général, les racines de l'arbre universel remuer et être en jeu jusque dans les plus secrètes portions du moi. Tâcher de se guérir intimement, c'est déjà songer aux autres, c'est déjà leur faire du bien, ne fût-ce qu'en donnant plus de vertu aux prières de cœur qu'on adresse pour eux. Toute la morale du Christianisme m'a confirmé dans cette exacte croyance [1].

---

1. C'est ici que dans la première édition (1834) se terminait le tome premier, et comme la première partie de l'ouvrage.

XV

Mais avant de continuer, mon ami, j'ai besoin de vous fixer en quelques mots la situation présente d'où je vous écris ces pages. A peine étais-je en rapide chemin vers ce nouveau monde où Dieu m'appelle, les rochers de Bretagne, depuis deux jours, disparus derrière, l'Irlande, cette autre patrie de mon cœur, un moment entrevue à ma droite, et le haut Océan devant nous ; le temps, qui avait été assez gros jusque-là, devint plus menaçant et nous rabattit aux Sorlingues ; tout se mêla bientôt dans une furieuse tempête. Je vous fais grâce des alternatives ; elle dura trois jours ; notre brick en détresse atteignit enfin cette côte de Portugal : ce fut un véritable naufrage. Or la tempête, en me tenant à chaque instant présente aux yeux l'idée de la mort, avait ressuscité en moi toutes les images de ma première vie, non pas seulement les formes idéales et pleurantes qui s'en détachent et s'élèvent comme des statues consacrées le long d'un Pont-des-Soupirs, mais elle avait remué aussi le fond du vieux fleuve et le limon le plus anciennement déposé. Toute poussière s'éveillait, toute cendre tremblait en mon tombeau, comme aux approches d'un jugement qui, même pour les plus confiants et les plus tendres, s'annonce de près comme bien sévère. Quand je fus donc jeté là, presque noyé sur le rivage, la bouche pleine encore de l'amertume de ces graviers anciens, et plus abreuvé de mon repentir que des flots, à peine essuyé dans mes vêtements et abrité au voisin monastère, j'ai songé à vous, — à vous, jeune ami, affadi là-bas dans vos plaisirs, et à cette amertume pareille, et plus empoisonnée peut-être, qui vous était réservée. J'y avais songé déjà dans le péril, et je m'étais dit de vous écrire, si j'en sortais, quelque lettre d'avis suprême. Mais ici le temps était long, la conversation entre les bons pères et moi était courte, par mon peu d'usage de leur langue ; je résolus donc de vous dérouler en forme de mémoires une histoire de ma jeunesse à loisir. Nous en avions pour six semaines au moins de retard, et cela avec la traversée faisait un intervalle bien suffisant. Il m'a semblé d'ailleurs que dans ce répit inattendu, que j'obtenais sur un coin de terre du vieux monde, il m'était permis et comme insinué de m'appliquer une dernière fois au souvenir, en vous en exprimant la moralité. J'ai lu que le célèbre M. Le Maître, dans ce Port-Royal si rigoureux, prenait en plaisir et en dévotion de se faire raconter par chacun des solitaires survenants les aventures spirituelles et les renversements intérieurs qui les y avaient amenés [1]. Ici, mon ami, ça a été l'homme habitué déjà dans la retraite, qui a été trouver par ses aveux l'homme trop peu revenu ; ça a été le plus vieux qui s'est donné à l'avance au moins mûr ; ça a été le confesseur qui s'est agenouillé devant vous et qui s'est humilié. Oh ! tâchez que ce ne soit pas tout à fait en vain ; justifiez, absolvez, par le bon profit que vous en saurez faire, les retours trop flatteurs où j'ai fléchi. Une pensée aussi m'a fortement dominé en ces lieux, et a introduit peu à peu sous ma plume toute une portion que j'aurais pu sans cela resserrer. Limoëlan a dû vivre en cette contrée, sur cette côte, — près d'ici peut-être ? Y vivrait-il encore ? Qui sait ? n'aurait-il pas eu pour asile, me disais-je, ce toit même que j'habite, et l'une des cellules dont, au soir, j'aperçois les lampes toujours mourantes, et jamais éteintes ? Son pauvre corps meurtri dormirait-il par hasard sous une dalle de la chapelle où, en le nommant à Dieu, j'ai prié ? Le désir de rattacher à mon récit une destinée si étrange d'expiation et de martyre m'a fait reprendre à tous ces détails de conspiration qui nous étaient moins nécessaires.

Jusqu'ici donc, c'est du monastère hospitalier que j'aurais pu dater ces feuilles ; je les ai écrites souvent dans la sérénité des matins sur la terrasse qui regarde la mer, ou sur le balustre massif de la fenêtre, au souffle encore embrasé du couchant ; j'en ai crayonné plusieurs, durant

---

1. Dans la première édition le nom de M. de Saci s'était trouvé substitué, par inadvertance, à celui de M. Le Maître son frère, à qui seul le trait se peut rapporter. *(Note de l'Editeur.)*

le poids du jour, au bout du promenoir formé de platanes, seule allée d'ombrages, quand le reste du jardin n'est qu'aloès et romarins desséchés. Je les ai rassemblées sans art, mais à loisir, trop à loisir, je le crains, et le goût que je sentais naître en allant et s'augmenter à mesure, m'a rappelé le temps où je rêvais de me livrer à écrire, et où je m'en suis abstenu, car je l'aurais trop aimé. Cette complaisance outrée dans un travail si simple va pourtant finir. Nous nous rembarquons, mon ami; c'est du bord même que je recommence dès à présent; nous partons cette nuit aux premières vagues montantes. Je continuerai donc au roulis du vaisseau, et peut-être une autre tempête coupera court. Si j'arrive, je veux que ce soit clos avant cette arrivée où tous les flots d'ici doivent mourir. L'intervalle jusque-là est une page blanche que je puis remplir encore sans perdre de vue les cieux; mais, une fois les grands rivages aperçus, la plume me tombera des mains, et je serai tout à l'œuvre nouvelle.

Le départ de mes amis m'avait laissé un vide profond qui ne fit que s'accroître durant les jours suivants. Je me maintins d'abord avec assez d'avantage dans cette ligne d'abstinence et de sacrifice où les dernières scènes m'avaient replacé. La pauvre science, les livres négligés auxquels je revins, m'y aidèrent; je passais les soirs dans ma chambre : le malheur de beaucoup est de ne pas savoir passer les soirs dans sa chambre, Pascal a dit quelque chose d'approchant. Ce qui concernait Georges aggravait cette teinte d'affection sombre. On venait de découvrir sa présence à Paris; toutes les barrières furent aussitôt fermées, et un extraordinaire appareil de police agitait la ville. J'allais peu chez madame R., et à des heures où j'avais chance de ne pas la trouver. Les premiers jours se soutinrent pour moi ainsi dans la précaution, l'intérêt sérieux, l'étude reprise et un commencement de constance. J'en étais déjà à goûter les prémices de cette fidélité commencée, à entendre du fond de mon ennui, comme dans un bosquet obscur avant l'aube, le murmure d'allégresse de la chasteté renaissante. Mais il arriva bien vite alors ce que j'ai trop de fois éprouvé depuis, et ce qui, vers la fin de la lutte, me la rendait si déplorable et si désespérée. Après huit jours et plus, ainsi employés à soigner son cœur, à munir ses yeux, à se garder dans une pureté scrupuleuse, à prier avant de sortir, à choisir les lieux où l'on passe, à ne regarder que devant soi, et à ne

pas s'enorgueillir surtout de tant d'efforts, voilà qu'au
détour où l'on s'y attendait le moins, une apparition
connue vous entre dans l'âme et vous renverse net,
comme un soldat de plomb qui tombe, comme une carte
qu'un enfant renverse d'une chiquenaude dans ses jeux.
Oh! que cette facilité à choir, qui ne diminue pas jusqu'aux dernières limites et tant qu'on n'a point passé le
Jourdain sacré, qui est la même dans les voluptueux à
tous les degrés de la lutte avant l'absolue conversion, —
que cette fragilité m'a fait comprendre combien il ne
suffit pas de vouloir à demi, mais combien il faut vouloir
tout à fait, et combien il ne suffit pas de vouloir tout à fait,
mais combien il faut encore que ce vouloir, qui est nôtre,
soit agréé, béni et voulu de Dieu! Notre volonté seule
ne peut rien, bien que sans elle la Grâce ne descende
guère ou ne persiste pas. Le grand Augustin, esclave lui-
même des rechutes, l'a dit après l'Ecriture : La continence est un don. Volonté et Grâce! c'est en ces moments
que j'ai senti le plus votre éternel mystère s'agiter en moi,
mais sans le discuter jamais. Et pourquoi l'aurais-je discuté ? pierre d'achoppement pour tant de savants et
saints hommes, ce duel, l'avouerai-je ? à titre de mystère
ne m'embarrassait pas. Toutes les fois que je tombais
ainsi net, sans qu'il y eût rien prochainement de ma faute,
je me sentais libre, responsable encore; il y a toujours
dans la chute assez de part de notre volonté, assez d'intervention coupable et sourde, et puis d'ailleurs assez d'ini-
quités anciennes ou originelles, amassées, pour expliquer
et justifier aux yeux de la conscience ce refus de la Grâce.
Toutes les fois au contraire que je réussissais à force de
soins et de peine, je ne sentais pas ma volonté seule, mais
je sentais la Grâce favorable qui aidait et planait au-dessus; il y a toujours dans la volonté la plus attentive et la
plus ferme assez de manque et d'imprudence pour néces-
siter, en cas de succès moral, l'intervention continue de
la Grâce. C'est comme une lisière, j'oserai dire, qu'on
attache aux enfants, quand ils sont presque déjà en état
de marcher. S'ils vont et ne tombent pas, même sans que
la lisière les ait retenus, c'est toujours que cette lisière
était là, flottante derrière eux, et que leur marche la sentait confusément comme un appui; s'ils tombent jusqu'à
se blesser, c'est que, la lisière se relâchant à dessein, ils
ont trop compté sur eux et ne l'ont pas assez tôt rede-
mandée; c'est qu'ils ne se sont pas assis d'eux-mêmes à
temps, sans bouger, et en se faisant tout petits. Tant que

l'homme est sur terre, il est toujours ainsi sur le point de marcher seul; mais, s'il marche sans choir, il ne marche jamais en effet qu'avec ces lisières d'en haut. Les plus saints sont ceux qui vont si également et si agilement, qu'on ne sait, à les voir de loin, s'ils marchent grâce à la vélocité de leurs pieds ou au soutien, au soulèvement continuel de la lisière; tant ce double mouvement chez eux est en harmonie et ne fait qu'un, les lisières ne les quittant plus, s'incorporant à eux et s'attachant désormais à leur épaule comme deux ailes immuables. Tâchons, mon ami, tâchons d'être ces heureux enfants, qui sont toujours prêts à marcher seuls et font en effet tout le chemin à pied, mais le font sans cesse sous l'œil et par le maintien de la tendresse suprême; qui ne sont plus des nourrissons gisants et vagissants, qui ne deviendront jamais des hommes superbes; que la mort trouvera encore en lisières et s'essayant; toujours en avant et toujours dociles; qui marchent et qui sont portés; qui ont le labeur jusqu'au bout, et qui à chaque pas rendent grâces!

Certes, vous n'êtes en aucun moment plus éloigné du modèle que je ne l'étais alors. Après ces heures de rechute, j'avais hâte d'ordinaire de retourner chez madame R.; le soir même ou du moins le lendemain, j'y allais presque toujours. J'y étais poussé, non par aucun de ces désirs réels et matériels si aveuglément assouvis, mais par un besoin de distraction et d'excitation artificielle, pour m'étourdir, pour recouvrir et réparer, en quelque sorte, l'infraction brutale à l'aide d'une autre espèce d'infraction moins grossière, quoique plus perfide, et qui se passait dans l'esprit plutôt que dans les sens. Une heure ou deux, assaisonnées de propos galants et d'amabilités mensongères, étaient une suffisante ivresse; il me semblait qu'ainsi transporté dans une sphère plus délicate, le dérèglement de mon cœur s'était ennobli; que le poison, arrivant sous forme invisible en parfums subtils, devenait une nourriture assez digne de l'âme, et que j'avais moins à rougir de moi. Vue trompeuse et sophisme! Car, si quelquefois, après huit jours de retraite et de pureté observée, j'allais visiter madame R., si, la trouvant aimable et belle, je me livrais à ces mêmes propos, à ces mêmes sourires, qui, dans le cas précédent, me paraissaient comme une distraction heureuse et un parfum, le sentiment de mon innocence et de ma fidélité, en ce cas nouveau, s'affaiblissait et se troublait; au sortir de là, j'étais moins soigneux à le garder, comme ne le possédant

plus intact, et je succombais très aisément. Ainsi tout se
tient, toutes les infractions sont de connivence et
s'amènent. Si la chute grossière me rengageait vers la
duplicité riante et perfide, celle-ci à son tour me renvoyait
sans défense aux plus indistincts entraînements.

Et puis, après deux ou trois jours, quand j'avais som-
meillé plusieurs fois d'un épais sommeil, quand j'avais
oublié les circonstances du mal et un peu repris les rênes,
j'écrivais à Blois quelque lettre pour me réparer véritablement, pour me lier et m'exalter par l'adoration d'un
être idéal auquel je redemandais les pudiques ardeurs.
C'était à elle en effet, plutôt qu'à lui, que j'adressais le
plus souvent mes lettres. Il n'y entrait rien de politique,
comme vous pouvez croire, ou seulement ce que le public
en savait : « On vient d'arrêter Moreau ; on vient d'arrêter
Pichegru ; les barrières sont toujours fermées ; on cherche
toujours Georges. » Mais le fond était le récit de ma vie,
le détail de mes ennuis loin d'eux, rejetant les hontes
dans l'ombre ; le bulletin du petit couvent, toute une peinture pieuse, adoucie, assez naïve quoique si peu fidèle.
Je laissais courir sans scrupule élans et plaintes, et même
de figuratifs aveux : elle était tantôt le saule du bord qui
m'empêchait d'être emporté par le fleuve, tantôt l'anneau
d'or qui me retenait au meilleur rivage ; les noms de
Béatrix et de Laure se glissaient d'eux-mêmes, mais tout
cela noyé dans une teinte qui ne donnait jour ni au soupçon ni à l'offense. Elle répondait une lettre environ sur
trois des miennes, courte d'ordinaire, amicale avec sens
et simplicité. Mais les formules restantes de politesse,
cette appellation de *monsieur*, comme une voix étrangère,
m'attristaient et me rattraient au réel, et retraçaient à
mes yeux les bornes sévères que j'aurais voulu, sinon
franchir, du moins ne pas toujours voir. Chaque dernière
lettre reçue d'elle ne me quittait pas jusqu'à une prochaine ; je me levais quelquefois au milieu d'un travail
ou je m'arrêtais dans la rue pour la déplier et la relire,
pour y chercher, sous ces paroles bonnes et qui me
disaient de venir, un indice encore plus tendre, pour y
reconnaître sous l'inflexible mot, et dans la manière dont
il était placé, les nuances que la voix et le regard, en parlant, y auraient mises.

Cinq longues semaines s'étaient de la sorte écoulées.
L'affaire politique se poursuivait avec une rigueur formi-
dable. Chaque nuit, vers la fin, je m'attendais à ce que
Georges, traqué de toutes parts, viendrait me demander

refuge. Je m'éveillais en sursaut, croyant avoir entendu
marcher et appeler sous ma fenêtre, et une ou deux fois
je descendis ouvrir. Mais il ne vint pas. En ces extrémités, plutôt que de compromettre, il aimait mieux recourir
à des asiles forcés qu'il obtenait violemment chez des
inconnus. Son arrestation, le soir du 9 mars, acheva mes
craintes. Paris pourtant ne se rouvrait pas encore; j'avais
promis d'aller à Blois passer la Semaine Sainte, et il n'y
avait guère d'apparence que je le pourrais. Il eût été peu
sage de me mettre en mouvement et en évidence, tant
que la circulation ne serait pas libre; MM. D... et R. me
conseillaient de différer. Je venais donc d'écrire, le
samedi d'avant les Rameaux, et sous le coup même de
l'assassinat de Vincennes, toute ma douleur des obstacles,
et la promesse de redoubler de recueillement et de souvenir pendant cette semaine du saint deuil. Dans ma
visite de l'après-midi à madame de Cursy, visite que je
faisais toujours plus longue en ces veines de fidélité,
j'avais pris au hasard un livre de sa bibliothèque, un tome
des *Pensées* du P. Bourdaloue, et je l'avais emporté au
jardin pour lire, profitant d'un rayon de soleil à travers
les arbres encore dépouillés. J'aimais ce petit jardin triste
et humide, sur lequel donnait la fenêtre de l'ancienne
chambre de madame de Couaën, et je me le figurais, je
ne sais pourquoi, semblable à celui de sainte Monique en
sa maison d'Ostie, tandis qu'appuyée à la fenêtre, peu de
jours avant sa mort, elle entretenait son fils converti de
la félicité céleste. Tout en marchant le long des buis qui
étaient la principale verdure, et dont demain on allait
faire des rameaux, tout en rêvant à l'image de l'absente
amie, je fus frappé d'un chapitre qui traitait à fond des
amitiés, de celles prétendues solides, et de celles prétendues innocentes. A propos des dernières, des amitiés sensibles, qui font une impression si particulière sur le cœur,
qui le touchent et qui l'affectionnent sans mesure, je lisais
avec étonnement comme en un miroir ouvert devant moi :
« Ce sont mille idées, mille pensées, mille souvenirs d'une
personne dont on a incessamment l'esprit occupé; mille
retours et mille réflexions sur un entretien qu'on a eu
avec elle, sur ce qu'on lui a dit et ce qu'elle a répondu,
sur quelques mots obligeants de sa part, sur une honnê-
teté, une marque d'estime qu'on en a reçue; sur ses
bonnes qualités, ses manières engageantes, son humeur
agréable, son naturel doux et condescendant, en un mot
sur tout ce qui s'offre à une imagination frappée de l'objet

qui lui plaît et qui la remplit. Ce sont, en présence de la personne, certaines complaisances de cœur, certaines sensibilités où l'on s'arrête et qui flattent intérieurement, qui excitent, et qui répandent dans l'âme une joie toujours nouvelle; ce sont dans les conversations des termes de tendresse, des expressions vives et pleines de feu, des protestations animées et cent fois réitérées... On se recherche l'un l'autre. Il n'y a presque point de jour où l'on ne passe plusieurs heures ensemble. On se traite familièrement, quoique toujours honnêtement. On se fait des confidences. Souvent même le discours roule sur des choses de Dieu. »

Et le feuillet, à chaque ligne, me montrait ma ressemblance, et je m'arrêtais convaincu. Oh! oui, m'écriai-je, oui, vous avez dit vrai; vous aussi, vous saviez cela, Directeur austère; d'où ces secrets, que je croyais à moi seul, vous sont-ils venus ? Oui, l'on parle des choses de Dieu, de celles mêmes qui sont le plus obscurcies en ces moments, de la mort des désirs, du sacrifice des sens et de la vigilante chasteté ? et, tandis qu'on en parle si bien, la malice en nous qui, à notre insu, veut séduire, séduire celle qui écoute et séduire nous qui parlons, nous suggère parfois aux paupières d'abondantes sources de larmes, qui, en se mêlant à nos paroles, ne font que les rendre plus mélodieuses. Mais disons alors : Si elle était moins jeune et moins belle, et moins attentive au son de notre voix, aimerions-nous tant, durant de longues heures, à lui parler de sacrifice, d'amitié discrète et de célibat inviolable ? Serions-nous tant sujets à pleurer près d'elle, si elle était moins sujette à en pleurer ?

En revenant aux pensées du moraliste chrétien, j'y trouvais : « Comment, si près de la flamme, n'en ressentir aucune atteinte ? Comment, dans un chemin si glissant, ne tomber jamais ? Comment, au milieu de mille traits, demeurer invulnérable ? Est-il rien qui nous échappe plus vite que notre esprit, rien qui nous emporte avec plus de violence que notre cœur, rien qui nous soit plus difficile à retenir que nos sens ? »

Pères, Docteurs, Orateurs, Vous qui éclatiez dans la chaire ou qui vous taisiez par vœu, anciens solitaires des déserts ou des cloîtres, oracles, devenus trop rares, de la chrétienté éclipsée, le monde d'aujourd'hui est tenté de vous croire étranges et sauvages; mais, si vous sortez de la grotte, de la cellule où vous dormez, de votre poussière et de votre silence, vous lui dites encore ses secrets et ses ressorts de conduite, à le faire pâlir de surprise! Et je ne veux pas seulement parler des grands pénitents d'entre vous, des convertis que le monde de leur temps avait d'abord entraînés, mais de ceux qui restaient dès leur jeunesse invariables et simples. Ceux-ci même ont su et scruté sur les passions et leurs mobiles ce qu'après des siècles d'oubli on aperçoit à grand-peine, et ce qu'on imagine récemment découvrir. O vous qui n'avez navigué qu'au port, dites, par où saviez-vous l'orage ? C'est que l'orage est partout; c'est que le désert est un monde aussi d'humaines pensées; c'est que le rocher de la foi, si haut et si ferme qu'on l'obtienne, reçoit, par de certains vents, l'écume éparse de tous les flots. Les mêmes mouvements éclosent plus ou moins, et s'essaient en tous les temps dans tous les cœurs. Les mêmes circonstances morales essentielles se reproduisent à peu près en chacun, ou du moins elles se peuvent conclure à l'aide de celles auxquelles nul n'échappe entièrement. Bourdaloue, Jean Gerson, ou Jean Climaque, nos maîtres spirituels, vous avez tous lu, en vos époques bien diverses, à cette commune nature d'Adam, avec cette même lampe du Christ et des Vierges Sages. Quiconque y pénètre après vous, retrouve à chaque pas vos lueurs. Le plus corrompu et le plus tortueux des mondains n'en sait pas tant bien souvent sur les moindres replis de l'âme, que vous, droits et humbles. Car, chaque soir, chaque matin, à toute heure du jour et de la nuit, durant des années sans nombre, vous avez visité coins et recoins de vous-même, comme, avant de se coucher, fait dans les détours du logis la servante prudente. Oh! qu'on arrive, ô mon Dieu, à savoir tout le fond d'ici-bas, sans jamais presque sortir de son cœur!

Cette frappante lecture, s'ajoutant à plusieurs des précédentes, et comme ménagée avec adresse par une Providence maternelle, bouleversait beaucoup mes idées, qui, en s'améliorant depuis quelque temps par rapport au salut, se tournaient toutefois et se reposaient chemin faisant sur la douceur d'une amitié prétextée innocente. Il ressortait brusquement à mes yeux que cette amitié de trop près cultivée et les stations avancées du salut n'étaient pas sur la même pente, le long d'une seule et même voie; que cette prairie si molle et si tiède à la lune, et d'une pelouse si assoupie, et d'une vaporeuse blancheur d'élysée, ne menait pas sûrement au Calvaire. De nouvelles perplexités naissaient de là; j'étais en train de

les débattre avec application et souci, quand le lendemain
dimanche j'appris que, trois derniers conjurés ayant été
arrêtés, les barrières venaient de se rouvrir et que les
empêchements extraordinaires cessaient. Le voyage à
l'instant devenait possible; âme mobile et peu ancrée, je
ne sentis plus autre chose. Perplexités, balance, tout fut
secoué et suspendu; je volai, je pourvus au départ en peu
d'heures, et le lundi, de bon matin, j'étais sur la route de
Blois.

« Ils vont être bien surpris de me voir descendre en
personne après ma lettre d'avant-hier, pensais-je tout le
temps avec sourire; cette lettre exprimait tant de regrets!
c'est la plus vive, la plus ouvertement tendre que j'aie
écrite assurément. J'étais si désespéré du retard; je me
faisais si hardi à produire mon sentiment à cette distance
et ne croyant pas si tôt les visiter! Le marquis en aura-t-il
pris quelque ombrage? Elle-même s'en sera-t-elle
effrayée? Oh! non, elle en aura été touchée seulement.
C'est d'aujourd'hui que cette lettre a dû lui arriver; elle
est peut-être en ce moment à la relire ou déjà à y répondre.
Elle rougira plus que de coutume en me voyant, et j'en
serai, moi aussi, un peu embarrassé d'abord. Que de
questions le marquis va me faire! que de réponses
navrantes et funèbres! Mais, Elle, ce sera toujours
l'ancienne conversation continuée, le règne intime,
l'oubli de tout, la tristesse invisible et tranquille, qui
s'exhale des choses, et qui retombe, aux instants plus
sereins, en rosée plus abondante! »

On voyageait lentement alors. Ayant atteint Orléans
assez tard dans la soirée, comme on allait y dormir la
nuit, je n'y pus tenir, et, demandant cheval et guide, je
poussai incontinent après souper sur Blois. A trois lieues
seulement de la ville, tout au matin, je changeai de monture et en pris une plus fraîche pour arriver. Dans une
des rues hautes, non loin du château, vers sept heures, je
frappais à la porte d'une maison de vieille apparence,
qu'il me semblait déjà reconnaître, tant les lieux me sont
vite présents et familiers! La domestique qui m'ouvrit,
anciennement attachée à Couaën, me nomma aussitôt
avec joie, et, montant l'escalier avant toute question de
ma part, m'introduisit précipitamment dans la chambre
de sa maîtresse. Elle était levée en effet, debout près du
lit d'un de ses enfants qui me parut malade. Elle fit un
cri de surprise à ma vue, mais, m'interrogeant à peine,
elle me conta que cette nuit même son fils avait été pris

d'un étouffement violent et de toux; on était allé dès le jour prévenir le médecin, qu'elle attendait impatiemment. Une première et inévitable pensée me blessa, c'est qu'en ce moment peut-être elle eût mieux aimé voir entrer le médecin que moi-même. Elle me pria d'examiner son fils et de donner un avis selon la science qu'elle me supposait. Ses yeux brillants consultaient les miens; elle avait la joue maigrie et plus en feu que celle du petit malade. Je la rassurai en toute sincérité, n'apercevant chez l'enfant aucun symptôme qui justifiât tant d'alarmes. Le marquis, qu'on avait été avertir, entra quelques instants après, et je lui précisai les événements des derniers mois, surtout l'assassinat du duc d'Enghien, avec les détails qui ne lui étaient point parvenus. Ainsi se passèrent cette journée et les suivantes, madame de Couaën ne me faisant aucune mention des lettres reçues, pas plus de la dernière que des autres, et moi, froissé, et m'interdisant de la rappeler à ce qui m'eût d'abord été si cher. Le mal de son enfant l'occupait, et, quand elle fut un peu rassurée le second jour, ses questions fixes, si nous nous trouvions seuls, portaient uniquement sur les dangers que le marquis et nous tous nous courions par suite de cette conspiration découverte et des rigueurs menaçantes. Au lieu des tristesses sans cause, ou dont on se croit la cause prochaine, au lieu des flottantes rêveries où l'on dessine ses visions comme dans les nuages, elle m'offrait une douleur, une inquiétude bien réelle et positive; et elle l'étalait naïvement. Mais l'amour humain, qui se dit dévoué, est si injuste et à son tour si préoccupé de lui-même, que je lui en voulais et à son tour si préoccupé de lui-même, que je lui en voulais, à elle, de sa préoccupation et de son effroi.

Qu'avais-je à lui reprocher pourtant, à ce cœur de femme et de mère ? Les lettres que j'avais trouvé hardi de lui écrire, elle ne s'en était pas étonnée et ne les avait pas jugées étranges. Elle avait accepté de moi sans défiance ce qui n'était pas exempt de quelque ruse. Elle s'en était nourrie comme d'un aliment délicat, mais simple, ordinaire à une semblable amitié, et voilà pourquoi elle n'en parlait pas. Elle ignora toujours ces manèges d'amour-propre et d'art plutôt que de tendresse, ces attentions que l'esprit seul rappelle, ces susceptibilités qui s'effraient et reprochent agréablement pour mieux exciter. Elle croyait, elle acceptait tout de l'ami, et ne se répandait pas en petits soins gracieux, le jugeant plein de foi lui-même. Quand elle m'avait vu entrer au plus fort de son inquiétude, le premier cri de surprise jeté, elle m'avait pris aussitôt comme une autre part de son âme, et s'était montrée à moi dans toute sa peine, sans songer à se modérer ni à affecter rien de moindre.

Et je lui en voulais d'une si admirable sensibilité de mère, non seulement comme d'un tort fait à ce que je prétendais être pour elle, mais comme d'une fatigue qui brûlait sa joue de veilles et qui altérait sa beauté! Il y a des moments d'éclipse et de brutalité dans l'amour chez l'homme, où il irait jusqu'à en vouloir à la femme qu'il aime, de cette sensibilité dévorante qui la ferait sécher et pâlir, et dépérir en beauté loin de lui, à cause de lui! Les femmes ne sont jamais ainsi, elles; et c'est ce qui maintient leur grandeur dans l'amour, leur vertu souvent dans l'abîme, leur titre à l'immortel pardon.

Quant au marquis, après bien des conversations ébauchées, nous sortîmes une après-midi ensemble, et à deux pas de la ville, le long d'une hauteur qui dominait la route et le paysage, il me faisait redire pour la dixième fois tous les détails que j'avais pu saisir de l'assassinat ténébreux. J'avais peine à m'expliquer cette insistance par le seul intérêt donné à la victime. A la fin son âme s'échappa en ces mots : « Eh! bien, oui, il triomphe, ses rivaux disparaissent, le sort les lui livre un à un; il use et mésuse déjà; il fusille des princes. Moreau, Pichegru, Georges, que fera-t-il de vous? Compagnons, à chacun son rôle! A vous illustres, le plus sanglant peut-être; à moi le plus douloureux et le plus lourd! mais je l'accepte et le veux tout entier désormais. Limoëlan, j'aurai aussi mon martyre! c'est de survivre et d'attendre, et d'épier du regard chaque mouvement du victorieux, jusqu'à ce qu'il tombe, car il tombera. Le voilà hors de page, Empereur demain, maître absolu sur nos têtes. Eh! bien, dès avant demain il a commencé de tomber. L'imbécillité populaire le suivra, le portera longtemps encore; je ne m'y tromperai guère; je noterai d'ici ses pas, chaque degré, chaque symptôme de chute, les signes déjà naissants du vertige. Il pourra avoir l'air de monter toujours, mais en réalité, non. J'aurai patience en vue de la fin; j'essuierai cette longue tyrannie comme l'officier sans épée d'une garnison prisonnière, devant qui l'insolent vainqueur fait défiler jusqu'au dernier goujat de son armée. Mais je compterai assez sur lui, livré à lui-même, sur ses fautes, ses opiniâtretés et ses colères : l'assassin d'un Condé m'en répond. Oh! comme rien ne m'échappera de dessous sa pourpre de parade, ou à travers la fumée de ses camps! Jamais

mère ne suivra sur la carte les marches d'un fils avec plus
d'anxiété que moi les siennes. J'inscrirai avec joie coup
sur coup ses victoires, victoires de Pyrrhus, par où il
périra. Les générations neuves, chaque année, crèveront
sous lui comme des chevaux de rechange; mais il aura
son tour. Inconnu, immobile, annulé, je marquerai sans
relâche tous les points de ce grand jeu; s'il se trouble un
moment, je croirai que c'est moi, caché, qui le fascine :
Amaury, je tiens ma vengeance! »

Et en parlant de la sorte avec une exaltation concen-
trée et une splendeur pâle au visage, M. de Couaën semblait en effet un martyr sublime des terrestres passions
orgueilleuses, de la pure race des Prométhées enchaînés.
Mais, quelque irritation que m'eût laissée le récent attentat politique, il m'était impossible de m'ulcérer à ce point
et d'entrer dans des ressentiments si implacables, autrement que pour les plaindre. La vue même de ce calme
pays, l'idée du jour saint, du Vendredi miséricordieux
où nous étions, ajoutaient à l'effet étrange et presque
offensant que me causaient ces paroles. Je me sentis incapable de séjourner à demeure auprès d'une torture si
révoltée et si éternelle, de même que je m'étais senti rebuté
tout à l'heure de la sensibilité trop fixe et trop instinctive
de madame de Couaën. Entre la haine cuisante et les
vautours de l'un, les oublis fréquents et les lentes
consomptions maternelles de l'autre, qu'avais-je à faire ?
quel don inutile de mon être, et à quoi leur serais-je bon
avec mes délicatesses comprimées, mes susceptibilités
jalouses, et ces ressources variables d'intelligence et de
cœur qui ne sauraient en tout point qu'orner et adoucir ?
Etant rentré à la ville dans ces pensées, j'allai, dès le soir,
sans prévenir personne, retenir ma place à la voiture pour
le lundi de Pâques.

Ce ne fut que le jour de Pâques même, qu'après avoir
annoncé à déjeuner mon départ, j'entendis madame de
Couaën m'adresser en face le mot jusque-là contenu :
« Ah! çà, dites, quand nous venez-vous décidément ? »
Elle semblait s'être fait un peu violence pour lâcher
cette parole, et la brusquerie de ton dont elle l'avait
prononcée cachait mal l'intérêt qu'elle y pouvait mettre,
et n'était pas d'accord avec la rougeur soudaine qui
couvrit son front en ce même moment. Mais mon
impression était trop prise déjà pour que ce mot tardif
me la fît changer. Je lui répondis, et au marquis, d'un air
d'empressement, que je ne manquerais pas d'accourir,

aussitôt après le procès fatal et ces débats auxquels je voulais, pour nous tous, assister. Et je quittai Blois le lendemain avec une joie, un soulagement, une colère intérieure, qui se combattaient, se mêlaient en moi, et faisaient voler dans mon ciel, comme à un cliquetis excitant, des milliers d'abeilles désireuses : « Aimons, aimons, répétais-je ; la saison récréante approche, les germes poussent de toutes parts, et mon essor de jeunesse n'est pas fini. Aimons d'amour, mais aimons qui nous le puisse rendre, qui s'en aperçoive et en souffre et en meure, et préfère à toutes choses l'abîme avec nous ! Les pures amitiés durables avec les jeunes femmes ne sont possibles, je le vois, qu'à condition d'insensibilité fréquente, d'oubli de leur part et de détournement perpétuel de leur tendresse sur d'autres êtres qui ne sont pas nous. Puisqu'en restant attentives et vives, ces amitiés, au dire des conseillers rigides, ne sont jamais que prétendues innocentes, osons plus, osons mieux, ayons-les donc tout à fait coupables ! » Ainsi la bonne lecture elle-même, dans ce cœur trop remué, tournait en aide aux conclusions délirantes ; — et l'image de madame R. reparaissait à l'instant plus fraîche, comme après un sommeil d'hiver, tantôt en pleurs silencieux, telle que je l'avais surprise dans cette soirée de la loge, et se mourant de langueur de n'être pas aimée, tantôt dans la féerie du bal, se laissant deviner aussi enivrée et légère que la rendrait le bonheur ; tour à tour roseau frêle et pâle qu'il serait aisé de relever, lutin moqueur et fugitif, difficile et précieux à saisir, ou bien sphinx discret, prudent et assez cruel, avec un secret que sa fine lèvre aurait peine à dire, et que je lui voudrais arracher.

XVI

On était aux premières haleines du printemps. Aussitôt arrivé, je visitai madame R. Elle me reçut bien amicalement, avec cette teinte de tristesse amollie, qui lui était familière, et d'humides nuages sur le front. J'y retournai le lendemain et les jours suivants, dans l'après-midi; encore la même tristesse et les mêmes nuages, avec un éclair aussi doux. Nous renouâmes le passé peu à peu, et sans qu'il en fût question. Elle ne vivait plus seule, et une tante qui l'avait élevée était venue demeurer à Paris près d'elle. Mais c'était seule d'ordinaire que je la voyais à ces heures, dans son étroit salon bleuâtre, aux jalousies souvent à demi fermées. Notre conversation dès les premières fois, et à travers les sujets du moment, s'établit au fond et s'accoutuma volontiers à retomber sur son découragement, à elle, son ennui profond d'une existence sans but, et sur l'espoir aimant que je voulais lui persuader de ressaisir. Derrière les circonstances insignifiantes et dans nos moindres manières de juger les choses, nous savions, sans nous y méprendre, répondre à nos pensées. Je lui offris des livres à lire; je lui apportai pour commencer, s'il m'en souvient, quelques productions touchantes d'une madame de Charrière, et nous nous animions en causant des personnages et d'une certaine Caliste particulièrement. Un jour qu'elle s'était livrée avec une sorte de sérénité au courant de l'entretien, comme je me levais pour sortir après quelques mots moins indirects de mes sentiments, je m'approchai par hasard d'une des fenêtres entrouvertes sur laquelle était un lilas, je crois, un lilas blanc et déjà passé, quoiqu'à peine en fleurs; elle me le fit remarquer avec intention et retour sur elle-même : « Mais ouvrez cette jalousie, lui dis-je, et le soleil entrera. »

Elle alla bientôt à Auteuil, et ces voyages de chaque jour que j'y avais faits l'an dernier pour une autre, je les refis, hélas! pour elle : tout m'y parlait de mon infidélité. J'en souffrais, mais j'amortissais le plus possible ce contraste injurieux des souvenirs. Elle aimait peu à sortir et à marcher dans le bois; et, quand nous y étions, j'évitais constamment certaines allées trop pleines de témoignages inviolables et de murmures. Il y avait dans la maison qu'elle habitait un parc à l'anglaise assez étendu, et qui suffisait à une promenade paresseuse. Un jour, dans les commencements, nous nous étions entretenus, selon notre thème favori, du désabusement précoce des passions, de cette langueur d'âme et de cette fuite du soleil que je lui reprochais. Mais elle prétendait que, quand on a passé, à regretter et à pleurer, certaines années de la vie les plus décisives et les plus belles, peu importe que l'on continue les regrets et les pleurs plus ou moins de temps encore, car le charme brillant est à jamais rompu, et il y a d'avance une ombre froide sur tout ce qui pourrait venir; mieux vaut donc que ce quelque chose qui demande éclat et fraîcheur ne vienne pas. C'était là, ou à peu près, la pensée qu'elle m'exprimait. — « Oui, vous voulez dire, reprenais-je, qu'il est dans la vie une robe de grâce et d'illusions charmantes qu'on ne revêt qu'une fois; que les sentiments, qui ont manqué des rayons du dehors dans la saison propice, même quand ils mûriraient plus tard, mûrissent mollement et ne se dorent pas; que les âmes trop longuement baignées dans leurs propres larmes sont comme ces terres imbibées de pluie, et qui restent toujours humides et un peu froides, même après le soleil reparu. Vous croyez qu'il n'est pas en elles de buissons altérés ni de gerbes toutes prêtes; que la foudre, en tombant, n'y allume rien, et qu'elles ne deviendront jamais un autel. Ah! vous dites vrai en partie; vous dites ce que j'ai senti souvent et ce que j'ai craint de moi! Mais je me suis dit aussi qu'on n'arrive pas de sitôt à ce degré désespéré; qu'une ou deux ou trois années de larmes ne sont qu'une rosée dans la jeunesse; une matinée meilleure essuie tout, une fraîche brise nous répare. On oublie, on s'exhale, on se renouvelle. On a véritablement en soi, songez-y, plusieurs jeunesses. Bien souvent on croit que c'en est fait des belles années et de leurs dons; on se dépouille, on se couche au cercueil, on se pleure. Puis le rayon venu, on renaît,

le cœur fleurit et s'étonne lui-même de ces fleurs faciles
et de ces gazons qui recouvrent le sépulcre des douleurs
d'hier. Chaque printemps qui reparaît est une jeunesse
que nous offre la nature, et par laquelle elle revient
tenter notre puissance de jouir et notre capacité pour
le bonheur. Y trop résister n'est pas sage. Sur le coteau
mystérieux où voltigent des danses inconnues, où luit
un astre si charmant, on est monté une fois ou deux
peut-être, sans rien y voir de ce qu'on se figurait d'en
bas; on s'est lassé, et l'on est redescendu, le cœur et
les pieds saignants, dans les ronces. Et l'astre désormais
a beau luire, le bouquet d'en haut a beau s'éclairer, des
voix plus émues, des blancheurs plus légères ont beau
en sortir et inviter; on regarde d'en bas d'un air incrédule, on ne veut risquer aucun essor, et l'on s'interdit
ce que tout inspire! » — Ce dernier mot la frappa, et,
le reprenant avec un sourire moins triste encore que
malicieux et tendre, elle s'en appliqua la vérité : « Eh!
bien, soit! on ne veut plus risquer de monter », dit-elle.

Ceci se passait dans son salon, et je dus la quitter
pour sa toilette et quelque visite qu'elle avait à faire.
Une demi-heure après environ, de retour du village et
du bois où j'avais erré, je rentrai chez elle, et, ne l'y
croyant pas encore revenue, j'allai dans le parc continuer à pas lents mon attente. Mais je l'aperçus elle-
même au bout d'une allée du fond, pensive, arrêtée, et
semblant contempler avec attention un effet singulier
de lumière, qui, au milieu d'un paysage assez obscurci,
illuminait juste le sommet d'une petite butte verdoyante
et le bouquet d'acacias qui la couronnait. On était sur
la fin d'avril, et il faisait un doux ciel de cette saison,
à demi voilé en tous sens d'un rideau de nuages flo-
conneux et peu épais, un ciel très bas, légèrement cerné
de toutes parts à l'horizon comme un dais enveloppé,
mais diminuant d'opacité et de voile à mesure qu'on
approchait du centre, et là seulement, tout à fait dégagé
au milieu, à l'endroit où les rayons verticaux de l'astre
avaient la force de percer, un vrai ciel de demi-fête
et d'espérances naissantes; un de ces *ciels*, comme on
accuserait un peintre, qui le ferait, de le faire peu
naturel et bizarre, et qui peut-être serait tel en peinture
immobile, tandis que c'est un charme et une pure beauté
au sein de la nature qui harmonise tout. Elle était
donc à admirer le reflet de cette unique chute de lumière,
et son jeu magique sur le petit tertre verdoyant; et moi,

j'accourus par-derrière, et au moment où elle se retournait à mon approche, je lui demandai vivement : « Est-ce
que vous voulez y venir ensemble ? » — « Où donc ? »
dit-elle avec surprise. — « Eh bien! là-bas, sur la colline éclairée », répondis-je en la lui montrant; et d'un
mouvement rapide, comme saisie de l'à-propos, elle
me prit la main que je lui tendais, et nous courûmes
comme deux enfants pour gagner l'endroit; mais, avant
que nous fussions à mi-pente, l'éclair du sommet avait
disparu.

Voilà bien, mon ami, voilà en abrégé toute la fortune
de l'erreur principale qu'il me reste à vous conter. Je
pourrais m'en tenir à cette course déçue comme emblème,
pour vous marquer que la tentative de passion avorta;
mais ce serait vous en laisser une trop souriante idée, et
j'ai à vous faire sentir de près les efforts et l'impuissance
d'atteindre, les déchirements et les ronces.

En toutes ces passions qui commencent, il semble
qu'il ne s'agisse que d'avancer sur une pente légère;
que, si l'on est las, on s'arrêtera toujours assez tôt; que
ce qui est si gracieux à monter ne saurait être bien
pénible à redescendre; que ces mains, qu'on se donne
l'un à l'autre, ne sont pas des nœuds ni des chaînes, et
qu'elles pourront cesser à temps de se tenir, sans qu'il
en résulte pour chacun des traces sanglantes. Il n'en
est rien, et l'expérience l'apprend trop vite aux imprudentes âmes. Quoi qu'on en juge d'abord, toutes ces
liaisons à l'accès riant, toutes ces épreuves de tendresse
nous sont rudement comptées; elles ne se succèdent pas
en nous impunies; si l'engagement est léger, le changement est accablant et amer; quand l'essai rompt, la
marque demeure et fait cicatrice avec souffrance ou
endurcissement. Passé un certain nombre très petit
d'images premières, le cœur devient un miroir tout rayé
où les objets les plus heureux ne se réfléchissent plus
qu'à travers un réseau ineffaçable.

Il était un souvenir contre nous, qu'elle et moi ne
pouvions abolir, mais que nous évitions d'éveiller, le
souvenir d'une amie absente et trahie. J'en trouvais en
mainte occasion madame R. sensiblement occupée et
comme empêchée à mon égard, non seulement par
scrupule et reproches d'amitié infidèle qu'elle devait
s'adresser, mais aussi par crainte que, malgré toutes
mes avances, je ne fusse lié en effet ailleurs. Un soir,
qu'après un chant de romance ossianique sur la harpe

(le chant fait courir aux lèvres les secrets de l'âme),
elle s'approchait de la fenêtre ouverte où j'étais debout,
et, du doigt, me montrait au ciel une étoile brillante,
je lui demandai si elle voulait être la mienne et guider
ma vie. — « A quoi bon le demander, me dit-elle, si
c'est à une autre que cela dès longtemps est accordé ? »
Mais, reniant alors Celle qui n'aurait jamais dû s'éclip-
ser en moi, je déclarai qu'il n'y avait point eu jusque-là
de telle étoile dans ma nuit, et que personne n'avait
accepté de me verser cette lumière, bien que je l'eusse
tant cherché. Pendant qu'elle écoutait avec un regard
inexprimable, un vif rayon (était-ce d'orgueil ou
d'amour ?) semait de lueurs nouvelles son front moite
et douloureux; mes instances et mes serments redoublèrent; je reniai encore : en face et plus près du mien,
son doux œil noyé luisait d'une seule larme... l'étoile
au ciel ne se voila pas! — A partir de ce jour, je l'en-
tretins directement de ce qu'elle m'inspirait. Mes aveux
remontèrent au passé. Je lui racontais, moyennant de
certaines omissions, mes longs combats à son sujet, et
cette lettre écrite un soir au fort de la crise de Georges :
« Je me sentais si malheureux alors, lui disais-je, et si
peu aimé à mon gré, que j'avais hâte de mourir. » Pour
diminuer ses craintes de rivalité en les portant sur
plus d'un point à la fois, pour lui montrer que précédemment j'avais toujours été plus partagé d'affections
qu'elle n'avait cru, je lui révélai quelque chose de
mon attache à mademoiselle de Liniers, mais comme
d'un nœud tout à fait détruit. Elle aimait à écouter et
suivait mes récits avec une finesse ingénieuse et patiente,
heureuse évidemment de l'influence conquise, exprimant son triomphe par un fréquent et malin sourire,
et plus flattée même de ce genre de confiance qu'il
ne convenait à l'amour. C'est que, malgré un fond
mélancolique et cette langueur pleine de promesses, elle
n'était pas une nature naïve où l'amour seul pouvait
tout. Si, dans les allées du parc ou au retour de quelque
soirée, marchant avec elle un peu à l'écart, je lui murmurais mille fois le mot qu'elle m'avait permis de dire,
et lui serrais une main qui ne se retirait pas, elle était
la première à s'étonner, à être surprise d'elle-même,
et de son changement si prompt, et de sa docilité à un
tel langage. Là où une autre, en proie au sentiment
que j'exprimais, eût été muette ou balbutiante, elle
avait le loisir de se regarder et de s'observer jusqu'au

sein du trouble. A chaque pas furtif où je l'induisais, elle se rendait compte aussitôt et se mettait au point de vue du dehors, se comparant sans cesse à ce qui l'entourait, touchée, attendrie sans doute, mais non pas subjuguée. Aux aveux les plus pressants et les plus faits à provoquer l'abandon, elle ne répondait que par des traits sentis, mais discrets et rares. Elle avait été aimée, une fois, d'une grande passion, du moins quelques mots d'elle le faisaient entendre; mais elle se taisait obstinément sur les particularités et l'issue. Son mari s'était-il éloigné à cette occasion ? Les premiers torts, en ce refroidissement singulier, partaient-ils de lui ou d'elle ? Je ne pénétrai rien de clair sur cette histoire. Quant à lui, il passait assez souvent à Auteuil, dans ses retours de Saint-Cloud, où il accompagnait son ministre; il venait dîner une ou deux fois la semaine, et toujours dans de parfaites, mais froides apparences. J'étais bien avec lui, quoique sans intimité, et il ne semblait surpris ni choqué de nos rencontres.

Et qu'était devenue ma foi aux choses de Dieu, la foi qui tout précédemment en mon cœur s'annonçait comme renaissante ? Qu'elle était loin, en fuite et au néant, chassée sans plus de bruit qu'une ombre! A certains moments d'intervalle paisible ou morne dans la vie, il n'est pas rare qu'il s'élève et se forme autour de nous comme une atmosphère religieuse, et qu'une espèce de nuage nourricier s'assemble et s'abaisse aux environs. On y baigne, on le sent déjà qui arrose; les jeunes rameaux s'ouvrent et boivent aux sucs invisibles. Mais que vienne la tempête, ou seulement une bouffée trop hardie du printemps, un flot plus ardent du soleil, et voilà la nuée dissoute et balayée. Ainsi mes sentiments avaient fui. La foi durable et vivante se compose de l'atmosphère et du rocher, et je n'avais eu que l'atmosphère.

L'étude malgré tout renouée, un ou deux cours sérieux dont je suivais les leçons, assez de lectures au hasard, mais principalement philosophiques, sauvaient chaque matin quelques heures de la dissipation des journées. Dès mon lever pourtant d'ordinaire, dans cette première fleur du désir, j'écrivais pour madame R. une lettre à la Saint-Preux, que moi-même je lui remettais plus tard; et, quoiqu'il n'y eût aucune difficulté de nous voir ni de causer, j'avais plaisir à ne lui rien laisser perdre du frais butin que j'amassais dans la courte absence, et de toutes ces perles folles que secoue, en le voulant, une imagination tant soit peu amoureuse. A ce collier des perles du réveil, à ce bouquet cueilli des matinales pensées, succédaient des diversions plus graves, le Jardin des Plantes, le Collège de France, la Bibliothèque Sainte-Geneviève. Vers deux heures seulement, quitte du *Novum Organum* ou des récents écrits de Bichat, des *Sentiments moraux* d'Adam Smith ou des *Entretiens métaphysiques* de Malebranche, je raccourais à la maison de la Chaussée-d'Antin ou d'Auteuil, vers cette Herminie pensive que je comparais à celle du Tasse, dont en effet elle portait le nom; son caprice, pour le reste du temps, disposait de moi. Souvent nous restions au logis, même par les plus engageants soleils de mai; elle aimait peu la campagne, quoiqu'elle se hâtât d'y être, et quand j'arrivais, ayant parfois déjà dîné, je la trouvais encore, les pieds assoupis, les sourcils doucement obscurs, ses demi-jours baissés et dans les voiles du matin. Mais ce n'était pas, comme chez madame de Couaën, une vague et montante rêverie, dont un lac mystérieux pouvait seul donner l'image : en y regardant mieux chez madame R., cette langueur se composait d'une multitude de petites tristesses positives, de petits désirs souffrants et de piqûres mal fermées sur mille points. Elle avait regret au monde, elle portait envie aux situations entourées d'hommages; elle jugeait la sienne médiocre et trop inférieure à celle de tant d'autres à qui elle avait tout droit de s'égaler. Naturellement peut-être, et si elle s'était vue dès l'abord plus consolée dans ses affections, elle aurait moins ajouté de prix à ces vanités d'apparence; mais leurs misères avaient eu le temps de filtrer goutte à goutte dans sa solitude, comme les pluies à travers un toit peu habité, et elles y avaient creusé de lents sillons et des taches humides. Du seuil de cette vie de silence et d'ombre, elle était donc secrètement jalouse de se produire, de regagner son rang de jeunesse et de beauté. Aux parades militaires, aux spectacles et aux soirées, où peu à peu, et de plus en plus, nous allâmes, je lui voyais des velléités de s'épanouir, comme à la fleur étiolée qui croit reconnaître une aurore dans chaque lumière tardive. Mais ses longs matins restaient assiégés des habituelles et trop chétives douleurs qui corrompaient pour elle plus d'une brise heureuse et plus d'une vraie jouissance. J'attribuais d'abord au seul manque d'amour ce voile de vapeur qui, à certains jours, ne se levait pas; bientôt j'en discernai mieux tous les points serrés et la trame moins simple.

Les débats du procès de Georges allaient s'ouvrir. Je m'étais bien promis, et à nos amis de Blois, d'y assister; c'était même le prétexte allégué pour mon séjour. Je ne saurais vous dire par quel frivole enchaînement je ne le fis pas. Je manquai la première séance plutôt que de retarder ma visite à Auteuil et une sortie avec madame R. Ainsi de la seconde fois et des suivantes, jusqu'à ce qu'enfin il y eut en moi une sorte de parti pris par inertie et par honte. Je me le reprochais comme une lâcheté de cœur et une ingratitude; il me semblait que je faussais un rendez-vous d'honneur. Il fallut pour rompre cet inexplicable éloignement, que madame R. elle-même désirât assister à une séance et me requît d'autorité pour l'y conduire. Nous tombâmes précisément le jour des plaidoyers. Quoiqu'elle apportât tout l'intérêt de compassion que les femmes mettent d'ordinaire à ces sortes de drames, ce n'était pas dans cet esprit de curiosité un peu vaine et dans cet accompagnement mondain, que je m'étais juré de venir recueillir les derniers actes de mon ami, de mon général, comme je l'avais nommé. Les discours des avocats furent sans grandeur et au-dessous du rôle; celui du défenseur de Georges surtout me sembla petit de subterfuges. Georges le subissait évidemment avec une résignation chrétienne qui comprimait l'ironie. Mais le spectacle de cette triple rangée d'accusés était solennel et relevait tout; ma pensée y errait; Georges en tête du premier rang, Moreau en tête du second, le cadavre absent de Pichegru, sur qui la conjecture alors né s'épargnait pas, d'Enghien massacré, c'était là un sinistre concours. Quelle proie royale et guerrière tombée dans un même filet! Quel groupe chargé seul des sorts funestes, quand de partout ailleurs s'apprêtait l'Empire et qu'on regorgeait d'heureux augures et de messages fastueux! Je me figurais cet Empire naissant, comme un grand Carrousel, un Champ-de-Mars illimité, par-delà l'arène consulaire; et à l'entrée de cette carrière nouvelle, en passant par l'arc triomphal massif qui servait de porte, le Consul-Empereur se trouvait en ce moment sous une voûte obscure et resserrée, et il s'y arrêtait assez de temps pour laisser écraser, à droite, à gauche, par ses licteurs, et sans avoir l'air de l'ordonner, toutes les têtes gênantes,

tandis que le cortège et lui-même allaient sortir plus
radieux aux acclamations de la multitude. Il y a ainsi,
mon ami, des voûtes obscures, étroites, commodes aux
violences qu'elles couvrent et qu'elles semblent commander, des voûtes aisément sanglantes, qui font le
dessous des arcs de triomphe sur le passage des ambitions humaines; et c'est par là qu'entrent et se poussent
fatalement tous les Césars!

Quand l'avocat de Georges eut fini, l'accusé se leva
pour lui tendre la main et le remercier de ses efforts; mais,
au même moment, nos regards qui jusque-là ne s'étaient
pas échangés se rencontrèrent, et, Georges prolongeant
ses remerciements et son geste dans la direction de son
avocat, qui était la mienne, je pus croire qu'il m'en
revenait une part et que c'était un adieu reconnaissant.
Tout suffoqué, je tirai à moi madame R., et nous sortîmes. Je ne revis Georges que cette fois-là.

Et cependant madame R. brusquait à tout propos un
deuil politique qu'elle comprenait peu. Je dus assister
quelque temps après avec elle à la première grande fête
impériale qui eut lieu aux Invalides. Elle inclinait vers ces
pompes de l'Empire, elle essayait par degrés de m'y
réconcilier, et je l'entrevoyais déjà ambitieuse pour moi
dans le même esprit qu'elle l'était pour elle. La vertu politique s'attiédit vite au souffle d'une bouche qui parle à
demi-voix. Mais, comme c'était le moment où retentissait
encore sur le pavé de la Grève la tête de Georges et des
siens, je ressentais, en y songeant, une confusion douloureuse et de vifs élans contre ma faiblesse. D'autres
troubles s'y joignaient. Je reçus vers ce temps des nouvelles, qui m'émouvaient toujours, de mademoiselle
Amélie et de sa grand-mère. Je les eus par une de leurs
connaissances de campagne en Normandie, qu'elles
m'adressèrent, un homme de dix ans au moins mon aîné,
mais avec qui me lia du premier jour une conformité
périlleuse de penchants et d'humeur. Il venait à Paris sans
but apparent, mais en effet pour une passion dont il poursuivait l'objet, d'ailleurs peu rebelle. C'était une âme
charmante et pour qui la nature avait beaucoup fait,
d'une sensibilité affable et prompte à s'offrir, d'une première fleur en toutes choses, un peu mobile, légèrement
gâté, non pas au fond, par la fortune et les plaisirs; il
avait été de la *jeunesse dorée* et de ces folles ivresses; mais
aimable, exquis, rompu au monde, sachant les Lettres
aussi et versifiant même délicieusement; un mélange enfin

de tendresse facile et d'esprit français du meilleur temps avec des ouvertures de cœur singulières vers la religion. Il m'allait à merveille, et je lui convins ; nous en fûmes vite aux confidences. Je lui dis mes perplexités ; il y entrait avec un intérêt plein de fraîcheur, et comme il sied à une amitié qui ne veut pas rester fade, même il côté de l'amour ; il jetait dans mes sentiments embarrassés des mots pénétrants avec sa supériorité d'expérience. Cette liaison et cet exemple ne furent pas sans influence sur moi, et m'enhardissaient près de madame R.

Mais je ne parvenais pas, quoi que je fisse, à affranchir ma pensée de l'exil de Blois. Tous les deux ou trois jours, en revoyant au petit couvent madame de Cursy, quand je l'entendais, inquiète et bonne, m'entretenir, comme d'habitude, de la santé et des mérites de sa nièce, ne doutant pas que je ne fusse le même, quel reproche cruel ces confiantes paroles étaient à mon inconstance ! Chaque lettre qu'il me fallait leur écrire ou que je recevais d'eux, ou que madame R. aussi recevait parfois, remettait en mouvement cette corde fondamentale dont la plus faible vibration éteignait en moi tout le reste. Je leur parlais du procès de Georges, comme y assistant ; mais, ne pouvant en aucun cas exprimer par lettres mes libres sentiments à ce sujet, j'avais le droit d'être sommaire. Souvent, au milieu des démonstrations factices, il m'échappait, en écrivant, des signes d'affection en détresse et des appels bien sincères. Cela m'arrivait surtout à la suite de cette comparaison inégale qui s'établissait malgré moi entre les deux âmes, et à l'idée des manques fréquents, et de ce je ne sais quoi de médiocrement profond et de frêle, que je découvrais déjà chez madame R. Combien de fois, revenant, le soir, des quartiers bruyants avec l'aimable ami, confident trop complice de mes détestables progrès, sur ce Pont-des-Arts, alors tout nouveau, où nous nous séparions, je m'écriai en lui désignant l'absente : « Ah ! c'est Elle, c'est Elle encore que j'aime le mieux, et qui saurait le mieux aimer ! »

XVII

Il y a un Amour qui aime l'oubli, le silence, les bois, ou indifféremment un lieu solitaire quelconque, dans la présence, ou dans la pensée de l'être aimé. Que lui importent, à cet amour vrai, l'ignorance où l'on est de lui, les discours ou l'insouciance du monde, ses interprétations malignes, l'admiration du vulgaire ou les compassions fausses des égaux, les rivaux en gloire qui disent de l'amant qu'il s'alanguit et s'évapore, les rivales en beauté qui insinuent de l'amante qu'elle dépérit secrètement dans l'ennui et l'abandon ? Que lui importent les soirées tourbillonnantes du plaisir, les midis resplendissants au gré du clairon des victoires, les spectacles toujours renouvelés où s'égare la curiosité de l'esprit ou des yeux ? S'il est ignoré des autres, cet amour est compris et a sa couronne dans un cœur. S'il ignore le reste, il lit toute une science infaillible dans son abîme chéri. S'il se fixe durant des saisons, sans bouger, devant un regard, il y voit naître et passer des bois et des sources étincelantes et des paradis d'Asie. S'il fait un pas, s'il voyage, tout également s'enchante, mais parce qu'il voit tout à travers une même larme. Il ne m'a pas été donné de ressentir un tel amour, mon ami ; mais il m'a été donné d'en savoir plus d'un trait et d'y croire. Deux amants qui s'aiment de véritable amour, a écrit un être simple qui avait le génie du cœur, au milieu du monde et des choses qui ne sont pour eux qu'une surface mouvante et sans réalité, ressemblent à deux beaux adolescents, aux épaules inclinées, les bras passés autour du cou l'un de l'autre, et regardant des images qu'ils suivent nonchalamment du doigt : ce ne sont pour eux que des images. Un tel amour existe, Dieu a permis qu'il s'en rencontrât çà et là des exemples sur terre ; que quelques belles âmes en fussent atteintes,

comme d'une foudre choisie qui éclate sur les temples par
un temps serein. Il en est sorti de bien tendres et souvent
douloureux prodiges. Car ces célestes amours ne tombent
que pour remonter bientôt, au risque sans cela de se
perdre et de s'altérer; ils ne naissent qu'à condition de
mourir vite et de tuer leurs victimes. Rémission soit
faite par vous, Dieu du ciel, à vos créatures consumées!

Mais il est un autre amour plus à l'usage des âmes
blasées et amollies, et qui usurpe communément le nom
du premier; vain, agréable, mêlé de grâce et de malice,
qui s'accommode et aspire à tous les raffinements de la
société, et n'est qu'un prétexte plus ingénieux pour en
parcourir les jouissances, un fil de soie tremblant et souvent rompu à travers le dédale du monde. Cet amour-là
n'ignore rien d'alentour; il s'inquiète, il épie au contraire,
il frissonne et flotte au vent du dehors. Il préfère se
montrer à être, et faire illusion ou envie aux autres à se
posséder en effet. Au lieu de ne voir en tout que des
images, il n'est lui-même qu'une image mobile, qu'il étale
et promène devant d'autres plus ou moins pareilles qu'il
se pique d'égaler ou d'effacer. Hors des regards de la
foule et des occasions agitées, ne le cherchez pas! il désire
sans but, il invente misérablement, et, se supportant mal,
s'ingénie à se distraire. Sève, torrents et flamme, rajeu-
nissement perpétuel d'une même pensée, ardeur ennoblie
de sacrifice, oubli criminel même, mais éperdument
consommé, il ne vous connaît pas! Il n'est pas de l'amour.

Malheureuses sont les âmes que cette démangeaison
appauvrit et ronge! Plus malheureuses encore celles qui,
faites pour concevoir l'autre amour, et sentant quelques
vraies étincelles, ne les gardent pas; qu'un éclair soulève
comme une poussière électrisée, et qui retombent; en qui
pourtant les soucis médiocres et secondaires n'excluent
pas un souvenir errant de la région brûlante! Ce souvenir
les suit et les contriste au sein des inquiètes vanités; ces
vanités les ressaisissent au début des projets meilleurs.
Elles veulent aimer, elles veulent se faire croire l'une à
l'autre qu'elles s'aiment, et elles ne le peuvent. Madame R.
et moi, nous étions un peu de ces âmes.

Elle surtout, si je l'ose dire. — Je voudrais vous la
peindre au complet sans faire injure à sa douce mémoire,
et j'y parviendrai avec justice pour sa sensibilité et tant
de vertus aimables, si je sais être narrateur fidèle. Ce qui
me piquait le plus de sa part, après ses premières tristesses vaincues et sous son évidente satisfaction de cap-

tiver et de plaire, c'était quelque chose de timoré, de
méfiant, de dissimulé par habitude et par crainte, un
calice qui doutait de ses parfums, une tige qui doutait
de tous zéphyrs, une source longtemps contrainte et
restée avare. Si je la suppliais de répondre à mes lettres,
qui s'entassaient entre ses mains, par quelques pages
familières et épanchées, elle me le promettait et le
faisait à peine. Mais je découvrais qu'elle détruisait
presque tout ce qu'elle avait d'abord écrit dans un
moment de passion; elle déchirait chaque matin au réveil
ses billets d'après minuit. Un jour, j'en surpris un, non
achevé, et le lui arrachai de force; c'était exalté et comme
délirant. Mais le sang-froid revenait vite et resserrait
tout. Le peu qu'elle me donnait de ces billets, elle trouvait moyen encore de me les retirer au fur et à mesure
sous quelque prétexte. J'obéissais en frémissant et rougissais pour elle autant que pour moi de ce mesquin
affront. Soit sentiment de sa faiblesse et prévoyance de
vertu, soit apprêt de coquetterie, soit plutôt mélange
indéterminé de tout cela, elle me refusait constamment
la facilité des entrevues en des lieux sûrs et sans témoins.
Nous étions bien libres de longue causerie à la campagne;
sa tante nous gênait peu; mais, à Paris, nous étions moins
à nous. Il lui arrivait souvent de me faire faute au sujet
des sorties que nous arrangions ensemble. Le commencement d'ordinaire allait bien, nous nous rencontrions;
mais, entrée seule quelque part pour une visite, au lieu de
reprendre ensuite le coin où je l'attendais, elle m'esqui-
vait par un autre. Étant venus un jour au petit couvent
chez madame de Cursy, comme nous passions devant ma
chambre, je voulus la lui montrer; mais elle s'y opposa,
en laissant voir un soupçon obstiné et irritant; madame
de Couaën, innocente et large de cœur, y serait mille fois
entrée. En revanche, madame R. semblait pleine de
confiance, d'abandon et presque de fragilité, là où nous
n'avions qu'une minute rapide, à la traversée d'une
chambre dans une autre, au détour d'un bosquet de
Clarens, ou sur un seuil où il fallait se séparer. Si je lui
reprochais ces contradictions blessantes, elle en convenait,
accusant sa nature trop faible et insuffisante pour le bien
comme pour le mal. Mes lettres passionnées lui étaient
chères; elle se demandait en les relisant, disait-elle, si elle
en était digne; elle s'avouait fière du moins de les inspirer;
et elle en était fière en effet vis-à-vis d'elle-même, plutôt
encore que naïvement comblée et heureuse. Mais son

affection avait aussi des accents de bien simple langage.
Elle souhaitait presque que je fusse malade, assez pour
être au lit, sans danger pourtant : Oh! comme elle me
soignerait alors elle-même de ses mains! comme elle me
prouverait son dévouement sans contrainte! Madame R.
était bien touchante et pardonnée, quand elle disait ces
choses, le front soyeux et tendre, penchée sur ses pâles
hortensias.

— « Où couriez-vous tout à l'heure, me disait-elle un
soir que, ne l'ayant pas vue de la journée, j'avais couru
d'abord, en entrant, dans le parc où elle était, mais vers
un bosquet où elle n'était pas, passant assez près d'elle
sans l'apercevoir; où couriez-vous donc ainsi ? » —
« J'avais aperçu là-bas, répondis-je, une forme fine et
blanche dans l'ombre, et je croyais que c'était vous; mais
ce n'était qu'un lys, — un grand lys, que, d'ici, voyez, à sa
taille élancée et à sa blancheur dans le sombre de la verdure, on prendrait pour la robe d'une jeune fille. » — « Ah!
vous cherchez maintenant à raccommoder cela avec votre
lys, s'écriait-elle vivement et d'un air de gronder; je veux
bien vous pardonner pour cette fois d'avoir passé si près
sans m'apercevoir. Mais prenez garde! celui à qui pareille
faute arriverait deux fois de suite, ce serait preuve qu'il
n'aime pas vraiment; il y a quelque chose dans l'air qui
avertit. » — Plus tard, en hiver déjà, comme un soir je
l'avais suivie de loin, au sortir d'une maison d'où on la
ramenait sans que je dusse l'aborder, elle me dit le lendemain qu'elle m'avait bien reconnu. — « Et comment, lui
demandai-je, sous mon manteau, à cette distance et dans
l'ombre ? » — « Oh! je ne m'y trompe pas, moi, répliquait-
elle : je ne vous ai pas vu, mais je vous ai senti! » — De
tels mots, comme vous pouvez croire, radicataient en moi
l'effet de bien des médiocrités. Je les racontais à mon
nouvel ami, arbitre sûr en ces gracieuses matières. Il me
montrait en échange des lettres humides encore du langage dont s'écrivent les amants, et je rapportais de ces
conversations sensibles, toutes pétries de la fleur des
poisons, un surcroît de chatouillement et une émulation
funeste.

Madame R. m'entraînait sans peine aux fêtes militaires,
aux cérémonies de cet hiver du Couronnement où nous
entrions, et qui fut si radieux. A la vue de ces groupes
d'élite, de tant de jeunesses héroïques et fameuses, il
m'était clair qu'elle aurait désiré et aurait été flattée que
j'en fusse. Elle me citait des noms illustres de mon parti

qui avaient cessé de dédaigner ce service de périls et
d'honneur. Les saluts légers que les sabres nus adres-
saient, en défilant, aux femmes des estrades et des balcons, nous allaient au cœur. Pourquoi n'étais-je pas là en
bas pour passer aussi à la tête des miens, déjà décoré et
glorieux, pour la saluer de l'éclair de l'épée, et pour
qu'elle me reconnût et me montrât d'une main sans
effort qui prend possession, d'un geste qui veut dire à
tous : *Il est à moi!* J'étais ébranlé; je rongeais mon frein,
comme un coursier immobile qui entend des escadrons :
« Oh! avant ces derniers événements, répondais-je, que
c'eût été là ma place et mon vœu! mais après, maintenant, comment est-ce possible ? Après d'Enghien, —
après Georges, — jamais! » Et je baissais la tête comme un
vaincu obscur; elle gardait le silence, et le reste de la fête
se passait jalousement. Au théâtre, à la représentation des
opéras les plus recherchés, c'était de même. Moi, j'y
aurais volontiers été heureux; mais, elle, témoin des élégances et des triomphes de son sexe, voyant quelquefois
une salle entière se lever et applaudir idolâtrement à
l'arrivée tardive des femmes, Reines alors de la beauté,
elle tombait à son tour en jalousie et en tristesse. Au lieu
d'être à nous seuls et enivrés dans ces loges étroites où sa
tante, bien que présente, nous interrompait à peine, et
qui semblaient comme une image exacte de notre situation en ce monde, isolés que nous étions, à demi obscurs,
pas trop mal à l'aise et voyant sans être vus, — au lieu de
cela, nous nous regardions avec souffrance et des pleurs
d'envie qui n'étaient pas pour nous. Etait-ce donc là de
l'amour ?

Ce n'était guère de ma part qu'un goût vif, né de
l'occasion prolongée, d'une convenance apparente, et de
ce projet que je formais, hélas! de ne plus dédoubler mon
âme et mes sens; c'était de sa part une langueur affectueuse assaisonnée de vanité. Nous n'avancions qu'à
l'aide de mille pointes et de ces ruses qui aiguisent,
tiennent en haleine et harcèlent. Dans les bals, elle se
plaisait par moments à me donner des craintes de rivalité
et des impatiences. Une fois, au mariage d'une de ses
parentes où elle m'avait fait inviter, elle s'entoura bruyamment, toute la nuit, de jeunes gens et de cousins de province, jouant la reine de ces lieux. Quoique j'eusse facilité
entière pour la visiter ou l'accompagner chaque soir, nous
avions imaginé, par quelque réminiscence romanesque,
que je serais régulièrement à minuit sous une de ses

fenêtres qui donnait dans une rue peu fréquentée, et que
là, penchée une minute à son petit balcon, elle me jette-
rait quelque adieu, un geste, un billet au crayon ou le
bouquet de son sein. Je ne manquais pas au rendez-vous,
et veillais sous cette croisée en sentinelle opiniâtre, par la
neige ou la pluie et toutes les lunes du ciel, immobile ou
rôdant, objet suspect pour les rares passants qui s'écar-
taient de mon ombre avec prudence. Le plus souvent donc,
l'ayant quittée vers onze heures, je la retrouvais là bientôt après. J'avais suivi, durant l'intervalle, les moindres
mouvements de lumières dans sa maison, et la sortie des
visiteurs, et sa demi-heure d'étude solitaire sur la harpe,
comme un prélude au lever de l'étoile d'amour; j'avais
saisi des sons même du chant de sa voix, et son ombre, et
celle de sa femme de chambre qu'on devinait s'agitant
autour d'une chevelure dénouée, et ce coin de rideau
entrouvert par où elle s'assurait, un peu avant, de ma
présence. Mais, à peine apparue et saluée, et le gage
tombé de ses mains, je lui faisais signe de rentrer sans
plus de retard, à cause du froid de la saison. Sa vitre alors
se refermait; il ne restait à mes yeux que son toit tout
blanc de neige ou de rayons, et le tremblement de l'ar-
doise argentée. D'autres soirs pourtant elle oubliait, je
pense, un peu à dessein, que j'étais là; son étude de harpe
durait bien longtemps, et les sons qui jaillissaient avec
plus de prodigalité et d'éclat semblaient d'en haut insulter
à mon attente. Il lui arriva même, une ou deux fois que je
ne l'avais pas vue de la journée, de ne pas du tout paraître,
comme si ce n'avait pas été convenu; et moi, dans mon
acharnement, j'attendais toujours. J'avais comme gagné, à
force de marcher le long de ce mur, la stupidité d'un fac-
tionnaire qu'on ne relève pas. Mes pieds retombaient
imperturbables sur les mêmes traces; mais je ne savais
plus à quelle fin j'étais dans ce lieu. Puis, me le rappelant
tout d'un coup, et voyant sa lumière éteinte, la colère,
l'indignation contre ces ruses cruelles ou contre un oubli
non moins outrageux me bouleversaient; je rêvais, par ce
balcon trop inaccessible, quelque moyen d'invasion prochaine, et m'en revenais à travers tout Paris, la tête agitée
de projets entreprenants et d'escalades violentes. Oh!
l'ardeur d'âme noblement exhalée! ne trouvez-vous pas?
Quel hiver glorieux ce fut, et quel couronnement de ma
jeunesse!...

Cependant je n'avais plus aucune excuse auprès de mes
amis de Blois pour prolonger à Paris ce séjour sans inter-

ruption. Dans une des lettres que le marquis m'écrivait
(car depuis quelques mois c'était lui qui écrivait plutôt
qu'elle), il disait : « On craint ici que vous ne nous négli-
giez un peu, mon cher Amaury : madame de Couaën vous
accuse d'être facile aux habitudes nouvelles, et je me
demande moi-même si madame R. ou quelque autre
accueil aimable ne nous a pas supplantés près de vous. » —
En recevant ces mots, j'aurais voulu partir, donner
huit jours au moins au passé, à l'amitié veuve, aux regrets
et au soutien d'une illusion croulante, à la réparation trop
incomplète d'un mausolée sacré. Mais madame R. restait
principalement en garde sur ce point : c'était un ressort
qui, à peine touché, resserrait en elle toutes les langueurs
et les sourires, tendait brusquement toutes les méfiances.
Huit jours à Blois eussent reculé et anéanti l'effort de mes
huit mois parjures. Si seulement elle me voyait triste
d'une certaine tristesse, elle soupçonnait cette cause et
devenait à l'instant d'une altération de ton et d'une aigreur
singulière. Je remettais donc chaque jour d'ouvrir la
bouche sur ce court voyage, et je n'osais jamais.

Il y avait un an bientôt qu'ils avaient quitté Paris. Il y
en avait déjà deux que, sortant pour la dernière fois de la
Gastine, j'avais demandé, en langage embarrassé et couvert, à mademoiselle Amélie ce terme de deux ans pour
voir clair dans ma destinée et me résoudre sur les futurs
liens. J'apprenais qu'elle devait venir prochainement
passer quelques semaines chez une amie de sa mère.
Qu'allais-je avoir à lui dire, et comment masquer tant de
confusion ? Quelle clarté si nouvelle avais-je donc acquise
durant ces deux années ? quelle ouverture avais-je pra-
tiquée à travers les choses ? Une volonté vacillante et
bégayante, plus inarticulable que jamais ; une situation
plus fausse et plus déloyale, non seulement vis-à-vis
d'elle, mais envers deux autres cœurs également blessés !
Pas un acte d'énergie, pas une direction tentée en vue du
bonheur d'autrui ni du mien, pas une droite issue ! Noble
jeune fille qui, debout, sans vous lasser, si fermement
enchaînée au seuil d'une première espérance, ressembliez
à une jeune Juive, au bord d'une fontaine ou d'un puits,
les mains dans vos vêtements, attendant que le serviteur
peu fidèle revînt placer sur votre tête l'urne pesante, ou
déjà ne l'attendant plus, mais restant, regardant toujours,
n'appelant jamais, jamais importune même dans le plus
secret désir, appuyée sur votre gentille Madeleine qui
grandit moins folâtre et qui n'a pas surpris une seule de

vos larmes! ô sublimité simple de la volonté et du devoir!
quel retour il se faisait en moi-même, chaque fois
qu'ainsi vous m'apparaissiez! Il me semblait en ce
moment que, malgré le terme échu des deux années, et
quand je devais me prononcer sur son avenir, ce n'était
pas d'elle encore que m'entretenait cette personne de
sacrifice, ce cœur voué au service des autres et à son
propre oubli; c'était de madame de Couaën, et des
reproches et des hontes de cet abandon, c'était de cette
vive peine que me parlait le plus le souvenir de mademoiselle Amélie. Je ne lui prêtais, croyez-le, que des pensées
dignes d'elle; j'interprétais ce qu'elle sentait en vérité,
ce qu'elle aurait senti si elle avait tout su; je croyais par
moments l'entendre, qui me disait : « Ah! pour elle du
moins, pour elle, je ne me fusse plainte jamais de mon
délaissement, je n'eusse point rougi de vous, ô mon ami;
mais elle aussi quittée, elle aussi peut-être en proie à
mes douleurs! Ah! pitié pour ce sein maternel qui n'a
pas de place à cacher de telles angoisses, pitié pour ce
front d'épouse qu'aucune ombre suspecte ne doit
obscurcir! Oubli sur moi, pitié et bonheur pour elle, si
j'ai encore quelque droit! »

Dans les dernières lettres du marquis, il était plus
question de la santé de sa femme, et les expressions
de vague crainte s'y reproduisaient fréquemment.
Madame de Cursy m'en parlait sans cesse, et sa petite
communauté priait pour la chère absente. Le nom de
madame de Couaën, prononcé par hasard dans le monde
que je voyais, m'était devenu une cuisante épine et un
supplice. Plusieurs fois, des personnes, qui nous avaient
aperçus l'an dernier toujours ensemble, s'informaient où
en était aujourd'hui une amitié si inséparable, et souvent,
quand j'arrivais dans une compagnie, j'entendais qu'on
adressait tout bas cette question à madame R., laquelle,
au reste, ne manquait pas de me le venir rapporter d'un
certain air de dépit, et comme si je lui eusse valu un
affront. Un jour, à un dîner chez elle, où il y avait bon
nombre d'invités, la conversation générale s'étendit sur
madame de Couaën. Une dame qui l'avait rencontrée, en
passant récemment à Blois, disait qu'elle était à ne pas
reconnaître, fort maigre, et d'un moment à l'autre très
pâle ou avec des plaques vives aux joues. Je restai fixe et
consterné à ces détails. Madame R. s'était levée sous un
prétexte, et avait quitté la chambre. En rentrant, elle me
trouva le visage tout noyé et luttant avec des pleurs que je

m'efforçais de dérober aux convives. Quelques instants
après, comme on passait au salon, elle s'approcha de moi
et me dit dans un éclair irrité : « Oh! vous l'aimez bien! »
En ces moments jaloux, le plus subit changement se faisait en elle; ce n'était plus rien du nom d'Herminie; à la
soie onctueuse et cendrée de son front, à l'ivoire mat et
tiède de sa joue, succédait une légère et dure verdeur
comme métallique. Ses lèvres avaient des accents clairs
et vibrants, le rire lui sortait d'un gosier moqueur; elle
fut d'une coquetterie folle toute cette soirée. Je ne pouvais mieux la comparer alors qu'au malicieux sphinx de
bronze que je vous ai dit. Je le lui écrivais à elle-même le
lendemain; je me justifiais de mes pleurs, et m'attachais à
lui prouver que celui-là ne serait pas digne d'elle, qui, en
ma place, ne les eût pas sentis déborder. Elle en convenait sans peine, et se désarmait, et reprenait les molles
couleurs. Mais la confiance vraie ne se rétablissait pas à
fond, ou plutôt elle ne fut jamais, en aucun temps,
établie entre nous.

XVIII

Perplexités, mon ami, que je ne puis vous rendre, si vous-même n'y avez point passé, qu'il ne faut point mesurer à l'étendue des motifs apparents, et que compliquaient encore ces tristes consolations souillées dont l'effet immédiat attaque si directement la volonté à son centre! Vie tiraillée et nouée dans les plus sensibles portions de l'être! Embarras paralysant d'une nature née pour le bien, d'une jeunesse qui s'est prise au piège, en voulant illégitimement aimer, et qui ne sait plus aboutir en vertu franche ni en désordre insouciant et hardi. Agonie, rapetissement, et plainte des âmes tendres déchues! Oh! j'ai bien connu cette situation fausse et son absurde profondeur, ces dégoûts de tout qu'elle engendre, cet embrouillement inextricable qui meurtrit bientôt sur tous les points un cerveau jusque-là sain, net et vigoureux, cet échec perpétuel au principe et au ressort de toute action, cette lente et muette défaite au sein des années vaillantes! C'est comme un combat qui se livre incessamment en nous sans pouvoir se trancher d'un côté ni de l'autre, et l'âme en prostration, qui est le prix du combat, sert aussi de champ de bataille et subit tous les refoulements contraires, et ne sait, à la fin de chaque journée, à qui elle appartient! Ce sont de longues matinées, attachées et clouées à une même place, comme par une manie obstinée; sur un fauteuil, ou dans ses rideaux; la tête dans les mains, les yeux se dérobant, comme indignes, à la clarté du jour, et le visage caché dans un chevet; — plus d'étude, un livre ouvert au hasard, qu'on lit presque au rebours, tant l'esprit est ailleurs! quelques gouttes de pluie qu'on écoute tomber une à une dans la cendre du foyer; de vrais limbes sous une lumière blafarde et bizarre; une inertie mêlée d'angoisse, d'une angoisse dont on n'a plus présents les motifs, mais qui subsiste comme une fièvre lente dont on compte les battements. Et si l'on y repense, un éveil, un ébranlement confus de tous les obstacles, de toutes les difficultés et impossibilités, mais nulle issue, pas une ouverture pour rentrer dans la paix et l'équilibre, pour se replacer dans l'ordre en s'immolant à quelqu'un. Un flot lent qui soulève et remue au fond de nous toutes les étables d'Augias ; aucun torrent qui les purge et les entraîne ; — et nous, notre Ame, là devant assise, mais assise dans le supplice de Thésée ; attendant comme le paysan imbécile, que ce fleuve croupissant soit écoulé et tari ! Voilà où mène le séjour dans ces situations fausses auxquelles on condamne sa jeunesse : elles portent avec elles et en elles une expiation terrible. De telles misères sont bien à mépriser, mon ami ; mais, il faut se le rappeler, si l'on était tenté d'en trop rougir et de s'en accabler d'une âme trop abattue, elles ne sont pas plus à mépriser que tant d'autres misères de notre faute et agonies méritées sur cette terre. Du côté du respect humain, qui veut de l'action à tout prix, du mouvement et du bruit jusque dans le mal, et qui rougirait de l'aveu de toute agonie tandis qu'un Dieu a bien eu la sienne, il n'y aurait guère de secours ni d'allégeante parole à tirer : j'entends déjà les reproches durs et les risées des superbes que scandalisent de si abjectes faiblesses. Chrétiennement et aux yeux de Dieu, ces faiblesses, voyez-vous, ces sueurs tremblantes ne sont pas plus petites que tant d'actes et de résultats dont on se glorifie, que tant de triomphes menteurs qui se proclament, que ces enfers plus ardents des rivalités et des haines, que ces agitations extérieures ou secrètes des Whigs et des Tories de toutes sortes dans les divers étages de la fortune, des honneurs et du pouvoir. Devant Dieu, devant mes frères en Dieu, mon ami, je confesse mes langueurs, je les foule et les humilie en toute honte : devant les autres faiblesses humaines qui feraient les fières, je les relève, ou du moins je soutiens qu'elles sont sœurs, et que dans les nôtres, si elles sont plus inactives et paralysées, c'est qu'il entre plus d'âme aussi, un reste de scrupule spirituel, un élément infirme qui n'a plus la force d'être bon, mais qui en a la conscience, qui empêche de passer outre, qui suspend et neutralise, qui, chassé de notre chair, se réfugie dans nos os, et nous brise, et gémit !

Je me serais pourtant décidé, je le crois bien, à partir

pour Blois sans prévenir madame R. à l'avance, sans
obtenir congé d'elle, et en écrivant simplement un soir
que j'avais pris sur moi, malgré tout, de me condamner à
cet exil de huit jours : mais une lettre du marquis,
cachetée en noir, me dispensa cruellement de plus
d'effort ; le marquis m'y apprenait la mort subite de son
fils, et, muet sur la profondeur de sa blessure, il m'y
parlait de sa femme et de l'état alarmant où ce coup l'avait
réduite, me chargeant de réclamer pour lui une permission de retour et de séjour d'une quinzaine à Paris : il
voulait la dépayser dans ces premiers instants de la
douleur et consulter aussi les médecins. Je courus à
M. D..., qui en fit son affaire près du ministre Fouché, et
l'ordre fut expédié de la police en même temps que
ma lettre d'annonce au marquis.

Cet enfant, que nos amis venaient si amèrement de
perdre, était l'aîné de sa sœur ; il avait au moins sept ans
accomplis, étant né en Irlande même, à Kildare, avant
l'arrivée en France des époux. Ses qualités précoces
librement développées et une pénétrante beauté intérieure faisaient de ce jeune Arthur un être rare, une
créature doublement précieuse. D'une complexion
blanche, aux yeux, aux cheveux noirs, le front aisément
caressé des songes, d'un naturel très réfléchi et très
sensible, il tenait de sa mère et de sa grand-mère, de
cette lignée aimante des O'Neilly. Il était même empreint,
au bas du cou, d'un signe de naissance que sa grand-
mère seule avait eu, et dont sa mère n'avait pas hérité.
Madame de Couaën m'en fit la remarque un jour qu'elle
le déshabillait et l'embrassait sur ce signe avec émotion
et respect. Sa jeune sœur au contraire, toute Lucy qu'elle
était et que sa marraine madame de Cursy l'avait appelée,
resserrée et grave, taciturne plutôt que silencieuse, dédai-
gneuse encore plus que rêveuse, la prunelle bleue et la
lèvre un peu haute, annonçait davantage ressembler à son
père et sortir de cette souche antique des Couaën, qui
avait longtemps creusé, obscure et solitaire, dans son roc,
mais obstinée, vivace et forte. Ces deux enfants s'aimaient
tendrement, et le jeune Arthur rendait à sa sœur une
espèce de culte délicat et des égards même de chevalier
et de poète. A Couaën, il lui tressait des couronnes dans
les prés, au bord du canal, et se plaisait à l'en parer durant
durant des heures ; elle se laissait faire, assise, immobile
et dans le sérieux d'une jeune reine. Une fois, comme on
les avait vus, depuis plusieurs jours, s'enfoncer seuls dans

une allée du bois, au bout du jardin, on eut la curiosité de les suivre. Ils s'étaient fait un petit carré à part, entouré de gazon, et un beau jasmin au milieu; Arthur avait demandé au jardinier de le lui planter à cette place. A force d'entendre parler d'Irlande et de Kildare à leur mère, ces enfants en étaient pleins, et la jeune sœur questionnait son frère, qui y était né, comme s'il en avait su plus qu'elle. Arthur avait donc imaginé d'appeler *Kildare* ce lieu-là qu'ils s'étaient choisi comme faisait Andromaque en Epire au souvenir de Pergame, et comme font tous les exilés. Par une aimable idée de métamorphose, digne de la poésie des enfants ou des anges, le beau jasmin du milieu figurait leur aïeule madame O'Neilly, dont madame de Couaën les entretenait sans cesse et qu'elle regrettait devant eux. Chaque jour, ils venaient causer avec le jasmin et chanter à l'entour de lentes mélodies. Dans le bouquet matinal qu'ils offraient à leur mère, Arthur et sa sœur mêlaient un peu de la fleur de ce jasmin, pour qu'il y eût un souvenir, un bonjour confus de leur grand-maman, mais sans que leur mère le sût, de peur de réveiller directement ses regrets d'absence. On découvrit à la fin tout cela. Ne vous semble-t-il pas, en cet enfant, à travers un instinct de spiritualité et de prière, saisir une inspiration des fées mourantes, un souffle d'Ariel déjà baptisé? J'appelais depuis ce temps Arthur *notre jeune barde*, et ce fut à plus forte raison lorsqu'un jour, après l'avoir cherché longtemps au logis, comme tous étaient dans l'inquiétude, je le trouvai sur la montagne, assis seul et les yeux en larmes vers la mer, sans qu'il me pût expliquer comment ni pourquoi il était là. Son père l'aimait à l'adoration, et quand il le tenait entre ses genoux, le contemplant et lui arrachant de naïves paroles, et, du sein de son ombre habituelle, s'illuminant doucement de lui, je ne pouvais m'empêcher de trouver qu'il y avait dans cet enfant tout tendre et poétique beaucoup pourtant du génie paternel, un germe aussi des inquiètes pensées, un rêve de vague gloire peut-être autant que de tendresse, quelque chose d'une fixité de mélancolie opiniâtre et dévorante. Ce noble père souriait en ces moments sans doute à l'idée que l'enfant serait quelque jour un flambeau, une illustration qui réfléchirait sur la race jusque-là inconnue et sur lui-même. Heureux et deux fois sacrés les pères qui reçoivent d'un fils glorieux l'éclat qui les a fuis et qu'ils auraient les premiers mérité!

Depuis le départ de Couaën, Arthur avait été assez triste et maigrissant, malade dans sa sensibilité. Les bons soins du petit couvent ne lui avaient pas fait oublier la grève et les bois. Dans les commencements, il demandait souvent à sa mère, mais en se cachant de madame de Cursy, pour ne pas avoir l'air de la vouloir quitter : « Maman, reverrons-nous bientôt la mer ? » Madame de Cursy, un jour, en traversant le jardin pendant l'office, les surprit, lui et sa sœur, qui psalmodiaient, à l'unisson des vêpres, cette espèce de couplet de l'invention d'Arthur :

> Bon Dieu, rendez-nous la mer
> Et la montagne Saint-Pierre,
> Et notre petit jardin
> Et grand-maman le jasmin !

Le caractère de sa sœur devenait aussi plus difficile, et volontiers capricieux ou impérieux. Nous avions quelquefois des discussions avec madame de Couaën sur la direction qu'il aurait fallu donner à ces jeunes êtres ; mais naïve, excellente sans effort, et n'ayant eu que les baisers maternels pour discipline, elle entrait peu dans ces nécessités ; et moi, qui m'offrais à cette tâche, aurais-je eu la persévérance et le désintéressement de la remplir ? Dans le court séjour que j'avais fait à Blois, Arthur, profitant d'un moment où j'étais resté seul près de son lit (car il se trouvait alors malade), m'avait dit : « Pourquoi ne viens-tu plus avec nous ? tu nous fais de la peine. » Je ne sais ce que je lui répondis ; il se tut comme s'il eût pensé beaucoup et ne me questionna plus. La petite Lucy, plus fière ou moins sensible, ou plus discrète encore, ne m'aurait rien demandé.

Et quand je vous peins ainsi ces deux beaux enfants par les traits qui les détachent du fond commun de leur âge, je ne prétends pas dire, au moins, que ces traits distinctifs apparussent continuellement en eux et en fissent d'avance de complets modèles. Oh ! non pas ! souvent Arthur le barde était bruyant, altier ou mutiné ; souvent sa royale sœur était familière, babillarde, ou d'un rien émue et en larmes ; souvent ils folâtraient et se confondaient à nos yeux selon les grâces et toutes les contradictions de l'enfance.

C'était donc un de ces chers objets que venaient de perdre nos amis. J'étais présent à les attendre lorsqu'ils arrivèrent en pleine nuit au petit couvent. Il n'y eut

entre nous que des mains pressées, des embrassements
étouffés, sans parler de rien, sans rien nommer. Elle me
parut au premier coup d'œil moins changée que je ne
l'avais craint, et toujours belle.

Le lendemain matin, je les vis l'un et l'autre, et d'abord
séparément. Avec lui, dès que j'eus osé toucher l'immense
plaie, je fus interrompu par un geste négatif, irrévocable;
je balbutiai et n'essayai pas de poursuivre. Il y avait, je
le sentis aussitôt, dans sa douleur plus que celle d'un
père pour son enfant; il y avait l'idée d'enfant mâle, de
premier-né ravi, le deuil du nom éteint, quelque chose de
blessé autre part encore qu'aux entrailles, une portion
d'amertume non avouable parce qu'elle avait sa source
dans l'antique préjugé plus avant que dans la nature; et
nulle consolation dès lors ni même aucun langage possible
à ce sujet. Il aimait sa fille, sa fille si semblable à lui dans
une saison si tendre, sa forte image traduite en gentillesse
et en beauté, mais elle ne remplaçait rien à ses yeux; un
fils seul pouvait lui cacher le vide des ténèbres. Etait-il
homme à en désirer un encore, à recommencer une
espérance? Si les médecins le rassuraient sur la santé de
madame de Couaën, si, dans son orgueil de race, il venait
à redemander l'espoir d'un héritier mâle à la mère
d'Arthur... en cet éclair, mon front se couvrit de honte,
et je souhaitai que les médecins la trouvassent mal, la
jugeassent atteinte de mort.

Elle était mal en effet; le jour me la montra plus douloureuse et affaiblie. Elle du moins, elle était toute mère
et rien que mère; elle me parla la première de son fils, se
rejeta en pleurant sur sa fille qu'elle baisait, et qui, debout
et morne, semblait porter toute cette affliction et contenir,
pauvre enfant! la sienne. Un mot de madame de Couaën
me révéla sous sa plaie vive le ravage d'une mélancolie
bien profonde : « Ce coup, disait-elle, était un châtiment
mérité pour avoir désiré quelque chose hors du cercle
tracé, hors de la famille, et elle avait été frappée au-dedans
comme par un rappel sévère. » Je voulus vainement
combattre cette interprétation, qui me parut lugubre et
qui n'était que rigoureusement chrétienne; mais elle
n'avait pas de pensées à la légère; celle-ci avait pris racine
en elle durant tout son séjour délaissé à Blois, et l'y avait
obsédée constamment; la mort de son fils n'avait fait que
confirmer une crainte préexistante.

Elle me conta comment le corps embaumé était parti
pour Couaën, sous la conduite du vieux serviteur Fran-

çois, et que le marquis, durant une veillée lamentable, avait tout fait lui-même, qu'il avait tout scruté, tout enseveli, tout cloué de ses mains, sans souffrir témoin ni aide.

Dès ce premier jour, je sentis la gêne de ma situation nouvelle; l'heure de voir madame R. étant arrivée, il fallut quitter madame de Couaën. Ses droits anciens, sa douleur récente n'allaient pas jusqu'à me retenir une demi-journée entière; une autre avait l'empire du moment. Madame R. vint le soir embrasser son amie. Cette première visite se passa bien. Madame R. pleura beaucoup, et s'abandonna avec naturel à tout ce qu'inspirait un spectacle si abattu; mais, les autres fois, ce fut moins simple; la vanité revint, la rivalité se glissa. J'évitais avec elle toute démonstration trop particulière; mais d'un geste, d'un clin d'œil, elle savait assez marquer son ascendant sur moi et dénoter notre intelligence établie. J'allais chaque matin, avant deux heures, au petit couvent; puis madame de Couaën avait beau me vouloir retenir, je m'échappais et volais à la Chaussée-d'Antin, où, saignant encore d'impressions graves et affligées, je trouvais souvent un accueil aigri et mille jalousies en éveil. Tous ces petits griefs entraient, s'accumulaient en moi, y brisaient, pour ainsi dire, leurs épines, et, s'il n'en résulta sur le temps aucune grande secousse, ils se retrouvèrent plus tard avec usure. Soit amitié au fond, soit secret désir de surveillance, madame R. vint passer près de madame de Couaën plusieurs des soirées de cette quinzaine, tantôt seule, tantôt accompagnée de sa tante. Fort occupé que j'étais en ce mois-là de certaines séances du soir sur le magnétisme animal, je faisais pourtant en sorte de revenir toujours à temps pour reconduire madame R., mais quelquefois à temps seulement, et sans prendre longue part à l'entretien. Madame de Couaën ne perdait rien de ces concordances, et en souffrait.

Cela se voyait surtout au sourire d'adieu qu'elle tâchait de nous faire aussi bienveillant que son triste cœur, à ce sourire qui ne réussissait pas à en être un, et qui me semblait dans cette douce pâleur une ride criante. Ô vous qui avez trop vieilli par l'âme et souffert, si vous voulez déguiser le plus amer de votre souci, ne riez jamais, ne vous efforcez plus de sourire!

Un soir que nous avions laissé percer, madame R. et moi, nos arrangements pour une sortie projetée, madame de Couaën se trouvant debout avec nous près de la fenêtre par une lune sans nuages, devant une nuit de magnificence qui nous assurait un beau soleil du lendemain, me demanda de la conduire elle-même dans la matinée suivante à la promenade et à quelque boutique. Elle me le demanda comme pour montrer qu'elle n'était pas piquée ni jalouse, et comme une sœur demande à son tour après qu'une autre sœur a obtenu. J'eus un court moment d'hésitation dans ma réponse, tant à cause de madame R. présente, que parce que cela tombait réellement à travers mes heures occupées. Ce presque imperceptible mouvement fut bien sensible à madame de Couaën; elle se rétracta aussitôt, s'accusant d'être indiscrète et d'abuser légèrement de moi. Il fallut toutes mes instances pour recouvrir ce premier effet et la résoudre à vouloir encore.

Il y avait un an vers la même époque, dans les mêmes lieux, que nous ne nous étions promenés ensemble; je me sentais lié, garrotté par d'autres serments; je m'étais dit de bien mesurer mes paroles. On se crée une ombre d'honneur qu'on essaye de suivre dans cette violation de toutes les lois. Les terrasses exposées, les marronniers et les marbres émaillés de frimas, ces mêmes lisières des allées qu'anime le soleil d'une heure, nous revirent tout changés. Je voulais prendre d'abord un autre tour du jardin; elle insista pour les anciennes traces. Qu'étaient devenus nos promesses et nos projets de bonheur ?... Sa fille cheminait seule à nos côtés.

Il semblait qu'elle avait dessein de subir lentement le contraste des impressions d'autrefois et de celles d'aujourd'hui, d'en tirer un enseignement austère. Elle ne provoqua de moi aucune explication et ne parut pas en attendre. Mais calme, sensée, avec son accent d'imagination native, et soutenue par un flot intérieur profond, elle parla beaucoup et presque seule, dévoilant peu à peu sous le ciel tout un lac nocturne de pensées ensevelies.

Elle disait qu'il y a un jour dans la vie de l'âme où l'on a trente ans; que les choses apparaissent alors ce qu'elles sont; que cette illusion d'amour qui, sous la forme d'un bel oiseau bleu, a voltigé devant nous, sauté et reculé sans cesse pour nous inviter à avancer, nous voyant, au milieu, bien engagés dans la forêt et les ronces, s'envole tout de bon; qu'on ne le distingue plus que de loin par moments au ciel, fixé en étoile qui nous dit de venir; que, vivrait-on alors trente ans encore et trente autres sur cette terre, ce serait toujours de même, et que le mieux serait donc de mourir, s'il plaisait à Dieu, avant d'avoir épuisé cette uniformité; qu'on deviendrait même ainsi plus utile à ceux d'en bas en priant pour eux.

Elle disait qu'il y a pour l'âme aimante une lutte bien pénible : c'est quand l'oiseau d'espérance, qu'on croyait parti pour toujours, redescend encore un instant et se pose; quand on a un jour vingt ans et le lendemain trente, et puis vingt ans de nouveau, et que l'illusion et la réalité se chassent l'une l'autre en nous plusieurs fois dans l'espace de peu d'heures; — mais j'ai les trente ans désormais sans retour, ajoutait-elle.

Elle confessait avoir toujours eu un monde en elle-même, un palais brumeux enchanté, une verte lande sans fin, peuplée de génies affectueux et de songes; avoir vécu une vie idéale tout intense, toute confiante et longtemps impénétrable aux choses; mais que c'en était fait enfin chez elle, et plus rudement que chez d'autres, d'un seul coup.

Elle disait aussi, je m'en souviens, que l'illusion ou l'amour qu'on porte en soi à vingt ans ressemble à un collier dont le fil est orné de perles; mais, au collier de trente ans, les perles sont tombées; il n'en reste que le fil, qui dans un cœur fidèle, du moins, est indestructible et dure cette vie et l'autre.

Elle disait naturellement de ces choses qui semblaient cueillies sur la trace des Esprits des nuits dans les bruyères maternelles, mais de ces choses relevées avec sagesse et mûries dans un cœur tendre.

Et tout en proférant cette science amère de Job d'une douce lèvre de Noémi et avec un souffle d'âme qui ne se lassait pas, la fatigue de marcher la prenait fréquemment. Je choisissais, pour nous y asseoir, les bancs les plus attiédis, comme j'avais espéré faire autrefois pour sa mère à Kildare; et puis nous nous remettions en marche au soleil.

Une pensée encore qui s'offrit dans le cours de sa plainte et qui ne craignit pas de s'échapper, c'est qu'il y a un jour de découverte bien dure, lorsque après s'être cru nécessaire à quelqu'un et avoir cru quelqu'un insépara-ble d'avec nous, le cœur se détrompe, et qu'à un certain soir, tout le monde retiré, on se jette à genoux, la face dans ses mains, priant Dieu pour soi, pour sa propre paix, et ne pouvant plus rien directement dans le bonheur ou le malheur d'un autre.

Elle se reprochait d'avoir trop négligé Dieu jusque-là,

de s'être trop rarement approchée du seul efficace et permanent Consolateur. Elle souhaitait une vie plus retirée, plus étroite encore. Un couvent à Blois avec sa fille aurait été son vœu; car elle craignait, disait-elle, d'être tout à fait inutile et comme étrangère à M. de Couaën, une pure cause pour lui d'habituelle inquiétude.

J'essayais de jeter à travers son effusion, qui reprenait sans cesse, quelques mots de réfutation incertaine; qu'il y a une sorte d'illusion aussi dans le trop de désabusement; que souvent les apparences sont pires que les intentions qu'elles accusent. Mais elle ne paraissait pas entendre ni demander de réponse; elle continuait toujours; pas d'aigreur, pas d'allusion fine et détournée, mais une pleine et générale application de ses paroles aux faits accomplis; une forme clémente, un fond de jugement irréfragable. Toute cette hymne plaintive épuisée, nous étions près de quitter le jardin, quand une charmante enfant, qui passa devant nous, attira mes regards, et je crus reconnaître Madeleine de Guémio. L'idée de mademoiselle de Liniers, qui pouvait être à Paris, m'assaillit brusquement; je le dis à madame de Couaën, et nous nous hâtâmes, pour nous en assurer, vers les deux personnes qui précédaient et avec lesquelles marchait l'enfant. Mademoiselle de Liniers (car c'était bien elle qui, tout nouvellement arrivée, se promenait là avec cette dame, ancienne amie de sa mère) tourna la tête au même moment et me reconnut. Madame de Couaën et elle ne s'étaient jamais rencontrées; mais elles s'étaient écrit, elles s'aimaient. Mademoiselle de Liniers avait appris déjà la perte funeste; ces deux femmes, à peine nommées l'une à l'autre, s'embrassèrent émues; voyant cela, la jeune Madeleine, plus grande, baisait au front la petite Lucy, sérieuse et étonnée. On se promit de se voir; je demandai à mademoiselle Amélie la permission de l'aller saluer; et nous rentrâmes, — chacun, hélas! avec quelle charge accrue et quelle rude moisson de pensées!

Le soir même de cette promenade, comme nous étions réunis chez madame de Couaën et que madame R. et sa tante venaient d'arriver, la conversation s'engagea entre le marquis et moi sur la politique. Il parlait, avec un redoublement d'âcreté, de l'Empire, de cette mystification insolente, et de l'immense ruine que la hauteur de l'échafaudage préparait. D'ordinaire, quand le marquis s'échappait de ce côté, je courbais la tête à son aquilon, et respectais, sans essayer de l'entamer, cette conviction

orageuse où tournoyait une âme inexpugnable; mais ce
soir-là, soit que ses préventions me parussent plus
énormes et insoutenables, surtout à la suite de cette
clémence et de cette justesse d'idées de madame de
Couaën, soit que la présence de madame R. introduisît
quelque aigreur et une pointe d'amour-propre dans mon
impression, sans que je pusse m'expliquer comment, je
me trouvai, après quelques minutes, en contradiction
ouverte avec lui. Jc ne justifiais pas l'Empire; j'alléguais
seulement sur l'éclat de ses armes, sur sa force, sa solidité actuelle et ses bases suffisantes dans la nation, des
raisons assez évidentes, et si évidentes même qu'elles me
donnaient trop aisément le rôle du clairvoyant et du sage.
Mais je disais tout cela d'un ton contrariant, d'un air
d'impatience et de révolte, et c'était la première fois
qu'avec le marquis pareille chose m'arrivait. Etonné de
cette forme nouvelle contentieuse dont je m'étonnais
pour le moins autant que lui, il enraya son ardente
invective et entra avec une douceur singulière et une
netteté soudaine dans la discussion que je lui ouvrais, me
surprenant à chaque instant par ce mélange de haine
aveugle et de condescendance, et par la fermeté, la péné-
tration de certaines vues, au sortir d'assertions toutes
passionnées et d'elles-mêmes croulantes. C'est une
épreuve que j'ai d'abord faite sur M. de Couaën, et que
j'ai depuis eu l'occasion de vérifier souvent, mon ami,
combien chez les hommes forts de hautes parties d'intelligence et de génie sont compatibles avec les déviations
et les défectuosités les plus abruptes. On croit les tenir,
et ils échappent; on les a étudiés durant des années, on a
déterminé la formule de leur caractère et de leur nature,
comme pour une courbe difficile; un aspect imprévu vous
déjoue. « Je le vante, je l'abaisse, a dit Pascal, jusqu'à ce
qu'il comprenne qu'il est un monstre incompréhensible. »
Ce que l'illustre penseur a dit de l'homme abstrait, de
l'homme en général, n'est pas moins vrai de chaque
individu marquant. Plus l'individu a de facultés et de
ressorts intérieurs, quand la religion n'y tient pas la
main, plus le faux et le juste se mêlent en lui, coexistent
bizarrement et s'offrent à la fois l'un dans l'autre. La
corruption, la contradiction de la nature spirituelle
déchue est plus visible en ces grands exemples, tout
ainsi que les bouleversements de la nature physique se
voient mieux dans les pays de volcans et de montagnes.
Quel chaos! que d'énigmes! quelles mers peu navigables

que ces âmes des grands hommes! On heurtait sur un rocher absurde [1], et voilà que tout à côté on retrouve la profondeur d'un océan. On en désespérait, et soudain forcément on les admire. Leurs plus grandes parties gisent près de défauts qui sembleraient mortels. A tout moment, si on les serre de près, il faut revirer d'opinion sur leur compte. On ne s'accoutume à cela que plus tard; car d'abord on veut et l'on se crée des hommes tout entiers.

Dans cette discussion d'alors, au reste, le marquis n'avait tort qu'à demi contre moi. Ce qu'il avançait de l'Empire était exorbitant, intolérable à entendre, une vraie révolte à l'oreille du bon sens judicieux; mais il y avait une idée perçante. On a dit que toute erreur n'est qu'une vérité transposée. Toute énormité dans les esprits d'un certain ordre n'est souvent qu'une grande vue prise hors du temps et du lieu, et ne gardant aucun rapport réel avec les objets environnants. Le propre de certaines prunelles ardentes est de franchir du regard les intervalles et de les supprimer. Tantôt c'est une idée qui retarde de plusieurs siècles, et que ces vigoureux esprits se figurent encore présente et vivante; tantôt c'est une idée qui avance, et qu'ils croient incontinent réalisable. M. de Couaën était ainsi; il voyait 1814 dès 1804, et de là une supériorité; mais il jugeait 1814 possible dès 1804 ou 1805, et de là tout un chimérique entassement. — Voilà un point blanc à l'horizon, chacun jurerait que c'est un nuage. « C'est une montagne », dit le voyageur à l'œil d'aigle; mais s'il ajoute : « Nous y arriverons ce soir, dans deux heures »; si, à chaque heure de marche, il crie avec emportement : « Nous y sommes », et le veut démontrer, il choque les voisins avec sa poutre, et donne l'avantage aux yeux moins perçants et plus habitués à la plaine.

Engagé comme je l'étais contre M. de Couaën, et après le premier bond irréfléchi, j'essayai la retraite et de redescendre de l'assaut de cette citadelle honnêtement. Mais le mouvement de discussion était donné; une négation en ramenait une autre; toutes mes objections amassées de longue main faisaient face malgré moi. Ou bien,

---

1. *Un rocher absurde*, comme qui dirait un rocher d'absurdité, un rocher sourd. Ainsi l'on dit *une écume insensée*. Homère, parlant du supplice de Sisyphe, a osé dire *la pierre impudente*, que Marmontel a critiquée. Je ne prétends pas d'ailleurs justifier l'expression d'Amaury, je l'explique. *(Note de l'Editeur.)*

quand tout avait l'air de tomber naturellement, je prolongeais à mon tour, espérant une occasion de réparer. A la fin, mécontent, blessé d'avoir blessé, je sortis, ne devant pas reconduire ce soir-là madame R. Madame de Couaën, dans le trouble muet où l'avait mise cette scène, me suivit jusque hors de la seconde chambre, au haut du petit escalier. Ce n'était plus la femme calme du matin, dans sa gémissante et tranquille psalmodie. Elle me demandait à mots pressés ce que j'avais contre elle; à qui j'en voulais; à quoi j'avais songé? Sa joue était en feu, elle tenait mes mains, et je lui sentais une agitation extraordinaire. C'était la seconde fois que je l'entrevoyais sous cette lueur enflammée; la première avait été l'année précédente, dans cette maison de santé du boulevard, à quelques paroles sinistres de moi, tandis que le marquis était à écrire. — Je la rassurai à mots aussi confus que les siens, et m'enfuis en proie à mille puissances.

Mais à peine était-elle rentrée (je l'ai su depuis d'elle-même) que, s'adressant à madame R. ou à sa tante, elle dit, par forme de demi-question, que ces dames m'avaient vu bien souvent durant cette longue année, et la tante, sans malice, au lieu de *Oui souvent*, qu'aurait répondu madame R., répondit : « Oh! mon Dieu, oui, *tous les jours.* » Ce mot fatal précisait tout.

Le lendemain, la consultation des médecins avait lieu; le célèbre Corvisart devait en être. J'allai de bonne heure, un peu timidement, affronter les visages de la veille. Je trouvai à madame de Couaën un air composé et circonspect. Le marquis fut cordial; je le tirai à part en entrant, et lui exprimai mes franches excuses pour ma conduite du soir, mais bien moins vivement encore que je n'en sentais de honte. Il me semblait lâche et cruel d'avoir pris cette noble colère au dépourvu, de l'avoir fait rentrer en elle sans pitié, et de n'avoir pas respecté un fonds d'inviolable douleur jusque dans cette divagation violente. M. de Couaën m'arrêta court avant que j'eusse fini : « Amaury, me dit-il, combattez-moi, réfutez-moi à extinction, pourvu que vous nous aimiez! » — Et je l'aimais en effet, comme je l'éprouvai alors et de plus en plus dans la suite; je l'aimais d'une amitié d'autant plus profonde et nouée, que nos natures et nos âges étaient moins semblables. Absent, cet homme énergique eut toujours une large part de moi-même; je lui laissai dans le fond du cœur un lambeau saignant du mien, comme

Milon laissa de ses membres dans un chêne. Et j'emportai aussi des éclats de son cœur dans ma chair.

Et pourtant, si je m'en rapporte à quelques mots de madame de Couaën durant ces huit derniers jours, et à des indices même directs qui ne m'échappèrent pas, à l'accent parfois plus brusque, au regard plus errant du marquis, à une sorte d'impatience, moi présent, qui se décela en deux ou trois circonstances légères, l'effet de la discussion malencontreuse ne fut pas si vite effacé; cet esprit véhément en conçut et en garda quelque ombrage. Chose étrange! quand je lui avais avoué par une lettre assez confiante le péril et les scrupules de mon âme, il n'y avait pas cru, il ne s'en était pas effarouché du moins; et voilà qu'après une longue absence, après une négligence et une infidélité d'affection trop évidentes de ma part, à travers une contradiction politique accidentelle, il s'avisait tout d'un coup d'une ride jalouse, comme si, en ces sortes de caractères superbes, l'éveil même dans les sentiments plus tendres ne pouvait venir qu'à l'occasion d'un choc dans les sentiments plus fiers. Le particulier en ceci était que le côté orgueilleux choqué n'avait manifesté aucun émoi, n'avait gardé aucune trace ni rancune, et que tout était allé retentir et faire offense au sein d'une idée si dissemblable. Mais peut-être aussi n'était-ce de sa part qu'un résultat de sagacité rapide, et se disait-il qu'indifférent et désorienté comme je l'étais en politique, pour le prendre sur un ton si inaccoutumé avec lui, il fallait qu'il y eût en moi altération et secousse dans d'autres sentiments plus secrets.

Quoi qu'il en soit, admirez, mon ami, les conséquences inextricables de mes fautes. Par moi un souci de plus va s'attacher dans leur exil à ces amis accablés. Je trouve moyen au dernier moment d'aigrir le sombre deuil de l'un, d'obscurcir l'angélique résignation de l'autre, d'enfoncer un gravier de plus sous leurs pas meurtris.

Cette matinée même, je me présentai chez mademoiselle de Liniers sans l'y rencontrer. Il y a des jours où tout est en suspens, et où la destinée s'accumule en silence. Je ne vis madame R. que l'instant indispensable. Le soir, je revins au couvent savoir la décision des médecins; le marquis, plus rassuré, m'en dit les points principaux, qui me parurent se rapporter à une maladie présumée du cœur. Il ne me laissa pas de toute la soirée

seul avec madame de Couaën. Mon pressentiment était
extrême. Je me voyais assiégé entre trois êtres tout d'un
coup rapprochés sans s'être entendus. Pas un ne faisait
un signal vers moi, et ils me tenaient pourtant chacun
par un étroit et fort lien. J'allais, je tremblais de l'un à
l'autre, dans une inexprimable sollicitude, comme un
fétu agité par les vents, comme l'aiguille aimantée hési-
tant avec fièvre entre trois pôles différents et qui font
triangle autour d'elle, comme ces grêlons de grêle, au
dire des physiciens, qu'attirent et repoussent sans fin
des nuages contraires. Allées et venues infructueuses,
épuisement fébrile dans de grisâtres intervalles, c'est
trop là l'histoire de ma vie en cet âge le plus fécond.

Il y a dans les cercles d'Enfer, non loin de la région
des tièdes, ou peut-être au bas des rampes du Purgatoire, une plaine non décrite, seul endroit que Dante et
son divin guide n'aient pas visité. Trois tours d'ivoire
s'élèvent aux extrémités diverses de cette plaine, plus ou
moins belles et éclairées de loin à leur cime, mais séparées
par des ravins, des marais, des torrents peu guéables, et
chacune à une journée et demie de marche des deux
autres. Un pénitent voyageur chemine entre elles; mais
il arrive toujours au pied de la tour où il va, après que le
soleil est couché et que les portes sont closes. Il repart
donc en sueur et haletant vers une des tours opposées;
mais, s'oubliant, hélas! quelques heures dans les maré-
cages et les fanges du milieu pour y assoupir sa fatigue,
il n'arrive à cette autre tour que le lendemain trop tard
encore, après le coucher de l'astre. Et il repart de nouveau, jusqu'à ce qu'il arrive à la troisième; mais elle vient
de se fermer aussi; et il recommence toujours. C'est le
châtiment, mon ami, de ceux qui ont usé leur jeunesse
comme moi, et ne l'ont pas expiée.

Le jour d'après (car il vous faut bien haleter jour par
jour sur ma trace), avide de quelque explication et de
quelque souffle qui fît mouvement dans mon incertitude,
vers une heure, espérant la trouver seule, je me rendis
chez madame de Couaën. Une voiture arrêtée à la porte
extérieure me contraria tout d'abord; on ne put me dire
le nom de la personne en visite; j'entrai. Mademoiselle de Liniers était à côté de sa nouvelle amie, sur une
chaise basse, son chapeau ôté, et comme après une intimité déjà longue. Madeleine et Lucy debout à l'autre
fenêtre contrastaient doucement avec le groupe maternel,
attentives qu'elles étaient à quelque jeu et confondant

leurs chevelures. Pauvres enfants! puissent-elles avoir
ignoré toujours combien il est parfois douloureux et
sublime à deux femmes de s'aimer! Mademoiselle Amélie,
plus blanche et, depuis le dernier jour de la Gastine,
d'une neige plus affermie à son front que jamais, ne
rougit pas en me voyant : elle y était préparée; — tout
entière d'ailleurs à l'impression de madame de Couaën,
elle ne recevait rien qu'à l'ombre de cette figure enfin
connue, qu'elle avait l'air de servir et d'adorer. Celle-ci,
qui ne savait pas le plus pur et le plus caché du sacrifice,
agissait avec la noble Amélie comme par cette divination
compatissante qui révèle aussitôt leurs pareilles aux
belles âmes éprouvées. Le discours qu'on tenait était
simple, peu abondant, facile à prévoir; une mélodie de
sentiments voilés y soupirait. Je parlais peu, j'étais ému,
mais non mal à l'aise. Dans cette pose nouvelle où elles
m'apparaissaient, il n'y avait point de contradiction ni
de déchirement à mes yeux entre leurs deux cœurs. Tout
à coup on frappa à la porte de la chambre : madame R.
entra. Je compris que quelque chose s'accomplissait en
ce moment, se dénouait dans ma vie; qu'une conjonc-
tion d'étoiles s'opérait sur ma tête; que ce n'était pas
vainement, ô mon Dieu, qu'à cette heure, en cet endroit
réservé, trois êtres qui s'étaient manqués jusque-là, et
qui sans doute ne devaient jamais se retrouver ensemble,
resserraient leur cercle autour de moi. Quel changement
s'introduisit par cette venue de madame R.! Oh! ce
qu'on se disait continua d'être bien simple et en apparence affectueux. Pour moi, en qui toutes vibrations
aboutissaient, il m'était clair que les deux premières
âmes de sœurs s'éloignèrent avec un frémissement de
colombes blessées, sitôt que la troisième survint; que
cette troisième se sentit à la gêne aussi et tremblante,
quoique légèrement agressive; il me parut que la pieuse
union du concert ébauché fit place à une discordance, à
un tiraillement pénible, et que nous nous mîmes, tous
les quatre, à palpiter et à saigner. Voilà ce que je saisis :
pour un autre qui n'eût rien su, pas une différence de
visage ou de ton n'eût été sensible. Le marquis entra
bientôt; mademoiselle de Liniers se leva après quelques
minutes et sortit. C'en était fait; quelque chose dans ces
destinées un instant assemblées était rompu et tranché
dès à présent, quelque chose qui ne se retrouverait plus.
Je ne savais quoi encore, je ne discernais rien de cette
conclusion, bien que j'y crusse fermement.

Les résultats, à vrai dire, ne se font pas hors de nous, ô mon Dieu, et par l'action des seuls mouvements extérieurs, par l'opération de certaines lignes qui se croisent, qui se nouent ou dénouent fatalement; il n'y a plus de magie enlaçante, les enchanteurs ont cessé, et l'homme, qu'a délivré votre Christ, intervient; mais les mouvements du dehors, que trace votre doigt, servent à amener les résultats réels, les résultats vivants, qui naissent en nous du concours de votre Grâce et de notre désir; ils les préparent, les provoquent et les hâtent, les expriment souvent à l'avance et les signifient. Vous nous offrez parfois, Seigneur, quand vous le daignez faire, l'intention et le canevas dessiné de la trame, comme à l'apprenti du tisserand; il faut que nous y mettions la main pour l'achever; il faut que notre volonté dise *oui* ou *non* à votre proposition redoutable; ou notre indifférence muette est déjà même une manière funeste de terminer. Je fus bien lent à comprendre et à agir dans le cas présent, je compris pourtant à la longue; mais, à partir du moins de ce premier moment, le canevas céleste, le dessin suprême, l'énigme de cette rencontre emblématique entre quatre destinées resta suspendue nuit et jour à mes regards comme un objet de fatigue et de tourment, jusqu'à ce que j'y lusse le sens lumineux.

Au plus épais de la forêt humaine, par des sentiers divers et d'entre les broussailles qui dérobent tout horizon, étaient arrivés sur un même point à la fois les trois êtres rivaux, tour à tour préférés, trois blanches figures. Et je m'y trouvais aussi à l'improviste, au milieu; on avait souri en s'abordant, on s'était parlé doucement avec négligence, sans avoir l'air de s'étonner; mais, à travers cette tranquillité de parole, un changement solennel alentour s'était accompli. Les sentiers, tout à l'heure invisibles, étaient devenus peu à peu quatre sombres routes en croix. Et les trois femmes se saluèrent, et prirent chacune une de ces routes; et il ne restait plus que la plus escarpée et la plus sauvage par où personne n'allait : était-ce la mienne, ou quelle autre devais-je suivre ? — Cette image de ma situation nouvelle se précisa tout d'abord à mes yeux; le carrefour désolé de la forêt me fit un désert plein d'effroi. Redescendu de ma vision d'Isaïe, j'en répandais l'ombre jusque sur les êtres les plus riants : Madeleine, Lucy, me disais-je, pauvres enfants qui avez joué ensemble une fois, comme deux sœurs, vous retrouverez-vous jamais dans la vie ?

Le permis de séjour du marquis tirait à sa fin; il ne
témoigna point en désirer la prolongation. Je les vis, elle
et lui, toute cette dernière semaine, et le plus souvent
matin et soir; mais il y avait dans notre intimité subsistante je ne sais quel empêchement sourd qui s'était créé.
Un jour le marquis m'avait laissé en conversation avec
madame de Couaën; en rentrant une demi-heure après,
il m'y retrouva, et involontairement, d'un ton que je crus
altéré, il lui échappa de dire : « Ah! vous êtes là encore! »
Quant à elle, dans nos instants solitaires, elle avait repris
sa première attitude navrée et résignée, avec des accents
de confiance ingénue : « Est-ce que vous êtes bien changé
pour nous ? me demanda-t-elle plusieurs fois; est-ce bien
vrai qu'une autre nous a remplacés ? Quoi! durant un an,
tous les jours! » Et elle me citait ce mot de la tante de
madame R. Pour toute récrimination contre celle qui
s'appelait son amie, elle ajoutait : « C'est bien mal à elle,
car j'étais la plus ancienne près de vous. » Hélas! elle
ignorait qu'une autre, cette jeune fille même des derniers
matins, était près de moi plus ancienne encore. J'eus le
temps, avant le départ, de faire lire à madame de Couaën
un ouvrage nouveau qui m'avait à fond remué par le
rapport frappant des situations et des souffrances avec
les nôtres : l'histoire de Gustave de Linar et de Valérie.
Plus les choses écrites retracent avec fidélité un fait réel,
un cas individuel de la vie, et plus elles ont chance par là
même de ressembler à mille autres faits presque pareils,
que recèlent les humaines existences. Madame de Couaën
lut, et s'attendrit extrêmement sur Gustave, sur Valérie,
sur le noble caractère du Comte, sur le petit Adolphe mort
au berceau, sur tant de secrètes ressemblances. J'essayai
de lui faire entendre qu'égaré par la passion comme
Gustave, je n'avais cherché loin d'elle qu'une Bianca;
que c'était une liaison d'un ordre assez fragile où j'avais
voulu m'étourdir; que, d'ailleurs, nulle infidélité irrépa-
rable n'était consommée encore, et qu'il pouvait être
toujours temps de briser. Elle m'écoutait, mais sans
s'ouvrir à mes raisons obscures, et ne concevant d'autre
infidélité que l'infidélité du cœur. Elle me savait gré
toutefois de ce geste d'effort pour réparer; et puis elle se
reprochait presque aussitôt ce regard, en arrière, après le
coup funeste qui l'avait, disait-elle, punie et avertie.

Le jour de son départ, elle me remit pour mademoiselle
de Liniers un billet d'adieu et d'excuses, ne l'ayant pu
visiter. Elle me dit qu'à moi, elle m'enverrait dès son

arrivée là-bas un souvenir. Le marquis me parla de passer chez eux quelques semaines au voisin printemps. Mais ce second départ, quoique plus décisif et plus déchirant que le premier, m'a laissé moins d'empreinte : notre âme n'est vierge qu'une fois pour la douleur comme pour le plaisir.

Dans l'après-midi qui suivit la séparation, je me rendis chez mademoiselle de Liniers; elle n'y était pas; je donnai la lettre pour elle, mais cette lettre n'était pas seule, et, après mainte lutte et combinaison, j'y avais enfermé une feuille de moi dont voici le sens : « La personne que j'ai revue après deux ans si indulgente et si digne se souviendra-t-elle qu'au précédent adieu ce terme de deux années avait été jeté en avant comme une limite où l'on avait espoir de se rejoindre ? Oh! je ne l'ai pas non plus oublié. Mais faut-il lui confesser, en me voilant le visage, que, durant cet espace, le cœur, qui aurait dû tendre sans cesse au but, n'a jamais su s'y diriger; que des faiblesses, des désirs errants, des devoirs nouveaux, nés des fautes et incompatibles entre eux, des abîmes qu'il n'est pas donné à l'innocence de soupçonner, ont fait de ma vie un orage, un conflit, un renversement presque perpétuel; que j'ai troublé de mon trouble et offensé plusieurs autour de moi; qu'à l'heure qu'il est, j'ai plus à réparer que je ne puis; que tout bonheur régulier m'est devenu impossible, inespérable; que je n'aurais d'ailleurs à offrir qu'un amas de regrets, d'imperfections et de défaites, à celle qui ne saurait posséder trop d'affection unique et de chaste empire. Oh! qu'elle me pardonne, qu'elle m'oublie! qu'elle me laisse croire à moins de souffrance en elle à mon sujet, que le temps n'en pourra guérir, et qu'elle ne me méprise pas cependant comme ingrat! Une pensée invisible, un témoin silencieux la suivra toujours de loin dans la vie et saisira chaque mouvement d'elle avec transe. Une prière, toutes les fois que je prierai, montera pour elle dans mes nuits : Mon Dieu, m'écrierai-je, faites qu'elle soit heureuse et revenue de moi; que la blessure, dont j'ai pu être cause, n'ait servi qu'à enfoncer plus avant dans ce cœur rare les semences de votre sagesse et de votre amour! Faites qu'elle obtienne un peu plus tard tout le lot ici-bas, auquel, sans ma faute, elle aurait eu droit de prétendre; faites qu'elle croie encore au bonheur sur cette terre, et qu'elle s'y confie! — Voilà ce que je dirai au Ciel pour cette noble offensée; et si ma vie se rassied et s'épure, si je parviens à réparer quelque chose autour de moi, dans tout ce que je ferai jamais de bien, qu'elle le sache! son souvenir après Dieu sera pour beaucoup. » — Je laissai cette lettre et ne retournai plus; je n'eus aucune réponse, et je n'en attendais pas. Une seule fois, la semaine d'après, je rencontrai ou crus rencontrer mademoiselle Amélie. C'était à la brune; je traversais un massif des Tuileries, rêveur, le front incliné aux pensées funèbres parmi ces troncs noirs et dépouillés. Plusieurs dames venaient dans le sens opposé et me croisèrent; elles étaient passées, avant que j'eusse eu le temps de les remettre et de les saluer. Etait-ce bien elle! m'aura-t-elle reconnu ? m'aura-t-elle vu, en se retournant, la saluer trop tard ? Ainsi finissent tant de liaisons humaines, et des plus chères, dans l'éloignement, dans l'ombre, avec l'incertitude d'un dernier adieu ? — Je ne l'ai plus revue depuis ce soir-là, mon ami; mais nous reparlerons d'elle encore.

Quatre jours après le départ de madame de Couaën, le courrier qui l'avait conduite arriva chez moi avec un petit paquet à mon adresse, qu'elle lui avait expressément confié. J'ouvris en tremblant : c'était un portrait en médaillon de sa mère, dans lequel une mèche de cheveux noirs avait été glissée; je devinai les cheveux d'Arthur. Le courrier que je questionnai s'étendait en récits sur l'ange de douceur; le voyage s'était passé sans qu'elle eût l'air de trop souffrir. Pas de lettre d'ailleurs; des reliques de sa mère et de son enfant, de l'innocent et de la sainte ravis, ce qu'elle avait de plus éternel et de plus pleuré, n'était-ce pas d'elle à moi en ce moment tout un langage sans parole, inépuisable et permis, et le seul fidèle ?

XIX

Je me retrouvais seul en présence de madame R. Le caractère de mon affection pour elle n'était plus le même qu'avant cette double confrontation; tout déguisement flatteur avait disparu. Je la voyais pourtant peu changée en effet, redevenue assez paisible et tendre, et m'accueillant du regard, sauf de plus fréquents replis de méfiance et de tristesse. Mon dessein formé était de conduire cette liaison avec ménagement jusqu'à ce qu'elle se relâchât peu à peu, évitant seulement de porter un coup trop prompt à une existence déjà si frêle, et instruit par expérience à ne plus briser dans la blessure. Je me préparais donc à être prochainement libre de ce côté; les deux grands sacrifices que j'avais sous les yeux m'en faisaient un devoir; j'avais besoin devant Dieu et devant moi-même de ce premier pas vers une réparation.

Mais les projets de terminer à l'amiable et le long d'une pente insensible, en ces espèces d'engagements, sont une perspective finale non moins illusoire que les lueurs du sommet au début. On a beau se tracer une conduite tempérée de compassion et de prudence, il faut en passer par les secousses convulsives. Il n'y a qu'une manière de délier, c'est de rompre. En revoyant madame R. presque chaque jour, mon dessein fléchit bientôt dans le détail. Les sens et la vanité conspirèrent. L'apparence d'amour que je m'étais crue pour elle s'était évanouie; mais par moments, à la voir si proche de moi, fleur affaiblie et à peine odorante, je la désirais encore. Surtout l'amour-propre à demi-voix me disait que c'était avoir dépensé bien des peines et fait sentinelle bien des nuits pour trop peu de réussite. J'avais voulu près d'elle me soustraire à la plus pure des passions et aux plus impurs des plaisirs, assembler en une liaison choisie assez d'âme et de sens, assez de vice et de délicatesse...; qu'avais-je obtenu ? Je n'aurais donc jamais en mon humaine possession que des créatures confuses, jamais une femme suffisamment aimante et aimée, une femme qui eût un nom pour moi et qui sût murmurer le mien! Cette dernière idée était un âpre aiguillon sous lequel je regimbais toujours. Le printemps renaissait alors, et déjà l'air embaumait, déjà s'égayait la terre. Périlleux printemps, que me vouliez-vous en ces années de splendeur, à renaître si souvent et si beaux ? Comme toutes les organisations sensibles dont la volonté ne se fonde pas dans un ordre supérieur, j'ai longtemps été à la merci des souffles de l'air, des phases mobiles de chaque lune, des nuées passagères (alors même que j'étais renfermé et que je ne les voyais pas), ou des ardeurs du soleil; encore aujourd'hui la nuance secrète de mon âme en dépend. En ces journées des premières chaleurs, dans ce Paris peuplé d'une jeunesse éblouie et de guerriers de toutes les armes, les femmes, dès le matin, comme les oiseaux sur leurs ailes, étalaient des étoffes aux mille couleurs; les boulevards et les promenades en étaient émaillés; et le soir, au jour tombant, dans les rues des faubourgs, les filles du peuple, les femmes des boutiques, assises aux portes, cheveux et bras nus, folâtrant exubérantes et remuées à l'aspect des aigrettes et des casques, semblaient s'apprêter à célébrer quelque fête de la Bonne Déesse; dans cette vapeur molle qui les revêtait d'un lustre éclatant, toutes étaient belles. Si ces jours duraient, nulle créature ne serait sauvée; car le monde ne l'est, comme a dit un Saint, que grâce à cette pudeur accordée aux femmes.

De tels spectacles, dont j'allais repaissant mes yeux, ranimaient en moi un sentiment exalté du triomphe physique, de l'action matérielle et militaire, un idéal de cette vie que vécurent les trois quarts des héros illustres ou subalternes de ce temps-là : revues, combats et cavalcades; suer au Champ-de-Mars, s'enivrer de trompettes et d'éclairs, conquérir nations et femmes, briller, bruire, verser son sang dans les mêlées, mais aussi semer son esprit par les chemins, et n'avoir plus une pensée à trente-six ans. Cette vie d'écume et de sang bouillonnant, qui est la frénésie de la première jeunesse, me redevenait, durant ces quelques heures caniculaires, la seule enviable. L'autre vie obscure et mortifiée, dans laquelle avec lenteur s'entrevoient dès ici-bas les choses de l'âme et de

Dieu, bien que j'y aspirasse encore l'instant d'auparavant, ne m'était pas plus perceptible alors que l'étoile des bergers dans un ciel de midi. Au sortir des crises morales, des fautes ou des pertes douloureuses, il y a deux routes possibles pour l'homme, la chute et la diversion par les sens, jusqu'à ce que l'épaississement s'ensuive, ou la purification, le veuvage, la veille sobre et incessante par l'âme. Je donnais en ces moments-là à corps perdu dans la conclusion vulgaire et machinale. Entrant chez madame R. au milieu du jour, après m'être bien aveuglé de soleil et abreuvé de fanfares au Carrousel guerroyant, après m'être assouvi le plus souvent d'un pain grossier par-delà les guichets sombres (*homini fornicario omnis panis dulcis*, dit le Sage), — entrant chez elle je me mettais à préconiser cette activité glorieuse qu'elle m'avait vu repousser jusque-là, quoiqu'elle me l'eût parfois conseillée; j'avais tour à tour des audaces et des tendresses factices auxquelles elle ne savait que comprendre, peu préparée qu'elle était dans son ombre matinale à ces subites irruptions. C'est alors que commença de ma part toute une dernière attaque, méprisable, acharnée, sans ivresse et sans excuse, inspirée des plus médiocres sentiments.

Les torts nombreux de ruse, d'aigreur et d'étroitesse qu'il m'avait fallu dévorer près d'elle, me revenaient fort à propos en ces instants, et m'ôtaient par degrés toute pitié. Elle n'a pas eu pitié d'une autre, me disais-je. Je faisais comme le sanglier qui se roule dans les buissons épineux et s'excite à la colère. Il y avait toujours eu d'elle à moi une portion du passé, inconnue, non avouée, quelque chose de sa vie ancienne qu'elle ne m'avait pas permis de pénétrer : elle m'était par là restée étrangère. Dans les deux autres femmes aimées, je n'avais rien éprouvé de pareil. L'une, mademoiselle Amélie, ne m'avait offert dès l'abord qu'un ruisseau naissant et simple, dont je saisissais tout le cours d'un regard, dans la prairie, au pied des haies familières. L'autre, plus tard connue, madame de Couaën, avait eu une portion antérieure et absente, par-delà les mers à travers lesquelles sa douceur nous était venue; mais elle-même m'avait déroulé maintes fois cette vie d'enfance et de filial amour, avec son premier orage. Il semblait que j'y eusse assisté vraiment, tant ces souvenirs se peignaient dans les miens et revivaient en une même trame. J'aurais pu dessiner la fuite de cette rivière Currah au bord de

laquelle avait longtemps baigné sa fraîche existence.
Mais ici, chez madame R., point de cours de destinée
charmante et facile, qu'on rêve à plaisir, qu'on recons-
truit en imagination à force de récits et de mutuels
échanges; point de bocages lointains, de rives toujours
nommées et qui deviennent les nôtres. Passé une limite
très voisine, c'était une fermeture sourde, obstinée, et
comme de prudence, une discrétion sans grâce et sans
le vague du mystère. Moi, j'ai toujours tant aimé, au
contraire, remonter, interroger dans leurs origines, les
existences mêmes dont je n'ai traversé qu'un point, reconnaître les destinées les plus humbles, leur naissance, leur
premier flot encaissé dans les vallons et les fonds obscurs, au bas des chaumières, tout leur agencement particulier avec les choses d'alentour. Plus ces destinées sont
simples, naturelles, domestiques, plus j'y prends goût,
m'y intéresse, et souvent en moi-même m'en émerveille;
plus je m'en attendris devant Dieu, comme à la vue d'une
margueritelle des champs.

Et de cette disposition qui n'aurait dû engendrer chez
moi qu'un sentiment de compassion ou tout au plus
d'éloignement pour cette vie muette et fermée de
madame R., il n'y avait alors qu'un pas dans mon esprit
à une irritation dure. La défense opiniâtre et graduelle
qu'elle opposait aux assauts, en ôtant toute ivresse à
l'égarement, ne faisait que m'enhardir aux violences cal-
culées. Si frêle et si brisée qu'on l'eût pu croire, elle
avait une grande force de résistance comme de réticence.
Ce n'était pas une de ces femmes que surmonte à un certain moment un trouble irrésistible, et sur qui s'abaisse
volontiers le nuage des dieux impurs au mont Ida. Sa
présence d'esprit, sa vertu, veillaient dans le péril le plus
extrême, — oui sa vertu, je dois le dire, vertu moins rare
en général à rencontrer que les séducteurs ne s'en
vantent, qu'on ne soupçonnerait pas d'abord, à voir la
légèreté des commencements, à laquelle le monde ne croit
guère, et qu'il a souvent calomniée bien avant qu'elle ait
succombé en effet. Dans cette lutte misérable au reste,
je me désenchantais de plus en plus à chaque effort.
J'effeuillais, je déchirais, comme avec des ongles san-
glants, cette tige fuyante et rebelle, qui n'a de prix pour
le voluptueux que quand elle tremble et s'incline d'elle-
même, toute à la fois, avec sa pluie de fleurs, avec ses
touffes mourantes. Je sentais se détruire, se dégrader à
l'avance mon criminel plaisir, et cette rage me poussait

à des atteintes nouvelles. Femme douce, sensible, courageuse, m'avez-vous pardonné ?

La colère du voluptueux et de l'homme faible a sa forme d'accès, sa malignité toute particulière. La colère n'est pas seulement le propre de l'orgueilleux et du puissant, quoique le plus souvent elle naisse d'un orgueil offensé; et alors elle couve, elle s'assombrit dans l'absence; elle s'ulcère et creuse sur un fonds cuisant de haine. Mais une grande tendresse d'âme y dispose aussi, ces sortes de natures étant très vives, très chatouilleuses et douloureuses, vulnérables aux moindres traits. La substance de l'âme en ce cas ressemble à une chair trop palpitante et délicate qui se gonfle et rougit sous la piqûre, sitôt que l'ortie l'a touchée. Cela passe vite, mais cela brûle et crie. Parmi les âmes sensibles, tendres plutôt que douces, beaucoup se rencontrent ainsi très irritables; j'étais sujet de tout temps à ces colères. Mais, quand les âmes tendres se sont ravalées au plaisir, à un plaisir d'où elles sortent mécontentes et flétries, elles contractent soudain un endurcissement profond, compatible avec cette irritabilité, et qui les laisse encore plus accessibles à leur chétive colère. Elles ont à se beaucoup surveiller en ces instants pour ne pas devenir dures et cruelles; et leur colère alors, si elle s'élève, est aiguë, quinteuse, convulsive, sans dignité, prompte au fait, raffinée en outrages, salissante de fiel, comme les accès d'un être faible et de tous les êtres qui intervertissent brusquement leur nature. Il n'est pas, a dit l'auteur de *l'Ecclésiastique*, de colère qui surpasse la colère de la femme. En général, il n'en est pas de plus instantanément cruelle et impitoyable que celle des natures tendres. Madame R. devenait souvent l'occasion et l'objet de ces hideux emportements.

Les détours du cœur sont si bizarres, le mélange des vertus et des défauts est si inextricable, qu'il y a des femmes qui craignent plus de paraître maltraiter un prétendant que de le maltraiter en réalité. Madame R., par moments, était ainsi, presque glorieuse du mal que le monde d'alentour supposait consommé, affichant en public mille familiarités avec moi et des marques du dernier bien, tandis que sa vertu y mettait le plus d'obstacle en secret. Puis, en d'autres moments, revenue à une coquetterie plus naturelle et plus décente, elle voulait paraître aux autres insensible et presque indifférente à mon sujet, insinuant que j'étais un homme épris, pour

qui elle n'avait rien que de l'amitié, et que je m'en désespérais, mais sans pouvoir m'affranchir. Cela m'était redit
de deux ou trois côtés à la fois. A cette injure, je courais
droit chez elle, et, en me hâtant par les rues, il m'échappait tout haut des paroles de blasphème; j'en étais
averti par l'étonnement des passants qui tournaient la
tête, comme aux propos d'un insensé.

Mon ami, tant que nous n'aurons pas pour le bien ces
mêmes élancements de cœur et cette même vélocité de
pieds que nous avions dans le mal, tant qu'à la première
annonce d'un frère inconnu souffrant, d'une affliction à
visiter, d'une misère à adoucir, nous ne courrons pas
ainsi par les rues, murmurant, chemin faisant, des projets
d'amour, laissant déborder des paroles de miséricorde, de
manière que les passants se retournent et nous jugent
insensés, nous ne serons pas des hommes selon la
sublime folie de la Croix, des convertis selon le Christ
de Dieu.

Un matin, étant arrivé brusquement chez elle, plus
en train de vengeance, j'imagine, ou simplement le cerveau plus calciné par le soleil, peu à peu, après quelques
riants préludes, j'entamai mes griefs en propos saccadés,
scintillants, éclats suspects de cette gaieté louche qui
fait peine à ceux qui nous aiment. Mais bientôt je passai
outre, et, comme elle redoublait de défense et de réserve,
l'égoïsme brutal ne se contint plus. A quelque réponse
incrédule qu'elle me fit, j'osai lui déclarer crûment
pourquoi et dans quel but je l'avais aimée, quel
avait été mon projet sur elle, mon espoir; que je lui en
voulais mortellement de l'avoir déçu, d'augmenter mon
mal en me déniant le remède; combien je la haïssais de
ce qu'ainsi je souffrais physiquement à ses côtés; et puis
à quelles sortes d'amour, à quelles infamies de plaisirs
elle me réduisait; mais que je saurais l'amener de force
à moi, ou m'arracher d'elle et la faire repentir. Je disais
tout cela en paroles sèches, sifflantes, articulées, frappant
du doigt, comme en mesure, sa plus belle boule favorite
d'hortensia, d'où tombait à chaque coup une nuée de
parcelles détachées. Elle m'écoutait debout, croisant les
bras, pâle, violette et muette, dans un long sarrau gris
du matin. Mais, indigné de cet impassible silence, et
m'excitant au son de ma colère, je m'approchai d'elle;
j'étendis la main et je l'enfonçai avec fureur dans la chevelure négligée qui s'assemblait derrière sa tête, la tenant
ainsi sous ma prise et continuant à sa face ma lente

invective. Le mince roseau ne plia pas, il ne fut pas même
agité. Elle resta haute, immobile jusqu'au bout, souriant
avec mépris à la douleur et à l'injure, comme une prê-
tresse esclave que ne peut traîner à lui le vainqueur. A
la fin, de fatigue et de honte, je retirai ma main ; ses cheveux dénoués l'inondèrent ; l'écaille du peigne, que
j'avais brisé sous l'effort, tomba à terre en morceaux.
Alors seulement, les yeux levés au ciel, avec une larme
sur la joue, et rompant son silence : « Amaury, Amaury,
est-il bien possible ? s'écria-t-elle ; est-ce vous qui me
traitez ainsi ? » — Ces scènes atroces étaient vite suivies,
vous le pouvez croire, de soupirs, de prostrations à ses
pieds et de tous les appels du pardon. Une rougeur
tendre animait légèrement son teint ; sa tête, longtemps
raidie, se penchait avec lassitude et mollesse vers les coussins que je lui tendais ; son front s'attiédissait de rosée ;
elle aurait eu besoin, on le voyait, de s'appuyer et de
croire, et je lui disais avec des regards humides fixés sur
les siens : « L'amour de deux êtres en ce monde n'est-il
donc que le privilège de se donner l'un à l'autre les plus
grandes douleurs ? » Mais ces paroles pompeuses men-
taient encore : entre nous deux c'était pis et moins que
les luttes terrestres de l'amour ; ce n'étaient pas même
les feux errants de son venin et les rixes de ses jalousies.

   A d'autres jours plus calmes, et quand je reprenais
quelque peu le plan d'abord formé de délier avec douceur, assis près d'elle dans une causerie indulgente, je
m'interrompais bien souvent pour lui dire : « Quoi qu'il
arrive de moi, que je continue de vous voir toujours
ou que je cesse entièrement et ne revienne jamais, croyez
bien à mon affection pour vous, inaltérable et vraie, et à
mon éternelle estime. » Ce mot d'*estime*, qui n'était que
ma juste pensée, la faisait me remercier vivement et
pleurer de reconnaissance. Mais toutes ces émotions
répétées laissaient en elle des atteintes ineffaçables. Avant
mes excès, elle n'admettait pas l'idée d'une rupture,
quand par hasard j'en jetais en avant le mot : désormais
évidemment elle commençait à la craindre, à la croire en
effet possible, à la désirer même en certains moments.

   Mon ami, ne jugez pas que je vais trop loin dans mes
aveux, que je souille à dessein le tableau pour en éteindre
le premier attrait et rendre le tout plus odieux qu'il ne
convient. Mon ami, ce que j'ose vous dire, n'est-il pas
arrivé également à beaucoup ? Ne suis-je pas plutôt resté
en deçà du grand nombre des misères cachées ? N'est-ce

pas là l'ordinaire déchirement de tant de liaisons mondaines les plus décevantes, même parmi les classes les plus enviées ? On voit les fêtes où glisse un couple volage, le devant des loges où il se penche, un air d'aimable accord, des manières éprises, des sourires piquants à la face du monde, les promenades et les chasses du matin dans les bois, toute cette gracieuse montée de la colline. Les adolescents qui passent au bas des terrasses retentissantes de rires ou d'harmonie, qui rencontrent ces folles cavalcades un moment arrêtées et s'étalant sur les nappes de verdure, aux marges ombragées des clairières, s'en reviennent tout dévorés, pensifs le long des prairies, et se composent dans le roman de leur désir un interminable tissu des félicités charmantes. Mais, ces jeux apparents des amours, on en ignore les nœuds et les crises. Mais, ces femmes si obéies, on ne les voit pas, dès le même soir souvent, dans les pleurs, nobles et pâles sous l'injure, se débattant contre une main égarée. Que de glaives jaloux tirés avec menace et lâcheté durant la surprise des nuits, pour faire mentir une bouche fidèle, pour soumettre un sein demi-nu ! Combien, et des plus belles et des plus tendres, le front sur le parquet, ou sur leurs tapis de mollesse, sans oser pousser un cri, ont été traînées par la soie de leurs cheveux ! Combien accablées de noms flétrissants, de paroles qui rongent une vie ! Combien, au réveil de la défaite, repoussées froidement par un égoïsme poli, plus insultant et plus cruel encore que la colère ! Le monde se pique, en ces sortes de crimes, d'observer les dehors au moins, les formes de délicatesse. Il y en a, m'a-t-on dit, qui mettraient volontiers leur nom, chaque lendemain matin, chez les femmes immolées, comme après un bal ou un dîner d'apparat. Le monde se vante surtout qu'entre certaines gens bien nés, la querelle elle-même est décente, que la rupture n'admet point l'outrage. Le monde ment. L'astuce impure a ses grossièretés par où finalement elle se trahit. La boue des cœurs humains remonte et trouble tout dans ces luttes dernières, dans ces secousses où de factices passions se dépouillent et s'avouent. L'égoïsme de la nature sensuelle se produit hideusement, soit qu'il bouillonne en écume de colère, soit qu'il dégoutte en une lie lente et glacée. On arrive, au tournant des pentes riantes, à des fonds de marais ou à des sables.

Vous reconnaissez, mon ami, la vérité de ces observations amères. Vous-même, hélas ! sans doute, vous en

faites partie, vous y pourriez fournir matière autant que
moi. Oh! du moins, si, comme il m'a semblé quelquefois
le comprendre en certaines obscurités de vos paroles,
vous avez, hors de ce pêle-mêle d'égarements, quelque
liaison meilleure et préférée, si le cœur d'un être rare,
un cœur ému du génie de l'amour, a défailli, s'est voilé,
a redoublé de tremblement ou de lumière à cause de vous,
ô mon ami, ne vous effrayez pas de moi, je tâcherai de
mesurer le conseil à vos circonstances, et sans capitula-
tion devant Dieu, de vous avertir d'un sentier de retour.
Je vous dirai : Faites-vous d'abord de ce cœur aimé un
asile contre les plaisirs épars qui endurcissent, contre les
poursuites mondaines qui dissipent et dessèchent. Je ne
suis pas de ceux, vous le savez, qui retrancheraient toute
Béatrix de devant les pas du pèlerin mortel. Mais souvenez-vous mon ami, de ne jamais abuser du cœur qui se
serait donné à vous, de ne faire de ce culte d'une créature
choisie qu'une forme translucide et plus saisissable du
divin Amour. Si quelque soir de Vendredi-Saint, dans
une église, à la grille du Tombeau qu'on adore, vous vous
trouvez par hasard à genoux non loin d'elle, si, après le
premier regard échangé, vous vous abstenez ensuite de
tout regard nouveau, par piété pour le Sépulcre redoutable, oh! comme vous sentirez alors que vous ne l'avez
jamais mieux aimée qu'en ces sublimes moments! De
réels obstacles seraient-ils entre vous, mon ami ? accep-
tez-les, bénissez-les; aimez l'absence! Fixez le rendez-
vous habituel en la pensée de Dieu, c'est le lieu naturel
des âmes. Communiquez sans fin dans un même esprit
de grâce, chacun sous une aile du même Ange. Si elle
était morte déjà, intercédez pour elle, et à la fois priez-
la d'intercéder pour vous : la prière alors est celle-ci :
Mon Dieu, si elle a besoin de secours, faites que je lui
sois secourable; si elle n'en a plus besoin, faites qu'elle
me le soit! — Considérez pour l'amour d'elle toutes les
créatures humaines comme ses sœurs; ce sont autant
d'acheminements à les aimer comme de purs enfants de
Dieu. Quand vous retombez au mal, songez à ceci, qu'elle
en sera tôt ou tard informée, qu'elle aura à s'en repentir
pour vous, que l'esprit de grâce en sera contristé en elle.
La peine et la honte que vous ressentirez à cette idée vous
feront plus tôt revenir de votre conduite infidèle. Toutes
les voies sont bonnes et justifiables, je l'espère, qui
ramènent de plus en plus aux vallées du doux Pasteur.
Ainsi, mon ami, effort et courage! Si vous aimez vraiment,

si l'on vous aime, que vous ayez ou non failli de cette ruine
mutuelle trop chère aux amants, relevez-vous par le fait même
même de l'amour ; réparez, réparez ! transportez à temps
l'affection humaine, encore vive, dans les années éternelles, de peur qu'elle ne s'obscurcisse avec les organes,
et, comme eux, ne se surcharge de terre. L'âge pour vous
va venir ; votre rire aimant sera moins gracieux, votre
front se dépouillera davantage ; ses cheveux, à elle, blan-
chiront, chaque fin d'année y laissera sa neige. Réfugiez-
vous d'avance où rien ne vieillit ! Faites que, nonobstant
l'appesantissement des membres et la déformation des
traits, le temps qui accablera vos corps rende à mesure vos
âmes plus allégées. La vieillesse, qui vient après les délices
sacrifiées de la dernière jeunesse, retrouvera jusqu'au
bout le torrent de l'invisible sève, et se sentira tressaillir
aux approches du printemps éternel. Deux êtres qui ont
vécu l'un pour l'autre avec privation, désintéressement,
ou expiation et repentir, peuvent s'entre-regarder sans
effroi, malgré les rides inflexibles, et se sourire, jusque
sous les glaces de la mort, dans un adieu attendri.

XX

La colère, a-t-on dit, est comme une meule rapide de moulin qui broie en un instant tout le bon froment de notre âme. Au sortir de ces scènes de violence avec madame R., m'en revenant seul, plus broyé dans mon cerveau que si une roue pesante y avait passé, le cœur noyé de honte, j'allais, je me livrais à tous les étourdissements qui pouvaient déplacer la douleur et substituer un nouveau remords au premier. Ainsi, par un enchaînement naturel en ce désordre, la colère me renvoyait tout vulnérable aux voluptés, lesquelles, m'endurcissant le cœur, y augmentaient un sourd levain de colère. On a dit que les dissolus sont compatissants, que ceux qui sont portés à l'incontinence paraissent d'ordinaire chatouilleux et fort tendres à pleurer, mais que les âmes qui travaillent à demeurer chastes n'ont pas une si grande tendresse. Cela ne contredit nullement, mon ami, ce que je vous dénonce de l'endurcissement et de la facilité de violence qui suit les plaisirs. Saint Augustin compare ces fruits étranges d'une tige amollie aux épines des buissons, dont les racines sont douces. Saint Paul, comme l'a remarqué Bossuet, range sur la même ligne et tout à côté les hommes sans bienveillance, sans chasteté, les cruels et les voluptueux. Je ne parle pas ici des femmes pécheresses et des samaritaines qui gardent plus souvent à part des fontaines secrètes de tendresse et de repentir. La sagesse païenne, exprimant la même liaison de famille entre les vices en apparence contraires, s'écrie par la bouche de son Marc Aurèle : « De quelles voluptés les brigands, les parricides et les tyrans ne firent-ils pas l'essai ! » C'est qu'en effet il n'y a jamais dans le voluptueux qu'un semblant de compassion, une surface de larmes. Ses yeux se mouillent aisément avant le plaisir ; ils étincellent et s'enduisent d'une vague nitescence; on croirait qu'il va tout aimer. Mais prenez-le au retour, sitôt son désir éteint, comme il se ferme! comme il redevient sombre! la couche brillante du dégel s'est rejointe au glaçon. Tandis que l'homme chaste est sociable, bon à tous les instants, d'une humeur aimante, désintéressée, d'une allégresse innocente qui s'exhale jusque dans la solitude, et qui converse volontiers avec les oiseaux du ciel, avec les feuilles frémissantes des bois, le voluptueux se retrouve personnel, fantasque comme son désir, tantôt prévenant et d'une mobilité d'éclat qui fascine, tantôt, dès qu'il a réussi, farouche, terne, fuyard, se cachant, comme Adam après sa chute, dans les bois du Paradis, mais s'y cachant seul et sans Eve. C'est qu'il a prodigué dans un but de plaisir rapace ce qui devait se répandre en sentiments égaux sur tous; il a dépensé en une fois, et à mauvaise fin, son trésor d'allégresse heureuse et de fraternelle charité; il fuit de peur d'être convaincu. Oh! dans ces jours d'abandon et de précipice, qui dira les fuites, les instincts sauvages, la crainte des hommes, où tombe l'esclave des délices? Qui dira, à moins de l'avoir rencontré à l'improviste, l'expression sinistre de son front et la dureté de ses regards? Souvent, au soir de ces heures flétries, ayant envie pourtant de me remettre, de me réhabiliter à mes yeux, par quelque conversation où l'esprit se mêlât, je me dirigeais vers une maison amie; puis, arrivé à la porte, je m'en proposais une autre, n'osant monter dans la première; et j'allais, je revenais de la sorte vingt fois sans entrer nulle part, sans plus savoir où j'en étais, me rebutant à chaque seuil, tant l'humeur en ces moments est plus farouche, tant la volonté plus vacillante!

Cependant, à force de dispersion et de récidive, j'en étais venu à un sentiment profond d'épuisement et d'arrêt. Il y a un moment en nous, plus ou moins hâté par l'emploi que nous faisons de notre jeunesse, un moment où sur tous les points de notre être une voix intérieure s'élève, où une plainte universelle se déclare. Ce premier holà retentit dans l'ordre de l'esprit comme dans la région des sens. Tout système d'idées qui se présente ne nous entraîne plus alors dans son tourbillon; la seule vue d'une femme belle ne nous arrache plus à nous-même. Dès le jour où ce double retard a commencé en nous, notre première jeunesse est passée; elle fait semblant de durer quelque temps, de monter encore, mais en réalité elle décroît et se retire. Si nous sommes

sages, même ne l'ayant pas toujours été, c'est le moment
de prendre le dessus et de nous affermir. Le temps des
entraînements et des anathèmes n'est plus ; notre verdeur
tourne à la maturité. Les coursiers effrénés s'apaisent ;
on les peut, vigoureux encore, appliquer au labour. Mais
si l'on viole ce premier avertissement naturel que nous
suggère la Providence, si l'on passe outre et qu'on étouffe
en soi le murmure intérieur d'universelle lassitude, on
se prépare des luttes plus désespérées, des chutes plus
perdues, un désordre plus aride. Ce sentiment mélancolique et affaibli, que je vous ai dit éprouver autrefois
quand je m'en revenais, le soir, à travers les vastes places
et le long des quais blanchis de la lune, je ne le retrouvais
plus dès lors, mon ami. Le beau pont de fer où j'avais
passé dans l'après-midi, triomphant, bruyant, et sonnant
du pied comme Capanée, me revoyait, le soir, tête baissée,
traînant mes pas, avec une âme aussi en déroute et anéan-
tie que celle de Xerxès quand il repassa son Hellespont.
La sérénité de l'air, l'écharpe de vapeur du fleuve mugissant, la ville dans sa brume de pâle azur, tout cet éclat
sidéral qui ensemençait sur ma tête les champs de l'infini, tout n'était pour moi qu'une fantasmagorie accablante dont le sens m'échappait ; ma terne prunelle ne
voyait dans cette légion de splendeurs que des falots sans
nombre, des lanternes sépulcrales sur une voûte de pierre.

Rendu pourtant au sentiment de moi-même par l'excès
de mon néant, je méditais quelque grande réforme, une
fuite, une retraite loin de cette cité de péril. J'étais tenté
de m'aller jeter aux pieds d'un prêtre pour qu'il me tirât
de mon abaissement. Je sentais que le frein qu'il m'eût
fallu, je ne pouvais me l'attacher moi-même. Mais, en
y songeant bien, je vis qu'alors il y avait de la honte à
mes yeux de ma propre dégradation plus encore que du
remords devant Dieu. Car, au lieu d'aller droit à lui
dans cet état humilié, et tout ruisselant de cette sueur
qu'il aurait parfumée peut-être d'une seule goutte de
sa grâce, je me disais : Attendons que ma jeunesse soit
revenue, que mon front soit essuyé, qu'un peu d'éclat
y soit refleuri, pour avoir quelque chose à offrir à ce Dieu
et à lui sacrifier. Et dès qu'un peu de cette fleur de jeunesse me semblait reparue, je ne la lui portais pas.

Au plus obscur de la mêlée intérieure, trois êtres
distincts se détachaient toujours. Rentré chez moi, près
de mon poêle bizarrement construit en autel, tournant
le dos à ma chandelle oubliée, le front collé au marbre,

je restais des heures avant de me coucher, dans un état de demi-veille, à contempler tout un torrent de pensées sorti de moi-même, et dont le flot monotone rongeait de fatigue mes yeux à demi fermés. Par degrés les trois êtres mystérieux m'apparaissaient alors dans ma nuit, et voici sous quelle forme la plus familière cette vision se dessinait : — J'étais seul, par une lueur crépusculaire, seul dans une espèce de lande déserte, dans ce carrefour de forêt que je vous ai dit. Le carrefour peu à peu devenait une bruyère connue, réelle, ou dont j'avais du moins une vague réminiscence, la bruyère de Couaën ou de la Gastine. Trois femmes, toutes les trois pâlissantes, sans se donner la main, s'approchaient de moi. Si je regardais l'une d'elles, elle se mettait à rougir, et les autres pâlissaient davantage; si je m'avançais vers l'une, assez près pour lui dérober la vue des deux autres, ces dernières se mettaient à défaillir et à mourir, j'étais forcé de me retourner à leur plainte. Si je me replaçais au milieu sans plus m'approcher d'aucune, évitant même de les regarder en face, elles pâlissaient toutes les trois ensemble, de manière à me faire pâlir avec elles et à me tarir le sang de chaque veine dans leur mutuel évanouissement. Une lente brise, s'élevant alors des joncs et des genêts, petite et frissonnante, sèche, ayant du froid et de l'odeur de la mort, répétait à mon oreille confuse un son qui signifiait à volonté *Lucy*, *Herminie*, *Amélie;* je ne savais lequel des trois noms m'était suggéré dans la ténuité de ce soupir, et mon mal s'en augmentait, et tous nous nous fondions en défaillance comme après un jeûne excessif ou un philtre affaiblissant, lorsque soudain, mes genoux ayant fléchi d'eux-mêmes, une idée de prière entra dans mon cœur. Agenouillé du côté de la plus lumineuse des blanches figures, du côté de celle que vous devinez, mon ami, mais cette fois, regardant le ciel, je priais donc, je priais pour toutes les trois, je demandais que l'une fût guérie, que l'autre oubliât, que l'autre se souvînt; et, la ferveur s'en mêlant, voilà que je revis bientôt dans une éclaircie de nuées le reflet transfiguré des trois images, ou plutôt les réalités dont ces images d'en bas n'étaient que l'ombre. Celle vers laquelle j'étais tourné, et que je regardais alors dans l'azur, s'avançant vers moi, m'offrait de la main comme une branche verdissante, et les autres, en reculant avec lenteur, semblaient lui sourire et me pardonner. Et la petite brise de terre, qui soupirait les trois noms, était devenue une symphonie des Anges; mais un seul nom, le plus doux des trois, le plus céleste y dominait, comme s'il eût été chanté dans les sphères, sur des milliers de lyres!...

Un jour, au matin, étant allé chez madame de Cursy, je lus une lettre de Blois qui venait d'arriver à l'instant même. Madame de Couaën y avait mis un mot de compliment pour moi à la fin. Sa lettre entière exprimait un sentiment de résignation, de calme, de bonheur possible jusque dans la souffrance. Après ce mot de souvenir à mon intention, elle ajoutait : « Dites-lui, ma bonne tante, vous qui savez si bien la douceur de l'acceptation volontaire, dites-lui ce que le cœur pieux gagne en bonheur à une vie simplifiée. » — Oui, je voulais simplifier ma vie, en accepter les ruines récentes, en rétablir les fondements en un lieu haut et sacré, d'où l'étoile du matin s'apercevrait à chaque réveil. Rentré chez moi dans ces pensées, j'y trouvai précisément une lettre de mon aimable et mondain ami, qui m'écrivait de sa terre où il était retourné. De soudaines catastrophes avaient bouleversé sa passion, jusque-là trop embellie; la bise du malheur ramenait à Dieu cette aile longtemps légère. Il me donnait des nouvelles de mademoiselle Amélie, sa voisine de campagne, qu'il avait vue depuis peu, et qui l'avait frappé par un redoublement d'abnégation et de constance; madame de Greneuc était devenue plus infirme, et mademoiselle Amélie ne la quittait pas. — Après quelques regrets sur ses propres années, dissipées si loin des devoirs : « Mon ami, ajoutait-il, croyez-en un naufragé des passions, retirez-vous à temps de ces sirènes. Il est des époques, les printemps surtout, les premières brises dans la forêt, où toutes les âmes que nous avons aimées et blessées reviennent à nous; elles reviennent dans les feuilles, dans les parfums de l'air, dans l'écorce aux gerçures saignantes, qui simulent des chiffres ébauchés; elles nous assiègent, elles nous pénètrent; notre cœur est en proie par tous les points. Pauvres âmes, vous êtes bien vengées; Oh! que d'essaims amers, que de nuées étouffantes! que de Didons s'enfuyant taciturnes par les bosquets! toutes mes allées sont peuplées d'Ombres. »

Cet élan de douloureux conseils s'ajoutant à la sobre et sainte parole de madame de Couaën, cette rencontre précise de deux avis venus de si loin à la fois, me parut un signe non équivoque. Vous permettiez, ô mon Dieu, que cet ami si cher, qui m'avait servi de modèle trompeur en quelques endroits de ma chute, fût un des instruments de mon retour; vous lui aurez tenu compte, dans votre miséricorde, de ce commencement de correction qu'il a opérée en mon cœur! J'étais allé la veille chez madame R.; je résolus d'y être allé pour la dernière fois. Le lendemain matin, je lui écrivis qu'elle ne s'étonnât pas de ne me point voir, qu'une affaire imprévue me retiendrait sans relâche tous les jours suivants; elle me répondit à l'instant même, avec inquiétude; elle envoya auprès de moi s'informer de ma santé et du motif. Je fus poli dans mes réponses, mais j'éludai; je parlai vaguement d'une brusque circonstance survenue, d'un voyage probable en Bretagne; elle comprit alors, elle n'écrivit plus; je ne la revis pas. M. R., s'il lut mes lettres, à quelques mots que j'y laissai percer, dut croire qu'un accès de dévotion m'avait pris, et put s'expliquer par là cet évanouissement bizarre. Madame R. sortait peu, et, à moins de secousse artificielle, vivait volontiers tout le jour dans ses tièdes ennuis; j'évitai sa rue, son quartier, les promenades où je savais qu'elle s'asseyait quelquefois; je ne l'ai jamais depuis rencontrée, — non, — pas même au jour tombant, pas même dans l'incertitude de l'ombre! Plus tard, deux ou trois ans après, il me revint que M. R. avait obtenu un haut poste dans la magistrature. Une fois (j'étais prêtre déjà), une personne bavarde, que j'avais connue chez eux, et qui me parla, en m'abordant, comme si je n'avais cessé de les voir chaque matin, après m'avoir demandé de leurs nouvelles et s'être étonnée de mon ignorance, m'apprit que leur union intime s'était tout à fait resserrée, et qu'elle avait eu un fils qui faisait sa joie.

Lorsqu'on rencontre, après des années, des personnes qu'on a perdues de vue dans l'intervalle, et qui avaient un père, une mère, une épouse, des enfants chéris, on hésite à leur en demander des nouvelles, on craint de provoquer une réponse morne, un silence; et, si on le fait à l'étourdie, on se heurte bien souvent à des tombes. Mais même lorsqu'on sait que les êtres ne sont pas morts, on doit hésiter, après de longues absences, à interroger les amis sur leurs amis; car presque toujours ces amitiés, qu'on a connues vivantes et en fleur, ont eu chance de s'altérer et de mourir. On remue en celui qu'on interroge un passé flétri; d'un mot, on fait crier les griefs, les fautes, les haines, tout ce qui dormait sous des cendres; on rentrouvre aussi des tombes.

Ainsi j'allais simplifiant, élaguant coup sur coup les empêchements de ma vie. Mais était-ce assez de retran-

cher des branches demi-mortes, si je n'avais la force d'en
repousser de nouvelles et de propres aux fruits excellents ?

En rompant avec madame R., je rompais avec toutes
ces liaisons éphémères du monde que je n'avais cultivées
qu'à cause d'elle. Mon premier sentiment, une fois la
résolution bien prise et mes réponses dépêchées, fut une
expansion d'allégement infini et de délivrance. Je sortis
durant deux jours entiers, me promenant par les jardins,
dans les allées fréquentées ou désertes, avec un rajeunis-
sement de gaieté et un singulier goût à toutes choses,
comme le prisonnier qui retrouve l'espace libre et l'emploi des heures errantes. Il se mêlait, je le crois bien, à
ma joie une pointe suspecte et l'assaisonnement d'une
vengeance accomplie. Mais cette première vivacité sans
but, cette blanche mousse de l'âme que l'instant du vide
avait fait jaillir, s'étant vite évaporée, je me retrouvai, avec
mon fonds, en présence de moi-même. Le second
moment fut moins vif que le premier. C'était du calme
encore, mais du calme sans sérénité, sans ciel entrouvert, du calme comme j'en éprouve à l'heure où je vous
écris sur cette mer qu'hier agitait la tourmente. Les vents
sont tombés, mais les vagues, par leur impulsion acquise,
continuent de battre, lourdes, troublées, clapotantes ;
c'est un calme épaissi, nauséabond. J'éprouvai quelque
temps cela après la passion tombée de madame R. ; les
vagues détendues de mon âme s'entre-heurtaient pesamment.

Vous fûtes mon recours en cette pesanteur, ô Main
qui seule apaisez les flots ! J'entrai plus avant dans la
disposition réparatrice où je m'étais essayé bien des
fois. Mais ce ne fut pas sans beaucoup d'alternatives
et de vicissitudes encore. Comment vous les peindre,
mon ami ? Plus d'une année, à partir de ce moment,
se passera pour moi dans une succession irrégulière de
grêle et de soleil, d'aridité et de fleurs ; la moisson, que
j'aurai vue verdissante, rétrogradera ; épis naissants,
boutons éclos, seront en une nuit coupés sur leur tige.
Que d'efforts avant d'atteindre à ce vrai printemps des
justes sur la terre, printemps qui n'est guère lui-même
qu'un mars inégal et orageux ! Je ne vous égarerai pas,
mon ami, dans l'infinité de ces alternatives ; je ne vous
en marquerai que les principaux ensembles. Promettez
seulement que vous ne vous lasserez pas trop de ces
pauvres oscillations d'une âme ; souvenez-vous des

vôtres! Concevez espoir et courage, en voyant une telle faiblesse, qui pourtant n'a pas péri.

J'avais occasion de rencontrer au petit couvent un ecclésiastique respectable, qui, sans être supérieur en lumières, ne manquait aucunement de solidité ni d'agrément dans l'esprit; mais c'était surtout un homme de pratique et d'onction. L'idée du bien à faire et de la charité active m'arriva principalement par lui. Il était rentré en France vers 1801, et avait fort connu en Angleterre l'abbé Carron, sorti comme lui de Rennes. Il s'entretenait fréquemment de cette vie édifiante avec madame de Cursy, qui avait également connu M. Carron à Rennes, avant la Révolution. Les longs récits, que tous deux à l'envi faisaient de ce saint prêtre, influèrent beaucoup sur moi. Le plus direct remède, le seul, aux passions invétérées, c'est l'amour chrétien des hommes. La miséricorde et l'amour sont le redressement des deux excès contraires, la guérison souveraine de tout orgueil comme de toute volupté. La miséricorde ou le pardon de l'injure est l'orgueil dompté, l'amour est la volupté rectifiée; le mot divin de *Charité* les comprend l'un et l'autre.

L'abbé Carron, sur lequel j'interrogeais tour à tour madame de Cursy et le bon ecclésiastique, était une de ces natures merveilleuses que Dieu a douées, dans sa prédilection, du don instinctif de l'aumône, de la prière et du soin des âmes; un rejeton refleuri de cette douce famille des saint François de Sales, des saint Vincent de Paul et des Bourdoise. A une grande simplicité de doctrine, à une candeur d'enfant qui se trahissait volontiers en rire d'innocence, l'abbé Carron unissait un sens particulier de spiritualité et des grâces extraordinaires qu'il dérobait humblement en son cœur. Voici pourtant deux surprenantes histoires qu'il avait été amené à raconter, dans un but fructueux, à l'ecclésiastique de qui je les tiens. Un jour, avant la Révolution, à Rennes, étant vicaire dans l'une des paroisses de cette ville, il fut arrêté au sortir de l'église, vers l'heure du soir, par une jeune fille inconnue, qui lui demanda de la vouloir confesser. Il était tard; l'église allait fermer; il lui dit de revenir le lendemain : « Non pas, répondit-elle; qui sait, demain, si je voudrai encore ? » Il la confessa donc, et le résultat de cette confession fut de retirer la jeune fille du désordre où plusieurs hommes considérables l'avaient entraînée; l'abbé Carron la mit à l'abri de toutes poursuites dans un couvent. Peu de jours après, on vint le chercher un soir

pour porter le viatique à un mourant; mais il fallait se
laisser conduire sans s'inquiéter du lieu ni du nom. Le
prêtre, muni de son Dieu, obéit. Arrivé à une maison de
grande apparence, on l'introduisit sans lui parler, à travers une série d'appartements, jusqu'à une chambre où
se trouvait un lit aux rideaux fermés, qu'on lui désigna;
et puis l'on sortit le laissant seul. Alors seulement il s'approcha du lit, et, entrouvrant les rideaux, découvrit un
corps étendu, sans vie, avec une arme à côté. Il crut
qu'on l'avait appelé trop tard, et, sans s'efforcer de pénétrer le mystère, il attendit en récitant les prières des
morts, qu'on vînt le reprendre et le reconduire. A la fin
plusieurs personnes entrèrent, et il leur dit ce qui en était.
Mais, à cette vue, le bouleversement de ces hommes fut
extrême; ils tombèrent éperdus à ses genoux, lui confessant que c'était à sa vie qu'ils en avaient voulu; qu'ils
étaient les séducteurs de la jeune fille soustraite par lui
à leurs plaisirs, et que le mort, l'instant d'auparavant en
pleine vie, avait eu dessein de le frapper d'un coup quand
il se serait approché. Sous l'effroi de la divine sentence,
ils se jetèrent à la Trappe.

Un autre jour, étant au confessionnal, occupé d'un
pénitent dont il espérait peu, l'abbé Carron, après son
exhortation faite, poussa assez brusquement la planche
de la grille, dans l'idée qu'il n'y avait rien à faire de cette
âme pénible et rebelle. Mais, en ouvrant la planchette de
la grille opposée, il entendit une voix qui lui adressait ces
mots : « Je ne viens pas pour me confesser, mais pour
vous dire que, quelles que soient la sécheresse et la difficulté d'une âme, il n'est pas permis d'en désespérer, et
qu'elle a droit de retour à Dieu. » L'abbé Carron avait
lui-même rapporté ce fait au bon ecclésiastique.

L'ecclésiastique avait encore appris, non pas de l'abbé
Carron, mais d'un de ses pénitents les plus dignes, ancien
officier de l'armée de Condé, M. de Rumédon, que celui-
ci, étant à Jersey et se confessant pour la première fois
au saint prêtre, se trouva tout d'un coup saisi, pendant
l'exhortation finale, d'une rêverie involontaire; l'abbé
Carron, interrompant alors le fil de l'exhortation, lui dit :
« Pourquoi pensez-vous ainsi à telle et telle pensée ? » et
il lui désigna les points précis de sa distraction.

Ces merveilleuses histoires, que je me faisais redire
dans toutes leurs circonstances, et qui s'entremêlaient aux
détails de l'infatigable charité et de cet art d'aumône qui
était le génie propre à l'abbé Carron, trouvaient en moi

une âme docile, heureuse de les admettre. J'estimais tout
simple et légitime qu'il en advînt de la sorte à ces natures
bienfaitrices, que n'arrêtent, dans leur essor vers le bien,
ni les murailles des cachots ni les distances. Le sillon
qu'elles tracent s'illumine sous leurs pas, me disais-je,
tant elles ont déjà l'agilité de l'ange. L'invisible doigt
écrit des lettres mystérieuses dans chaque vie; mais
il faut un certain jour céleste, un certain degré
d'embrasement, pour que ces lettres se déclarent. Un
miracle, ce n'est que cet éclat inopiné des lettres, d'ordinaire obscures. Dès mes précédentes excursions philosophiques, j'avais appris à reconnaître, dans le théosophe
Saint-Martin, au milieu d'un encens perpétuel d'amour,
de mystérieux rapports, des communications d'esprit à
esprit, une vue facile à travers les interstices et les cre-
vasses du monde visible. Toutes ces parcelles d'au-delà
me revenaient, et m'avertissaient que ce n'était qu'attente
et vestibule en cette demeure; je m'élevais à la signification chrétienne des choses. *Nunc videmus per speculum in
aenigmate.*

Par une singulière coïncidence que je ne puis omettre
ici, le saint abbé Carron dont je vous parle, et qui, tout
absent qu'il était, devint un de mes maîtres spirituels, je
ne l'ai vu qu'une fois dans ma vie, mais je l'ai vu en ce
cul-de-sac même des Feuillantines, près de la maison où
nous nous entretenions de ses œuvres. C'était en 1815, je
crois, aussitôt après les Cent-Jours; il arrivait d'Angleterre. Un prêtre de ses amis, peu connu alors, depuis bien
illustre, l'abbé de La Mennais, était logé avec lui. Ils ne
se quittèrent presque plus jusqu'à la mort du vieillard.
Ainsi l'aumône et la doctrine s'étaient rencontrées; l'éloquence tenait embrassée la miséricorde.

Il y a des hommes que Dieu a marqués au front, au
sourire, aux paupières, d'un signe et comme d'une huile
agréable; qu'il a investis du don d'être aimés! Quelque
chose à leur insu émane d'eux, qui embaume et qui
attire. Ils se présentent, et à l'instant un charme alentour
est formé. Les savants sourcilleux se dérident à leur nom
et leur accordent de longues heures de causerie au fond
de leur cabinet avare. Ceux qui sont misanthropes font
exception en leur faveur, et ne disent qu'à eux leurs
griefs amers, leur haine des hommes. Les filles désor-
données les aiment et s'attachent à leur manteau pour ne
les avoir vus qu'une fois; elles les supplient à mains
jointes de revenir; c'est un attrait qui n'est déjà plus celui

du mal; elles semblent leur crier : *Sauvez-moi !* — Les
femmes honnêtes envient leur commerce; les mondaines
et les volages sont pour eux tout indulgence et touchées
d'une sorte de respect. Ils entrent dans les maisons nouvelles, les enfants après quelques minutes courent volontiers entre leurs genoux. Les confidences des malheureux
les cherchent. De nobles mains et des amitiés qui
honorent leur arrivent de toutes parts, et des offres de
jeunes cœurs à guider et des demandes de bon conseil.
Oh! malheur au serviteur chargé de ces dons, malheur,
s'il en use, je ne dis pas pour tromper, pour séduire et
trahir (celui-là est infâme), mais s'il en use au hasard et
à son vague plaisir, s'il ne fait pas fructifier au service
de tous ce talent d'amour, s'il rentre tard au palais du
Maître, sans ramener derrière lui une longue file priante
et consolée!

   Je me représentais cela à moi-même après ces entretiens où l'abbé Carron m'était apparu à la tête de son
troupeau de malades et de pauvres; dans les vœux ardents
que je faisais de suivre de loin sa trace, mon visage s'ar-
rosait de larmes abondantes. Ce don précieux des larmes
m'était revenu. Je l'avais fort perdu, mon ami, durant
cette précédente année de dissipation, de manège frivole,
de poursuites obstinées et de tiraillements. Ces sortes
d'inquiétudes, a dit un Saint, font disparaître l'inesti-
mable don avec autant de facilité que le feu fait fondre
la cire. Mais quatre ou cinq jours après la rupture avec
madame R., me promenant seul, sous une brume intérieure assez abaissée, je sentis tout d'un coup comme une
source profonde se délier et sourdre en moi; mes yeux
s'épanchèrent en ruisseaux. Les pures scènes de Couaën,
les commencements de la Gastine et les blondes abeilles
qui s'envolaient à mon approche, aux haies du verger;
mon enfance surtout, la maison de mon oncle, ma fenêtre
en face des longs toits rouillés de mousse, et les visions
dans l'azur, tout ce qu'il y a eu de virginal et de docile à
travers mes jours, me fut rendu. J'eus l'avant-goût de ce
que peut être l'éternelle jeunesse, l'enfance perpétuée
d'une âme dans le Seigneur.

   Lorsque j'étais ainsi content de mes journées, auxquelles je mêlais d'antiques lectures et les fleurs incomparables des déserts, je venais plus souvent chez madame de
Cursy, qui jouissait de me voir si heureusement changé,
bien qu'elle n'eût jamais su la profondeur de mon oubli.
Je suivais mon sentier, tout en lisant le long des buis de

son étroit jardin, comme Salomon enfant s'étudiant à la sagesse parmi les lys magnifiques des vallées. Si elle écrivait à Blois, je la priais de rendre témoignage à mon sujet, d'annoncer que je simplifiais ma vie. L'idée qu'elle le faisait était déjà une récompense. Vous ne me reprochiez pas ce mouvement de joie sensible qui se sanctifiait à votre crainte, ô mon Dieu!

Mais je n'ai pas dit encore les bises et les grêles qui m'assaillaient avant d'en venir là, ou qui me frappaient au plus beau de mon espérance. On ne pacifie pas d'un coup ce qu'on a si longtemps déchaîné. Il y avait des jours pour moi sans liaison avec ce qui précédait, et qui remettaient en question tout l'avenir, de ces jours mauvais dès le matin, et qui font croire fermement au mal et au Tentateur. J'ai rarement pris les choses, mon ami, par le côté lugubre, par l'aspect de l'Enfer et de Satan, par les grincements, les rages et les flammes : c'est plutôt le bien, l'amour, l'attraction croissante vers le Père des êtres, le tremblement modeste des Élus, la tristesse à demi consolée de la pénitence, c'est cela surtout que j'aime me proposer comme image et que je voudrais imprimer au monde. Mais pourtant le mal n'est pas chassé de nos os; l'antique corruption nous infecte encore, et si nous la croyons vaincue, elle nous fait ressouvenir d'elle. On s'est couché dans la prière avec le soleil; on a vécu, durant des semaines, d'un miel et d'un froment à souhait préparés; on a goûté ces états délicieux de l'esprit que procurent les demi-journées de jeûne; — et voilà qu'on se réveille en gaieté folle, en soif ardente, proférant comme spontanément des mots blasphématoires, impies. Entre les nombreux démons, les anciens Pères en distinguent un qu'ils appellent l'*avant-coureur*, parce qu'il accourt dans un rayon tenter les âmes à peine éveillées, et qu'il descend le premier du char de l'aurore. Les mots empestés qui troublaient mon haleine me venaient de lui. Oh! demeurons purs toujours, si nous le sommes! Ne souillons jamais nos imaginations ni nos lèvres! car il est des moments où l'âme la plus secrète remonte, où le puits de l'abîme en nous est forcé. Époux, craignez, dans vos songes, de laisser échapper des mots honteusement obscurs entre les bras de l'épouse! Dans la maladie, si le délire nous prend, craignons qu'il ne nous échappe quelque débauche de parole qui fasse rougir nos mères ou nos sœurs, et leur décèle en nous des antres de ténèbres. Oh! vous tous qui l'êtes, restez purs de cœur, pour être certains que des sons purs seulement, des prières autrefois apprises, des versets de psaume mêlés à l'huile sainte, effleureront vos lèvres dans l'agonie.

Ma volonté trébuchait donc ces jours-là, comme une femme ivre, dès le matin. D'insensés et de dépravés désirs me sillonnaient. Mais d'autres fois, ce n'est que vers midi, après la première matinée assez bien passée, que l'ennui vague, le dégoût du logis, un besoin errant si connu des solitaires de la Thébaïde eux-mêmes et qu'ils ont appelé le démon du milieu du jour, vous pousse dehors, converti fragile et déjà lassé. Les images riantes des lieux, les ombrages de nos collines préférées et de nos Tempés, agitent en nous leurs fantômes. On se rappelle ces mêmes heures qui s'écoulaient autrefois dans des entretiens si doux. — Le roi David, midi un peu passé, monta sur la terrasse en marbre de son palais, et vit sur la terrasse d'en face se baigner la femme d'Urie ; il fut atteint de cette flèche qui vole au milieu du jour, et qu'il faut craindre, s'écriait-il dans sa pénitence, à l'égal des embûches de la nuit : *a sagitta volante in die, ab incursu et daemone meridiano.* — On n'y peut tenir. Adieu l'étude et la cellule qu'on se prétendait faire ! Si l'on était au désert de Syrie comme Jérôme, on se roulerait à quelques pas de là sur le sable embrasé, et l'on rugirait comme un lion, à l'idée des dames romaines ! Mais on est en pleine Rome ; on va par la ville, sur les ponts sans ombre, à travers les places abandonnées que torréfie une pluie de feu. On essuie le soleil de midi, le trouvant trop tiède encore au prix de la brûlure intérieure ; on le défie de nous la faire oublier, et l'on ne rentre enfin que brisé, ruisselant, heureux de se sentir hors de toute pensée. — Et cette rentrée n'est que d'un instant ; après quelque répit et assoupissement d'un quart d'heure, des formes robustes, épaisses, délices des prétoriens, violentes, des formes qu'on n'a vues qu'une fois à peine, il y a un an, deux ans peut-être, et qui nous ont ou rassasiés alors ou même déplu, nous reviennent dans une âpre et aride saveur. C'est là un des malheurs des anciennes chutes. Il semble qu'une fois vues et quittées, ces femmes s'oublient, n'excitant chez nous aucun amour. Erreur ! Elles laissent dans les sens des traces, des retours bizarres qui se raniment à de longs intervalles ; on veut à un moment tout retrouver. Rien n'arrête plus : l'échec des premières impressions de ce jour a déjà compromis en nous le sentiment de la chasteté commencée ; on précipite le reste ; on défait en une fois toute sa vertu, on gâte à plaisir tous ses bonheurs.

Et que devient jusqu'au bout cette semaine ainsi entre-coupée d'un torrent, et sur qui l'avalanche a croulé ? Comment, le lendemain, reprendre le livre entrouvert à la page où notre crayon avait noté quelque ascétique sentence, à l'endroit où le Sage nous dit d'attacher les préceptes du Seigneur comme des anneaux d'or à nos doigts, pour les voir toujours ; où saint François de Sales nous entretient de la chasteté, ce lys des vertus, et de sa belle blancheur ? Ces semaines-là se terminent donc en mille serpents épars ou chiens aboyants, comme le ventre de la Sirène. Une petite fille de cinq ans, à qui l'on disait qu'elle gâtait ses dents à force de sucreries, fit cette réponse : « Oh ! ces dents-là tombent, je me corrigerai quand j'aurai des dents neuves. » Nous sommes tous plus ou moins comme cet enfant ; au moindre échec, à la pre-mière chute, nous poussons à bout notre défaite ; nous attendons des jours neufs, nous nous fixons de solennels délais avant de nous remettre : — Pâques, — Noël, — la semaine prochaine. Nous passons bail avec nos vices, et renouvelons sans cesse les termes, par égard pour l'hôte impur. Nous faisons comme l'écolier en désordre, qui salit d'autant plus le cahier qu'il achève, qu'il se promet de mieux remplir le cahier suivant.

Mais le Tentateur ne descendait pas toujours glorieux ou furieux, emportant mon âme sur le char du soleil, la roulant dans l'arène brûlante ; il se glissait aussi le long des traces plus réservées, dans le fond de cette vallée de la Bièvre que je remontais un livre à la main, ou par-delà Vanvres, doux, silencieux, sous le nuage de mes rêveries. Sachons reconnaître et craindre les moindres nuages.

Il y avait d'autres jours où, sans préambule, sans nuage et sans ardeur, il me surprenait comme un voleur en embuscade, comme l'ennemi sauvage, couché à terre, qu'on prendrait de loin pour une broussaille, et qui se relève inopinément.

Il y avait des jours encore où, s'emparant avec adresse de ma joie ingénue, qui naissait d'une conscience meil-leure, il me dissipait insensiblement et m'envoyait, une touffe de violettes à la main, jouer et m'égayer à travers les périls, comme dans la rosée, et regarder nonchalam-ment ou vivement chaque chose, comme d'un balcon ; mais il me laissait rentrer sain et sauf, de manière que, la fois suivante, je me crusse invulnérable.

Quelquefois, il se couvrait du manteau du bon Berger,

et me conseillait, dès le matin, des courses d'amitié ou
d'aumône. « Ce démon particulier, dit quelque part un
des Pères dans Cassien, nous suggère d'honnêtes et indispensables visites à des frères, à des malades voisins ou
éloignés. Pour nous tirer dehors, il sait nous indiquer de
pieux devoirs à remplir; qu'il faut cultiver davantage ses
proches; que cette femme dévote, sans famille, sans appui,
a besoin d'être visitée, et réclame nos soins; que c'est une
œuvre sainte de lui procurer ce qu'elle n'attend de personne au monde, si ce n'est de nous; que cela vaut mieux
que de rester inutile et sans profit pour autrui dans sa
cellule. » Et de même il me suggérait, dès le matin, des
visites de pauvres ou de personnes respectables, par-delà
des quartiers distrayants qu'il me fallait côtoyer.

Car, dès ces temps-là, mon ami, je tâchais surtout de
me guérir de l'égoïsme des sens par le spectacle des
misères vivantes, sachant que rien n'est plus opposé au
génie de la volupté que l'esprit de l'aumône. Mais
combien de fois, au plus fort des meilleures résolutions,
jurant d'épargner jusqu'au moindre denier pour la bonne
œuvre samaritaine, et m'en revenant de quelque visite,
les yeux encore humides de larmes et dans le murmure
du nom en mémoire duquel je voulais édifier ma vie,
combien de fois il suffisait d'un simple hasard pour tout
renverser! Et je retombais du degré trois fois saint de serviteur des pauvres, de ce parvis d'albâtre et de porphyre
où Jésus lave leurs pieds, dans l'ignominie des plaisirs.
Nous ne sommes rien sans vous, ô mon Dieu! La charité,
sans le canal régulier de la piété, est comme une fontaine
dans les sables, qui vite y tarit.

Et pourtant quelles émotions comparables à celles de
la pure charité, une fois qu'on en a ressenti la fraîcheur,
et contre quelles autres les devrait-on échanger? Voici
une de ces joies naïves que l'abbé Carron avait racontées
à l'ecclésiastique, une des joies qui faisaient époque dans
sa vie, et qui, par transmission, ont fait époque dans la
mienne. Je m'en souviens toujours, d'abord, quand je
veux me figurer quelque chose de la félicité empressée,
légère, toute désintéressée, des Anges. Pendant les premiers temps qu'il était vicaire à Rennes, M. Carron fut
appelé dans une famille tombée par degrés d'une ancienne
opulence au plus bas de la détresse. Les ressources dont
il pouvait disposer étaient modiques, insuffisantes; ses
relations dans la paroisse étaient encore très resserrées.
En s'en revenant, il songeait au moyen d'appeler à l'aide

quelque autre bienfaiteur plus efficace. C'était un jour de Vendredi-Saint : il avait entendu parler, la veille, d'une personne étrangère, admirablement bienfaisante, d'un Anglais protestant, établi depuis peu dans la ville. Il résolut de lui écrire, et, à peine rentré, il le fit, marquant les principales circonstances de la détresse de cette famille, invoquant la solennité d'une semaine si sacrée à tous les chrétiens, et sans d'ailleurs se nommer. Quelques jours après, étant retourné vers la famille, il s'informa si personne n'était venu dans l'intervalle; on lui répondit que non. Il continua d'y venir de temps à autre, et crut que cette lettre par lui écrite n'avait eu aucun effet. Il en souffrait un peu néanmoins, et en tirait tout bas quelque réflexion assez chagrine sur le caractère incomplet de cette bienfaisance des hérétiques. Mais, environ un an après, un jour, il entendit par hasard, dans cette famille, prononcer un nom nouveau, et, s'informant de quelle connaissance il s'agissait, remontant de question en question, il vint à comprendre que c'était son riche étranger qui avait fait raison à l'appel, et qui l'avait fait à l'instant même, et dès le jour de Pâques, ayant reçu sa lettre la veille. Mais les pauvres gens n'avaient osé avouer alors ce surcroît de secours à l'abbé Carron, craignant que peut-être cela ne le ralentît pour eux. La joie de M. Carron, en apprenant que son appel avait réussi, fut immense, et la plus transportante qu'il eût jamais eue, disait-il. Il revint avec des bonds de cœur, en s'accusant d'avoir douté d'un frère, en priant pour sa conversion à l'entière vérité, en ayant foi plus que jamais à l'union définitive des hommes. — Si toutes les histoires merveilleuses sur l'abbé Carron me semblaient presque naturelles, cette dernière, si naturelle, me semblait la plus merveilleuse encore. Mettez en balance un atome de ces joies lumineuses avec celles qui ne sont pétries que de sang et de terre!

Dans les derniers temps du combat, à chaque reprise des obscurcissantes délices, il m'en restait un long sentiment de décadence et de ruine. Pour en secouer l'impression pénible, pour tromper un peu cette fuite précipitée de moi-même et de ma jeunesse, — dans la plaine des environs, à plusieurs lieues alentour, — ou par un ciel voilé d'avril, ayant à la face un petit vent doux et mûrissant, ou par ces jours non moins tièdes et doux d'une automne prolongée, jours immobiles, sans ardeur et sans brise, quand il semble que la menue saison n'ose bouger de peur d'éveiller l'hiver, j'employais les heures d'après-

midi à parcourir à pied de grands espaces, et, m'enhardis-
sant ainsi en liberté et en solitude, j'essayais de croire que
je n'avais jamais été plus avide, plus inépuisable à tous
les vœux et à tout l'infini de l'amour. Je me disais, en
frappant du front, comme un jeune bélier, la brise mollis-
sante : — C'est le printemps, un nouveau printemps en
moi, qui s'approche, et non pas l'hiver ! — Et, en d'autres
jours, où rien ne s'était commis, éprouvant jusqu'à la
moelle un apaisement profond, un sentiment de tranquillité bien plutôt que de ruine, au lieu d'acquiescer et de
bénir, et de reconnaître avec joie que l'âge féroce expirait, au lieu d'être heureux de cette indifférence, pareille
à celle d'Alipe, qui eût laissé régner mon esprit et mon
cœur, je me repentais de moi; je me trouvais moindre en
face de l'univers, irrité, humilié de toute cette poussière
des êtres qui volait dans les nuages, et que mon énergie
première se serait crue suffisante à enflammer. Il y avait
des places sur ma tête, où les cheveux maigris ne repous-
saient guère; il y avait dans mon cœur des vides où
séchaient, comme l'herbe morte, les naturels désirs. Je
redemandais la fumée et l'obscurcissement intérieur avec
l'étincelle inextinguible. J'aurais arraché aux dieux païens
et aux fabuleux amants leur breuvage immortel.

Et puis, un matin, un soir quelquefois, tout se remettait subitement au bien, de même que tout s'était bouleversé sans cause certaine. Le lys des vertus relevait sa tige,
le miel savoureux et calmant distillait sa douceur qu'on
ne peut décrire. Après une quinzaine heureuse, quelle
lucidité ! quelle paix ! quelle facilité de vaincre ! A la
moindre pensée suspecte, mes sens eux-mêmes frisson-
naient de crainte; signe excellent, une frayeur profonde
traversait ma chair. Je croyais en ces moments à la Grâce
d'en haut, comme précédemment j'avais cru au mal et au
Tentateur.

XXI

J'en suis aux mers calmes; j'approche du grand rivage. Encore un peu d'effort, ô mon âme! — Encore un peu d'indulgence, ô mon ami! nous échappons aux navigations obscures.

Mes études et mes lectures se faisaient chrétiennes de plus en plus. Mais ce n'était pas une étude dogmatique, une démonstration logique ou historique que je me proposais; je n'en sentais pas principalement le besoin. La persuasion au Christianisme était innée en moi et comme le suc du premier allaitement. J'y avais été infidèle avec révolte dans mon juvénile accès philosophique; mais ensuite, ç'avait été ma vie, bien plutôt que mon esprit et mon cœur, qui en était restée éloignée : toutes les fois que je revenais à bien vivre, je redevenais spontanément chrétien. Si je voulais raisonner sur quelque haute question d'origine ou de fin, et d'humaine destinée, c'était dans cet ordre d'idées que je me plaçais naturellement, c'était cet air de la Montagne Sainte que je respirais, comme l'air natal. Du moment que les choses invisibles, la prière, l'existence et l'intervention de Dieu, reprenaient un sens pour moi et me donnaient signe d'elles-mêmes, du moment que ce n'étaient pas de pures chimères d'imagination dans un univers de chaos, le Christianisme dès lors me reparaissait vrai invinciblement. Il est, en effet, le seul côté visible et consacré par lequel on puisse embrasser ces choses, y adhérer d'une foi permanente, se mettre en rapport régulier *(rite)* avec elles, et rendre hommage en chaque pas à leur autorité incompréhensible; il est l'humain support de toute communication divine. Aimer, prier pour ceux qu'on aime, faire le bien sur terre en vue des absents regrettés, en vue des mânes chéris et de leur satisfaction ailleurs, dire un plus

ardent *De profundis* pour ceux qu'on a un instant haïs,
vivre en chaque chose selon l'esprit filial et fraternel,
avoir aussi la prompte indignation contre le mal, mais
sans l'aigreur du péché, croire à la grâce d'en haut et à la
liberté en nous, voilà tout l'intime Christianisme. Dans
mes lectures, les questions théologiques, quand elles se
présentaient, m'inquiétaient peu; je m'appliquais pourtant à les saisir et à les étudier : mais les contradictions
apparentes, les excès des opinions humaines mêlées à
la pure doctrine, ne me troublaient pas. Il se faisait une
séparation naturelle dans mon esprit, un départ de ce
qui n'était pas essentiel; la rouille de l'écorce se déposait
d'elle-même. La chute primitive, la tradition éparse et
l'attente des Justes avant le Messie, la rédemption par
l'Homme-Dieu, la perpétuité de transmission par l'Eglise,
la foi aux sacrements, étaient des points sur lesquels mon
esprit ne contestait pas. Le reste qui faisait embarras
s'ajournait aisément, ou s'aplanissait encore, à l'envisager
avec simplicité, et seulement au fur et à mesure du cas
particulier et de la pratique effective. Je ne me construisais donc pas de système. D'ailleurs, les faits de science
et de certitude secondaire, les vérités d'observation et de
détail ne me paraissaient jamais pouvoir être incompatibles avec les données supérieures; je croyais beaucoup
plus de choses conciliables entre elles qu'on ne se le
figure d'ordinaire, et j'étais prêt à admettre provisoire-
ment chaque fait vrai, même quand le lien avec l'ensemble ne me semblait pas manifeste. — Une fille de rois
qui, sans être grande théologienne, avait l'esprit très
cultivé et une belle intelligence, mademoiselle de Mont-
pensier, remarque quelque part admirablement, qu'après
avoir beaucoup rêvé sur le bonheur de la vie, après avoir
exactement lu les histoires de tous les temps, examiné les
mœurs et la différence de tous les pays, la vie des plus
grands héros, des plus accomplies héroïnes et des plus
sages philosophes, elle n'a trouvé personne qui, en tout
cela, ait été parfaitement heureux; que ceux qui n'ont
point connu le Christianisme le cherchaient sans y penser,
s'ils ont été fort raisonnables, et, sans savoir ce qui leur
manquait, s'apercevaient bien qu'il leur manquait
quelque chose. Et ceux, au contraire, disait-elle, qui,
l'ayant connu, l'ont méprisé et n'ont pas suivi ses préceptes, ont été malheureux ou en leurs personnes ou en
leurs états. Je me tenais volontiers, mon ami, à des
conclusions assez semblables. Je remarquais que tout ce

qu'il y a de vraiment heureux ou de bon moralement, dans les actes et dans les hommes, l'est juste en proportion de la quantité de Christianisme qui y entre. Examinez bien, en effet, et ce qui semble peut-être d'une vérité vague, dans l'énoncé général, deviendra pénétrant dans le détail, si vous y insistez de près. Cette vérification que j'aimais à faire sur les grands hommes du passé, ou plus directement encore sur les hommes mes contemporains, et sur ceux que j'avais familièrement observés, équivalait pour moi à de bien laborieuses démonstrations historiques de la vérité chrétienne. Je prenais une à une les passions, les facultés, les vertus; toujours ce qui en était le meilleur emploi et la perfection me ramenait droit à la parole de l'Apôtre. Je prenais, je prends encore quelquefois un à un dans ma pensée les hommes à moi connus, et, en tâchant d'éviter de mon mieux la témérité ou la subtilité de jugement, je me dis :

Elie est une noble nature, nature tendre sans mollesse, ouverte et facile d'intelligence, élevée sans effort, égale pour le moins à toutes les situations, aumônière et prodigue avec grâce. Son abord enchante comme s'il était de la race des rois. S'il parle, il est disert; s'il écrit, sa plume est d'or. Il est chrétien et pratique docilement. Et pourtant à la longue, près de lui, vous sentez du froid, une glissante surface qui s'interpose entre son âme et vous, des jugements légers, indifférents, contradictoires, sur des matières où il s'agit de droit inviolable et d'équité flagrante pour le grand nombre. C'est qu'il a son habileté propre, son plan de prudence insinuante. Il ne s'indigne jamais, il se ménage dans des buts lointains et secondaires; ou peut-être n'est-ce chez lui qu'une habitude ancienne, due à son long séjour chez les aimables Pères de Turin. Il est chrétien, ai-je dit; mais toutes les fois que dans l'accord de sa belle nature vous tirez un son moins juste et plus sourd, c'est que vous touchez un point médiocrement chrétien.

Hervé est chrétien aussi; il a mille vertus; à l'âge où le cœur commence à se ralentir, il a gardé la chaleur d'âme et l'abandon de l'adolescence. Lui qu'on serait prêt à révérer, il tombe le premier dans vos bras, il sollicite aux amitiés fraternelles. Mais d'où vient qu'en le connaissant mieux, en l'aimant de plus en plus, pourtant quelque chose de lui vous trouble, et par moments obscurcit ce bel ensemble, comme un vent opiniâtre qui écorche la lèvre au sein d'un paysage verdoyant ? C'est que son impétuosité dans ses idées est extrême; il s'y précipite avec une ardeur qu'on admire d'abord, mais qui lasse bientôt, qui brûle et altère. C'est son seul défaut; le chrétien parfait n'y tomberait point. Le chrétien parfait est plus calme que cela, surtout dans les produits de la pensée; il se défie de l'efficace de ses propres conceptions et de sa découverte d'hier soir touchant la régénération des hommes; il est plus rassuré sur les voies indépendantes et perpétuelles de la Providence; il réserve presque toute cette fièvre d'inquiétude pour l'œuvre charitable de chaque journée.

Et cet autre, ce Maurice, également si bon, si pauvre en tout temps, si désintéressé, il croit à une idée supérieure à lui, il s'y dévoue comme à une chose autre que lui, il vous convie tout d'abord à vous y dévouer, et il oublie que c'est lui qui a engendré cette idée et qui chaque matin la défait, la refait et la répare. S'il vivait un peu moins en cette plénitude confuse et tourbillonnante qui vous repousse, que serait-il sinon plus éveillé sur lui-même, sinon plus chrétien ?

Et s'ils songeaient plus à l'être, y aurait-il à noter chez l'un, avec sa dignité véritable de caractère, cette raideur vaniteuse et infatuée; chez l'autre, avec ses qualités intègres ou aimables, cette mesquinerie un peu égoïste qui émiette et pointille, qui retranche à la moindre action; chez cet autre, avec un fonds généreux, ce propos déshonorant, et qui fait fuir toute divine pensée ? A chaque défaut gros ou petit, mais réel, qu'un ami vous laisse apercevoir, vous pouvez dire : S'il n'avait pas ce défaut, que serait-il, sinon plus chrétien ?

Et si, pensant à tel ou tel de vos amis chrétiens, vous étiez tenté de vous dire : « Mais il est trop mou et trop bénin de caractère, trop crédule et trop simple agneau devant les hommes; voilà son défaut réel trouvé, il est trop chrétien. » — Détrompez-vous; réformez en idée ce léger défaut, cet excès de simplicité en lui, raffermissez ce caractère, aiguisez ce discernement, allumez parfois un rapide éclair de victoire à la paupière de ce docile Timothée; donnez-lui cette perspicacité sainte de laquelle l'Apôtre a dit qu'elle est plus perçante que tout glaive, et qu'elle va jusqu'à la division de l'esprit et de l'âme, des jointures et des moelles, des pensées et des intentions; oui, faites circuler en sa veine, au besoin, un souffle de l'archange qui combat; faites aussi que sa pensée soit assez agile pour courir à travers les cœurs, assez fine pour passer, en quelque sorte, entre la lame intérieure du miroir et le vif-argent qui y adhère; ajoutez-lui tout cela, et qu'il garde ses autres vertus, et vous l'aurez encore plus chrétien.

Et si ces amis louables et bons, ces vivants de notre connaissance que j'aime ainsi à choisir tout bas un à un, pour les voir confirmer de leurs défauts mêmes la parole de l'Apôtre, nous choquaient trop à la longue par ces taches que nous distinguons en eux, qu'est-ce, mon ami, sinon que nous serions à notre tour moins chrétiens qu'il ne faudrait ? Le chrétien, en effet, n'est pas si aisément dégoûté ni incommodé par des rencontres inévitables. Avec le discernement aiguisé des défauts, il en a la tolérance la plus tendre. L'odeur de ces plaies secrètes l'attire et ne le rebute pas. Il reste constant et fidèle, en même temps que détaché dans le sens voulu. Il remercierait presque ses frères de leurs défauts qui l'éclairent sur les siens, il les en plaint avant tout, il s'en inflige d'abord la peine à lui-même, et puis il est ingénieux et modeste à les reprendre en eux : *cum modestia corripiens eos.*

L'ecclésiastique dont je vous ai parlé avait hérité d'un parent qui venait de mourir une belle bibliothèque sacrée; j'allai la voir avec lui. C'était dans la rue des Maçons-Sorbonne, au premier étage d'une de ces maisons sans soleil où avait dû demeurer Racine, la même peut-être dont il avait monté bien des fois l'escalier inégalement carrelé, à large rampe de bois de noyer luisant. La bibliothèque remplissait deux vastes chambres, et renfermait, entre autres volumes de théologie, un grand nombre de livres jansénistes, ou, à vrai dire, la collection complète de cette branche. Depuis le fameux *Augustinus* de l'évêque d'Ypres jusqu'au dernier numéro, daté de 1803, de ces *Nouvelles ecclésiastiques* clandestinement imprimées durant tout le dix-huitième siècle, il n'y manquait rien. J'y pus aller à loisir pour feuilleter et mettre à part ce que j'en voudrais emporter. J'y appris bientôt en détail l'histoire de l'abbaye de Port-Royal-des-Champs, et l'impression fut grande sur moi, d'un si récent exemple des austérités primitives.

O vents qui avez passé par Bethléem, qui vous êtes reposés au Pont sur la riante solitude de Basile, qui vous êtes embrasés en Syrie, dans la Thébaïde, à Oxyrinthe, à l'île de Tabenne, qui avez un peu attiédi ensuite votre souffle africain à Lérins et aux îles de la Méditerranée, vous aviez réuni encore une fois vos antiques parfums en cette vallée, proche Chevreuse et Vaumurier; vous vous y étiez arrêtés un moment en foyer d'arômes et en oasis rafraîchi, avant de vous disperser aux dernières tempêtes !

Il y avait dans Port-Royal un esprit de contest et de querelle que je n'y cherchais pas et qui m'en gâtait la pureté. J'entrais le moins possible dans ces divisions mortes et corruptibles que l'homme en tout temps a introduites dans le fruit abondant du Christianisme. Heureux et sage qui peut séparer la pulpe mûrie de la cloison amère; qui sait tempérer en silence Jérôme par Ambroise, Saint-Cyran par Fénelon ! Mais cet esprit contentieux, qui avait promptement aigri tout le Jansénisme au dix-huitième siècle, était moins sensible ou moins aride dans la première partie de Port-Royal réformé et durant la génération de ses grands hommes. C'est à cette ère d'étude, de pénitence, de persécution commençante et subie sans trop de murmure, que je m'attachais. Parmi les solitaires dans la familiarité desquels j'entrai de la sorte plus avant, derrière les illustres, les Arnauld, les Saci, les Nicole et les Pascal, il en est un surtout que je veux vous dire, car vous le connaissez peu, j'imagine, et pourtant, comme Saint-Martin, comme l'abbé Carron, il devint bientôt l'un de mes maîtres invisibles.

Tous ont et se font plus ou moins dans la vie de tels maîtres. Mais s'il est des natures fortes qui osent davantage, qui prennent plus aisément sur elles-mêmes et marchent bientôt seules, regardant de temps en temps en arrière si on les suit, il en est d'autres qui ont particulièrement besoin de guides et de soutiens, qui regardent en avant et de côté pour voir si on les précède, si on leur fait signe, et qui cherchent d'abord autour d'elles leurs pareilles et leurs supérieures. Le type le plus admirable et divin de ces filiales faiblesses est Jean, qui avait besoin pour s'endormir de s'appuyer contre l'épaule et sur la poitrine du Sauveur. Plus tard, il devint fort à son tour, et il habita dans Patmos comme au haut d'un Sinaï. — J'étais un peu de ces natures-là, premièrement infirmes, implorantes et dépareillées au milieu d'une sorte de richesse qu'elles ont; j'avais hâte de m'attacher et de m'appuyer. Ainsi, dans le monde actif et belliqueux, j'aurais été avec transport l'écuyer de Georges, l'aide de camp de M. de Couaën; je me serais fondu corps et âme en quelque destin valeureux. Passionné de suivre et d'aller, j'aurais choisi éperdument Nemrod à

défaut du vrai Pasteur. Des natures semblables, vouées
envers les autres au rôle de suivantes affectueuses ou de
compagnes, se retrouvent dans tous les temps et dans les
situations diverses ; elles sont Héphestion aux Alexandre,
elles sont l'abbé de Langeron aux Fénelon. Elles se
décourageraient souvent et périraient à terre si elles ne
rencontraient leur support ; Jean d'Avila se mourait
d'abattement quand il fut relevé par Thérèse. Mais il en
est aussi qui errent et se perdent en toute complaisance
d'amitié, comme Mélanchthon qu'emmena Luther. Dans
les Lettres mêmes, il est ainsi des âmes tendres, des âmes
secondes, qui épousent une âme illustre et s'asservissent
à une gloire : Wolff, a dit quelqu'un, fut le prêtre de
Leibnitz. Dans les Lettres sacrées, Fontaine suivait Saci,
et le bon Camus M. de Genève. Oh ! quand il m'arrivait
d'entrer pas à pas en ces confidences pieusement domestiques, comme ma nature admiratrice et compréhensive
se dilatait ! comme j'aurais voulu avoir connu de près les
auteurs, les inspirateurs de ces récits ! Comme j'enviais à
mon tour d'être le secrétaire et le serviteur des grands
hommes ! Ce titre d'*acolyte* des saints et des illustres me
semblait, ainsi que dans l'Eglise primitive, constituer un
ordre sacré. Après mon désappointement dernier dans
les guides turbulents de ma vie extérieure, j'étais plus
avide encore de me créer des maîtres invisibles, inconnus, absents ou déjà morts, humbles eux-mêmes et
presque oubliés, des initiateurs sans bruit à la piété, et
des intercesseurs ; je me rendais leur disciple soumis, je
les écoutais en pensée avec délices. Ainsi je fis alors pour
M. Hamon, car c'est lui de qui je veux parler.

M. Hamon était un médecin de la Faculté de Paris
qui, à l'âge de trente-trois ans, vendit son bien et se
retira à Port-Royal-des-Champs. Toujours pauvre, vêtu
en paysan, couchant sur un ais au lieu de lit, ne man-
geant que du pain de son qu'il dérobait sur la part des
animaux, et distribuant ses repas en cachette aux indi-
gents, sa vie fut une humilité, une mortification et une
fuite continuelles. Il anéantissait sa science dont les
malades seuls ressentaient les effets. On l'aurait jugé, à
le voir, un homme du commun et un manant des environs ; dans la persécution de 1664 contre Port-Royal, il
dut à ce mépris que sa simplicité inspira, de rester au
monastère à portée des religieuses captives, auxquelles il
rendit tous les soins de l'âme et du corps. Cet homme
de bien, consommé d'ailleurs dans les Lettres, avait pris

en amitié le jeune Racine, qui était aux écoles de Port-Royal, et il se plaisait à lui donner des conseils d'études. Racine s'en souvint toujours; il apprécia cette sainteté couronnée de Dieu dans l'ombre, et, par testament, il demanda à être inhumé à Port-Royal, aux pieds de M. Hamon. Image et rétablissement du règne véritable! O vous qui avez passé votre vie à vous rabaisser comme le plus obscur, voilà que les grands poètes, chargés de gloire, qui meurent dans le Seigneur, demandent par grâce à être ensevelis à vos pieds, selon l'attitude des écuyers fidèles!

Je trouvai dans cette bibliothèque précieuse et je lus tous les écrits de M. Hamon. Ils sont négligés de composition et de style; il se serait reproché de les soigner davantage. Il n'écrivait qu'à son corps défendant, par ordre de ses amis illustres, de ses directeurs, et leur injonction ne le rassurait pas sur son insuffisance. Il se repentait de se produire et de violer la religion du silence, qui sied, disait-il, aux personnes malades et qu'il ne leur faudrait rompre que par le gémissement de la prière. La bonne opinion de ceux qu'il estimait ses supérieurs lui était comme un remords, comme un châtiment de Dieu et une crainte : « Que sais-je si Dieu ne me punit pas de ma vanité du temps passé, en permettant maintenant que mes supérieurs aient trop d'estime pour moi! » Il aurait dit volontiers avec le *Philosophe inconnu* que, par respect pour les hautes vérités, il eût quelquefois mieux aimé passer pour un homme vicieux et souillé, que pour un contemplateur intelligent qui parût les connaître : « La grande et respectable vérité, s'écriait Saint-Martin dans un accès d'adoration, m'a toujours semblé si loin de l'esprit des hommes, que je craignais bien plus de paraître sage que fol à leurs yeux. » M. Hamon était habituellement ainsi. Il raconte lui-même, dans une Relation ou confession, tracée à son usage, de quelques circonstances de sa vie[1], la première occasion qui le détermina à écrire. Avec quelle émotion n'en lisais-je pas les détails, qui me rappelaient des lieux si fréquentés de moi, des alternatives si familières à mon propre cœur! — « La première fois, disait M. Hamon, que je vis M. de Saci, je lui demandai s'il y aurait du mal à

---

1. Nous nous sommes procuré avec quelque peine cet opuscule de M. Hamon, et nous avons pu reproduire très exactement les passages. *(Note de l'Editeur.)*

écrire quelque chose sur quelques versets des Cantiques ;
il l'approuva fort, mais la difficulté était de commencer,
et je ne savais comment m'y prendre. Comme j'allai à
Paris, un jour que je n'avais fait que courir sans prier
Dieu et dans une dissipation entière, toutes sortes de
méchantes pensées ayant pris un cours si libre dans mon
cœur et avec tant d'impétuosité, que c'était comme un
torrent qui m'entraînait, je m'en retournais à la maison
tout hors de moi, lorsque me trouvant proche l'église de
Saint-Jacques dans le faubourg, j'y entrai n'en pouvant
plus. Ce m'était un lieu de refuge : elle était fort solitaire
les après-dîners. J'y demeurai longtemps, car j'étais tellement perdu et comme enterré dans le tombeau que je
m'étais creusé moi-même, qu'il ne m'était pas possible
de me retrouver. Quand je commençai d'ouvrir les yeux,
la première chose que je vis fut ce verset du cantique :
Sicut turris David collum tuum, quae aedificata est cum pro-
pugnaculis. Je m'y appliquai fortement, parce que j'étais
fort las de moi et de mes fantômes. Comme il me sembla
que cela m'avait édifié, je résolus de l'écrire, etc. »

Tout palpitant de ces lectures, j'entrais aussi dans
cette église de Saint-Jacques-du-Haut-Pas : c'était celle
même où j'avais entendu la messe dès le premier matin
et dès le premier dimanche que j'avais passés à Paris. En
songeant à ce jour de loin si éclairé, j'étais comme un
homme qui remonte sa montagne jusqu'au point d'où il
est parti, mais sur un rocher opposé à l'ancien : le torrent
ruineux gronde dans l'intervalle. Je m'approchais en
cette église vers l'endroit du sanctuaire où est le tombeau
de Saint-Cyran ; M. Hamon n'avait pas manqué de s'y
agenouiller avant moi, et je me répétais cette autre
parole de lui : « Il n'y a rien qui nous éloigne tant du péril
qu'un bon sépulcre. » Et quel était ce péril de M. Hamon
au prix du mien ? quelles étaient ces *méchantes pensées*
dont il s'accusait avec tant d'amertume dans ses courses
un peu distraites, au prix de l'emportement du moindre
de mes assauts ? Et méditant cette parole de lui encore :
« Il faut avoir demeuré longtemps dans un désert et en
avoir fait un bon usage, afin de pouvoir demeurer
ensuite dans les villes comme dans un désert », je combi-
nais une vie de retraite aux champs, à quelques lieues de
Paris, à Chevreuse même, près des ruines labourées du
monastère, ne venant de là à la grande ville qu'une fois
tous les quinze jours, à pied en été, pour des objets
d'étude, pour des livres à prendre aux bibliothèques,

pour deux ou trois visites d'amis graves qu'on cultive avec révérence, et m'en retournant toujours avant la nuit. Je retrouvais exactement dans ces projets simples l'impression chastement puérile des temps où je rêvais d'apprendre le grec à Paris, sous un pauvre petit toit gris et *janséniste*, ainsi que je disais. Il semble qu'à chaque progrès que nous faisons dans le bien est attaché, comme récompense intérieure, un arrière-souvenir d'enfance qui se réveille en nous et sourit : notre jeune Ange de sept ans tressaille et nous jette des fleurs. Je sentais aussi en ces moments redoubler mon affection pour ces pierres et ces rues innocentes où l'on a semé tant de pensées, où tant de réflexions lentes se sont accumulées en chemin comme une mousse, comme une végétation invisible, plus douce pourtant et plus touffue à l'œil de l'âme que les gazons.

A défaut d'établissement, l'idée de visiter, au moins en pèlerin, Chevreuse, les ruines de Port-Royal, et d'y chercher la trace des hommes révérés, ne pouvait me manquer, à moi qui avais déjà visité Aulnay, s'il vous en souvient, dans une intention semblable. Une ou deux fois donc, les jours de mes courses aux environs après les rechutes, je me dirigeai vers ce désert, prenant par Sceaux et les collines d'au-delà; mais mes pieds, n'étant pas dignes, se lassaient bientôt, ou je me perdais dans les bois de Verrières. Un simple caillou jeté à la traverse dérange tant nos plus proches espérances, que je n'exécutai jamais le voyage désiré. Qu'importe, après tout, la réalité matérielle des lieux, dès qu'un impatient désir nous les a construits ? La pensée et l'image vivaient en moi; je n'ouvrais jamais un de ces livres imprimés à Cologne, avec l'abbaye de Port-Royal-des-Champs gravée au frontispice, sans reconnaître d'abord la cité de mes espérances, sans m'arrêter longtemps à ce clocher de la patrie.

Au nombre des règles particulières que j'avais tirées de M. Hamon, il y en a qui ne me quittèrent plus, et qui s'ajoutèrent en précieux versets à mon viatique habituel. Tandis que j'étais si sensible à l'idée des lieux, je le trouvais qui recommande de ne pas trop s'y attacher, de ne pas se les figurer surtout comme un cadre essentiel à notre bonne vie. Il me rappelait par là le mot de l'*Imitation : Imaginatio locorum et mutatio multos fefellit;* l'idée qu'on se fait des lieux, et le désir d'en changer, sont un leurre pour beaucoup. Il citait le mot de saint Augustin :

Loca offerunt quod amemus et relinquunt in anima turbas phantasmatum; les lieux qui charment nos sens nous remplissent l'âme de distraction et de rêverie : « Et cela est si vrai, disait-il, qu'il y a plusieurs personnes qui sont obligées de fermer leurs yeux lorsqu'elles prient dans des églises qui sont trop belles. »

Quelques-unes de ses maximes, en nos temps de querelle, me furent d'un conseil fréquent : « On voit partout tant de semences de division, qu'il est fort difficile de n'y contribuer en rien qu'en se mêlant de peu de choses, en parlant peu et en priant beaucoup dans la retraite de sa chambre. » Et ailleurs, au sujet des diversions inévitables et des secousses : « Je vis bien qu'il fallait m'accoutumer à me faire une chambre qui pût me suivre partout, et dans laquelle je pusse me retirer, selon le précepte de l'Evangile, afin de m'y mettre à couvert du mauvais temps du dehors. »

Moi qui aimais tant à juger les autres, à séparer les nuances les plus intérieures, et à remonter aux racines des intentions; qui, sans en avoir l'air, fouillais, comme ces médecins avides, à travers les poitrines, pour saisir les formes des cœurs et la jonction des vaisseaux cachés, il y avait bien lieu de m'appliquer cette parole : « Je me trouvai, disait M. Hamon, si peiné et si las de juger, de parler, de m'inquiéter des autres, que je ne pouvais assez prier Dieu qu'il me délivrât de ce défaut qui m'empêchait de me convertir tout de bon. Je résolus de ne plus juger personne, voyant avec douleur que j'avais jugé des gens qui étaient meilleurs que moi... Car, si je méritais qu'on me définît, on pourrait me définir un homme qui, quand il dit quelque chose de bien, fait toujours le contraire de ce qu'il dit. » Ainsi M. Hamon s'emparait de moi et me pénétrait par mes secrètes avenues. Je me voyais de plus avec lui des rapports fortuits, singuliers, comme quand il s'écrie : « Je n'ai aucun parent; je n'avais qu'un oncle, Dieu me l'a ôté. » Ces ressemblances ajoutaient à notre union. Il me préparait par l'attrait de son commerce à goûter de plus forts que lui, et me devenait un acheminement vers l'apôtre universel, saint Paul. Oh! qu'ils sont plus chers que tous les autres, les guides inattendus, obscurs, rencontrés dans ces voies de traverse, par lesquelles les égarés rejoignent un peu avant le soir l'unique voie sacrée!

Saint-Martin, l'abbé Carron et lui me firent merveilleusement sentir ce que c'est qu'édifier sa vie et y porter

le don de spiritualité. Ce don consiste à retrouver Dieu
et son intention vivante partout, jusque dans les moindres
détails et les plus petits mouvements, à ne perdre jamais
du doigt un certain ressort qui conduit. Tout prend
alors un sens, un enchaînement particulier, une vibration
infiniment subtile qui avertit, un commencement de nouvelle lumière. La trame invisible, qui est la base spirituelle de la Création et des causes secondes, qui se
continue à travers tous les événements et les fait jouer
en elle comme un simple épanouissement de sa surface,
ou, si l'on veut, comme des franges pendantes, cette
trame profonde devient sensible en plusieurs endroits,
et toujours certaine là même où elle se dérobe. Il y a
désormais deux lumières; et la terrestre, celle des sages
selon les intérêts humains, et des savants dans les
sciences secondes, n'est que pareille à une lanterne de
nos rues quand les étoiles sont levées, que les vers
luisants émaillent la terre, et que la lune du firmament
admire en paix celle des flots. Dans cette disposition
intérieure de spiritualité, la vigilance est perpétuelle;
pas un point ne reste indifférent autour de nous pour
le but divin; tout grain de sable reluit. Un pas qu'on
fait, une pierre qu'on ôte, le verre qu'on range hors du
chemin de peur qu'il ne blesse les enfants et ceux qui
vont pieds nus, tout devient significatif et source d'édi-
fication, tout est mystère et lumière dans un mélange
délicieux. *Que sait-on ? — Dieu le sait*, c'est là, en chaque
résultat, le doute fécond, l'idée rassurante qui survit.
Les explications riantes abondent; tel minime incident,
qu'on n'eût pas auparavant remarqué, ouvre la porte
aux conjectures aimables, adorantes, infinies : « Quelquefois, dit Saint-Martin, Dieu prépare secrètement
pour nous une chose qui nous peut être utile et même
agréable, et, au moment où elle va arriver, il nous en
inspire le désir avec l'envie de la lui demander, afin de
nous donner l'occasion de penser qu'il l'accorde à nos
prières, et de faire filtrer en nous quelque sentiment de
sa bonté, de sa complaisance et de son amour pour nous. »
— C'est ainsi, mon ami, que, tandis qu'un diadème
exagéré s'inaugurait après la tempête sous la splendeur
des victoires, je suivais ma trace imperceptible à l'écart
de la grande influence qui semblait tout envahir; je
subissais d'autres influences plus vraies, bien profondes
et directes; l'infiltration en moi des célestes rosées s'augmentait au travers du soleil de l'Empire. A mesure que

je m'habituais dans cet univers de l'esprit, j'en appréciais davantage les cercles et l'étendue; je sentais mieux,
en présence de mon seul cœur, l'immensité des conquêtes
à faire, la difficulté de les maintenir, et ainsi que l'Arche-
vêque de Cambrai disait qu'il était à lui-même tout un
grand diocèse, j'étais à moi-même toute une Europe à
pacifier et à combattre, en cette année où se préparait
Austerlitz. Qui eût pensé toutefois que ces trois hommes
de peu de nom, que je vous ai dits, eussent usurpé tant
d'empire sur une âme, si ouverte d'ailleurs et si prompte,
à une époque où régnait l'Homme mémorable ? Et
combien d'autres que j'ignore se trouvaient dans des
cas plus ou moins pareils au mien, avec leurs inspirations
immédiates, singulières, qui ne provenaient en rien de
lui! Ne grossissons pas, mon ami, l'action, déjà assez
incontestable, de ces colosses de puissance. Les trombes
orgueilleuses de l'Océan, si haut qu'elles montent et si
loin qu'elles aillent, ne sont jamais qu'une ride de plus à
la surface, au prix de l'infinité des courants cachés.

Après quelques mois de cette vie que les mauvais
accès n'interrompaient plus qu'à de rares intervalles,
j'étais devenu calme et assez heureux. Il y avait même,
dans cette uniformité de mes jours, une sorte de douceur
si vite acquise, que je me la reprochais comme suspecte.
L'idée des êtres blessés, celle de madame de Couaën surtout, s'élevait soudainement alors du sein des heures les
plus apaisées et durant mes crépuscules solitaires. Oh!
que de larmes nouvelles débordaient! Mon âme, raf-
fermie par l'abstinence, recomposait plus fortement
l'idéale passion. Pendant ces sources rouvertes des saignantes tendresses, j'avais ardeur d'une guérison moins
vague, d'une pénitence plus expiatoire, d'un bonheur
austère dont elle fût mieux informée et qu'elle bénît. Je
voulais mettre entre elle et moi quelque chose d'apparent, de compris d'elle seule et de Dieu, d'infranchis-
sable à la fois et d'éternellement communiquant, qui fût
une barrière et un canal sacrés. Lorsqu'en ces ondes
rapides, je me hâtais au pied des autels, et que, priant
pour elle durant les saluts de l'Octave, je songeais qu'en
ce même instant sans doute elle priait pour moi, tristes
cœurs appliqués ainsi à nous entrouvrir l'un pour l'autre,
je comprenais que ce n'était là qu'une aurore qu'il fallait
suivre; la pensée des sacrements qui fixent et consomment
m'apparaissait aussitôt comme indispensable; les Ordres
même se présentaient, sans m'étonner, au terme magni-

fique de mon désir. Il me semblait que je ne serais jamais
plus expiant, plus contrit et plus acceptable aux pieds de
Dieu, que lorsqu'ayant monté, jusqu'à la dernière, toutes
les marches de l'autel, et tenant aux mains l'hostie sainte,
j'ajouterais un nom permis dans la commémoration des
âmes.

Au plus élevé de ces pieux moments, il me survenait
quelquefois des troubles d'une autre espèce, comme pour
me montrer toute l'inconsistance et la versatilité d'un
cœur qui ne pense avoir qu'un seul mal et qui croit ce
mal presque guéri. J'appris un jour par une personne que
je rencontrai, et à travers certains compliments assez
embrouillés dont elle me gratifia, qu'on avait daigné
s'occuper de mon absence dans le monde que j'avais
quitté, et qu'il s'était fait des doléances extrêmes sur la
perte de tant d'agréments et sur cette infirmité dévote où
j'étais tombé, disait-on; mais la personne qui me parlait
n'avait eu garde de croire à un tel motif de retraite,
ajoutait-elle d'un air fin, me sachant un jeune homme
de trop d'esprit. Il n'y avait rien là-dedans que je n'eusse
pu prévoir, et il m'était clair, d'après la brusquerie de
mon éclipse, qu'on avait dû en gloser un peu çà et là.
Mais ce que j'avais aisément conclu m'étant confirmé
d'une façon plus précise par le propos de cette personne,
j'en devins troublé, aigri, révolté pour tout un jour.
Susceptibilité capricieuse du cœur! On se dit bien avec
Fénelon : *Oublions l'oubli des hommes!* — Oui, leur oubli,
on le pardonne encore, on l'envie même; les sages le
cherchent, les poètes le chantent. Mais, si amoureux de
l'oubli qu'on soit, comme on supporte malaisément un
jugement léger du monde, l'écho lointain d'une seule
raillerie [1]!

---

1. Nous retrouvons une pensée très semblable dans quelques
vers inédits d'un de nos contemporains, et il nous a paru possible
et convenable de les citer comme répondant avec harmonie au sentiment du texte :

> Un mot qu'on me redit, mot léger, mais perfide,
> Te contriste et te blesse, ô mon Âme candide;
> Ce mot tombé de loin, tu ne l'attendais pas :
> Fuyant, jeune, l'arène et ta part aux ébats,
> Soustraite à tous jaloux en ta cellule obscure,
> Il te semblait qu'on dût t'y laisser sans injure,
> Et qu'il convenait mal au parvenu puissant,
> Quand on se tait sur lui, d'aller nous rabaissant,
> Comme si, dans sa brigue, il lui restait encore

Le loisir d'insulter à l'oubli que j'adore !
Tu te plains donc, mon Ame ! — Oui..., mais attends un peu ;
Avant de t'émouvoir, avant de prendre feu
Et de troubler ta paix pour un long jour peut-être,
Rentrons en nous, mon Ame, et cherchons à connaître
Si, purs du vice altier qui nous choque d'abord,
Nous n'aurions pas le nôtre, avec nous plus d'accord.
Car ces coureurs qu'un Styx agite sur ses rives,
Au festin du pouvoir ces acharnés convives,
Relevant d'un long jeûne, étonnés, et collant
A leur sueur d'hier un velours insolent...,
Leurs excès partent tous d'une fièvre agissante ;
Une plus calme vie aisément s'en exempte ;
Mais les écueils réels de cet autre côté
Sont ceux de la paresse et de la volupté.
Les as-tu fuis. ceux-là ? Sonde-toi bien, mon Ame ;
Et si, sans chercher loin, tu rapportes le blâme,
Si, malgré ton timide effort et ma rougeur,
La nef dormit longtemps en un limon rongeur,
Si la brise du soir assoupit trop nos voiles,
Si la nuit bien souvent eut pour nous trop d'étoiles,
Si jusque sous l'Amour, astre aux feux blanchissants,
Des assauts ténébreux enveloppent mes sens,
Ah ! plutôt que d'ouvrir libre cours à ta plainte
Et de frémir d'orgueil sous quelque injuste atteinte,
O mon Ame, dis-toi les vrais points non touchés ;
Redeviens saine et sainte à ces endroits cachés ;
Et, quand tu sentiras ta guérison entière,
Alors il sera temps, Ame innocente et fière,
D'opposer ton murmure aux propos du dehors ;
Mais à cette heure aussi, riche des seuls trésors,
Maîtresse de ta pleine et douce conscience,
Le facile pardon vaincra l'impatience.
Tu plaindras nos puissants d'être peu généreux ;
Leur dédain, en tombant, t'affligera sur eux,
Et, si quelque amertume en toi s'élève et crie,
Ce sera pure offrande à ce Dieu que tout prie !

(Note de l'Editeur.)

XXII

J'allais pourtant éprouver bientôt de plus fortes secousses et vibrer à des échos plus retentissants. Car, quoi que je vous aie dit de mon abstraction d'esprit et de ma faculté d'isolement au sein de ces grandes années, je ne les traversais pas tout à fait impunément. Il se dressait autour de moi, en certaines saisons rapides, mille trophées qui m'offusquaient; il se formait sous mes yeux des assemblages de rayons invincibles. L'automne de cette année illustre, où j'étais si en train de me détacher du dehors, s'arma bien rudement contre moi, contre mes projets de paix et de silence. La guerre s'était rallumée de nouveau, à l'improviste, entre la France et les puissances coalisées. L'agression, cette fois, venait de l'étranger encore; un cri unanime, un cri de demi-dieu insulté, éclata par tout l'Empire et perça à l'instant dans la retraite où je combattais mes sourds ennemis, ou je suivais mes invisibles anges. Durant les trois mois de cette campagne, je vécus comme dans un nuage électrique, lequel planait sur ma tête et m'enveloppait orageusement, déchargeant aux collines de l'horizon ses coups de tonnerre. J'avais le cœur gonflé en mon sein comme l'Océan quand la lune d'équinoxe le soulève, et je ne retrouvais plus mon niveau.

Une circonstance particulière aggrava cet effet et compliqua mon émotion d'un intérêt plus personnel encore. Parmi les décrets du Sénat en ces conjonctures, il y en eut un qui appelait sous les armes les conscrits des cinq précédentes années, et bien que je fusse très certain, en ne me déclarant pas, de n'être point recherché, j'aurais pu à la rigueur être compris dans la première de ces cinq classes. L'idée que je n'échappais qu'en me dérobant me faisait monter le rouge au front, et, solli-

citant ma piété même à l'appui de mon vœu secret, je
me demandais si ce n'était pas un strict devoir d'aller
m'offrir.

A peine la campagne entamée et la nouvelle des premiers succès survenant, ce fut pis, et mon trouble s'aug-
menta dans l'anxiété universelle. Je ne priais plus qu'à
de rares intervalles. Un flot extraordinaire de cet âge
de jeunesse qui se suffit et subvient à tout me rejetait
machinalement hors de la foi. Je retombai dans le
chaos et le conflit purement humain, ne rêvant qu'ivresse
et gloire, émulation brûlante, m'agiter avec tous, galoper
sous les boulets, et vite mourir. Chaque bruit inaccoutumé, le matin, me semblait le canon des Invalides déjà
en fête de quelque nouvelle victoire. Ce n'était plus sous
des prétextes de visites amicales ou d'aumône, c'était
avec ces murmures belliqueux et dans l'espoir des bulletins que le démon du milieu du jour me rentraînait
aisément par-delà le fleuve. Dernière forme de mon
délire! Matinées d'attente oisive, et aussi de prestige
ineffaçable! on dirait que quelque terne brouillard a
passé depuis dans le ciel comme sur les âmes; il y avait
plus de soleil alors qu'aujourd'hui!

Un jour, — Ulm était déjà rendu et l'on venait de
présenter en pompe au Sénat une forêt de drapeaux
autrichiens, — me promenant près du Luxembourg, je
rencontrai un officier de ma connaissance, le capitaine
de cavalerie Remi, attaché à l'état-major du maréchal Berthier; il faisait partie de la députation qui avait apporté
ces drapeaux conquis. Blessé assez légèrement au bras
dans un des derniers engagements devant Ulm, on l'avait
désigné pour ce voyage d'honneur. Il me parla avec feu
de la merveilleuse campagne et de la célérité magique
d'un si entier triomphe. Il brûlait de repartir et devait,
dès le surlendemain, se relancer vers Strasbourg, quoique
sa blessure se fût fort irritée durant la route; mais il
comptait bien être là-bas à temps, disait-il, pour la future
grande bataille que l'arrivée des Russes allait décider. Je
le quittai en lui souhaitant chance de héros, et, à peine
l'avais-je perdu de vue, que je regrettai de ne m'être pas
ouvert franchement à lui, de ne pas lui avoir dit mes
remords d'oisiveté et mes désirs de guerre : « Qui sait
si un mot confiant, pensais-je, n'eût pas aplani toutes
ces montagnes sous lesquelles je m'ensevelis à plaisir;
si l'aide de camp de Berthier n'eût pas pu faire que cette
grande bataille prochaine devînt un des chemins naturels

de ma vie, ou du moins un immortel tombeau ? » Et
cette pensée creusa en moi, selon mon habitude, durant
tous les jours suivants; mais je crus le capitaine parti
et ne cherchai pas à le retrouver.

Le capitaine Remi était une nature qui m'allait de
prime abord, bien que je n'eusse fait que l'entrevoir de
temps en temps. Je l'avais rencontré pour la première
fois chez le général Clarke, lorsqu'à mon arrivée à Paris
je courais solliciter appui dans l'affaire de M. de Couaën.
Il avait depuis quitté ce général et passé sous le maréchal Berthier; je l'avais revu de loin en loin aux promenades ou dans les bals, et toujours nous causions
ensemble avec assez de penchant et d'intérêt. Il était
beau, franc, sensé, animé d'un certain goût sérieux
d'instruction, et portant dans les diverses matières cet
aplomb précoce et simple d'un homme qui a fait des
guerres intelligentes. Il n'avait guère que trente ans au
plus, étant de la levée militaire de 96. Je lui sentais un
fonds d'opinions politiques et patriotiques qui plaisent
sous l'habit du soldat; excellent officier et amoureux de
son arme, il ne donnait pas trop en aveugle dans
l'Empire. Bref, un attrait réciproque nous avait assez
liés.

Deux ou trois semaines se passèrent encore, et je
n'avais point réussi à me renfoncer bien avant dans les
sentiers des pacifiques royaumes. Un matin, étant sorti,
pour me distraire, à cheval, par la barrière de Fon-
tainebleau, je croisai à quelques lieues de là, sur la grand-
route, la première colonne des prisonniers autrichiens
qu'on avait ainsi dirigés de la frontière vers l'intérieur.
Cet aspect des vaincus me remit à mes blessures et à ma
défaite, moi vaincu aussi et à qui l'épée était tombée des
mains sans que j'eusse pu combattre. On commençait
à être dans l'attente expresse de quelque grand événement,
car l'armée russe avait dû se joindre aux débris de l'armée
autrichienne. Je retournai inquiet à la ville, et me rendis
bientôt à pied dans le quartier des Palais. Mais, au sortir
de la terrasse des Feuillants, vers la place Vendôme, je
rencontrai pâle, défait, et comme relevant de maladie, le
capitaine Remi lui-même, et, l'abordant avec surprise :
« Quoi! ici encore ? » m'écriai-je. — Et il me raconta
comment, le lendemain de notre précédente rencontre,
l'hémorragie et la fièvre l'avaient pris, et que cette
fièvre opiniâtre ne l'avait quitté qu'en l'épuisant; mais
enfin il n'avait plus qu'un peu de force à recouvrer. « Je

pars demain, cette nuit, ajouta-t-il avec un regard brillant, je pars, et peut-être j'arriverai à temps encore. » Nous étions devant sa porte, il m'invita à monter. Une fois installé dans son petit entresol, je n'hésitai plus, en voyant de près cette noble douleur, à lui découvrir la mienne : « S'il est temps pour vous, il l'est donc aussi pour moi,fis-je en éclatant ; votpe espoir me rend la vie. Dites, puis-je arriver, assister avec vous à cette bataille d'Empereurs où vsus allez courir ? » Et je lui expliquai mes desseins si souvent enfouis et m'étouffant. Dans l'espérance vacillante qu'il se voulait ménager à lui-même, il fut indulgent à mon idée, et prétendit que rien n'était plus exécutable : « Je reçois votre engagement, me dit-il ; vous savez manier un cheval, je vous tiendrai d'abord avec moi. Vous entrerez après, si cela vous sourit, dans le corps de Vélites qu'on vient de former... Oui, cette nuit même, nous partons, nous allons en poste jusqu'à Strasbourg, et de là à franc étrier jusqu'à l'armée : six jours en tout feront l'affaire. » Il cherchait un appui contre sa propre hésitation en me rassurant. De telles paroles m'enlevèrent. Je rentrai chez moi, j'y pris des armes et l'épée même qu'avait touchée Georges. Je passai chez madame de Cursy, la prévenant qu'elle n'eût pas à s'inquiéter de mon absence, et que je serais toute cette dernière quinzaine d'avant l'hiver à la campagne : elle ne me questionnait jamais. — Dès le matin, nous roulions, mon nouveau compagnon et moi, vers Strasbourg.

Il était, je vous l'ai dit, homme de droit sens, de coup d'œil ferme et militaire, mais avec des idées plus libres et un horizon plus ouvert que la plupart. A propos de cette éternelle grande bataille que nous poursuivions, que nous nommions presque d'avance, que nous ralentissions, que nous agitions en mille manières : « Il faut bien que j'en sois, me disait-il ; d'abord ce sera une illustre et belle bataille, et il y va pour moi de l'honneur. Nous en aurons bien assez d'autres avant peu d'années, je le sais ; mais celle-ci est de justice encore, de nécessité et de défense ; plus tard, je le crains, ce sera plutôt l'ambition d'un homme. Je veux donc en être, surtout de celle-ci. » — Il ajouta sourdement : « *et y rester !* » J'entrevis en lui alors une douleur de cœur, quelque chose comme une perte ancienne ; il s'accusait, à ce que je crus comprendre, de n'avoir pas été assez fidèle à un souvenir qui aurait dû demeurer unique dans sa vie. Il ne m'en parla au reste qu'obscurément et en me serrant la main. L'image de madame de Couaën, si languissante elle-même, et de cette perte menaçante, me passa devant les yeux : « Et moi aussi je veux y rester », lui dis-je; et un grand silence s'ensuivit. Le jour baissait; mon compagnon finit par s'assoupir légèrement, car il était bien faible encore. Et moi, regardant fuir les arbres de plus en plus funèbres et se lever au ciel avec les premières étoiles l'heure des regrets infinis, je murmurais ce vœu sous mes larmes : « Oh! oui, mourons avant ce que nous aimons, de peur, en survivant, d'y être infidèles, et de souiller par des distractions vulgaires, et qu'on se reproche tout en y cédant, le deuil qu'il fallait garder inviolable. »

Le sommeil me prenait à mon tour, et, quand je me réveillais ensuite par degrés, il me semblait, en me retrouvant en cette place et dans ce voyage, que je continuais un songe absurde, le cauchemar d'un malade. Mais la vitesse des chevaux ou l'air du matin m'arrivant par une glace ouverte redécidaient le train de mes pensées, et, tout en m'avouant la plus volage des âmes, je me remettais assez vivement à la situation.

Nous tremblions, en avançant, d'apprendre quelque grande nouvelle de victoire. Déjà un bruit confus, un de ces *on-dit* précurseurs qui semblent accourus en une nuit sur l'aile des vents ou sur le cheval des morts, commençait à frémir, à se grossir autour de nous à chaque poste où nous passions. Le capitaine là-dessus refaisait pour la vingtième fois ses calculs stratégiques; il déployait sa carte de poche, et, partant des derniers bulletins, il m'expliquait les positions des divers corps, la jonction à peine effectuée, selon lui, et à coup sûr incomplète, des Autrichiens et des Russes, les causes probables de temporisation dues aux fatigues de tant de marches précédentes. Nos deux têtes, penchées à la fois sur cette carte, s'entrechoquaient à chaque brusque cahotement. A notre entrée dans Strasbourg, tout bruissait d'une grande espérance; mais rien de certain, rien d'officiel encore. Nous nous donnâmes à peine le temps d'y poser et ne fîmes presque que nous élancer de la voiture sur la selle des chevaux; c'était en cette manière que nous devions poursuivre la route. Nous touchions à Kehl; l'Allemagne et les saules de sa rive basse étaient devant nous, quand à la tête du pont, au moment de passer, un courrier, que le capitaine reconnut à l'instant pour être à l'Empereur, déboucha au galop. Le capi-

taine le cria par son nom et se porta vers lui. Trois mots :
grande victoire, armistice, paix avant huit jours, volèrent
dans un éclair. Le capitaine devint pâle comme un mort,
son œil était fixe, il se tut, et son cheval continua de le
mener. Mais au milieu du pont, à l'ancienne limite, je
m'arrêtai le premier et lui dis : « A moi qui n'ai vu de ma
vie un combat, et qui suis destiné à n'en point voir, il
ne m'appartient pas de traverser le Rhin, le fleuve
guerrier. Vous, cher capitaine, votre revanche est assurée,
elle sera glorieuse; consolez-vous; adieu! » Et sans plus
de paroles, sans descendre, nous nous embrassâmes. Il
partit en Allemagne, à toute bride comme un désespéré.
Il fut tué trois ans plus tard à Wagram. Je rentrai morne
à Strasbourg, et m'en revins de là droit à Paris. Après
cette figure pâle du capitaine entendant les trois mots du
courrier, ma seconde pensée fut toute pour M. de Couaën,
et je lui vis à cette dure nouvelle une sueur froide aussi,
découlant de son front veiné, et ce tremblement particulier d'une lèvre mince. Quant à moi, j'étais peu surpris;
je reconnaissais là ce que j'appelais mon destin, ce qu'au
sortir d'un tel vertige je n'osais plus appeler l'intention
de Dieu. L'humiliation me noyait et couvrait ma tête d'un
lac de cent coudées. Etait-ce d'avoir manqué Austerlitz,
était-ce d'avoir rompu mes bons liens, que venait la
confusion ? Ce qui est certain, je ne me serais pas trouvé
digne alors d'aider en silence au dernier des frères lais
dans l'arrière-cour d'un couvent.

   Vos voies pourtant me dirigeaient, ô mon Dieu!
J'avais honte de moi, mais Vous, vous aviez moins de
honte. Je méprisais en moi le fugitif impuissant à ravir
le monde, l'être rebuté des événements et des choses,
et vous étiez plus prêt que jamais à m'accueillir. Après
tant d'erreurs et d'inconstances, je n'avais à vous offrir
que des restes abjects de moi-même, mais vous ne dédaignez pas les restes pourvu qu'il y couve une étincelle.
Vous faites comme Lazare, ô mon Dieu, et vous recevez
presque avec reconnaissance les miettes de la table du
prodigue, les haillons du corps et de l'âme du pécheur!
   Je retombai un soir dans ce Paris retentissant et
encore illuminé. Mes amis, c'est-à-dire madame de Cursy
et l'ecclésiastique, ne s'étaient pas étonnés de la courte
absence. Je repris ma vie d'auparavant, mais sans la
sécurité et sans le bonheur du premier charme. Je voyais
bien que ce dernier assaut avait été un déguisement de
mon penchant secret qui, pour me rengager en plein

monde, s'était offert à l'improviste par l'aspect glorieux, sous la forme et sous l'armure du guerrier; que ç'avait été toujours le fantôme des sens, de l'ivresse et du plaisir, mais cette fois m'apparaissant dans les camps comme Armide, et sous un casque à aigle d'argent. — Napoléon venait de rentrer dans sa capitale; l'armée entière allait l'y suivre, et le rendez-vous général était donné pour les premiers jours de mai. La Garde au complet arrivait déjà, et les caresses aux bras nus, les orgies permises d'une paix triomphante animaient la ville et perdaient les regards. Il devenait temps pour moi de prendre un parti. Il y a un moment dans la conversion où c'est une nécessité, pour guérir, de mettre entre soi et les rechutes l'obstacle souverain des sacrements. Il ne faudrait pas les aborder trop tôt et à la légère, avant qu'ils nous fussent réellement sacrés, de peur d'empirer la situation en les violant; mais l'heure vient où eux seuls peuvent poser le sceau, ratifier le pacte qu'un cœur prudent conclut avec les yeux (*pepigi fœdus cum oculis meis*, dit Job), et faire qu'il n'en soit pas du voluptueux selon la sentence du Sage dans l'ancienne loi : « Tout pain lui est bon; il ne se lassera point d'y retourner et d'y mordre jusqu'à la fin. » Ce n'est pas trop, vers cette fin, qu'un Dieu tout entier, Dieu corps et sang, se mette entre l'idole ancienne et nous. J'étais de ceux, en particulier, je vous l'ai dit, chez qui la religion dépend moins de la conviction d'intelligence que de la conduite pratique; je ne trouvais rien à opposer comme raisonneur, mais je n'agissais pas ou j'agissais mal, et c'était pire; et, si je n'y prenais garde, j'allais m'amollir en présence d'une vérité que je reconnaissais et que chaque jour je serais devenu incapable d'étreindre. J'écrivais à mon aimable ami de Normandie ces propres mots que je retrouve sur mon livre de pensées d'alors : « Mon intelligence est convaincue, ou du moins elle n'élève pas d'objections; mais, lui disais-je, ce sont mes mœurs et ma pratique qui m'écartent et me rejettent, malgré les partiels efforts que je tente. Et l'âge vient, et la jeunesse me quitte tous les jours; les années plus sévères s'allongent devant moi. Je voudrais concilier mon idéal amour avec la religion, de manière à les affermir l'un par l'autre; mais les sens inférieurs déjouent cette belle alliance, et je retombe *passim*, à la fois mécontent comme amant et démoralisé comme croyant. Voilà ma plaie..., cette plaie des sens qui se rouvre toujours au moment où on la croit guérie. »

J'avais noté pour moi ces mots avant de les envoyer; ils étaient le résumé sans feinte de ma situation extrême, à cette limite que je désespérais de franchir. Oh! c'est une mauvaise situation, mon ami, quand les mœurs restent les mêmes, l'esprit étant autrement convaincu. On continue de mal vivre, et l'on est persuadé qu'on vit mal. Rien n'affaiblit et ne détrempe l'esprit, ne lui ôte la faculté de vraie foi, et ne le dispose à un scepticisme universel, comme d'être ainsi témoin, dans sa conviction, d'actes contraires, plus ou moins multipliés. L'intelligence s'énerve à contempler les défaites de la volonté, comme un homme à une fenêtre qui aurait la lâcheté de contempler quelque assassinat dans la rue, sans accourir à la défense de l'égorgé qui est son frère. — Une lettre de M. de Couaën qui m'invitait à passer quelques semaines à Blois, et d'un ton de douceur et d'amitié que je n'avais pas éprouvé de lui depuis longtemps, aida à ma détermination : je n'osais ni refuser ni aller. J'avais hâte de mettre l'idée de madame de Couaën en toute sûreté et pureté sur l'autel, derrière les balustres de cèdre, et de l'inscrire invisible sur les lames d'or. Enfin, que vous dirai-je, mon ami! après cette dernière épreuve, et quand je me sentais si bas, tout là-haut était mûr et préparé; je me croyais dans l'abandon, et tout me soulevait insensiblement. Un jour le bon ecclésiastique le premier, inclinant ma pensée, me parla du séminaire de..., dont le supérieur était son grand ami, et de la vie appliquée et simple qu'on y menait. Chaque souffle de printemps, cette année-là, et dans ces moments tant redoutés, m'arrivait propice. Les premières rosées, que buvait la terre, tout à l'heure sanglante, me régénérèrent l'âme. Cette âme, jusque-là mal détachée, tomba sans bruit et d'elle-même, comme une olive mûre, dans la corbeille du Maître. Je résolus de me confesser, et quand je l'eus fait, au bout de quinze jours, quittant Paris, j'entrai par faveur, et quoique l'année d'études fût à demi entamée, au renaissant séminaire de..., dont le supérieur était cet ami intime du bon ecclésiastique.

XXIII

En entrant au séminaire, surtout à la campagne, on
éprouve une grande paix. Il semble que le monde
est détruit, que c'en est fait depuis longtemps des guerres
et des victoires, et que les cieux, à peine voilés, sans
canicule et sans tonnerre, enserrent une terre nouvelle.
Le silence règne dans les cours, dans les jardins, dans
les corridors peuplés de cellules; et, au son de la cloche,
on voit sortir les habitants en foule, comme d'une ruche
mystérieuse. La sérénité des visages égale la blancheur
et la netteté de la maison. Ce qu'éprouve l'âme est une
sorte d'aimable enivrement de frugalité et d'innocence.
J'aurais peu à vous apprendre de mes sentiments particuliers durant ce séjour, que vous ne deviniez aisément,
mon ami, après tout ce qui précède; j'aime mieux vous
retracer quelque chose de la disposition du temps, de
l'ordre et de l'emploi des heures. Ces exercices variés et
réguliers avaient d'ailleurs pour effet de rompre toute
violence des pensées et d'égaliser nos âmes. Les fleuves
détournés avec art, entrecoupés à propos, deviennent
presque un canal paisible.

Nous nous levions à cinq heures du matin, l'été et
l'hiver. Outre la cloche qui nous éveillait, un séminariste de semaine entrait dans chaque cellule, en disant :
Benedicamus Domino, et nous répondions de notre lit :
Deo gratias. C'était notre premier mot, notre premier
bégaiement à la lumière. A certains grands jours, comme
Noël et Pâques, on se servait d'une autre formule, que
je ne me rappelle pas, mais qui avait ce sens : *Christus
natus est, Christus surrexit;* peut-être même étaient-ce là
les paroles.

A cinq heures et demie, on descendait dans une salle
commune où l'on faisait à genoux la prière, et ensuite

on restait en méditation, soit debout, soit à genoux, soit
même assis, si l'on se sentait faible. La règle générale
était d'être alternativement un quart d'heure à genoux
et un quart d'heure debout, et l'horloge placée au milieu
de la maison frappait fidèlement les quarts pendant le
jour et la nuit. Cet exercice durait une heure dans sa
totalité. A six heures et demie, on allait entendre la
messe à la chapelle, qui se trouvait au milieu du jardin,
de sorte qu'en été on traversait à la file et silencieusement les parterres et les allées couvertes, qu'embaumait
l'air du matin, tous vêtus de surplis blancs.

On rentrait dans sa cellule à sept heures. Là, seul
avec ses livres, sa table étroite, sa chaise, son lit modeste,
on mettait de l'ordre dans ce petit domaine pour le reste
du jour, car la plupart des séminaristes faisaient eux-
mêmes leur chambre. Je la faisais moi-même, mon ami;
j'y gagnais de concevoir mieux la vie du pauvre, et
reporté en idée à tant de chétives existences, à tant de
mains laborieuses s'agitant en ce moment, comme les
miennes, dans les galetas misérables des cités, je me prenais de pitié pour la grande famille des hommes, et je
pleurais. Ces soins de ménage étaient courts; on étudiait
ensuite à son gré. Une fois dans sa cellule, chacun était
maître et ne relevait plus que de sa conscience. Je retrouvais là, devant mon crucifix, toutes mes pauvres chambres
d'autrefois, redevenues éclaircies et pures, tous mes
vœux de chartreuse exaucés. Ce passage perpétuel de la
vie de communauté à la vie solitaire, de la règle absolue
à la liberté, avait beaucoup de charme; le double instinct de l'âme, qui la porte, tantôt à fuir, tantôt à rechercher le voisinage des âmes, était satisfait.

Le déjeuner avait lieu au réfectoire, à huit heures. Du
pain selon ce qu'on en voulait, un peu de vin, voilà en
quoi il consistait, sauf les deux jours de la Fête-Dieu, où
chacun avait un gâteau, et ces jours-là, à cause de la joie,
le vin était blanc. — Après le déjeuner, qui durait un
petit quart d'heure, retour à la cellule. — A neuf heures,
classe de théologie dogmatique. Les élèves, rangés sur
des bancs tout autour de la salle, écoutaient le professeur,
placé sur une petite estrade. Le professeur, par des questions qu'il adressait, complétait la leçon précédente; il
expliquait celle du lendemain et répondait aux objections plus ou moins vives. Le cours dogmatique était
partagé en divers traités distincts, qui comprenaient
dans leur ensemble toutes les vérités catholiques : *de la*

Vraie Religion, de l'Eglise, de Dieu, de la Création, de l'Incarnation, des Sacrements, etc. Je me montrais soumis, attentif, et, quoique habitué aux fantaisies des lectures, j'assujettissais mon intelligence dans le sillon de ce solide enseignement.

La classe dogmatique durait une heure. A dix heures, on faisait une visite à la chapelle, qui durait un simple quart d'heure en comprenant le temps d'y aller. Ce petit exercice était à moitié libre. Les uns remontaient dans leur cellule avant de s'y rendre, les autres s'y rendaient sur-le-champ; quelquefois on y manquait. Mais n'admirez-vous pas ce prix du temps, et par combien de minces tuyaux, de rigoles adroitement ménagées, la source descendue de la colline passait, en un seul matin, pour fertiliser le jardin d'une âme?

Après être resté en chambre jusqu'à midi moins un quart, la cloche appelait à *l'examen particulier*. On y lisait à genoux, chacun dans son évangile et tout bas, un chapitre; puis, au bout de quelques minutes, le supérieur lisait un examen, par forme d'interrogation, et avec des pauses, sur une vertu, par exemple : *Qu'est-ce que la charité ?... Avons-nous été charitables ?...* Cet exercice et tous les autres, excepté le matin à la méditation et à la messe, avaient lieu en simple soutane, sans surplis.

A midi, on entrait au réfectoire pour le dîner, qui était bien frugal, hors dans les grandes fêtes ecclésiastiques, où il offrait un air plus animé et plus abondant. On y faisait une lecture; les deux autres repas du matin et du soir se prenaient en silence. Le lecteur lisait d'abord dans le martyrologe les saints martyrs du jour, et il y avait quelquefois des passages naturellement sublimes, par exemple à la date de Noël, où le jour est désigné sous toutes les ères : l'an de Rome, telle olympiade, etc.; et après cette magnifique chronologie qui tenait en suspens : *Christus natus est in civitate Bethleem*. Quittant le martyrologe, le lecteur lisait un passage de l'Ecriture Sainte, et enfin la suite de l'histoire de l'Eglise de France. Le dîner durait une petite demi-heure. Du réfectoire, nous allions à la chapelle dire l'*angelus*, et, au sortir de la chapelle, le silence était rompu pour la première fois de la journée. Ce moment avait un élan vif et plaisait toujours. On se répandait dans les allées du jardin, mais non pas dans toutes; une partie était réservée pour les étrangers, et nous n'en avions la jouissance qu'une fois la

semaine, et pendant le temps des vacances. La plupart
de nos allées étaient droites, et elles avaient chacune un
banc aux extrémités avec une statue, en bois peint, de la
Vierge, du Christ ou d'un Apôtre, chastes statues qui
corrigeaient à temps la rêverie et sanctifiaient par leur
présence l'excès du feuillage. Dans la partie réservée, il
se trouvait une allée plus sombre, humide même, et où
les étrangers pénétraient peu : je l'avais dédiée tout bas
à une pensée. Je n'y allais qu'une fois la semaine, le mercredi, et je portais d'ordinaire à la statue de la Vierge du
fond un bouquet cueilli fraîchement. Il y avait deux autres
allées attenantes, le long desquelles, ce jour-là, je disais
aussi une prière; mais je revenais à plusieurs reprises et
je méditais longtemps dans la plus grande des trois
allées.

L'heure de la récréation était celle des visites que faisaient les personnes du dehors. Je n'avais pas à en recevoir, hors deux ou trois fois que mon aimable ami de
Normandie me vint exprès embrasser. Je lui montrais,
je lui expliquais tout; il s'enchantait de ce calme à
chaque pas et de cette économie des lieux et des heures.
Je lui racontais, chemin faisant, mes histoires favorites
de M. Hamon, de Limoëlan, de Saint-Martin et de l'abbé
Carron; son don de spiritualité s'avivait en m'écoutant,
et il me répondait par d'autres traits non moins merveilleux, qu'il avait lus ou qui s'étaient opérés sur lui-même
et autour de lui, par des histoires de pauvres, pareilles
à celles de Jean l'aumônier, par des récits de *visites de
Jésus-Christ*, comme il les appelait, et qui étaient d'hier
et qui semblaient du temps du bon patriarche d'Alexan-
drie : « Tout cela s'étend, se tient, se correspond, disait-
il, et l'on apprend des choses à vous faire vendre vos
meubles et à ne plus avoir qu'un plat à sa table. » Et
puis c'étaient, à travers nos jardins pieux, des exclama-
tions qui lui échappaient, d'une peinture heureuse, et
d'une beauté naturellement trouvée. Lui qui m'avait
écrit tant de fois sur l'amertume des printemps, il m'entretenait alors de leur douceur : « Les hivers me deviennent durs maintenant, disait-il un jour qu'il m'avait
visité vers une fin d'automne. Oh! encore un printemps,
encore un printemps! Quand on a gardé seulement un
grain de l'Évangile, le printemps avec Dieu surpassent
ceux de l'amour. » Je lui faisais admirer nos promenoirs,
nos treilles protégées, les rideaux impénétrables de nos
allées, en lui taisant pourtant celle que se réservait mon

cœur ; et il me parlait de sa maison à lui, que je n'avais jamais visitée, maison silencieuse aussi, disait-il, claire, grande, aérée, — sur la colline, — une herbe verte, des marguerites splendides. — Et il m'en dépeignait les printemps, qui tantôt survenaient brusques, rapides, par bouffées et comme par assauts dans une tempête, et tantôt, plus souvent, s'apprêtaient peu à peu, — « avec ordre, sans accès, sans crises, tandis que les fleurs des coudriers sont déjà comme des franges par toute la forêt, et que les milliers de houx brillent et étincellent au soleil sous les grands arbres encore secs ». Et il ajoutait incontinent : « Oh! qu'il y a de choses saintes dans la vie, mon ami, et de quels trésors nos passions nous éloignaient! » Il était tenté par moments de demeurer avec moi, et me le disait ; mais je lui rappelais sa voie toute tracée ailleurs, et nous nous séparions avec tendresse. Ainsi cette vie aimable s'affermissait de plus en plus, et il redescendait sa fin de jeunesse par de belles pentes.

C'était aussi dans l'heure de récréation que se lisaient les lettres qu'on avait reçues à table, où elles étaient distribuées par un séminariste chargé de ce soin. Mon ami dont je viens de parler, madame de Cursy et le bon ecclésiastique formaient tout le cercle de ma correspondance. J'écrivais une fois chaque semaine à madame de Cursy, une ou deux fois l'année seulement à M. de Couaën. A cette même heure de récréation, on jouait à la balle ; c'était le seul jeu habituel. Une fois la semaine, le mercredi, jour de congé, on avait la jouissance d'un billard, de jeux d'échecs, de dames, de trictrac, de volants et de boules. Je ne jouais jamais.

La récréation finissait à une heure et demie, et dans la récitation en commun du chapelet, petit exercice d'un quart d'heure. La seconde moitié du jour se passait comme la première en pauses et reprises sobrement distribuées : une heure et un quart de cellule ; une heure de classe de morale, par un professeur autre que celui du matin ; une nouvelle visite à la chapelle à quatre heures ; puis la cellule encore ; une lecture spirituelle en commun avant le souper ; après le souper, la récréation du soir, et ensuite la prière avec une lecture du sujet de méditation pour le lendemain matin. On se couchait à neuf heures. Ainsi nos jours se suivaient et se ressemblaient, mon ami, — comme ces grains du chapelet que nous disions, — excepté pourtant deux jours de la semaine, le dimanche et le mercredi. Le dimanche, il n'y avait pas de classe.

Nous allions à l'église paroissiale du village entendre la grand-messe et les vêpres. Nous avions plus de temps à passer dans nos cellules et quelques moments de récréation après vêpres. J'ai dit qu'il n'y avait pas de classe dogmatique et morale le dimanche, mais on nous en faisait une le matin sur l'Écriture Sainte.

Le mercredi était le grand jour. Pendant tout l'hiver, le congé ne commençait qu'à midi et n'avait rien de bien gai. Nous faisions une grande promenade après le dîner dans les environs, et le pensionnat de la ville, lié à la même direction que le séminaire, venait souvent prendre notre place dans nos jardins et user de nos jeux durant notre absence. Mais, à partir du premier mercredi après Pâques, le congé commençait à sept heures du matin et durait jusqu'à huit heures et demie du soir. Dès les sept heures, nous étions donc maîtres de tout le jardin sans exception; la salle des jeux était ouverte; le silence ne s'observait plus, même au réfectoire. C'était par cette renaissance du printemps une fête délicieuse; mais combien d'arrière-pensées subsistantes, inévitables, hélas! pour mon cœur. A huit heures environ, le pensionnat de la ville, les plus grands du moins, arrivaient. Ils entendaient la messe à notre chapelle; après quoi, les deux maisons n'en faisaient plus qu'une; ceux qui s'étaient connus se réunissaient et causaient. L'inégalité aimable des âges, lesquels n'étaient pas trop disproportionnés pourtant, ajoutait de l'intérêt aux entretiens; c'étaient des frères déjà hommes, et d'autres frères adolescents. Il n'y avait plus de rang au réfectoire : chacun se plaçait à sa guise, et, dans cette confusion universelle, la cellule était la seule chose qui restât inviolable; on ne pouvait y introduire personne sans une permission expresse. Avant le dîner, l'examen particulier avait lieu comme de coutume, et dans l'après-dîner une lecture spirituelle. Le soir, lorsque le pensionnat de la ville avait quitté la maison, nous nous mettions à la file les uns des autres, sans ordre, et nous disions le chapelet tout haut, en tournant dans les allées de tilleuls déjà sombres. Ceux qui arrivaient les derniers étaient guidés pour rejoindre l'endroit de la marche, par cette rumeur au loin harmonieuse : tel le bourdonnement des hannetons sans nombre dans un champ de lin, ou le murmure d'abeilles tardives, derrière le feuillage. — Une fois, la procession, qui s'était dirigée au hasard vers un côté inaccoutumé, parvint jusqu'à mon allée secrète. Que d'émotions m'assaillirent en approchant! les ténèbres redoublées voilèrent mes larmes; le bruit de tous étouffa mes sanglots!

Le régime du mercredi était celui des vacances, qui duraient la plus grande partie du mois d'août et tout le mois de septembre. On faisait chaque jour une longue promenade. Le soir, il était permis de chanter des chansons ayant trait aux petits événements de la journée, aux incidents remarquables de la semaine. Celui que l'on voulait chansonner montait sur un banc, et le chanteur-improvisateur à côté de lui. La foule applaudissait, et ces scènes toujours innocentes, qui semblaient un ressouvenir du Midi, un vestige facétieux du Moyen Age, ne manquaient pas d'un entrain de gaieté populaire et rustique.

Nous subissions des examens généraux sur la théologie avant Pâques et à la fin de l'année. Ceux qui devaient recevoir une ordination subissaient un autre examen à l'évêché, ou ailleurs devant l'évêque. Les ordinations étaient précédées d'une retraite de huit jours, pendant lesquels tous les exercices d'étude demeuraient suspendus. On remplissait le temps par d'édifiantes lectures, et il y avait sermon matin et soir. Chaque séminariste devait passer par cinq ordinations : la *tonsure*, les *ordres moindres*, le *sous-diaconat*, le *diaconat* et le *sacerdoce*. La tonsure était le plus simple degré, un pur signe, et n'enchaînait à rien; elle ne s'adressait qu'à une mèche de cheveux coupés, à la portion la plus flottante et la plus légère de nous-même. Les petits ordres, au nombre de quatre, et qui se conféraient tous à la fois, avaient leur vrai sens dans la primitive Eglise; là, en effet, on devenait successivement : 1º *portier*, celui qui tient les clefs et qui sonne la cloche; 2º *lecteur*, celui qui tient et lit le livre sacré, 3º *exorciste*, celui qui a déjà le pouvoir de chasser les démons; car en ces temps-là les possédés, en qui se réfugiaient les dieux et oracles vaincus, abondaient encore; 4º *acolyte*, celui qui sert et accompagne l'évêque et qui porte ses lettres. Le sous-diacre est admis à toucher le calice, le diacre avait droit d'en distribuer au peuple la liqueur sanglante, dans les temps où l'on communiait sous les deux espèces; mais le prêtre seul consacre les espèces et y fait descendre Dieu; seul il dispense les sacrements, sauf la confirmation et les ordres, réservés à l'évêque, et encore celui-ci peut-il déléguer au prêtre autorité à cet effet. La plus grave pourtant, la plus

solennelle de nos ordinations était celle du *sous-diaconat*,
parce qu'elle oblige au vœu de chasteté perpétuelle;
c'était le moment où notre vie se liait indissolublement
aux devoirs de la hiérarchie catholique. Le consentement du sous-diacre futur ne résultait pas de sa simple
présentation à l'église sous les yeux de l'évêque : tous,
rangés sur deux lignes, attendaient que l'évêque, après
les avoir avertis de la charge à laquelle ils voulaient se
dévouer, leur eût dit : *Que ceux qui consentent à recevoir
ce fardeau s'approchent!* un pas fait en avant était le
signe irrévocable de la volonté et le lien perpétuel.
Quelques-uns reculaient et s'en retournaient tristes.
Oh! comme je sentais bien, mon ami, tout le sens de
cette parole! comme je pesais, en avançant le pied, tout
l'énorme poids de ce fardeau! — La cérémonie ne se
terminait guère qu'à deux heures de l'après-midi, après
avoir commencé à sept heures du matin. Dans l'intervalle qui s'écoulait entre la communion générale et la
fin de la messe, on présentait un peu de vin dans un
calice d'or aux ordinants, pour les soutenir. Au retour,
il y avait une grande effusion de joie, des embrassements
pleins de cordialité, un mouvement général et qui ne
ressemblait à rien, parce qu'il était à la fois tranquille
et vif, une allée et venue en mille sens par les cours et
les gazons à la rencontre les uns des autres, une pénétra-
tion réciproque d'intelligences épurées et un peu au-
dessus de la terre. — L'ordination pour la prêtrise se
faisait à deux époques principales d'été et d'hiver, la
veille de Noël ou le samedi veille de la Trinité.

La fête du séminaire était la présentation de la
sainte Vierge au temple, le 21 novembre. L'évêque venait
dire la messe, et ensuite, assis au pied de l'autel, il recevait
chaque séminariste, qui, s'approchant et se mettant à
genoux, disait : « *Dominus pars haereditatis meae et calicis
mei; tu es qui restitues haereditatem meam mihi.* Seigneur,
vous êtes la part de mon héritage et de mon breuvage;
c'est vous, Seigneur, qui me rendrez le lot qui m'était
destiné. » Ces paroles se lisent au psaume quinzième.

En tout, la vie de l'esprit était bien moins soignée
que la vie de l'âme; on jouissait peu par la première,
souvent et beaucoup par la seconde.

Je vous ai tracé l'aspect général et heureux, mon ami,
l'ordonnance et la régularité. Au fond l'on aurait trouvé
peut-être moins de bonheur qu'il ne semblait; on aurait
découvert des âmes tristes, saignantes ou troublées, lut-

tant contre elles-mêmes, contre des penchants ou des malheurs, des âmes tachées aussi, — assez peu, pourtant, je le crois. J'étais une des plus mûres et des plus atteintes, le plus brisé sans doute; je me le disais avec une sorte de satisfaction non pas d'orgueil, mais de charité, en voyant toutes ces jeunes piétés épanouies. Mais qui sait si tel autre n'était pas aussi avancé que moi dans la connaissance fatale, et s'il ne se taisait pas comme moi ?

J'en pus discerner au moins un entre tous qui souffrait profondément et qui, un jour de promenade, laissa échapper en mon sein son secret. C'était un jeune homme qu'avait élevé avec amour et *gâté*, comme on dit, une mère bonne, mais inégale d'humeur et violente. Ces violences de la mère avaient développé dans cette jeune nature des colères plus sérieuses qu'il n'arrive d'ordinaire chez les enfants, et de fréquents désirs de mort. Entre ces deux êtres si attachés d'entrailles l'un à l'autre, il s'était passé de bonne heure d'affreuses scènes. L'enfant grandissant, ces scènes, plus rares, il est vrai, avaient pris aussi un caractère plus coupable de colère, et par moments impie. Les belles années et l'adolescence de cette jeune âme en avaient été flétries comme d'une ombre envenimée. Il s'était réfugié dans la résolution de ne se marier jamais, de peur d'engendrer des fils qu'il trouvât violents envers lui comme il se reprochait de l'avoir été lui-même contre sa mère. Cette mère avait gémi beaucoup, sans trop oser s'en plaindre, de la résolution de son fils. En mourant peu après, elle lui avait tout pardonné : mais lui, il ne s'était point pardonné également, et, entré dans ce séminaire, il s'efforçait de consacrer son célibat à Celui seul qui n'engendre ni colère ni ingratitude. J'avais contracté une liaison, sinon intime, du moins assez familière, avec ce jeune homme mélancolique. Je fréquentais aussi deux ou trois Irlandais, par un sentiment d'attrait vers leur nation plus encore que par goût de leur personne. Je parlais anglais avec eux, comme j'en avais obtenu la permission, et j'ai dû à leur compagnie d'alors l'entretien continué d'une langue qui m'est devenue si nécessaire.

Quant aux doutes, aux luttes d'intelligence en présence des vérités enseignées, j'en eus peu à soutenir, mon ami : ce que j'avais à combattre plutôt et à réprimer, c'était une sorte de rêverie agréable, un abandon trop complaisant, un esprit de semi-martinisme trop amoureux des routes non tracées; j'en triomphais de mon

mieux pour m'enfermer dans la lettre transmise et pour
suivre pas à pas la procession du fidèle.

Mais je ne vous parlerai pas davantage de ces
trois années, mon ami; ce que je voulais surtout vous
dire des amollissantes passions et de l'amour des plaisirs
est épuisé. Franchissant donc cet intervalle d'une monotonie heureuse, je vous transporterai à ce qui achève
de clore ici-bas les événements douloureux sur lesquels
vous restez suspendu. Aussi bien le terme du voyage
approche. Tandis que je sondais avec vous mes anciennes
profondeurs, le vaisseau où je suis labourait, effleurait
nuit et jour bien des mers. En vain les vents le repous-
saient maintes fois, et, par leur contrariété même, donnaient loisir à mes récits. Voilà que sa célérité l'emporte.
La grise latitude de Terre-Neuve se fait en plein sentir.
Les oiseaux des continents prochains apparaissent déjà;
on a vu voler vers l'Ouest les premiers des vautours qui
annoncent les terres. Avant cinq ou six jours, ô jeune
ami, confident trop cher qui avez fait faiblir et se répandre
le cœur du confesseur, avant la fin de cette semaine, il
le faudra, nous nous quitterons.

XXIV

J'avais été ordonné prêtre à la Trinité. De nouvelles relations se formaient autour de moi; des devoirs immenses, dont j'appréciais l'étendue, bordaient de toutes parts ma route et y jetaient de fortes ombres. J'étais retourné un moment à Paris, après mon ordination. La dernière attache personnelle que j'y avais gardée n'existait plus; madame de Cursy était morte à la fin du dernier hiver, depuis trois mois environ, sans que je l'eusse pu revoir, et le petit couvent, peuplé à peine de quelques religieuses très âgées et devenues infirmes, offrait une solitude veuve, dans laquelle la mort introduite n'allait plus cesser. Durant cette dernière année aussi, j'avais appris que mademoiselle de Liniers, cédant à la volonté de sa grand-mère au lit de mort, avait consenti enfin à accepter ce qu'on appelle un parti avantageux; elle avait épousé une personne plus âgée qu'elle, mais de naissance et dans des fonctions élevées. Que je lui sus un gré sincère, ange de sacrifice, de cette obéissance à une mourante, et de cette résignation de son cœur! Il me semblait y saisir, entre autres motifs pieux, un sentiment particulier de délicatesse qui s'efforçait de m'alléger un remords. Je n'avais eu, depuis bien des semaines, aucune nouvelle directe de Blois; madame de Couaën allait, à ce que je craignais, s'affaiblissant de jour en jour, bien qu'avec des alternatives de mieux qui rappelaient l'espérance et dissimulaient le déclin. Après m'être présenté à Paris devant mes supérieurs ecclésiastiques, qui me marquèrent mille faveurs, je me décidai par plusieurs raisons à faire le voyage de Rome; mais, avant de partir, j'eus un désir invincible de revoir le pays natal, la ferme de mon oncle, et, je n'osais me le dire, la tour de Couaën. Sept longues années s'étaient

écoulées depuis que j'avais quitté ces bois d'heureux
abri. Il n'y avait plus un être vivant qui m'y attirât; mais
j'avais besoin des lieux, des plages. Revêtu d'un ministère nouveau, je voulais bénir le champ de mort de mes
pères; je voulais, homme mûr, m'incliner en pleurs vers
mon berceau, me rafraîchir un peu aux vierges ombrages
de l'enfance, me repentir le long du sentier de convoi-
tise de l'adolescent. Avant d'entreprendre une marche
pénible et infatigable dans les routes populeuses, il me
tardait de faire ce détour pour respirer encore une fois
l'odeur des bruyères, pour m'imprégner, en pleine saison, de cette fleur éparse des vives années et du souvenir
sans fin de quelques âmes.

C'est par une belle après-midi, qu'étant descendu de
voiture à la ville prochaine et reparti à cheval aussitôt,
le long des haies, des fossés, des champs de blés rougissant par le soleil et non pas blondissant, comme
ailleurs; croisant çà et là quelques troupeaux de petits
moutons noirs sur les gazons ras et fleuris, j'arrivai à la
maison de mon oncle, qui était la mienne depuis sa
mort, qui avait été ma demeure d'enfance et de jeunesse
jusqu'au terme de mon séjour dans la contrée. J'en
aperçus d'abord, à travers la claire-voie, les fenêtres
garnies presque toutes de nids d'hirondelles, en signe
d'absence, et les herbes grandies de la cour. Des chiens
inconnus s'élancèrent, en aboyant, à mon approche, et
ne s'arrêtèrent qu'à la vue de mon habit : en ce grave
pays, les chiens même reconnaissent, respectent l'habit
du prêtre et du clerc. A la fin, le jardinier parut; c'étaient
lui et sa femme qui, depuis des années, gardaient seuls
ce logis, et, chaque matin, d'après mes anciens ordres, ils
avaient rouvert ces volets et chassé cette poussière,
comme si j'eusse dû arriver le jour même : un mot écrit
par moi à tout hasard avait été leur loi. J'entrai avec
émotion en ces chambres inhabitées où tout était religieusement conservé dans la dernière disposition d'autrefois et ainsi qu'au lendemain des funérailles : les chaises
propres placées en regard aux angles d'usage; la table
au milieu attendant la veillée du soir; dans un coin, des
cadres appuyés à la muraille et non accrochés du vivant
de mon oncle, et qui étaient près de l'être, et qui ne le
seraient jamais, image exacte de tant de projets et d'espérances! derrière une porte, à un clou de bois, le même
grand chapeau de paille pour ceux qui iraient au jardin
durant la chaleur du jour. Je revis tout, je remontai à ma

chambre proche du grenier, là où je conversais, enfant, avec les nuées du ciel et avec les ramiers des toits : une cage ouverte, pendue encore à la fenêtre, me rappela une première douleur, une histoire de bouvreuil envolé. Je redescendis précipitamment et m'enfonçai dans le jardin et les prés, à travers les hautes fougères, hautes en vérité comme de jeunes sapins ; je m'y perdais et m'y retrouvais ; tout me paraissait à chaque pas, tantôt plus petit de proportion et de distance, tantôt plus grand que je ne me l'étais figuré ; mais c'était toujours plus touffu, plus sylvestre, plus abondant encore que je n'avais pensé en odeur saine et sauvage. Côtoyant l'étang et le cours d'eau vive, image des saintes eaux dans la solitude, je bus d'un long trait à cette source de mon héritage, si limpide, hélas ! et si longtemps négligée, qui, tandis que le maître s'égarait ailleurs, n'avait pas cessé, elle, d'arroser et d'appeler, et de courir, pour le brin d'herbe du moins et pour l'oiseau. Il ne me manquait à cette heure qu'un ami à qui je pusse dire un peu ce qui m'oppressait, au sein duquel je pusse laisser tomber mes pleurs avec les paroles qui soulagent. Qui n'a pas ainsi rêvé un ami resté après nous dans nos chemins de l'enfance, retrouvé après dix ans au bout de la même allée, un bréviaire à la main ; un ami, le témoin et le gardien de nos jeunes désirs, le chapelain fidèle de nos premiers vœux et de nos virginales ardeurs ? Tout ce que nous nous étions promis une fois, le soir d'une communion sainte ; tout ce que nous projetions, les larmes aux yeux, en causant avec lui le long du berceau d'aubépines, il l'a tenu ; il n'a pas bougé, il n'a pas dépassé la ville prochaine ; il a étudié, il a prié, il a monté chaque année un degré. Il y a eu un moment dans sa vie où ceux qui, la veille, le bénissaient, il les a, à son tour, bénis, où il est rentré, lévite de Dieu, dans la maison de son père, voyant chacun s'incliner à son aspect ; et cela s'est fait sans interruption orageuse, sans crise, sans absence, comme par ce simple mouvement des saisons qui pousse les arbres et les charge de feuillage. — Le jour surtout où l'on rentre soi-même au toit paternel désert, qui n'a pas rêvé un tel ami ?

Il est dit selon la maxime de l'humaine prudence : « Passez souvent dans le sentier qui mène chez l'ami ; car autrement l'herbe y croîtra hérissée de broussailles. » Ce conseil est bon envers les amis qu'on rencontre tard, envers ceux que la convenance, un attrait frivole ou délicat, un intérêt et un but commun nous associent : mais il est des amis d'enfance, des amis qui se sont faits à l'âge où les âmes se forment, avant qu'elles aient pris leur dureté virile et que l'écorce s'en soit épaissie; il est de ces amis qu'on ne voit jamais, qu'on retrouve une fois après dix ans seulement, qu'on n'a pas eu besoin d'entretenir ni de réparer, et qui sont toujours les plus sûrs, les plus chers au cœur. L'herbe sans doute a crû dans le sentier durant l'intervalle, elle y a poussé comme une forêt; mais quand on y repasse, après un si long temps, ce n'est que plus doux, et les ronces même y ont leur charme comme dans la bruyère du vallon natal.

Moi, j'étouffais de pleurs, je suffoquais de souvenirs, faute d'un tel ami qui m'aidât à les porter. Que la nuit fut longue! et quelle active et magique insomnie sous ces rideaux de famille, parsemés d'antiques fleurs et de figures! Chaque figure, chaque fleur peinte jouait à ma pensée comme un composé d'âmes des morts. Dès le lendemain, de grand matin, ayant reparcouru tous les mêmes sentiers d'alentour dans la rosée, je sentis que c'était trop; que m'exposer à un second coucher de soleil en cet horizon si chargé, c'était à faire éclater l'âme. J'avais décidé que je ne visiterais que cette maison et Couaën, pas d'autres lieux, ni la Gastine ni rien de ce côté. — Je partis donc, aussitôt après déjeuner, sur un petit cheval du pays avec mon porte-manteau en croupe, en disant qu'on ne m'attendît plus, et je me dirigeai vers le château à deux lieues de là, pressé de traverser comme en droite ligne cette mer inondante de souvenirs et de parfums. Mon dessein était de m'arrêter seulement une ou deux heures et de regagner la ville, puis Paris incontinent.

Je me rappelais, en mettant pied à terre à certains endroits des chemins creux, ce jour où j'y étais allé pour la première fois, découvrant la route mystérieuse, comme maintenant je la reconnaissais. Oh! mon pressentiment ne m'avait pas trompé alors; c'était bien là qu'avait dû en effet se rencontrer le principal embranchement de ma vie. Tout ce que j'étais devenu ne dépendait-il pas de ce premier voyage? Dans l'intervalle depuis lors, toute la destinée s'était pour moi développée et comme infléchie sous l'impulsion de ce commencement; la roue de ma fortune humaine avait versé de ce côté. Ce n'était rien de frappant aux yeux du monde; si peu d'événements, et si peu visibles! mais de près, toute une série de sentiments, de passions, d'erreurs, qui avaient découlé de là; une nature tendre, émue, riche et faible tout ensemble, parcourant ses phases, subissant ses orages, jusqu'à ce port divin d'où elle repartait bénie, armée, affermie, je l'espérais, avec les orages du dehors à craindre désormais plutôt que ceux du dedans. Voilà bien un abrégé, pensais-je, de la plupart des destinées obscures des hommes! Voilà donc ce que c'est qu'une jeunesse passée, ce je ne sais quoi d'enchanté et d'indéfini qui se perdait en si lointaines promesses! Que n'eussé-je pas fait de ces années brûlantes dont on ne jouit qu'une fois, si les circonstances m'avaient aussi bien poussé vers les endroits apparents? — Au lieu de cela, rien; — rien, et tout autant, hélas! en réalité que si le résultat avait brillé davantage; car que de troubles, de pensées, de vicissitudes et de combats! quel monde intérieur! Et dans le passé et dans le présent, n'est-ce pas là l'histoire de beaucoup? Que d'autres existences sans doute et de jeunesses, capables de luire, également ensevelies! Quelle immensité de combinaisons, d'avortements, de luttes et de souffrances cachées! Voilà bien la vie. La masse de la société n'est que cela. La face de cette société change, se renouvelle, diffère avec les temps; mais, sous ces nouveautés de forme et d'apparence, pauvres humains, générations tour à tour jeunes et flétries, pareilles aux feuilles des arbres, a dit l'antique poète, les mêmes encore aujourd'hui sous le souffle de Dieu qu'au temps de Job et de Salomon, pauvres humains, nous roulons au-dedans de nous les perpétuelles et monotones révolutions de nos cœurs. Ces révolutions éclatent plus ou moins au-dehors, et parfois se mêlent à ce qu'on appelle histoire, mais l'éclat ne fait rien à leur accomplissement. Toutes ces races qui se succèdent sur la terre naissent et fleurissent en leur saison, s'agitent et tourbillonnent à peu près sous les mêmes bises. Heureux parmi elles, heureux qui s'assure, dès avant l'hiver, l'unique printemps invariable et sacré! Et je me disais ces choses sur le renouvellement constant des mêmes passions humaines, le long des haies toujours verdoyantes, au sein de la nature en fête et non changée. — A mesure que j'avançais vers le château, dont j'apercevais par instants la tour, il me semblait que je revenais toucher à mon point de départ pour clore de plus en plus le cercle de ma première destinée. J'étais troublé, chemin faisant, comme d'une dernière attente; mais mon trouble ne prévoyait pas tout.

En passant la première barrière et en traversant la cour de la ferme, je fus surpris de trouver un air de mouvement au château et non pas l'abandon morne, l'aspect inhabité que j'espérais : la fenêtre de la chambre que j'avais occupée longtemps, au-dessus de la porte d'entrée, était toute grande ouverte. La seconde barrière aussi passée avec mon cheval, que je menais par la bride, je vis, à travers la porte grillée du jardin, les autres volets pareillement ouverts. Au bruit des pas du cheval sous la voûte, une personne s'avança de la cour intérieure : c'était M. de Couaën; jugez de notre étonnement, surtout du sien. Bien que séparés depuis des années, le sentiment qui domina dans cet accueil fut la surprise, et sur son front un léger embarras. « J'étais dans le pays, balbutiai-je tout d'abord comme en me justifiant, j'ai voulu revoir encore une fois ces lieux d'où je vous croyais toujours éloigné; mais comment vous y trouvé-je, comment êtes-vous ici ? » — « Nous ne sommes en effet arrivés que d'hier soir, me dit-il; madame de Couaën a eu un si extrême désir de respirer cet air presque natal, cette brise des mers, que j'ai dû céder à ce vœu de malade; car elle l'est, malade, d'une manière plus inquiétante que jamais, ajouta-t-il. J'ai donc écrit pour une permission à M. D..., et il nous l'a fait expédier sans retard. Elle est très faible et fatiguée de la route, j'irai la disposer à votre présence. »

Et j'admirais par quelle concordance merveilleuse ce désir en elle de revoir Couaën se rattachait au mien, qui était né subit aussi, maladif en moi et irrésistible. — Quoi! le même jour, à la même heure peut-être, elle à Blois, moi à Paris, sans nous entendre, sans aucun but déterminé, nous aurions ressenti tout d'un coup une si violente et inexprimable tentation de visiter les mêmes lieux, d'y respirer un moment; et après des années d'absence, de privation et de prudence rigoureuse, nous nous y trouverions de nouveau en face l'un de l'autre, par pur hasard et au risque de troubles mortels! — Non, cela n'est pas; les causes secondes et aveugles, qui pour l'homme s'appellent hasard, n'ont pas ainsi pouvoir de se jouer de nous et de remettre en question la paix de nos âmes; non, il n'y a que le doigt invisible qui ait pu préparer ceci, parce qu'il veut en tirer quelque chose de grand, de bon. Et une pensée haute et tendre me saisit au cœur, accompagnée d'un frisson de saint effroi, et je suivis en tremblant le marquis dans la chambre de la tour où il m'introduisait.

Elle était couchée sur une chaise longue, près de la fenêtre entrouverte, à la même place où je l'avais vue une première fois brodant au tambour. Elle ne se retourna pas non plus qu'alors, quand j'entrai, mais, hélas ! c'était faiblesse et non distraction rêveuse. Sa fille, déjà grande, de dix à onze ans, se tenait debout entre la chaise longue et la fenêtre, les yeux sur ceux de sa mère. Je m'avançai vivement vers madame de Couaën ; je lui serrai une main qu'elle me tendait, et la sentis au toucher bien sèche et bien grêle. Quant au visage, elle était pâle comme autrefois, mais fondue et diminuée sous les blanches dentelles qui l'entouraient. Bientôt un peu de rougeur lui vint en parlant. Quelques mèches noires échappées sur son front, ses yeux toujours brillants et comme agrandis par la maigreur, contrastaient avec cette joue flétrie. Ainsi étendue pourtant, calme, belle encore, dans cette chaude odeur de pêcher qui entrait avec le soleil et transpirait autour d'elle, si l'on n'avait su les lentes années de son mal, on l'eût prise pour une convalescente.

— « Monsieur Amaury (car je veux toujours ainsi vous appeler), s'écria-t-elle la première d'un ton de voix dont je compris tout l'effort délicat et l'intention consolante, est-ce bien vous que nous revoyons ! et quelle grâce de Dieu vous amène ? » Et elle me parla des événements de l'intervalle, de la grande résolution que j'avais conçue et accomplie, et qu'elle avait, disait-elle, tant admirée ; de ce qu'elle en avait écrit souvent à cette bonne tante que nous avions perdue, et quelle satisfaction ç'avait été pour celle-ci avant de mourir, m'aimant tout à fait comme l'un des siens. Après ces mutuels regrets sur madame de Cursy, je lui parlai de sa fille, si avancée déjà, sa compagne si attentive, et de cette précieuse éducation suivie à loisir durant tant de longues journées en ces années solitaires. — Une idée brusque la saisissant, elle me demanda si je n'avais rien su du tout de l'arrivée de quelqu'un au château avant d'y entrer, et comme je lui dis que j'ignorais absolument toute arrivée et que j'étais uniquement venu pour revoir au passage, pendant une seule heure, des lieux si impossibles à oublier, elle répliqua par un mouvement involontaire, adoucissant en chemin, du mieux qu'elle put, sa funeste pensée par un sourire (pensée, au reste, qui rejoignait précisément la mienne) : « C'est singulier, on pourrait croire que c'est le Ciel exprès qui vous envoie. Et en effet, monsieur Amaury, qui sait si bientôt quelqu'un n'aura pas ici besoin de vous ? » Un silence de nous tous suivit cette triste parole. M. de Couaën eut un sensible mouvement, soir de douleur, soit de mécontentement et d'embarras ; et il se pouvait qu'il fût embarrassé de ma présence, qu'il fût choqué surtout de l'idée d'une intervention possible de mon ministère. Le premier, il rompit l'entretien en parlant de la fatigue qu'on devait éviter dans la position de madame de Couaën, et tous les deux nous sortîmes.

La chaleur était accablante ; il m'emmena au fond des bosquets, où nous nous assîmes. Je pus apprécier l'effrayant progrès du malheur, durant ces années, chez M. de Couaën, en proie éternellement qu'il était au deuil muet de son fils d'une part, et de l'autre, à ce duel sourd, opiniâtre, envenimé, avec le chef de l'Empire. Il ne me toucha rien du premier point, mais j'entrevis, à quelques mots amèrement résignés qui lui échappèrent sur l'état de madame de Couaën, que cette perte serait moins pour lui une nouvelle et incomparable douleur que comme le réveil de l'ancienne. Ainsi, quand on a éprouvé une fois la plus grande douleur que l'on puisse supporter en ce monde, les suivantes, en arrivant, ne remplissent pas davantage le vase déjà plein, elles ne font que l'agiter et en remuer la profondeur. Elles ne font, en frappant sur le cœur ulcéré, que rouvrir par parties l'ancienne plaie immense.

Quant à l'autre objet et pâture de son animosité active, il y arriva vite et m'entreprit là-dessus comme s'il n'y avait pas eu d'interruption depuis nos conversations premières, s'inquiétant peu de mon changement de condition, et avec un je ne sais quoi de manie, propre à ces grands caractères qui se sont usés sur eux-mêmes et n'ont pas trouvé jour à leur emploi. Comme je l'écoutais sans objection, il m'en savait gré, et l'ombre jalouse que j'avais cru voir d'abord à sa face se dissipait en éclair d'amitié, tandis qu'ainsi il m'entretenait de sa haine. Il y avait une influence, une fascination dans ses paroles, sous laquelle je retombais, tout en y sentant plus fortement que jamais quelque chose d'outré, de faux, de destiné aux mécomptes. Son visage m'offrait cette espèce de transparence altérée, encore plus frappante qu'autrefois. A mesure qu'il s'exaltait dans son idée, il y blanchissait pour ainsi dire, il ne m'apparaissait plus du même âge qu'il y avait quatre années, il se faisait vieillard ; je me figurais voir s'étendre, le long des rides, à ses tempes plus chauves, les griffes clouées d'un vautour. Je ne le comparerai jamais mieux, selon mon impression d'alors, qu'à un capitaine qui, dans un pays conquis, soutient seul un siège sur un coin de roc durant des années, oublié mais invaincu, grand, mais raidi, et devenu un peu pareil aux pierres de ses créneaux, incapable d'autre chose après cette défense et à demi fou ensuite, comme on l'a dit, je crois, de Barbanègre après Huningue ; ou encore à un blessé qui retient violemment ses entrailles et son sang, et qui met toute son haleine de vie à attendre la mort de son vainqueur.

Nous fûmes troublés au fort de notre conversation par une subite obscurité mêlée de tonnerre et par un torrent de pluie que nous n'avions pas vu venir, et qui ne nous donna pas le temps de rentrer. Tapis au plus fourré du feuillage, nous attendions un moment de trêve, lorsque bientôt, croyant entendre des voix redoublées qui appelaient, nous délogeâmes à travers l'ondée. C'était bien nous qu'on appelait ainsi par les jardins. Dès qu'elle nous aperçut, la jeune Lucy effarée se jeta aux bras de son père, en s'écriant que sa mère était morte, — qu'elle venait tout à l'heure de mourir !... Nous courûmes à la chambre et y trouvâmes en effet madame de Couaën sans connaissance sur sa chaise et comme inanimée : ce brusque orage avait produit une crise en elle. Tandis que nous nous occupions tous de lui faire recouvrer le sentiment, l'ordre fut donné par M. de Couaën d'aller chercher au plus tôt le médecin à la ville. Rappelé aux devoirs de ma position, je donnai de mon côté, tout bas, l'ordre qu'on allât avertir le recteur de la paroisse. On avait déposé madame de Couaën sur le lit ; après de longs efforts et une lutte bien pénible, elle reprit ses sens. Sa première pensée en nous retrouvant fut de nous sourire, mais elle ne put s'empêcher de dire qu'elle ne revenait pas pour longtemps. Elle était déjà suffisamment remise, quand le recteur qui avait fait hâte entra ; elle le reconnut à son habit, ne l'ayant pas vu auparavant, et elle comprit l'intention de sa présence. C'est alors que, se tournant vers nous, sans que le moindre embarras fît faillir cette voix si faible, sans que la moindre rougeur altérât la pâleur unie et déjà morte de son front, elle déclara souhaiter, puisque Dieu semblait m'avoir envoyé à dessein, et si toutefois M. le recteur et M. de

Couaën, à qui elle en demandait la faveur, y consentaient, que ce fût moi qui la confessât, la communiât et la préparât à la mort qu'elle sentait approcher. Le recteur, qui me connaissait déjà de nom, s'empressa, après deux ou trois questions qu'il me fit, d'acquiescer au vœu de la malade et de me céder tout pouvoir. Mais un nuage passa au front de M. de Couaën; ce fut très rapide, et, lui-même, il vint, en me serrant convulsivement les mains, me conjurer d'accepter. J'eus un moment de doute extrême : mais quand l'idée de tant de coïncidences miraculeuses s'éclaircit en moi, quand, après ce premier acheminement en Bretagne par suite de mon premier désir, je vins à rapprocher de la scène présente ce second désir si ardent que j'avais eu le matin même de quitter incontinent la maison de mon oncle pour Couaën, je ne pus méconnaître toute une ligne tracée et une indication lumineuse des voies de Dieu. Je m'inclinai donc, ne répondant que peu de mots qu'étouffaient les larmes, et je sortis de la chambre pour me recueillir par la prière avant les heures du ministère redoutable.

A peine retiré dans cette autre chambre où j'avais logé autrefois et qu'on m'avait de nouveau fait préparer, le poids m'accabla; je tombai abîmé, le front contre terre, et j'invoquai avec élancement Celui qui fortifie et qui attendrit, qui donne au cœur la cuirasse d'airain et aux lèvres la suavité incorruptible; Celui qui sait surtout comment, jeune ou vieillard, on parle aux vierges, aux veuves, aux courtisanes ou aux épouses, comment on console les mères au lit de mort; le même qui écoutait sans scandale, près du puits de Jacob, les paroles de la Samaritaine; qui, dans la maison de Simon, sentit couler à flots, sur ses pieds, les pleurs et les parfums de la Magdeleine et fut ensuite essuyé des cheveux de cette femme, sans la repousser et sans en être troublé non plus, en disant hautement qu'elle faisait bien; Celui qui jugea que la sœur de Marthe, assise tout un jour à ses pieds pour l'entendre, avait la bonne part; Celui qui inspire et arme les confesseurs, et envoie aux moindres d'entre eux, s'ils sont sincères, un reflet de ses vertus, une majesté qui n'a rien de farouche, une condescendance qui n'a rien de charnel. Repassant au hasard les exemples qui semblaient un peu propres à m'autoriser, je le priai, ce Dieu des faibles et des mourants, qu'il me permît d'être moins dur, moins menaçant que ne l'avait été Abélard repenti à l'égard d'Héloïse qui l'implorait; qu'il me rendît moins

complaisant et moins facile que ne le fut peut-être Fénelon envers la rêveuse des *Torrents;* mais que j'atteignisse
plutôt à quelque chose de clément à la fois et d'austère, à
quelque chose entre saint Jérôme exhortant sainte Paula,
et saint François de Sales fermant les yeux à la baronne de
Thorens. Je le priai qu'il me rendît grave sans contrainte,
sobre sans aucune sécheresse, soudainement aguerri, doué
de clartés et d'accents inconnus, maître de mes pleurs,
commandant à mes vieilles idoles, capable, sans trop
m'ébranler, d'enlever bien haut cette âme, de l'engendrer à Dieu sans trop tressaillir, de la présenter immolée,
comme une sainte proie, sans la trop voir. — L'âme du
prêtre pasteur s'élèvera comme l'aigle, est-il enseigné.
Que mon âme donc, aisément sublime si vous le voulez,
Seigneur, s'élève et monte! m'écriai-je; qu'elle monte,
comme un aigle zélé, impitoyable, qui ravit dans sa serre
et rapporte jusqu'à vous la colombe!

Parmi les trois sacrements que j'allais administrer, la
confession, l'extrême-onction et la communion, il en était
deux, les deux premiers, dont je n'avais pas cu l'occasion
encore, étant prêtre depuis six semaines au plus. C'était
donc sur cette créature de tant de prédilection que j'allais
commencer à user des pouvoirs conférés de juge et de
purificateur. Les cèdres du Liban eux-mêmes en auraient
tremblé. Le recteur me vint trouver un moment; je me
fixai avec précision sur tous les détails, et il me quitta
pour aller prendre à son église l'hostie et les huiles saintes,
pendant que j'entendrais la confession.

Quand je rentrai dans la chambre de la tour, j'avais
revêtu le surplis que m'avait laissé le recteur. Elle était
couchée sur le lit, entièrement habillée, dans une attitude
modeste, les mains jointes, la tête à demi relevée par des
coussins. Elle paraissait dans un état de non-souffrance,
comme il arrive souvent aux malades en ce dernier intervalle. Les lignes de son visage étaient agrandies et tran-
quilles; rien en elle, hors une ténuité de souffle et une
mince haleine fébrile, ne trahissait le venin si présent de
la mort. Tout le monde sortit, la porte de la chambre
resta ouverte. La journée était redevenue belle, doucement rafraîchie, et le tintement des cloches, invitant aux
prières des agonisants, nous arrivait de loin par instants
avec la brise du soir, dans l'air plus sonore. Je me plaçai
de manière qu'elle pût parler sans trop se pencher et sans
que j'eusse à la voir moi-même; le crucifix fut posé en
face sur un coussin, à l'extrémité du lit : elle y avait les

regards, et moi également. C'est alors que sa confession commença, aussi générale que possible, comme il sied à l'article de la mort.

Anges du ciel, Puissances d'amour et de crainte, avec vos encensoirs ou avec vos glaives, redoublez la garde autour de mon cœur, pour que ce qu'il a entendu en ces moments et répondu au nom de Dieu demeure scellé sept fois, pour que ce tabernacle de chair n'ait ni un déchirement ni un soupir, pour que ce qu'il a reçu de mystère y repose inviolablement à part, sans confusion possible avec le reste de mes souvenirs et de mes conjectures terrestres, ou plutôt pour que cela ne fasse jamais et à aucun moment n'ait fait partie de ma mémoire humaine, pour que ce ne soit en moi de ce côté que cendre, parfums, petite lampe lointaine et ténèbres environnantes, comme en un tombeau!

La confession achevée, tout le monde rentra. Le recteur, précédé de la sonnette, arrivait avec la fiole et le saint ciboire. Deux cierges furent allumés à la tête du lit et deux autres aux pieds. Les saints vases eurent une table dressée exprès, couverte d'une nappe blanche. On apporta quelques charbons embrasés sur un réchaud d'argent, pour y brûler les flocons imbibés sitôt qu'ils auraient essuyé l'huile. Comme l'état de la malade n'avait rien d'imminent et permettait de suivre le meilleur ordre, je dus commencer par l'extrême-onction, qui est le complément de la pénitence; qui, après l'absolution des fautes commises et des actes distincts, atteint chaque organe même jusque dans sa source et sa racine, le rectifie, pour ainsi dire, et le réintègre. Les domestiques étaient à genoux ou tenaient les cierges; le bon serviteur François, entre tous, faisait peine par sa douleur, excessive dans un vieillard; la jeune Lucy, à genoux sur une chaise à la tête du lit, morne, muette, admirable de soins, exprimait une forme de douleur réfléchie et trop au-dessus de son âge. Le marquis debout, voûté, les bras contre la poitrine, la face serrée et en certains mouvements convulsive, sans larmes presque, sans apparence de prière, était le comble de la désolation silencieuse, l'image de la résistance écrasée et toujours inflexible, le grand malade qu'à cette heure ou jamais il me fallait aussi guérir. Ayant revêtu l'étole violette et assisté du recteur, je m'approchai de madame de Couaën. Après l'avoir prévenue de quelques endroits où elle aurait à répondre *oui, monsieur*, à mes questions, j'entrai dans l'application du sacrement, et

j'opérai bientôt les onctions en signe de croix aux
sept lieux désignés.

Ce qui se passait en moi tandis que je parcourais et
réparais ainsi avec le sacré pinceau les paupières, les
oreilles, les narines, la bouche, le cou, les mains et les
pieds de cette mourante, en commençant par les yeux,
comme le sens le plus vif, le plus prompt, le plus vulnérable, et dans les organes doubles, en commençant par
celui de droite, comme étant le plus vif encore et le plus
accessible; ce qu'enfermait à mon esprit d'idées infinies
à la fois et appropriées chaque brève formule que j'arti-
culais; ce qui, pour mieux dire, s'échappant de mes mains
en pluie bénie, roulait en saint orage au-dedans de moi,
cela n'a pas de nom dans les langues, mon ami, et ne se
pourrait égaler que sur l'orgue éternel. Mais il vous est
aisé d'ébaucher une ombre, de vous écrier, si vous le voulez, dans un écho tout brisé et affaibli d'une pensée incom-
municable:

« Oh! oui donc, à ces yeux d'abord, comme au plus
noble et au plus vif des sens; à ces yeux, pour ce qu'ils
ont vu, regardé de trop tendre, de trop perfide en d'autres
yeux, de trop mortel; pour ce qu'ils ont lu et relu d'attachant et de trop chéri; pour ce qu'ils ont versé de vaines
larmes sur les biens fragiles et sur les créatures infidèles,
pour le sommeil qu'ils ont tant de fois oublié, le soir, en
y songeant!

« A l'ouïe aussi, pour ce qu'elle a entendu et s'est laissé
dire de trop doux, de trop flatteur et enivrant; pour ce
suc que l'oreille dérobe lentement aux paroles trompeuses,
pour ce qu'elle y boit de miel caché!

« A cet odorat ensuite, pour les trop subtils et voluptueux parfums des soirs de printemps au fond des bois,
pour les fleurs reçues le matin et, tout le jour, respirées
avec tant de complaisance!

« Aux lèvres, pour ce qu'elles ont prononcé de trop
confus ou de trop avoué; pour ce qu'elles n'ont pas
répliqué en certains moments ou ce qu'elles n'ont pas
révélé à certaines personnes; pour ce qu'elles ont
chanté dans la solitude de trop mélodieux et de trop
plein de larmes; pour leur murmure inarticulé, pour leur
silence!

« Au cou au lieu de la poitrine, pour l'ardeur du désir,
selon l'expression consacrée *(propter ardorem libidinis)*;
oui, pour la douleur des affections, des rivalités, pour le
trop d'angoisse des humaines tendresses, pour les larmes

qui suffoquent un gosier sans voix, pour tout ce qui fait battre un cœur ou ce qui le ronge!

« Aux mains aussi, pour avoir serré une main qui n'était pas saintement liée; pour avoir reçu des pleurs trop brûlants; pour avoir peut-être commencé d'écrire, sans l'achever, quelque réponse non permise!

« Aux pieds pour n'avoir pas fui, pour avoir suffi aux longues promenades solitaires, pour ne s'être pas lassés assez tôt au milieu des entretiens qui sans cesse recommençaient! »

Mais tenons-nous, mon ami, dans la majesté du moment. Il y eut un endroit où je m'adressai en français aux assistants, pour les avertir de bien participer et coopérer en esprit à l'action sacramentale, pour leur rappeler que nous viendrions tous à notre tour à ce suprême passage, et que nous eussions à mériter d'y être avec autant de calme que celle que nous entourions. Puis je l'avertis elle-même qu'elle eût à bénir sa fille, ses gens, et à proférer les conseils et les adieux. Elle le fit, sur sa fille d'abord, vers laquelle je soulevai sa main droite, déjà incertaine : cette main se posa dans les cheveux, au sommet de la tête, comme une colombe d'albâtre; la face de la jeune fille était cachée dans les couvertures où s'étouffait un gémissement. Elle lui recommanda les conseils de Dieu par la prière, à défaut des directions maternelles, et lui souhaita l'esprit de douceur dans la vie en récompense de tant de soins pieux. Sans retirer sa main de dessus les cheveux de sa fille, elle demanda pardon au marquis, au nom de cette chère enfant qu'elle lui confiait, — pardon de ses négligences d'épouse, du surcroît de fardeau qu'elle lui avait causé, des consolations possibles qu'elle avait omises. Il s'avança brusquement, et avant qu'elle eût fini, des pieds du lit où il était resté debout jusque-là, et sans autre réponse, saisissant dans les cheveux de sa fille cette main défaillie, il la porta à ses lèvres avec un frémissement passionné. Puis d'une parole faible mais distincte, elle s'adressa aux gens, et s'accusa de les avoir trop négligés durant son absence; elle leur demanda des prières, et, morte, de ne pas l'oublier, les nommant l'un après l'autre affectueusement par leur nom, à commencer par le vieux François; ce n'était dans toute la chambre qu'un sanglot. La cérémonie de la communion suivit aussitôt. Dieu m'accorda que ma voix resta ferme, que mes yeux se continrent et que mon cœur ne fut pas entraîné par ce torrent de douleur qui grossissait alentour. Elle et moi, j'ose le dire, nous étions les plus calmes de tous, comme nous devions, les plus fixement dirigés, portés seulement par le flot de cette douleur et comme élevés plus haut vers le ciel dans la barque impérissable. La communion terminée, le recteur sortit reportant les saints vases à l'église, et nous restâmes seuls près du lit, le marquis, sa fille et moi ; ce fut alors une scène nouvelle d'adieux, mais plus pressante, plus intérieure. Elle redemanda pardon au marquis, et le conjura ici, comme elle avait fait tout à l'heure à sa fille, de laisser l'esprit de douceur et de pardon s'établir sans réserve en son âme : « Si vous ne pardonnez à tous, lui disait-elle, oui, à tous les étrangers, manants ou Empereurs, c'est que vous ne m'aurez pas entièrement pardonné à moi-même. Pardonner complètement à une mourante, c'est pardonner en mémoire d'elle à tous ceux qui vivent. L'idée douce et pardonnée d'une morte chérie intercède perpétuellement dans un cœur. » Elle retournait cette pensée en mille sens délicats et sublimes. Revenant à sa fille, elle précisa davantage les conseils de prudence et de vie bien ordonnée, lui signalant surtout comme danger ce tour altier de caractère, mais avec mille tendres louanges sur le reste et d'adorables encouragements. J'eus ma part aussi en ces intimes paroles : « Monsieur Amaury, me dit-elle, que je m'en vais reconnaissante jusqu'aux larmes de tant de services sacrés et de tant d'efforts sur vous-même ! » Et elle me pria de la bénir, mais plus en particulier, comme simple prêtre et comme ami. Redescendu un peu de l'élévation première, j'eus peine en ce moment à ne pas éclater. C'est alors, et après cette part de chacun, qu'elle exprima le désir d'être enterrée, non pas à la sépulture paroissiale de Couaën, mais dans la chapelle Saint-Pierre, sous une dalle du milieu, vers l'endroit de la lampe, et qu'on y célébrât la messe deux fois l'an à son intention. Elle désira de plus être ensevelie dans les mêmes habits exactement qu'elle avait, allant par le scrupule de ce désir au-devant des soins les plus douloureux et de cette véritable agonie pour les vivants ; heureuse, sans le dire, de nous épargner toute lutte, hélas ! à ce sujet. Ses volontés ainsi clairement expliquées, elle se sentit très faible ; la nuit était venue ; elle tomba comme en assoupissement. Tout entretien cessa, et je restai près du chevet à lire à mi-voix des psaumes en français, de manière qu'elle pût m'entendre si elle ne dormait pas, et qu'elle ne s'éveillât pas si elle dormait.

Le docteur ne tarda pas à arriver de la ville ; il la trouva aussi faible que possible, mais avec entière connaissance ; il n'y avait rien à tenter, sinon quelques cuillerées fortifiantes qu'il ordonna. Le recteur lui-même revint pour assister la malade de ses prières, et durant toute la première moitié de la nuit, lui, le docteur, M. de Couaën, sa fille et moi, nous remplîmes cette chambre silencieuse et déjà funèbre, où deux cierges étaient restés allumés. Mais après minuit, comme il n'y avait symptôme d'aucun accident, j'obtins que le marquis et Lucy se retireraient pour prendre un peu de repos. Le docteur passa dans une chambre voisine, à portée du moindre appel, et le recteur aussi s'absenta pour ne revenir qu'au matin. Me trouvant seul alors avec la femme de service, ou parfois même tout à fait seul, près du lit où cette âme veillait sa veille suprême et haletait si doucement, je redoublai de prières ; dans l'abondance de mon cœur, j'en ajoutais de jaillissantes à celles des textes que j'avais sous les yeux. Si j'interrompais un moment et laissais expirer ma voix, un léger mouvement de la malade m'avertissait de continuer et qu'elle en réclamait encore. Vers le matin pourtant, les autres personnes étant absentes toujours, et même la domestique depuis quelques instants sortie, tandis que je lisais avec feu et que les plus courts versets du rituel se multipliaient sous ma lèvre en mille exhortations gémissantes, tout d'un coup les cierges pâlirent, les lettres se dérobèrent à mes yeux, la lueur du matin entra, un son lointain de cloche se fit entendre, et le chant d'un oiseau, dont le bec frappa la vitre, s'élança comme par un signal familier. Je me levai et regardai vers elle avec transe. Toute son attitude était immobile, son pouls sans battement. J'approchai de sa lèvre, comme miroir, l'ébène brillante d'un petit crucifix que je porte d'ordinaire au cou, don testamentaire de madame de Cursy : il ne s'y montra aucune haleine. J'abaissai avec le doigt sa paupière à demi fermée : la paupière obéit et ne se releva pas, semblable aux choses qui ne vivent plus. Avec le premier frisson du matin, dans le premier éclair de l'aube blanchissante, au premier ébranlement de la cloche, au premier gazouillement de l'oiseau, cette âme vigilante venait de passer !

Ame admirable et chère, envolée pour toujours en ce moment, depuis cette heure où vous êtes entrée dans l'invisible, où, sauf une dernière expiation plus ou moins lente, vous avez été certainement promise à la plénitude

des joies de Dieu, depuis lors vos yeux spirituels se sont
instantanément dessillés ; le fiel de la mort, comme le fiel
du poisson de Tobie, donne toute clairvoyance à ceux
qu'il a touchés. Vous savez ce que nous sentons, ce que
nous faisons ici-bas, ce que nous avons fait et senti dans
les années antérieures, dans ces temps même où vous
viviez près de nous sous l'enveloppe du corps et où vous
nous jugiez si indulgemment. Oh ! ne rougissez pas trop
de nous. Moi qui vous ai aidée, soulevée avec effort et
autorité jusque là-haut, du moment que vous y êtes, je
retombe, je m'incline ; c'est à moi plutôt de vous prier.
Secourez-nous, belle Ame, devant Dieu ; demandez-lui
pour nous la force que nous vous avons communiquée
peut-être, mais, hélas ! sans l'avoir assez en nous-même ;
et, puisqu'il faut à l'infirmité mortelle, pour marcher
constamment vers les sentiers sûrs, un signal, un appel,
un souvenir, Ame chaste et chère, intercédez près du
Maître pour que vous nous soyez ce souvenir d'au-delà,
cette croix apparente aux angles des chemins, pour que
vous soyez de préférence l'esprit d'avertissement et l'ange
qu'il nous envoie !

Lorsque le marquis entra peu après, je m'avançai à sa
rencontre, et, lui montrant d'une main le corps inanimé,
je passai l'autre à son cou : « C'est maintenant qu'elle vit
d'une vie meilleure », lui dis-je en l'embrassant. La journée fut pénible et bien longue. Nous nous tenions tour
à tour ou ensemble, lui, sa fille, le recteur et moi, dans
cette chambre muette, où, près des cierges vacillants,
vacillait aussi, monotone et triste, sur les lèvres du recteur ou sur les miennes, la psalmodie d'une lente prière.
Au dîner j'essayai de rompre le silence morne, en parlant
des exemples de saints trépas et des bénédictions qui s'en
répandent sur les vivants ; mais je sentais une difficulté
extrême à prendre, vis à vis de M. de Couaën, le ton de
supériorité de mon sacerdoce. Comme le silence revenait
toujours, après un de ces moments de pause : « Mon cher
Amaury, me dit M. de Couaën, j'ai résolu de faire élever
et entretenir un phare à l'endroit de la chapelle Saint-
Pierre. C'est un lieu assez dangereux ; des pêcheurs de
nos côtes s'y brisent souvent. Il y aura un garde à ce fanal,
et en même temps la chapelle en sera mieux protégée. »
C'était la première fois que je l'entendais se soucier ainsi
des pêcheurs naufragés de la côte ; il me sembla saisir
comme un bruit lointain d'eaux filtrantes dans les
entrailles du rocher.

Je passai le soir et une partie de la nuit à veiller près
du lit mortuaire; mais, presque au matin, M. de Couaën
exigea fortement que je sortisse, afin d'être propre aux
offices de la journée. J'étais donc à reposer avec pesanteur depuis quelque temps, lorsque le vieux François me
vint réveiller et avertir qu'on entendait dans la chambre
de la tour, où M. de Couaën avait ordonné qu'on le laissât
seul, des gémissements et des cris étouffés qu'il poussait
autour de ce corps, mais qu'on n'avait osé ouvrir ni entrer
contre sa défense. Je descendis aussitôt, et, en approchant,
j'entendis en effet des espèces de hurlements lugubres
et sourds, comme d'une mère qui se roulerait sur le corps
sans vie d'un enfant. J'entrai; il était la face contre le lit,
sur l'objet qu'il tenait embrassé; le cercueil qu'il avait
fait apporter restait ouvert auprès, sans qu'il pût se décider à y déposer ce qui avait été le plus tendre de sa chair.
Ses cris cessèrent en me voyant; il ignorait peut-être en
avoir poussé de si lamentables et avoir été entendu. —
« Sachons, lui dis-je, nous séparer des dépouilles corruptibles qui ne sont pas l'âme que nous pleurons ! » — Et
prenant avec précaution le corps sous les bras, comme on
fait pour une personne malade qu'on craint de heurter,
comme les saintes femmes firent pour Jésus, je l'engageai
à prendre de même le milieu du corps et les pieds; il
suivit ce que j'indiquais, et le fardeau ainsi déposé doucement dans le cercueil, je dis : « Passons-nous de mains
étrangères. » Et le couvercle étant mis, je plaçai les clous
de mon côté et lui ceux du sien, car il avait déjà apprêté
lui-même tous les instruments, et, de la sorte, nous fîmes
ensemble ce qu'il avait résolu d'achever seul.

L'enterrement eut lieu dans la matinée; ce fut le
recteur qui célébra le service. J'avais dit une basse messe
auparavant, toute pour l'âme de la décédée. Durant le
service, le marquis dominait les assistants de la hauteur
de sa tête vénérée, seul au banc le plus proche du chœur,
debout contre le marbre de son fils. Le convoi se mit en
marche à partir de l'église vers le château et la montagne,
côtoyant le derrière des jardins, le canal et les abords du
moulin à eau, les lieux les plus préférés d'autrefois, traversant le ruisseau ferrugineux, et prenant la haute allée,
bien rude alors sous la chaleur du jour. Le bruit de l'arrivée et de la mort de madame de Couaën n'avait pas encore
eu le temps de se répandre; il n'était donc venu que les
paysans du village et des prochains hameaux, des femmes
en assez grand nombre, quelques jeunes filles. Le marquis

voulut en être jusqu'au bout; sa fille était restée au château. Je montais près de lui la montagne, en surplis,
l'aidant parfois de mon bras, car la montée était pénible
à cette heure; le soleil, à travers l'ombre inégale, frappait
sur nos têtes nues; les porteurs du cercueil gravissaient
lentement et haletaient devant nous. O soleil! pesez, sur
nous deux du moins, pesez plus cuisant encore; cailloux,
faites-vous plus tranchants à nos pieds! C'est là que nous
montions la dernière fois, il y a sept années, moi avec un
éclair suspect et un chatouillement adultère, lui en proie
aux ambitieuses âcretés et aux jalousies de la gloire. Oh!
que l'un et l'autre, qui suivons ce corps, nous soyons
rompus chacun dans notre plaie aujourd'hui! qu'il s'en
revienne autant guéri que moi, désormais, par la même
grâce! Mais, soleil, vous n'êtes pas encore assez pesant
sur nos têtes; montée, vous n'êtes pas assez rude; ni vous,
cailloux, assez aigus à nos pieds; car il faut que notre
sueur découle aujourd'hui comme du sang, il faut qu'elle
pleuve le long des vieilles traces jusqu'à les féconder
comme des sillons!

Arrivés au sommet, le plus grand spectacle et, depuis
tant de temps, inaccoutumé, s'ouvrit à nous, une bruyère
parfumée et fleurie, bourdonnant de mille bruits dans la
chaleur, un ciel immense et pur encadrant une mer brillante, et tranchant net sur le noir des rochers anfractueux
qu'il continuait comme une bordure glorieuse. Tout jusqu'alors à Couaën, autant que j'avais eu attention de le
remarquer, m'avait paru plus petit, plus abrégé qu'auparavant; ici seulement je retrouvais la même éternelle grandeur. Ainsi, pensai-je, cette montée d'où nous sortons
ressemble à la vie; au-delà et au sommet, voilà ce que
découvre l'âme. Mais l'âme qui découvre ces choses en
Dieu dès cette vie, doit marcher encore, comme nous faisons, sous la fatigue du jour et du soleil, tandis que l'âme
sainte des morts a passé les fatigues et la peine. Et je
priais, tout en marchant, pour celle dont l'esprit habitait
si volontiers cette bruyère au temps de la terrestre patrie,
et qui, planante et délivrée, y revenait en ce moment
autour de nous.

A l'intérieur de la chapelle tout avait été préparé. On
n'eut qu'à descendre le corps sous la dalle du milieu, dans
une espèce de petit caveau, et la terre fut jetée dessus.
Mais, à cet aspect, les pleurs et les pensées m'assaillirent.
Avec l'agrément du recteur, je m'avançai au seuil, et
devant les assistants en cercle, devant cette mer et ce ciel

majestueux, non loin de la guérite en pierre, dans une langue à être compris de tous, je m'écriai :

« Vents de l'Ouest, soupirs de l'Océan, soufflez sans trop de colère, apportez quelquefois dans vos orages une brise qui soit celle de sa patrie!

« Flots de la mer, ne rongez plus si furieusement cette falaise et n'y renversez rien!

« Alcyons, corneilles, goélands, oiseaux qui partez en automne pour les grandes rives, posez-vous ici dans vos rassemblements; Dieu bénira votre traversée et fortifiera vos ailes!

« Vaisseaux, voiles en détresses, ayez confiance; faites, ô Dieu, qu'aucun ne se brise plus à ce golfe hérissé, et que le phare qui va se dresser en ces lieux ne soit pas trompeur!

« Mon Dieu qui êtes dans les vents, dans les flots, dans les éléments, qui présidez aux lois des choses et aux destinées des hommes, faites qu'il n'arrive rien que de bon, de clément et de béni, autour des restes mortels de Celle si bonne et si éprouvée et si pénitente, pour le repos de laquelle nous vous prions! »

Et, me retournant vers la foule, je la congédiai; tous se rompirent en silence. Nous cheminions derrière, le marquis, le recteur et moi, sans engager d'entretien.

La journée se passa pour chacun de nous dans sa chambre, à vaquer aux blessures et à la douleur. J'avais vu le marquis attendri, j'avais entendu son gémissement le matin, j'avais saisi des pleurs à ses joues quand j'avais parlé hors de la chapelle; j'avais senti, au retour, son bras qui tremblait en s'appuyant sur le mien : j'attendais avec anxiété le moment de nous trouver seuls, et naturellement en conversation, pour frapper sur lui les derniers coups, selon mon devoir et selon mon cœur. Après le dîner, qui eut lieu pour la forme, et très tard, étant sortis par les jardins, lui, la jeune Lucy et moi, nous nous vîmes, sans y avoir pris garde, arrivés à l'avenue de la montagne. Le marquis renvoya amicalement sa fille, et nous continuâmes de marcher. C'est alors qu'après quelques minutes de lutte secrète et d'hésitation, vers le milieu de la montée, je commençai brusquement.

« Marquis, lui dis-je, permettez-moi de vous parler une fois en ces lieux avec l'autorité de Celui qui m'a consacré et du haut du révéré souvenir de ceux qui ne sont plus. Dites, qu'avez-vous senti durant ces derniers et tristes jours ? Que sont devenus, noyés dans une vraie affliction, vos soucis de la veille, les ambitions de cette terre, ces âpretés insurmontables où vous vous butiez, ces duels inégaux contre les puissants ? Les victoires de demain, qui démentiront encore vos espérances, pourraient retentir à votre oreille en ce moment, sans que vous entendiez moins le silence de la mort, le mugissement solennel et infini des flots. Ce pouvoir inique qui vous blesse et que remplacera, lorsqu'il va tomber (car il tombera à la fin, je le sais bien), un autre pouvoir qui sera bientôt une iniquité à son tour, dites, en sentez-vous votre orgueil froissé en cet instant, et songez-vous à vous en ulcérer et à le maudire ? Que les vraies douleurs aient cela du moins de fécond en nous, de nous guérir des fausses et des stériles !

« Tout ce désordre dans les résultats humains, cette inégalité dans les sorts et dans les chances, ce *guignon* du hasard que vous accusiez ici, il y a sept ans, tout cela n'est tel que parce que la révolte de la volonté le crée et l'entretient. Je ne voudrais d'autre preuve que le mal a été pour la première fois introduit au monde par la volonté en révolte de l'homme, que de voir combien ce mal, tout en persistant dans son apparence, cesse en réalité, se convertit en occasion de bien, s'abaisse à portée de la main en fruit de mérite et de vertu, sitôt que le front foudroyé s'incline, sitôt que la volonté humaine se soumet. Le complément universel de toutes nos insuffisances, le correctif de toutes les inflictions, la concordance de tout ce qui jure et crie, la lumière dans le chaos, c'est de vouloir en un sens et non dans un autre, c'est d'accepter ; — oui, c'est de vouloir la douleur, la mort, et ce qui est pire pour certaines âmes, l'obscurité, l'injustice, la méconnaissance. Tous ces maux n'existent véritablement plus dès qu'on les veut, ou du moins ils n'existent que pour devenir des sources guérissantes dans leur amertume. Rendez-vous un peu compte, marquis, et voyez si, à le bien prendre, vous n'auriez pas lieu de bénir et de louer peut-être, précisément pour n'avoir pas réussi au gré de vos désirs. Car, que seriez-vous vraiment, si vous aviez réussi et surgi, si ce monde où vous vouliez mettre le pied s'était laissé aborder par vous, si vous y aviez saisi le rôle important que rêvait votre jeunesse ? L'écueil de tous les grands caractères de votre sorte, une fois engagés dans la pratique, quel est-il ? La duplicité forcée envers les hommes, l'astuce dans les moyens, l'excès par enivrement, le prétexte des raisons d'Etat. Vous rougissez, pardon ! c'est

qu'au lieu de cela vous avez gardé la grandeur et la simplicité des voies non fréquentées, une sorte d'ingénuité
antique, compagne fidèle de votre désespoir. Oh! il n'y
a de trop en vous et je n'y voudrais retrancher que la
haine! »

Et je poursuivais encore, le voyant sous ma prise et
m'écoutant : « Oh! si vous introduisiez en vous ce seul
élément qui manque, le souffle de fraîcheur qui n'arrive
jamais trop tard, la rosée qui trouve à féconder jusque
dans les rocs et dans les sables (et je lui montrais un
endroit de sable mêlé de verdure, une espèce de garenne
parfumée où nous marchions)! — Que ces morts qui
vous sont chers enlèvent une part de vos nuits, une part
de votre âme, à ces haines d'ici-bas et à ces émulations
prolongées qui attestent une grande nature, mais qui
aussi la précipitent, qui l'emprisonnent dans les cavernes
féroces, qui l'aigrissent dans les ronces. La jeune fille, si
grave déjà, si frappée, qui est toute votre image, est-elle
destinée à achever de mûrir enveloppée par vous d'une
ombre plus dure que celle des cyprès ? — Sachez accepter en esprit ce qui est, veuillez-le; priez seulement, priez;
donnez cours en vous à cette simple pensée. Je vous dirai
aussi : Noble Sicambre, à demi dépouillé au milieu de
l'âge, courbez-vous! faites-vous un de nous tous, un
homme veuf, un père navré, un enfant des misères mortelles! Une larme longtemps niée et dévorée qui tombe
enfin, humble et brûlante, d'une prunelle de pierre,
compte plus devant Dieu que les torrents épanchés par des
tendresses faciles; un genou de fer qui se met à plier,
arrache en s'abaissant la voûte des cieux! »

Il se taisait toujours, et comme nous en étions à redescendre, j'aperçus l'étoile dans le ciel, au même endroit
que lors de l'ancienne et dernière promenade. Près de la
tourelle, sur la terrasse, sa fille, reconnaissable à son chapeau de paille, semblait nous attendre, comme jadis faisait la mère. Je montrai du doigt l'étoile : « Ainsi des
âmes des morts, lui dis-je; on les quitte à l'Occident
parmi la poussière de la tombe, et voilà qu'on les retrouve
en étoile à l'Orient! » — « Ah! oui, s'écria-t-il alors en
éclatant et s'abandonnant, vous l'avez dit, mon ami :
Lucia nimica di ciascun crudele, j'ai trop vécu jusqu'ici de
haine »; et nous tombâmes dans les bras l'un de l'autre,
à ce nom de Lucy, y demeurant quelque temps muets,
hormis par nos sanglots. — Sa fille nous vit-elle ainsi
embrassés, du haut de sa terrasse ? Que conçut-elle à

cette vue ? En resta-t-elle occupée dans la suite ? Je l'ignore. Savons-nous ce que pensent en leur cœur les filles de celles que nous avons aimées ?

A partir de ce moment, le marquis ne fut pas guéri de son mal sans doute; on ne se sèvre pas en un jour de l'ambition non plus que des plaisirs. Mais un nouvel et pacifique élément fut introduit en lui : un effort salutaire s'établit alors, et de plus en plus avec l'âge se régularisa en cette grande âme; le sens de sa Croix lui était donné : il eut désormais le mérite de ses souffrances.

Moi, j'avais accompli ce que je devais à mon ministère; mais j'étais à bout de ma force; l'affection tant refoulée avait son retour, et je n'allais plus pouvoir suffire au-delà; il était temps de me dérober. Le lendemain donc de cette journée des funérailles, de grand matin, je descendis, je sellai moi-même mon cheval et le fis sortir au pas, doucement, jusqu'au-delà des cours et des barrières, quittant sans adieux le château, — et puis la Bretagne incontinent, et, quelques jours après, la France.

XXV

Mon ami, vous savez tout; le reste de ma vie n'a été qu'une application, autant que je l'ai pu, des devoirs et des sentiments généraux envers les hommes; beaucoup d'emplois, de l'étude, des voyages, des mouvements bien divers. Mais ce que j'ai senti de propre, ce qu'il y a eu d'original et de distinctif en ma destinée, la part marquée devant Dieu à mon nom, dans ce tribut universel d'infortune humaine et de douleur, ce goût caché par où je reconnaîtrais une de mes larmes entre toutes les larmes, voilà ce qui se rattache éternellement, pour moi, aux circonstances de cette histoire. Presque tout homme, dont la jeunesse fut sensible, a eu également son histoire où la qualité principale de son âme et, en quelque sorte, la saveur naturelle de ses larmes, s'est produite, où il a apporté sa plus chère offrande pour prix de l'initiation à la vie : mais la plupart, loin de ménager et de respecter ce premier accomplissement en eux, le secouent, le brusquent, le dénaturent et finissent d'ordinaire par l'abolir ou le profaner. Cet ambitieux qui s'obstine misérablement et vieillit dans les ruses, il a eu, sans doute, en son âge meilleur, un premier et noble trésor de souffrances, quelque image gravée, quelque adoré sépulcre qu'il s'était promis en un moment généreux de visiter toujours; mais il s'en est vite lassé, il l'a laissé choir et se recouvrir de terre après quelques saisons; il a fini par bâtir dessus l'appareil de ses intrigues, l'échafaudage fatigant de sa puissance. Le poète, lui-même, qui bâtit un mausolée à l'endroit des premières grandes douleurs, risque trop souvent d'oublier l'âme dans le marbre du monument; l'idolâtrie pour la statue lui dérobe la cendre. Cet homme desséché, frivole, ce fat mondain qu'on évite, il a eu peut-être son histoire aussi comme l'ambitieux, comme le

poète; il a commencé par sentir; mais il a depuis tant
ajouté de fades enveloppes et de contrefaçons mensongères à ce premier et meilleur sentiment, qu'il se perd
toujours en chemin avant d'en rien retrouver. N'est-ce
donc pas le mieux, après avoir subi dans sa jeunesse une
telle calamité déchirante et tendre, de s'y tenir, de la
garder secrète, unique en soi, de la purifier avec simplicité dans le silence, de s'y réfugier aux intervalles de la
vie active à laquelle le reste des ans est destiné, de l'avoir
toujours dans le fond comme un sanctuaire et comme un
tombeau auquel, en chaque route, nous ramènent de
prompts sentiers à nous seuls connus, d'en revenir sans
cesse avec une émotion indéfinissable, avec un accent
singulier et cher aux hommes, qu'on leur apporte sans
qu'ils sachent d'où, et qui les dispose en toute occasion à
se laisser toucher par nos paroles et à croire à notre
croyance?

J'ai tâché, du moins, que ce fût pour moi ainsi; que
l'astre mystérieux et lointain jetât sur tous mes jours
un reflet fidèle, qui n'est autre, à mes yeux, qu'un reflet
adouci de ma Croix. Durant les vingt années, bientôt,
qui ont suivi la dernière crise, ma vie a été assez diversement occupée à l'œuvre divine, assez errante, et plutôt
fixée vers le but qu'assujettie à aucun lieu. Au sortir
de semblables émotions, jeune encore, ayant tant à
veiller sur moi-même, sur les anciennes et les récentes
plaies, j'ai dû redouter tout fardeau trop lourd, toute
charge régulière d'âmes. Rome, à plusieurs reprises,
m'a tenu longtemps et m'a beaucoup affermi. Cette cité
de méditation, de continuité, de souvenir éternel, m'allait
avant tout; j'avais besoin de ce cloître immense, de cette
célébration lente et permanente, et du calme des saints
tombeaux. C'est à Rome qu'on est le mieux, après tout
naufrage, pour apaiser les derniers flots de son ennui;
c'est à Rome aussi qu'on est le mieux pour juger de là,
comme du rocher le plus désert, le plus stable, l'écume
et le tourbillonnement du monde. Je suis revenu souvent
dans notre France, mais sans y désirer une résidence trop
longue et des fonctions qui m'attachassent, me sentant
plus maître de moi, plus capable de bien ailleurs.
Diverses fois, depuis la soirée de la colline, j'ai revu
M. de Couaën, mais jamais en Bretagne; il ne se remit pas
à y habiter constamment en effet. Le temps de son permis
de séjour expiré, il négligea, malgré les insinuations de
M. D..., de réclamer grâce entière. Une sorte d'habi-

tude triste et quelques avantages qu'il y voyait pour
sa fille le retinrent à Blois jusqu'à la première Restauration. Aux Cent-Jours, il passa de Bretagne en Angleterre avec sa fille, déjà grande personne et accomplie.
Il revit l'Irlande, retrouva les débris de parenté qu'il y
avait, ainsi que la famille restante de madame de Couaën.
C'est dans ce voyage que la belle Lucy plut extrêmement à un jeune seigneur du pays, fils d'un pair catholique ; elle l'épousa deux ans après, et aujourd'hui elle
habite tantôt Londres, tantôt l'Irlande et ce même
comté de Kildare. Je lui ai donné en cadeau, lors de son
mariage, la ferme de mon oncle avec quelque bout de
terre qui en dépendait, ne me réservant viagèrement, de
ce côté, qu'un autre petit quartier modique. Elle n'a
sans doute attaché que peu de prix à ce don, moins de
prix que, moi, je n'y en mettais. Etant enfant dans le
pays, elle ne connaissait pas ce lieu, et peut-être ne le
visitera-t-elle jamais ; mais c'est un bonheur indicible
pour nous de donner des gages aux enfants des mortes
aimées, et de rassembler sur eux des témoignages bien
doux, qu'en partie ils négligent et en partie ils ignorent.
Un de vos poètes n'a-t-il pas dit :

Les jeunes gens d'un bond franchissent nos douleurs.
Que leur font nos amours ?... leur ivresse est ailleurs...

A son retour en France après les Cent-Jours, le
marquis refusa de se laisser porter à la Chambre de 1815,
de laquelle il eût été nommé tout d'une voix. Il craignait,
en présence des griefs et dans le choc de tant de passions,
le réveil de ses propres ressentiments et le travail en
lui du vieux levain. Il mourut, un an environ après le
mariage de sa fille, en 1818, soutenu des espérances de
la religion, et croyant fermement retrouver la femme et
le fils qu'il avait perdus. J'eus la douleur de ne pas être
là, près de lui, en ces moments.

Qu'ai-je à vous ajouter de plus, mon ami, sur les autres
personnages de cette histoire ? moi-même ai-je su,
hélas ! dans l'absence, le détail ou l'issue de leurs destinées ? On sort ensemble du port, ou plutôt, sortis chacun des ports voisins, on se rencontre dans la même
rade, on s'y fête d'abord, on s'y pavoise, on y séjourne,
en attendant le premier vent ; on part même en escadre
unie, sous le même souffle, jusqu'au soir de la première
journée ; et puis l'on s'éloigne alors les uns des autres,

on se perd de vue, comme par mégarde, à la nuit tombante; et, si l'on se retrouve une fois encore, c'est pour se croiser rapidement et avec danger dans quelque tempête, — et l'on se perd de nouveau pour toujours. — Mademoiselle Amélie, dont je vous ai dit le mariage, mourut quelques années après, laissant un fils. J'ignore tout le reste. Mon excellent ami de Normandie continue de vivre dans sa retraite presque heureuse et son affermissement à peine troublé. Cœur régularisé dès longtemps, il se plaint parfois de palpiter encore. Si ce n'était pas à vous que j'écris ces pages, c'est à lui que j'aimerais surtout à les adresser.

Je n'étais pas en France quand M. de Couaën mourut; j'étais parti une première fois vers cette Amérique que je vais revoir, mais aujourd'hui pour ne plus sans doute la quitter. J'y demeurai trois années entières dès lors, dans des fonctions actives, échappant ainsi à cette retraite, trop absorbante à la longue, de la vie romaine, ou au spectacle des querelles envenimées de notre France. C'est après mon retour de ce premier voyage, qu'un soir, vous le savez, au mont Albane, un peu au-dessous du couvent des Passionistes, non loin du temple ruiné de Jupiter et de la voie triomphale interrompue, et les deux beaux lacs assez proches de là à nos pieds, nos destinées, mon ami, se rencontrèrent. Je vous surpris seul, immobile, occupé à admirer; en face, le couchant élargi et ses flammes, débordant la mer à l'horizon, noyaient confusément les plaines romaines et doraient, seule visible entre toutes, la coupole éternelle. Une larme lumineuse baignait vos yeux; je m'approchai de vous sans que vous fissiez attention, ravi que vous étiez dans l'espace et aveuglé de splendeurs. Puis cependant je vous adressai la parole, et nous causâmes, et tout d'abord votre esprit en fleur me charma. Après quelques causeries semblables des jours suivants, je compris vite quels étaient votre faible et votre idole, vos dangers et vos désirs. Je vis en vous comme un autre moi-même, mais jeune, à demi inexpérimenté encore, avant les amertumes subies, à l'âge de l'épreuve, et capable peut-être de bonheur; je me pris alors de tendresse et de tristesse; ce cœur, qui se croyait fermé pour jamais aux amitiés nouvelles, s'est rouvert pour vous.

Vous vous êtes quelquefois étonné, quand vous m'avez mieux connu, mon ami, que je n'eusse jamais essayé de saisir et d'exercer une influence régulière, et de me faire

une place évidente, par des écrits, par la prédication ou
autrement, dans les graves questions morales et religieuses qui ont partagé et partagent notre pays. Cet
éloignement de ma part, sans rien dire des talents qu'il
aurait fallu, a tenu à deux causes principales. La première,
c'est que n'ayant jamais abordé votre monde actif de ces
dernières années à son milieu, l'ayant observé plutôt en
dehors, de loin, par-delà l'Atlantique durant ces
trois années de séjour, ou du sein des places désertes
de Rome, le long des murs des monastères et dans l'isolement de mes anciennes douleurs, j'ai cru voir que le
monde vrai était bien autrement vaste et rebelle à mener
qu'on ne se le figure d'ordinaire en vivant au centre
d'un tourbillon; et j'ai beaucoup retranché en idée à
l'importance de ce qui occupait le plus éperdument chez
vous, et par conséquent aussi à l'influence prétendue
gouvernante de telles ou telles voix dans la mêlée. En
second lieu, j'ai douté toujours que cette influence
publique, bruyante, hasardée, où se glissent tant d'ingré-
dients suspects, tant de vains mobiles, fût la plus salutaire. Il m'est arrivé dans mes sentiers divers et dans mes
détours errants, souvent, par exemple, au sein de ces
Ordres religieux que le monde croit morts et qu'il
méprise, — il m'est arrivé de découvrir tant d'intelligences et d'âmes à peu près inconnues, sans éclat, sans
scène extérieure, mais utiles, profondes, d'une influence
toute bonne, certaine, continue, précieuse à ce qui les
entoure, que j'en suis revenu à mes doutes sur la prédominance avantageuse des meneurs les plus apparents.
Mon vœu secret et cher aurait donc été de prendre rang
devant Dieu parmi ces existences assez obscures mais
actives, parmi ce peuple çà et là répandu des bienfai-
teurs sans nom. Les plus belles âmes sont celles, me
disais-je, qui, tout en agissant, approchent le plus d'être
invisibles, de même que le verre le plus parfait est celui
qui laisse passer l'entière lumière sans en garder une
part, sans avertir par mille couleurs pompeuses qu'il
est là.

En des temps si agités et du seuil d'une vie qui observe,
je n'ai pu éviter de subir, dans certaines régions secondaires de mes perspectives, des variations que l'âge seul,
à défaut des vicissitudes et des bouleversements d'alentour, suffirait à apporter. J'y ai appris à me défier de
mon opinion du jour même, puisque celle d'hier s'était
déjà sensiblement modifiée, et à être peu pressé de jeter

aux autres, dans l'application passagère, ce dont peut-être demain je devrai me détacher ou me repentir. Les variations, qui se font ainsi graduelles et lentes et silencieuses en nous, ont une douceur triste et tout le charme d'un adieu, tandis que, si elles ont lieu avec éclat devant des témoins qui nous les reprochent, elles deviennent blessantes et dures. Dans la période de jeunesse et d'ascension impétueuse, on est rude et vite méprisant envers tout ce qu'on réprouve après l'avoir cru et aimé. La pierre où la veille on a posé sa tête sert presque aussitôt de degré inférieur pour monter plus haut, et on la foule, on la piétine d'un talon insultant. Que plus tard du moins, dans l'âge mûr, à l'heure où déjà l'on redescend la colline, cette pierre, où l'on vient de s'asseoir et qu'on laisse derrière, ne soit plus insultée par nous; et que, si on se retourne vers elle, si on la touche encore au détour avant de s'en détacher, ce soit de la main pour la saluer amicalement, des lèvres pour la baiser une dernière fois!

Quant aux croyances essentielles, en ces années d'attaque et de diversité sur toutes choses, n'ai-je pas eu des ébranlements plus graves, mes heures d'agonie et de doute où j'ai dit : « Mon Père, pourquoi m'avez-vous délaissé ? » On n'échappe jamais entièrement à ces heures; elles ont leurs accès de ténèbres jusqu'au cœur de la foi; elles sont du temps de Job, du temps du Christ, du temps de Jérôme, du temps de saint Louis comme du nôtre; même à genoux sur le saint rocher, on redevient plus vacillant que le roseau. Je n'ai pas été exempt non plus d'assauts fréquents dans ces plaies particulières que vous m'avez vu si en peine de fermer, et qui, à certains moments, se remuaient, — se remuent toujours. Ceci encore est l'effort intérieur, le combat quotidien de chaque mortel. Mais, toutes les fois que je me laissais davantage aller aux controverses du jour et à y vouloir jeter mon opinion et mes pensées, j'en venais, par une dérivation insensible, à perdre le sentiment vif et présent de la foi à travers l'écho des paroles, et à me relâcher aussi de l'attention intime, scrupuleuse, sur moi-même, l'estimant plus insignifiante; et, comme ce résultat était mauvais, j'en ai conclu que ce qui l'amenait n'était pas sûr, tandis qu'au contraire je ne me sentais jamais si affermi ni si vigilant que quand j'étais en train de me taire et de pratiquer.

Ce qui m'a frappé le plus, à mon premier retour d'Amérique, dans la situation de cette France à laquelle j'ai toujours été si filialement attaché, et pour laquelle je saignais jusque sous l'étole durant les années envahies, c'est qu'après l'Empire et l'excès de la force militaire qui y avait prévalu, on était subitement passé à l'excès de la parole, à la prodigalité et à l'enflure des déclamations, des images, des promesses, et à une confiance également aveugle en ces armes nouvelles. Je n'entends parler ici, vous me comprenez bien, que de la disposition morale de la société, de cette facilité d'illusion et de revirement qui nous caractérise; les restrictions peu intelligentes du pouvoir n'ont fait et ne font que l'augmenter. Cette fougue presque universelle des esprits, si je n'avais déjà été mis depuis maintes années sur mes gardes, à commencer par les conseils de mon ami M. Hamon, — cette fougue crédule d'alentour aurait suffi pour m'y mettre, et m'aurait fait rentrer encore plus avant dans mon silence. Il n'est de plus en plus question que de découvertes sociales, chaque matin, et de continuelles lumières; il doit y avoir, dans cette nouvelle forme d'entraînement, de graves mécomptes pour l'avenir. J'ai la douleur de me figurer souvent, par une moins flatteuse image, que l'ensemble matériel de la société est assez semblable à un chariot depuis longtemps très embourbé, et que, passé un certain moment d'ardeur et un certain âge, la plupart des hommes désespèrent de le voir avancer et même ne le désirent plus : mais chaque génération nouvelle arrive, jurant Dieu qu'il n'est rien de plus facile, et elle se met à l'œuvre avec une inexpérience généreuse, s'attelant de toutes parts à droite, à gauche, en travers (les places de devant étant prises), les bras dans les roues, faisant crier le pauvre vieux char par mille côtés et risquant maintes fois de le rompre. On se lasse vite à ce jeu; les plus ardents sont bientôt écorchés et hors de combat; les meilleurs ne reparaissent jamais, et si quelques-uns, plus tard, arrivent à s'atteler en ambitieux sur le devant de la machine, ils tirent en réalité très peu, et laissent de nouveaux venus s'y prendre aussi maladroitement qu'eux d'abord et s'y épuiser de même. En un mot, à part une certaine générosité première, le grand nombre des hommes dans les affaires de ce monde ne suivent d'autres mobiles que les faux principes d'une expérience cauteleuse qu'ils appliquent à l'intérêt de leur nom, de leur pouvoir ou de leur bien-être. Toute lutte, quelle que soit l'idée en cause, se complique donc toujours à peu près des mêmes termes : d'une part, les géné-

rations pures faisant irruption avec la férocité d'une vertu
païenne et bientôt se corrompant, de l'autre les générations mûres, si c'est là le mot toutefois, fatiguées,
vicieuses, générations qui ont été pures en commençant,
et qui règnent désormais, déjouant les survenantes avec
l'aisance d'une corruption établie et déguisée. Un petit
nombre, les mieux inspirés, après le premier désabusement de l'altière conquête, se tiennent aux antiques et
uniques préceptes de cette charité et de cette bonté envers
les hommes, agissante plutôt que parlante, à ce Christianisme, pour tout dire, auquel nulle invention morale
nouvelle n'a trouvé encore une syllabe à ajouter. Je suis
pourtant loin, mon ami, de nier, à travers ces constants
obstacles, un mouvement général et continu de la société,
une réalisation de moins en moins grossière de quelques-
uns des divins préceptes; mais la loi de ce mouvement
est toujours et de toute nécessité fort obscure, la félicité
qui doit ressortir des moyens employés reste très douteuse, et les intervalles qu'il faut franchir peuvent se prolonger et se hérisser presque à l'infini. Nous sommes tous
nés dans un creux de vague; qui sait l'horizon vrai? qui
sait la terre ?

Mais au moment où j'écrivais ceci, voilà, comme pour
répondre à mes doutes, que le cri de *terre!* s'est fait
entendre. Je viens de monter sur le pont; après les premiers sommets aperçus, une rade d'abord effacée, bientôt distincte dans sa longueur, s'est découverte
aux yeux; les points noirs ou brillants des vaisseaux
émaillant cette baie immense nous sont apparus.
Le plus haut mont de la rive a revêtu peu à peu sa
forêt; puis les collines inégales se sont ombragées à leur
tour, et, à un certain tournant doublé, nous sommes
entrés dans les eaux de New York; à ma précédente traversée, j'avais abordé à Baltimore. O Amérique! tes
rivages sont spacieux comme les solitudes de Rome, tes
horizons sont élargis comme ses horizons; il n'y a qu'elle
qu'on puisse comparer à toi pour la grandeur! Mais tu
es illimitée, et son cadre est austère; mais, jeune, tu four-
milles en tous sens dans tes déserts d'hier, et elle est fixe;
tu t'élances en des milliers d'essaims, et l'on dirait qu'elle
s'oublie en une pensée. Dans les destinées qui vont suivre
et par les rôles que vous représentez, seriez-vous donc
ennemies, ô Reines ? N'y aura-t-il pas un jour où devront
s'unir en quelque manière inconnue son immutabilité et
ta vie, la certitude élevée de son calme et tes agitations

inventives, l'oracle éternel et la liberté incessante, les deux grandeurs n'en faisant qu'une ici-bas, et nous rendant l'ombre animée de la Cité de Dieu? Ou du moins, si le spectacle d'une trop magnifique union est refusé à l'infirmité du monde, du moins est-il vrai que tu contiennes, ainsi qu'on en vient de toutes parts à le murmurer, la forme matérielle dernière que doivent revêtir les sociétés humaines à leur terme de perfection? — Ce que je sais bien, c'est qu'il y aura sous cette forme de société, ou sous toute autre, les mêmes passions qu'autrefois, les mêmes formes principales de douleurs, toutes sortes de larmes, des penchants non moins rapides et des écueils trompeurs de jeunesse, les mêmes antiques moralités applicables toujours, et presque toujours inutiles pour les générations qui recommencent. Voilà ma part féconde; je suis voué à ce champ éternellement labourable dans la nature des fils d'Adam. Salut donc, ô Amérique, qui que tu sois; Amérique, qui deviens désormais mon héritage terrestre, ma patrie dernière entre les patries d'exil et de passage! adieu au vieux monde et à ce qu'il contient d'amitiés vers moi tournées et de chers tombeaux! La vie active, infatigable, me commande; un fardeau sans relâche m'est imposé; je suis chargé en chef, pour la première fois, du gouvernement de bien des âmes. Puis-je, à une telle vue, jeter encore un seul regard en arrière, m'inquiéter de l'écho de ces souvenirs dans un cœur? Faut-il, mon ami, dès à présent, vous laisser arriver ces pages? Faut-il que vous ne les lisiez qu'après ma mort?

En vue de New York, août 182...

NOTE

La façon intime dont il a été parlé de Limoëlan au chapitre XII de ce récit a excité une réclamation que madame sa sœur nous a adressée. Cette personne respectable oppose quant au fond : 1º que l'affaire du 3 nivôse n'était point celle de Limoëlan; 2º qu'il n'a jamais écrit la lettre citée; 3º qu'il n'eut jamais pour Bonaparte l'admiration que cette lettre lui prêterait. « Après le 3 nivôse, continue madame sa sœur, il fut cinq mois caché à Paris; il eut l'affreux tourment d'y lire dans les journaux les calomnies dont le chargeaient les accusés, évidemment dans le but de se justifier, en rejetant toute la culpabilité sur celui qui n'était pas pris. Décidé à aller au tribunal pour détruire ces calomnies, ayant tout préparé pour s'y rendre, y dire la vérité et y périr honorablement, il en fut empêché par un ami qui fit envisager à cet esprit foncièrement religieux que ce serait un suicide que rien ne pouvait justifier aux yeux de Dieu. On nous le conserva ainsi; mais son honneur resta entaché aux yeux de ceux qui crurent à la procédure et aux déclarations des accusés... » S'étant échappé de France, et après diverses vicissitudes, il devint prêtre aux États-Unis et fut placé à Charlestown comme curé de la congrégation catholique. En 1815, il revint un moment en Bretagne pour revoir sa famille : « Nous ne pûmes le retenir en France, poursuit la lettre; nous ne pûmes non plus l'engager à faire une publication qui rétablît la vérité dans les faits qui lui étaient personnels et renvoyât l'odieux à qui il appartenait. Je crois que ce fut là véritablement la pénitence qu'il s'imposa... Assez d'autres malheurs avaient servi d'expiation. Son silence en fut un, qui nous a sans doute attiré le chagrin de le voir travesti dans un personnage aussi inconséquent que coupable, et dont ensuite les œuvres de pénitence tien-

draient plus du bonze que du chrétien... » A cette réclamation dictée par un aussi honorable sentiment de
famille, l'éditeur de *Volupté* n'a que peu à répondre.
Limoëlan, par l'énormité de son acte, est un personnage
tout entier acquis et dévolu à l'histoire ; son silence même,
si expressif et si chrétien, l'a laissé légitimement en proie
aux jugements des hommes. L'intention d'Amaury n'a rien
eu d'ailleurs que de sympathique à Limoëlan, et il plaint,
il admire même, bien plus encore qu'il ne condamne ;
il *idéalise* le personnage plutôt qu'il ne le *travestit*. En
ce que ses informations, enfin, peuvent offrir d'étrange
et d'inattendu, Amaury n'est pas tellement en désaccord
avec d'autres témoignages intimes aussi et authentiques :
on citera les Souvenirs historiques de M. Desmarest.

Limoëlan est mort en 1826, à Georgestown (district
Columbia), directeur d'un couvent de la Visitation, âgé
de cinquante-huit ans. Il portait, quand il mourut, le nom
de *Clorivière*, qui est un des noms de sa famille. Il était
compagnon d'enfance de M. de Chateaubriand, qui lui
a gardé une place en ses *Mémoires*.

APPENDICE

Lorsque le roman de *Volupté* parut au commencement de l'été de 1834, il fut aussitôt accueilli avec bienveillance, et il passa avec une extrême facilité : il passa *comme une lettre à la poste*. Cela m'a étonné depuis à la réflexion, mais rien ne prouve mieux la disposition accueillante et large où étaient alors les esprits lettrés et cultivés. Jamais ce qu'on peut appeler la littérature pure ne fut plus régnante dans le monde des écrivains et dans la société. Je ne me rappelle point qu'il y ait eu d'articles de journal bien saillants, si ce n'est celui de Planche dans la *Revue des Deux Mondes;* mais je reçus alors nombre de lettres qu'il peut être curieux, après trente-cinq ans, de voir réunies ici.

Et d'abord une lettre de M. de Chateaubriand. *A Jove principium :*

« Paris, 10 juillet 1834.

« Ma vie, monsieur, est si entravée, je lis si lentement que je serais trop longtemps sans vous remercier. Je n'en suis encore qu'à la page 51; mais je vous le dis sans flatterie, je suis ravi. Le détail de cette jeunesse et de cette famille est enchanté. Comment n'ai je pas trouvé *le blond essaim au-dessus de la tête blonde*, et *ces deux vieillards et ces deux enfants entre lesquels une révolution a passé*, et *les torrents de vœux et de regrets aux heures les plus oisives*, et cette *voix incertaine qui soupire en nous et qui chante, mélodie confuse, souvenir d'Eden*, etc. ? Bien est-il heureux pour ma probité littéraire, monsieur, que ma jeunesse fût achevée dans mes *Mémoires*, car je vous aurais certainement volé.

« Je vous quitte pour retourner à vous. Je pense avec la joie d'un poète que je laisserai après moi de véritables talents sur la terre. Agréez de nouveau, monsieur, je vous prie, les remerciements bien sincères d'une reconnaissante admiration.

« CHATEAUBRIAND. »

Puis une lettre de Michelet :

« Votre livre, mon cher ami, est de ceux qu'il faut savourer goutte à goutte. J'y trouve un monde de sentiments et de pensées. Si j'en juge par ce que j'ai déjà lu, vous avez fait la psychologie morale de notre époque. Conserver cette finesse d'observation dans l'élan de la poésie et de la passion, c'est ce que personne ne croyait possible. Aucun ouvrage de ce temps ne soutiendrait comme le vôtre l'examen de détail; tout ce qu'on fait aujourd'hui est de *fabrique*. Je vous le prédis hardiment : *Ceci durera.* »

Puis de M. Villemain :

« Comment, mon cher ami, ne pas vous répondre ? Mais j'ai mille choses à vous dire, et je devais vous écrire aujourd'hui. Je vous ai reçu et lu, faut-il dire avec quelles impressions, louange, blâme, doute, vif intérêt, admiration. Il y a bien de l'art et du talent ému dans ces pages. Il y a des choses d'une élégance et d'une finesse d'observation merveilleuse. Il y a des traits d'imagination et d'éloquence, comme on en trouve peu. En tout, c'est une œuvre. Je sais bien une objection grave, mais beaucoup n'y songeront pas, et je ne la fais guère. J'aime mieux m'attacher au côté moral de votre livre, et à ces détails charmants de coloris africain qui m'ont rappelé Alipe et la petite fenêtre d'Ostie, dont je vous parlais un jour en Sorbonne, je crois. Mais il y aurait à raisonner bien longtemps sur votre livre, sur ce trésor de riche et heureuse diction, et toute cette fantaisie de langage si animée, si chatoyante, si parée, si simple. Je vous demande à ce sujet une conférence. »

Puis de M. Nisard :

« Je viens d'achever la lecture de votre livre, mon cher ami; vous m'avez charmé, instruit, amélioré. C'est un livre qui ne m'étonne ni de votre beau et noble caractère, ni de votre intelligence, ni de votre merveilleux talent d'analyste; mais pourtant j'en suis ravi comme d'une chose à laquelle je ne me serais pas attendu. Pour le fond, il n'y a qu'à louer et, en bien des endroits, qu'à admirer... Vous avez l'instrument d'analyse et de dépouillement moral le plus aiguisé et le plus délicat que je connaisse, et une tendresse de cœur qui ôte toute sécheresse à vos dissections infinies. Pour la forme, vous m'embarrassez; je ne vous trouve pas tout à fait sous la grande tradition des dix-septième et dix-huitième siècles, mais votre écart est si ingénieux, si fécond en ressources, si éblouissant, que j'ai des doutes malgré moi : doutes cruels, en ce qu'ils troubleraient presque jusqu'à la seule foi que j'aie, qui est que nous devons être nouveaux avec la vieille langue des chefs-d'œuvre... »

Le poëte Brizeux, qui, l'année suivante, était à Lorient tout occupé à terminer son épopée des *Bretons* et à revoir sa charmante idylle de *Marie*, m'écrivait :

« Lorient, le 21 mars 1835.

« ... Je suis *sous l'objet*, comme disent les Allemands, et très heureux par mon travail. — De quelques vers joints à cette lettre il résulterait pourtant que les landes, comme la ville où vous êtes, ont leurs jours de grandes tristesses. Mais quels livres sont les vôtres, mon cher Sainte-Beuve!... *Volupté* a été plus forte que l'unité paisible de cette terre qui déjà me dominait, et j'ai retrouvé en moi bien des choses qui s'allaient effacer. Un jour, je me réserve d'écrire tout ce que je pense d'un tel Traité de l'âme, mais à vous-même je n'oserais. A vous je n'envoie que l'assurance d'une amitié bien vive et toute dévouée. »

Voici la pièce de vers qui était jointe à la lettre :

A DEUX MORTS

Oh! Delorme, Amaury, qui d'un monde hideux,
Voyageurs égarés, êtes sortis tous deux,
L'un étreignant sa vie au creux de la vallée [1],
L'autre enfermant au cloître une âme désolée,
Mais tous deux expirant d'une si douce voix
Que ma triste Armorique en agita ses bois :
Oh! s'il est loin du monde un lieu sûr où l'on dorme,
Dites-nous, Amaury, dites, Joseph Delorme,
Où le lit est meilleur et le sommeil plus long!
Est-ce à l'ombre du cloître ? est-ce au creux du vallon ?

(Dans une lande.)

Il m'arriva aussi, dans les mois qui suivirent la publication, de recevoir quelques lettres d'aimables lectrices, et une notamment, d'une personne qui ne se nomma point d'abord, mais qui n'était autre que la marquise (depuis duchesse) de Castries. Cette ravissante personne, née de Maillé, mariée au marquis de Castries, ironique et froid, avait eu de grands succès de monde; et sans être très jolie de figure, ornée de ses cheveux d'un blond ardent, souple de taille, et surtout d'une vivacité, d'une grâce de mouvements incomparable, rien n'égalait son effet, disait-on, lorsqu'elle faisait son entrée un peu tard, sur l'heure de minuit, dans un bal de la cour. Elle s'attacha bientôt d'une passion sérieuse à M. de Metternich, fils du prince ministre (d'un premier lit); elle l'accompagna en Italie, et lorsqu'il mourut de la poitrine, elle le soigna jusque

---

1. Allusion à la pièce des *Poésies de Joseph Delorme*, intitulée *le Creux de la Vallée.*

dans l'agonie avec un dévouement sans bornes. Je possède la croix d'argent qu'il avait baisée de ses lèvres mourantes et qu'elle voulut bien me confier dans un jour d'effusion, au moment d'un départ pour un voyage. Revenue d'Italie en France à demi paralysée des membres inférieurs, mais ayant conservé la grâce des gestes, et avec un goût très vif de l'esprit, elle se lia avec Balzac (qui l'a mise dans ses romans sous le nom de duchesse de Langeais), avec Janin. Puis le roman de *Volupté*, qui lui avait plu, commença d'elle à moi une liaison qui devint vite une tendre amitié : mes Poésies de ce temps-là en offrent plus d'un témoignage. J'avais le plaisir, dans ses matinées de quatre à six heures, ou après le dîner dans la première soirée, de rencontrer autour de son fauteuil, tandis que son cher enfant Roger jouait ou reposait auprès d'elle, son oncle le duc de Fitz-James, son père le duc de Maillé, excellent homme qui ne se faisait pas scrupule sous Louis-Philippe d'aller de sa personne chez les ministères solliciter en faveur des pauvres pensionnés de la liste civile. Il s'y joignait d'anciens adorateurs de la marquise du temps de ses élégances, M. de Chabrillant, M. de Balincourt, etc. Elle excellait à assortir toutes ces diversités et ces contraires. La très jeune et jolie madame Grimblot, fille naturelle du duc de Fitz-James, égayait ce cercle intime par ses espiègleries piquantes. Voici la lettre, non signée encore, que m'envoyait madame de Castries peu après la publication de *Volupté* :

« Essayer de vous exprimer combien votre beau livre m'a profondément émue serait une tâche difficile pour une pauvre femme ignorante de tout, excepté des chagrins de la vie.

« Où en serait d'ailleurs l'intérêt pour vous, monsieur ? La curiosité est un sentiment bien vulgaire pour celui qui l'éprouve et pour celle qui l'inspire ; nous valons mieux tous les deux !

« J'ai lu une critique qui vous reproche ce qui rend votre livre un ami, un aide, un consolateur. La main qui sonde le cœur et le scrute, en approfondissant nos blessures, nos misères et nos douleurs, peut-elle jamais trop avancer dans l'analyse ?

« J'aime l'ouvrage qui me révèle à moi-même, qui m'explique les luttes, les pensers rêvés, trop faible que j'étais pour en soulever le fardeau ou trop impuissante à l'exprimer.

« J'aurais cependant gardé mes impressions pour moi seule sans les pages que vous consacrez à la mémoire de l'abbé Carron ; il m'a semblé que je devais vous remercier de cet hommage. Je n'ai pas connu l'abbé, mais son nom m'est sacré et s'unit à tout ce que je respecte. C'est lui qui a béni ma mère sur son lit de mort : c'est lui qui a recueilli le dernier vœu de la sainte et qui l'a accompli en

ouvrant à mon grand-père une nouvelle et pieuse vie. Si j'avais
pu dans ce moment disposer de ces papiers de famille, je vous les
aurais envoyés, et vous y auriez vu tout ce qu'il y a de doux et de
simple dans l'admirable vertu de cet homme de Dieu.

« A l'abri de ces souvenirs, je ne crains de vous, monsieur, ni
une plaisanterie, ni une indiscrétion; j'espère même que vous ne
me refuserez pas quand je vous demanderai d'écrire votre nom sur
le volume dans lequel je place mon billet. Peut-être un jour pour-
rai-je vous rencontrer, et certes ce serait une heure qui aurait une
valeur véritable pour moi.

« Remerciement et reconnaissance pour le plaisir que je vous dois.

« Vous voudrez bien ne pas demander mon nom à mon envoyé.
Je ne fais pas de mystère, je me mets dans l'ombre. »

Le livre répondait certainement à une disposition mala-
dive qui couvait alors dans la jeunesse et qui n'avait pas
été rendue encore à ce degré. C'était « une sorte de langueur rêveuse, attendrie, énervée », que j'avais nommée de
ce nom de *volupté*, et que plus d'un jeune lecteur recon-
naissait en soi-même dans cette description faite d'après
nature. D'autres esprits distingués, qui ne la retrouvaient
pas également en eux, n'envisageaient pas cette description sans une sorte de crainte. De ce nombre était le critique ingénieux et fin, Charles Magnin; il m'écrivait
(21 juillet 1834) :

« ... J'ai lu la moitié de votre ouvrage, mon ami; je vais doucement, *parce que je ne le lis pas seul* [1]. C'est une étude bien hardie
sur la nature humaine. Je vous avoue qu'il y a dans les sentiments
que vous exprimez avec une si sagace analyse des choses que je n'ai
jamais senties, que je ne sentirai jamais de la même manière, il y
en a quelques-unes même qui me font l'effet d'être impossibles :
cela prouve seulement que je ne suis pas malade de la même maladie
qu'Amaury, tant les misères de chacun de nous diffèrent! Votre
livre, bien plus riche de découvertes psychologiques, est de la même
famille qu'*Adolphe;* cette peinture de l'atonie morale est profondément triste pour tous; elle l'est surtout pour ceux qui, sans l'éprouver,
la craignent dans ceux qu'ils aiment : c'est précisément ma position;
aussi, mon ami, votre livre me fait-il beaucoup souffrir et craindre :
j'aurais eu du plaisir à en causer longuement avec vous; ce sont
des livres qui, plus ils sont beaux, plus ils vous désolent. Aussi le
vôtre ne me désole-t-il pas médiocrement. Vous avez ôté l'hypocrisie
de l'amour à la Rousseau, et cela est parfaitement bien; mais n'avez-
vous pas été trop loin ? Non, ce que vous avez peint n'est pas l'état

1. Magnin, bien que très discret, tenait fort à ce qu'on sût ou
qu'on devinât qu'il avait une amie avec qui il passait presque toutes
ses soirées.

normal; c'est une exception rare. Enfin vous avez réussi, mon ami, puisqu'on vous prend à partie, qu'on vous contredit et que vous émouvez si profondément : la chirurgie n'est pas douce, et les livres vraiment moraux sont cruels... »

Placé à un tout autre point de vue que Magnin, Lerminier son antipathique, qui était alors à la tête du mouvement des Ecoles et qui dans son cours du Collège de France chauffait les esprits de la jeunesse avec talent, mais avec fracas, avait reconnu dans le roman une méthode intérieure directement opposée à la sienne, et rencontré plus d'une remarque contraire à ce genre de démonstrations bruyantes; il me le disait et s'en plaignait à moi, avec beaucoup de bienveillance d'ailleurs et d'amitié (26 juillet 1834) :

« Mon cher Sainte-Beuve, deux fois j'ai eu le déplaisir de ne pas vous trouver chez vous; je venais vous remercier de votre envoi de *Volupté*, et vous dire tout ce que m'avait fait éprouver cette lecture. Il y a longtemps, mon cher ami, que je vous admire et que je vous aime; la lecture de votre roman a singulièrement augmenté mon admiration pour votre talent, et l'amitié me fait un devoir de vous dire avec une entière franchise ce que j'ai senti et pensé du fond des sentiments et des idées. Vous avez été bien loin dans les profondeurs de l'âme, et vous avez tiré une grande poésie des secrets du mysticisme et du cœur. Votre roman a des beautés de tous les temps, parce qu'il met en lumière les mystères et les douleurs de notre nature. Mais pourquoi donc, mon cher ami, faire une réaction si passionnée et si ardente contre le mouvement du siècle et contre les activités, — inférieures, je le veux, — qui se consacrent à le servir ? Croyez-vous qu'on ne puisse joindre au dévouement social un immense dégoût du présent et un immense amour de l'infini ? Ah! mon ami, celui qui vous écrit n'est peut-être pas moins frappé que vous des misères du présent, mais il diffère sur la manière de se conduire et de se diriger au milieu de ces infirmités. Pourquoi donc nous abandonner ? Vous rappelez-vous, mon ami, quand nous étions ensemble au *Globe* avec notre cher Leroux, de quelle ardeur nous marchions tous les trois dans la même voie ? Pourquoi ne pouvons-nous parler encore de notre union et de notre solidarité ?

« C'est ici, mon cher Sainte-Beuve, mon cœur qui parle au vôtre. J'aurais trahi les lois de la sincérité et de l'amitié si je ne vous avais exprimé franchement tous les sentiments que m'a fait éprouver votre livre, mon admiration, mes regrets, mes plaisirs, mon chagrin. Vous avez obéi à vos convictions, vous trouverez naturel que j'obéisse aux miennes. Adieu, mon cher ami; je vous serre la main avec la persuasion que cette lettre ne m'ôtera rien ni de votre amitié ni de votre estime. »

D'un autre côté, un prêtre, l'abbé Coste, curé à Péze-
nas, ayant quelques années après à m'adresser une question relative à un texte de Jansénius, en prenait occasion
de revenir sur mon roman qu'il avait lu, et je reçus de
plus d'un ecclésiastique, dans le temps, des confidences
pareilles :

« Permettez-moi, monsieur, avant de fermer ma lettre, de vous
dire tout le plaisir que m'ont procuré vos ouvrages... *Volupté* surtout est d'une vérité effrayante. Je ne comprends pas que vous,
monsieur, homme du monde, ayez pu sonder ainsi et poursuivre
le vice dans ses illusions, ses agitations, ses transformations, ses
délires, ses excès, ses remords. Je croyais naïvement qu'il ne pouvait y avoir qu'un confesseur, homme d'esprit, d'observation et
d'expérience, capable de le saisir ainsi et de le dépeindre... »

Mais le plus précieux témoignage en ce sens, celui qui
eut le plus de saveur pour moi par sa distinction et sa
vérité d'accent, d'autant mieux que la personne supérieure à laquelle il échappait ne pensait pas qu'il dût
jamais tomber sous mes yeux, est assurément celui d'Eu-
génie de Guérin. L'un des cahiers du *Journal intime*
qu'elle continuait d'écrire après la mort de son frère, en
mémoire et comme en présence de lui, dans sa solitude
du Cayla, finit sur cette page :

« 9 janvier 1840. — ... J'ai assez de mes robes de Paris, tandis
que l'âme n'a jamais trop de vêture. J'aimerais des livres, quelque
chose où je m'envelopperais la pensée toute transie au froid de ce
monde, quand je sors de mes prières, de mes pieuses méditations.
Cela ne peut pas durer tout le jour, et je souffre n'ayant nulle lecture où me réfugier. *Notre-Dame de Paris*, que j'avais demandée,
ne m'est pas venue : on m'a porté *la Cité de Dieu*, de saint Augustin,
ouvrage trop vivant pour moi. Ce n'est pas que partout on ne puisse
glaner quelque chose, mais sur ces hauteurs de théologie n'est pas
mon fait. J'aime d'errer en plaine ou en pente douce de quelque
auteur parlant à l'âme, à ma portée, comme, par exemple, M. Sainte-
Beuve, dont je faisais mes délices l'hiver dernier à Paris et dont
s'amusait fort votre gravité railleuse. C'était vous pourtant, ou
quelqu'un de vous, qui étiez cause que je lisais cette *Volupté*, parce
que Maurice m'avait dit que c'était ce qui avait converti votre frère
et l'avait jeté dans son séminaire [1]. Le singulier livre, pensai-je,
pour produire de tels effets! Il faut le voir; — et ma curiosité n'a

1. Ceci s'adressait à M. Barbey d'Aurevilly dont le frère est mis-
sionnaire. Le Père d'Aurevilly m'a fait lui-même l'honneur de m'écrire
que la lecture de *Volupté* n'avait pas nui à sa détermination première
d'embrasser la vie ecclésiastique.

pas été mécontente. Il y a des détails charmants, de délicieuses miniatures, des vérités de cœur. »

Madame Desbordes-Valmore, dans un séjour à Orléans auprès de son amie madame Branchu, lisait le roman et en écrivait à son fils Hippolyte (2 juillet 1842) :

« ... Je t'en prie, lis *Volupté* quand je serai de retour; je m'y consacre et je m'y attache comme à tout ce qu'il écrit. Il y a de Rousseau, il y a de Marivaux; il y a surtout de lui-même et des ailes d'oiseau qui contrastent beaucoup avec la mélancolie du fond. Mais c'est par cela même que c'est vrai. Nous ne sommes pas tout d'une pièce. Ces nuances infinies deviennent très attachantes, parce qu'elles forment mille portraits, tous ressemblants, de la même personne que nous aimons. »

Je dirai aussi, puisque j'en suis à compter les suffrages, que, si j'eus pour moi M. de Chateaubriand, que si j'eus madame Swetchine pour lectrice très attentive et favorable, ainsi que l'atteste plus d'un passage de ses écrits [1], le livre ne plut ni à La Mennais qui le jugea trop subtil, ni à Lamartine qui l'appelait un livre à *deux fins*, et qui peut-être (faut-il le dire ?) ne s'était point vu avec plaisir devancé dans l'idée de la confession suprême, reproduite par lui deux ans après dans son poème de *Jocelyn*. Mais de tous les jugements qui me vinrent de la part d'illustres amis, aucun ne vaut pour l'étendue de l'examen, le poids de l'éloge et le sérieux des objections, celui de madame Sand. Elle était alors dans une sorte de convalescence morale, après la crise et le déchirement qui avaient suivi un certain voyage d'Italie. Revenue dans son Berri et entourée de ses vieux amis du pays natal, elle se remettait doucement du naufrage des passions au sein de la nature et de l'intimité. Je reçus d'elle la lettre suivante, qui clôt et couronne dignement cette espèce de tournoi critique auquel on vient d'assister :

1. Madame Swetchine avait retenu de la lecture de *Volupté* une expression, entre autres, qui rendait bien sa pensée et qu'elle aimait à citer : c'est dans le chap. XIII, page 177, lorsque Amaury cherche à distinguer l'amour humain, toujours plus ou moins égoïste, de l'amour désintéressé et pur, qui vit de sacrifice et qui sait concilier en lui tous les bons amours : il caractérise le premier en ces termes approuvés et adoptés de madame Swetchine : *l'envieuse pauvreté d'un exclusif amour*. Elle les retrouvait sous sa plume à l'occasion.

« Nohant, 24 septembre 1834.

« Je veux vous dire, mon ami, que j'ai lu votre livre, bien tard
sans doute; mais j'arrive d'un pays perdu où j'étais tombée dans
l'abrutissement le plus complet. C'est ici enfin que j'ai trouvé un
peu de repos, sur la lisière de la Vallée noire, dans mon pays, au
milieu de mes camarades et de mes amis, auprès de mes enfants :
là seulement j'ai pu lire, et le premier livre que j'ai ouvert a été le
vôtre. Ce que vous m'en aviez confié ne m'était pas sorti de la mémoire,
et j'en savais les moindres détails : néanmoins j'ai voulu tout recommencer, et je veux vous dire comment je l'ai fait. Un de mes amis,
un des meilleurs, homme grave, triste, vertueux, admirable, tenait
le livre et lisait à haute voix : les autres écoutaient religieusement,
étendus sur l'herbe; les enfants jouaient, mais en se parlant bien
bas, pour ne pas nous déranger, et je fumais pour avoir les idées
plus nettes et mieux entendre. Je ne crois pas qu'aucune lecture
m'ait émue autant que celle-là. Je ne vous connaîtrais pas du tout
que j'eût été la même chose quant à l'admiration que j'ai ressentie;
mais cette longue histoire si belle, si vraie, si triste, racontée par
vous, m'a touchée profondément. Le lecteur a une voix lente, uniforme et profonde, qui semblait faite exprès pour le style d'un pareil
récit; sa figure, son caractère, tout ce que sa vie offre de grandeur
et de souffrance, l'extérieur et l'intérieur, tout le rendait digne d'être
votre interprète, et je me flatte que nulle part vous n'avez été mieux
lu et mieux entendu.

« Si je me laissais aller à mes émotions et à mes sympathies, je
vous dirais que *Volupté* est une œuvre parfaite. A en juger sévèrement et froidement, je crois pouvoir encore vous dire que c'est le
plus beau roman qui existe dans notre littérature nouvelle. L'ordre,
la marche, l'enchaînement, le développement, le dénouement, sont,
dans leur cours paisible et simple, d'une évidence, d'une clarté,
d'une nécessité admirables. Les caractères sont d'une pureté et
d'une beauté sublimes. Il n'est pas un rôle négligé : ceux mêmes
qui apparaissent le moins, mademoiselle de Liniers, madame de Cursy,
sont encore des figures frappantes, et qu'on n'oublie jamais. Ce que
j'admire et chéris dans ce livre, c'est que toutes les figures sont
belles, même les moins belles, car madame R. pourrait encore être
aimée de nous après qu'Amaury s'est plaint d'elle et nous a raconté
ses travers. Il semble qu'Amaury ne puisse peindre qu'à la manière
de la vieille Italie chrétienne, qui ne cherchait le vrai que dans le
beau, et qui n'étudiait la nature que dans sa perfection. C'est un
cadre où des vierges, des saints et des anges se présentent avec
diverses expressions, mais dont chaque tête est un type de grâce
ou de beauté.

« Le caractère qui me plaît le mieux, parce qu'il est peut-être
absolument neuf en littérature, et qu'il est profondément vrai dans
la vie, est celui de M. de Couaën. Le fait de l'art était de le revêtir,
comme vous l'avez fait, d'une beauté si austère et d'une tristesse
si imposante. Pour ma part, je vous remercie de cette création, et
tous mes amis de la Vallée noire, qui sont peu littéraires, mais qui
sont gens de bon cœur et de bon sens, se sont prosternés devant elle.

« Je n'ai rien lu de plus adorable que le portrait des deux enfants, la chanson d'Arthur, le *Jasmin*, etc. Vous auriez souri en nous voyant tous pleurer sa mort, et ensuite celle de sa mère. Comme vous savez faire aimer vos personnages! Voilà ce que personne ne sait bien, et ce que je veux étudier de vous.

« Je veux vous dire maintenant l'impression qui m'est restée de cette lecture et dans quel état d'esprit elle m'a laissée pendant plusieurs jours. Faites attention qu'il n'est plus question de juger le roman, qui me paraît sans reproche en tant que roman, c'est-à-dire histoire vraie : je m'en prends maintenant aux idées premières, au choix du sujet, et, en cela, il ne m'a laissé que tristesse et découragement. J'ai cherché longtemps pourquoi, et peut-être l'ai-je enfin trouvé. C'est un livre trop spécial. Il intéressera et charmera tout le monde, mais il ne sera vraiment utile et profitable qu'aux dévots. C'est une bien petite fraction du monde intelligent que la fraction catholique, et je voudrais qu'une si belle œuvre pût donner secours à toutes les intelligences. C'est vous dire combien j'estime le livre, et combien je le croirais propre à remuer la société, s'il ne se restreignait dans le cercle particulier de ce qu'on pourrait appeler maintenant en France une coterie. Il est vrai qu'Amaury démontre par des raisonnements excellents et admirables que la grossière volupté des sens est funeste aux hommes intelligents de toutes les religions, que c'est l'homme moral et non pas seulement l'homme pieux qu'elle tue ou flétrit; mais Amaury, élevé dans la croyance romaine et rentrant dans son sein par un pacte aussi formel que l'ordination, a bien moins de pouvoir sur la foule que vous, Sainte-Beuve, qui n'êtes ni dévot ni prêtre, en auriez, si vous parliez du fond de votre grenier de poète. Je n'aime point ce séminaire où l'âme agitée va se retremper et se raffermir. Cela est beau dans le poème, et produit une tristesse solennelle et profonde; mais vous vous souvenez bien que, quand j'écrivais *Lélia*, je me reprochais amèrement de faire un livre inutile : je craignais même qu'il ne fût dangereux, ce qui était une fatuité bien gratuite. Vous n'avez ni l'un ni l'autre de ces reproches à vous faire pour *Volupté*; mais c'est moi qui vous fais le reproche d'avoir écrit un livre sublime sur un sujet qui en paralyse les effets. Que les autres fassent ce qu'ils veulent, mais vous, mon ami, il faut que vous fassiez un livre qui change et qui améliore les hommes : entendez-vous ? Vous le pouvez, donc vous le devez. Ah! si je le pouvais, moi, je relèverais la tête et je n'aurais plus le cœur brisé; mais en vain je cherche une religion : sera-ce Dieu, sera-ce l'amour, l'amitié, le bien public ? Hélas! il me semble que mon âme est organisée pour recevoir toutes ces empreintes, sans que l'une efface l'autre. Mais trouverai-je jamais un an, ou seulement un mois, dans ma triste vie pour sentir tout cela sans amertume, sans doute, sans effroi ? Voyez *Lélia*. Il y a de tout, et il n'y a rien; dans *Jacques*, l'amour est placé sur un autel et l'abnégation se prosterne devant lui, mais le sentiment religieux pâlit et s'efface. Qui peindra le *Juste* tel qu'il doit, tel qu'il peut être dans l'état de notre société ? Voilà ma grande préoccupation, voilà ce que je demande aux hommes de génie et aux hommes de bien...

N'avez-vous pas senti ce qu'est la justice selon le Dieu de tous les hommes, en écrivant ces grandes pages d'Amaury ? Si je le sentais comme vous, si j'avais dans l'esprit cette fermeté qui manquera peut-être toujours à une femme, et cette sainteté consciencieuse du cœur qui manque à presque tous les hommes, je voudrais le dire et l'enseigner.

« Je m'embarrasse peu, pour mon compte, des combats de la chair avec l'esprit, et, si j'étais lecteur seulement, je m'étonnerais autant d'Amaury se plaignant du trop de plaisirs humains que de Lélia déplorant leur absence. J'admets la poésie de l'une et l'autre invention, parce que toute situation excessive est poétique; mais je ne la crois vraie que passagèrement. Le temps, le hasard, mille circonstances nécessaires ou imprévues altèrent la singularité rigoureuse d'un caractère ou d'une organisation. Le vice d'Amaury me semble bien guérissable sans l'aide du cloître et du serment : lui-même sait le remède lorsqu'il cherche le ciel et la terre dans l'amour d'une seule femme. Si le hasard la lui eût présentée, il ne fût point entré au séminaire. Ce n'est pas sa faute, c'est celle des choses qui a fait avorter ses tentatives vers l'amour pur. Ces combinaisons malheureuses, les devoirs de l'amitié envers madame de Couaën, le caractère antipathique avec madame R. répandent sur sa destinée un grand intérêt; mais je suis fâchée que cet homme désolé n'ait d'autres consolations que celles de l'Église romaine. Et ne sommes-nous pas tous désolés, — ici d'un excès d'attachement, ici d'un excès de détachement; ceux-ci par le ravage d'une vie trop émouvante, ceux-là par l'ennui et le vide d'une vie trop comprimée ? M. de Couaën se consolant de la perte de son fils, de sa femme et de toutes ses espérances, par la croyance catholique, me choque. Tout ce que lui dit Amaury est bien beau, mais sommes-nous encore au temps des miracles ? Je vous déclare qu'à la place de M. de Couaën je me brûlerais la cervelle.

« Pour en revenir à votre livre (car vous voyez que je ne vous parle pas de celui-là, mais d'un autre qu'il faut faire), je vous ferai le reproche contraire à celui que vous m'avez fait pour Lélia. Vous trouviez le style trop sévèrement châtié. Suis-je entrée dans un mauvais système ? Je trouve le vôtre trop peu sévère. Ce n'est pas qu'il soit négligé ni lâche, tant s'en faut : il est toujours chaud et vigoureux; mais, selon mes idées actuelles, il donne accès à trop de mots impropres, à trop d'images qui toutes ne sont pas justes, à des tournures de phrases trop obstinément explicatives. L'un de ces défauts me semble la conséquence inévitable de l'autre. Si vous sentiez que votre image est bien saisissante, vous n'y reviendriez pas pour l'expliquer. Ce reproche ne s'adresse qu'à certaines parties : la plupart du temps vous amenez le mot juste, l'image frappante; quelquefois c'est tout à côté. Je ne peux souffrir que le mot propre à l'idée seulement s'applique à l'objet de comparaison : un phoque obscur, un rocher absurde ne me semblent présenter qu'un sens grotesque. Et tout auprès de cela, il est des images sublimes : celle du pèlerin frappant aux portes des tours d'ivoire est tracée et rendue comme Dante, lorsque Dante tombe juste. D'autres fois trois mots présentent une image éblouissante de force et de vérité :

Je me roulais dans les épines comme le sanglier qui s'excite à la colère.
Cent autres de ce genre sont tellement belles que personne ne les
trouverait : cent autres sont si excessives et si obscures qu'on les
croirait ajoutées par une autre main. Moquez-vous de moi si vous
me trouvez pédante, et, si vous trouvez que mon style est devenu
trop sec, dites-le-moi aussi en vous expliquant comme j'essaye de
m'expliquer avec vous. Nous gagnerons l'un et l'autre à commenter
nos avis divers, et nous en profiterons au moins quelque peu.

« C'est dans la partie *lyrique* de *Volupté*, dans les beaux chapitres
à la manière de saint Augustin, que je trouve le plus des défauts
que je vous reproche. Je trouve aussi ces chapitres trop longs et
trop souvent ramenés. Je sais qu'ils font le poème clair et le caractère principal complet; je sais qu'ils sont beaux par eux-mêmes;
je sais encore que cette différente manière de dire qu'on y remarque
et qui fait contraste avec la clarté coulante du récit (la pureté et
la force des passages politiques établissent une troisième manière,
très remarquable aussi), je sais, dis-je, que ce style abondant, onc-
tueux et souvent incorrect et singulier, des réflexions, jette sur le
reste un grand effet de réalité : mais c'est un cadre un peu rembruni
et qui devient morne à force de persévérance dans les idées. C'est
une paraphrase où les images sont trop forcées d'abonder pour
couvrir la fixité de la pensée. Ce défaut est bien plus prononcé dans
Lélia, et j'ai remarqué que l'image de la mer, de la barque et des
rochers, y était habillée de trente-cinq ou quarante manières différentes. Calme, tempête, écueils, phares, écume des flots, cela devient
fort insipide, et cette peinture de marine doit sortir par les yeux.

« Je vous répète peut-être ce que les journaux vous ont déjà dit
beaucoup mieux que moi. Je vous en demande pardon : je suis
devenue aussi peu littéraire qu'une *ouaille* (on dit ainsi dans notre
patois pour dire un mouton). Je vous dis ce que je pense, et vous
prie de jeter ma lettre au feu, et de me garder le secret sur l'imper-
tinence que j'ai de vous l'écrire. Je crois que vous êtes la première
et la seule personne à qui j'ai dit ou veuille dire tout ce que je pense
de son œuvre; j'aime bien mieux louer sans réserve ce que je trouve
mauvais, ou condamner sans examen ce qui me déplaît : c'est bien
plus commode; mais comme mes observations critiques consistent
en cinq ou six mots confiés à cinq ou six personnes, mes perfidies
ou mes injustices ont peu de conséquence. Sachez-moi quelque gré
d'avoir osé vous parler de vous sans craindre d'être ridicule, vous
blâmer sans craindre de vous offenser, et vous louer sans craindre
de vous faire révoquer ma sincérité en doute...

« Adieu, mon ami; puissiez-vous trouver, après tous les tour-
ments de la jeunesse, cette sérénité qui règne dans les dernières
pages de *Volupté!* Dites-nous votre secret; car enfin vous n'êtes pas
prêtre! Moi, je suis tranquille aussi, mais le calme des morts ne
profite pas aux vivants. Je vous ai écrit deux ou trois fois de Venise,
et une fois entre autres une énorme lettre : j'ai tout jeté au feu. Je
n'ai jamais eu la force de parler de mes chagrins, même à vous,
mon excellent ami.

« Tout à vous,   « GEORGE. »

Il me reste à donner, sur un point du roman, un éclaircissement assez curieux dont j'ai été le premier à amener l'occasion et que j'ai moi-même provoqué. Dans un article sur l'abbé Lacordaire (au tome Ier des *Causeries du Lundi*), à propos de l'impression de calme et d'apaisement qu'il ressentit en entrant au séminaire : « Je pourrais, disais-je, citer de lui là-dessus des pages charmantes, poétiques, écrites pour un ami et placées dans un livre où on ne s'aviserait guère de les démêler. » Le Père Bernard Chocarne, dominicain, s'occupant d'une Notice biographique sur Lacordaire, m'écrivit du désert de la Sainte-Baume pour me demander quelles étaient ces pages qu'il aimerait à connaître, et dans quel livre il pourrait les trouver. Sur quoi je lui fis cette réponse :

« Ce 25 janvier 1863.

« Monsieur et Révérend Père, j'ai en effet beaucoup connu le Père Lacordaire, surtout alors qu'il n'était qu'abbé et dès 1830 ou 1831. Il était tel que je l'ai décrit et représenté dans ce portrait, modeste, éloquent dès qu'il parlait, et d'une ferveur qui se trahissait dans ses moindres paroles. Il était lié alors avec M. de La Mennais, et l'on ne songeait point encore à l'en distinguer par aucune nuance. Lorsque je fis le roman de *Volupté*, qui, au vrai, n'est pas précisément un roman, et où j'ai mis le plus que j'ai pu de mon observation et même de mon expérience, j'avais eu cependant à inventer une conclusion, et je voulais qu'elle parût aussi vraie et aussi réelle que le reste. Ayant à conduire mon personnage au séminaire, je m'adressai à l'abbé Lacordaire pour qu'il voulût bien me donner des renseignements. Il m'offrit de me conduire lui-même au séminaire d'Issy; et en effet, un mercredi d'été, il vint me prendre, accompagné de son frère (actuellement professeur à l'Université de Liège), et nous nous acheminâmes à travers la plaine de Montrouge jusqu'à Issy. C'était jour de congé, et nous pûmes tout visiter. Le lendemain je me disposais à noter tout ce que j'avais vu de remarquable et à profiter des observations de mon guide, lorsque je reçus de lui une longue lettre par laquelle il allait au-devant et au-delà de mon désir, et achevait de compléter mes instructions de la veille. C'était un compte rendu exact et minutieux de tous les exercices du séminaire, et ce compte rendu était relevé de traits d'imagination comme sa plume en faisait jaillir inévitablement devant elle. Je n'eus donc, pour ce chapitre de *Volupté* qui doit commencer par ces mots : « *En entrant au séminaire*, etc. », qu'à reprendre les paroles mêmes de l'abbé Lacordaire et à les faire entrer dans le tissu de mon récit, en y changeant ou en y adaptant çà et là quelques particularités et en opérant les soudures. L'abbé Lacordaire m'avait recommandé alors la discrétion sur ce genre de communication; lorsque le livre fut terminé, publié, et qu'il en eut fait la lecture, il trouva qu'au total les convenances morales et même ecclésiastiques (puisque le récit est censé fait par la bouche d'un prêtre) avaient été suffisamment observées... »

Quoiqu'il puisse sembler que j'aie tout dit et que je l'aie cru moi-même, je ne puis cependant m'empêcher de donner encore un extrait d'une lettre ou plutôt d'un véritable mémoire adressé par le marquis Aynard de La Tour du Pin (mort depuis colonel) à une femme de ses amies qui n'était point de son avis sur *Volupté*, et qui avait trouvé le roman aussi singulièrement écrit que peu amusant. Je saisis par là même l'occasion de dire un mot de ce caractère original, de cette nature élevée, de ce cœur intrépide, héroïque, qui avait nom La Tour du Pin, et que toute l'armée a bien connu pendant vingt ans dans les expéditions d'Afrique et en dernier lieu dans la campagne de Crimée. Né d'une famille des plus qualifiées parmi la noblesse, Aynard de La Tour du Pin avait l'intelligence active d'un prolétaire généreux, l'âme populaire du républicain le plus avancé, et il y joignait une bravoure chevaleresque, digne des anciens preux. Pouvant choisir tout d'abord entre les plaisirs et l'opulence à Paris ou les privations et les fatigues au bivouac, il avait embrassé ardemment les misères de la vie de soldat. Affligé de bonne heure d'une surdité qui lui rendait toute communication orale très difficile, arrêté par là dans la carrière du commandement, il n'en poursuivait pas moins par goût, par mépris de la vie et du péril, par une sorte d'âpreté insatiable de désir, sa vocation militaire sans but, pour elle-même, sans autre jouissance que de combattre au premier rang en volontaire, d'être le premier en toute rencontre à affronter les balles qu'il n'entendait plus siffler. Toujours en tête, aux avant-postes, il n'y avait pas d'escarmouche ni de boute-selle matinal sans lui : doué du coup d'œil militaire, mais s'aventurant dans les charges comme un simple cavalier, voltigeant çà et là, n'entendant pas le rappel, remarquable entre tous par son cornet en bandoulière, avec cela très myope et portant besicles, les Arabes avaient appris à le distinguer de près et ne connaissaient que lui. Possesseur d'une grande fortune, il la consacrait tout entière à des œuvres de philanthropie et de bienfaisance, servant des pensions à quantité de malheureux et d'honnêtes gens pauvres, de veuves ou d'orphelins de soldats, dont il assurait l'éducation ou soutenait l'existence. Tout ce qu'on appelle envie, amour-propre, ambition personnelle, désir de faire effet, était loin de lui. Cet ami de Ballanche, de Jean Reynaud et de Pierre Leroux, et qui l'était en même temps des Changarnier et des Cavaignac, se plaisait à mêler aux émotions et aux rudesses du métier de la guerre la méditation de tous les problèmes moraux et esthétiques que le dix-neuvième siècle avait posés. C'est ainsi qu'il me fit l'honneur de s'occuper longuement du roman de *Volupté;* voici les principaux passages de la lettre ou dissertation qu'il écrivait de la terre d'Afrique en octobre 1834 :

« J'ai bien de la peine à aborder avec vous le sujet de *Volupté.* C'est une œuvre sur laquelle il est bien difficile de dire ses idées. L'analyse de cette subtile analyse devient une quintessence dans laquelle on sent que l'on s'évaporerait. En présence de cette abondance intarissable, de cette variété merveilleuse, de cette source d'où s'échappent avec tant d'effusion et de bouillonnement des eaux si éblouissantes, si diversement colorées, si finement divisées en minces et brillants filets qui vont se mêlant, se séparant, fuyant et se retrouvant sans cesse, qui coulent tous, il est vrai, sous une certaine unité de lumière et comme sous un même regard d'un soleil couchant, mais en absorbant chacun un rayon différent, on se sent comme en face d'une tâche imposée par les Fées, comme si on avait à démêler des amas de fils si ténus qu'il en faudrait dix pour faire le cheveu le plus fin d'une belle tête de femme blonde. On ne sait par où commencer, et si l'on se met à l'œuvre, on est bientôt pris de découragement, car les fils magiques, dès qu'on les touche, se cassent sous les doigts et souvent sans qu'on les sente...

« Une autre cause de gêne pour moi, toutes les fois que j'ai eu envie d'en venir dans mes lettres à ce sujet, c'est la prévention que vous semblez avoir prise dès l'abord contre ce pauvre livre; vous ne pouvez lui pardonner de vous avoir ennuyée. J'espérais qu'à travers votre souvenir, les difficultés de lecture, les excessives mollesses de pensées et d'expressions, tout ce qu'il y a de pénible et d'épineux ou de trop dilaté et de surabondant, enfin toutes les matières lourdes et peu coulantes, dont l'impression générale de *Volupté* est chargée et troublée, se déposeraient peu à peu et laisseraient dans votre tête l'image définitive, pure, clarifiée et sous un doux reflet. J'ai donc été tout désappointé par votre dernière lettre en y voyant que le travail de votre mémoire avait donné un produit tout différent. J'attendais que votre opinion, amollie par le temps, fût à point pour recevoir une nouvelle impression, et j'espérais alors obtenir de vous une nouvelle lecture au moins partielle; car vous avez beau dire, je ne puis croire que vous ne vous soyez pas trompée vis-à-vis de vous-même...

« J'aurais commandé un roman pour vous, que je n'aurais pas demandé une autre manière, au moins pour tout ce qui est sentiment et couleur. Vous voyez que, si je vous ai avoué quelque part que je ne pouvais boire *Volupté* qu'à petites doses, ce n'est nullement, comme dans votre lettre vous l'induisez de mes paroles, parce que l'ennui m'aurait pris à la gorge et serré le gosier; mais je trouve qu'une fois que l'on a porté cette coupe à ses lèvres, sa liqueur arrive trop abondante, trop à flots et trop nourrie... Il faut donc ne la laisser arriver que goutte à goutte, chacune contenant assez de nuances de couleur et de saveur pour être examinée d'abord et puis dégustée isolément. Toutefois je reconnais que vos jugements ont leur racine dans le vrai : mais, selon moi, ils ont poussé leur développement au-delà du juste, prenant le plus petit germe mauvais pour le reproduire avec ampleur et mettant dans l'ombre les belles qualités tout écloses. Ce qu'il y a de désolant pour celui qui aime avec prosélytisme le style de Sainte-Beuve, c'est qu'il a plutôt du charme que de la beauté, quelque chose qui se sent et ne se démontre pas. Le genre d'estime qu'il peut mériter s'accepte, mais ne s'impose point. Ce qui fait surtout le caractère, la couleur et la poésie du style, tout ce qui peut se comprendre sous la désignation de *tropes* chez beaucoup d'écrivains, découle de l'intelligence : l'imagination ne fait que jeter ses reflets sur des déductions logiques, ou si c'est elle qui fournit les premiers matériaux, ils sont aussitôt passés au crible, vérifiés et coordonnés par l'intelligence. C'est à peu près la méthode de la musique française, dans laquelle l'invention n'est qu'une expérience plus profonde et plus délicate des sons divers que les diverses passions font jaillir de l'organisation humaine prise dans sa généralité la plus extérieure, une extension et comme un renflement de la langue ordinaire...

« Ce style-là est peut-être le seul qui soit susceptible de réunir tous les caractères du beau, et surtout celui de la généralité; il n'a pas à en appeler, pour se faire reconnaître, à des spécialités d'organisation, à des particularités de conscience; il peut marcher fièrement, et avec la certitude du succès parce qu'il s'appuie sur la raison, qui est aussi le soutien et le fond de toute nature humaine. D'autres littérateurs, et Sainte-Beuve est de ce nombre, quoique leurs facultés ne soient pas moindres, s'avancent d'une allure moins ferme vers un but moins assuré. Ils ne peuvent, ainsi que les premiers, aller comme de hardis moissonneurs, sûrs de la récolte, parce qu'ils ont semé sur la raison... Eux, ce sont des semeurs jetant à tout hasard des graines qui ne peuvent lever partout où elles tomberont, et auxquelles il faut un sol analogue à celui d'où elles primitivement elles proviennent : mais ont-elles rencontré ce sol, elles y enfoncent bien profondément leurs racines. Eux, pour pénétrer de leur pensée l'esprit des autres, ne la travaillent pas par des maniements logiques qui doivent la plier à l'organisation nécessairement logique de toute tête pensante; ils ne la moulent pas sur une forme extérieure devant être nécessairement perçue par toute organisation à son état normal. Ce n'est même pas sur leur pensée qu'ils agissent directement, mais sur l'âme de leur lecteur, qu'ils cherchent à transporter dans une situation telle que naturellement et d'elle-même elle produise la pensée de l'auteur, au lieu de la recevoir. Ainsi, ils ne se laissent pas guider par des analogies plus simples apparaissant avec évidence dans le champ de l'expérience sous la lumière de la raison, mais par des analogies d'impressions, par des associations rapides, fortuites et multiples, variables de personne à personne;

car une même disposition intime comme effet peut supposer une multitude de causes différentes...

« Quand on pense sans aligner sa pensée par l'attention et la réflexion, quand on se laisse penser, souvent les idées arrivent au milieu d'un cortège d'images qui intrinsèquement leur sont tout à fait étrangères. L'idée venant à poindre au-dessus de l'horizon de l'esprit, certaines figures surgissent en même temps comme des ténèbres, ainsi qu'au moment où le soleil levant déborde la montagne, les objets de la vallée semblent tout à coup sortir de terre, quoique entre l'existence de ces objets et le soleil il n'y ait aucun rapport nécessaire. C'est à ces figures magiques de nature contingente par rapport à l'idée et, pour ainsi dire, de hasard, quoique en réalité il n'y ait pas de hasard dans ce monde, que Sainte-Beuve emprunte les groupes d'images, les tons, les effets de lumière, les ornements, les décorations, parmi lesquels il promène ses lecteurs pour les solliciter à produire sa pensée. Cette pensée, rarement il en accouche, mais il cherche à en accoucher les autres : il ne donne presque jamais son dernier mot; il semble que son idée soit un mystère que je ne sais quelle pudeur retienne au bord de son âme et de ses lèvres, qu'il ne peut se résoudre à lâcher, mais qu'il vous prie et vous supplie de deviner et de prononcer à sa place. Mais pour obtenir cette faveur, comme il est doux, caressant et mélancolique! On dirait une de ces Ombres qui attendent leur délivrance de l'accomplissement par les vivants d'un certain rite, mais sans pouvoir le demander autrement que par leur présence et leurs gémissements. Cette habitude de tourner la pensée au lieu de l'attaquer de front, de décrire les circonstances qui ont accompagné sa naissance dans l'esprit de l'auteur, au lieu de la limiter et de la préciser elle-même; d'être là à la porte de l'intelligence des autres, comme leur demandant l'aumône de la pensée dont en effet on les enrichit, cette habitude donne lieu à de fréquents mécomptes. Souvent, lorsqu'on se laisse aller à cette mollesse, à cette complaisance envers soi-même et envers sa rêverie, ne prenant pas le soin de dégager sa pensée des images fortuites qui dansent autour d'elle ou lui font cortège, et trop confiant dans l'accord et la conformité de l'esprit des autres avec le sien propre, souvent il arrive que les mêmes accessoires amènent en eux un sujet tout différent et quelquefois tout opposé... Mais aussi quand il tombe juste, comme il est saisissant! comme il enveloppe l'homme d'un réseau dont chaque fil étreint une de ses facultés sans qu'aucune y échappe!... Ce n'est pas seulement une idée, ce n'est pas quelque chose d'abstrait qu'il dessine en vous, c'est un point profond et central de votre individualité qu'il a touché. Du haut de cette idée particulière comme du sommet d'une montagne, il arrive alors que le rideau de vapeur qui semblait vous séparer de la terre se déchire et s'entrouvre, et dans l'intervalle des lambeaux flottants vous avez tout à coup des échappées, des perspectives à l'infini sur vous-même et sur votre passé; pour peu que vous ayez assez de sympathie pour l'auteur, assez de fibres vibrant à l'unisson des siennes, vous assistez avec harmonie à tout un ordre émouvant de phénomènes, relevant de la sensibilité et de la conscience individuelle... Vous savez gré à l'auteur de vous avoir deviné, de vous avoir évité et l'ennui de rester dans l'obscurité et dans le vague, et celui de vous éclairer, de vous définir vous-même ; vous êtes prêt à le remercier de ce qu'il vous a tiré par un coup de son art de la confusion et de la brume dans laquelle vous restiez enveloppé vis-à-vis de vous-même ; c'est bien vous que vous apercevez, mais réfléchi dans un miroir magique, où vous recevez une plus belle lumière et de surnaturelles couleurs, mais embelli par votre accord avec une autre âme. Lors même que les traces par lesquelles l'auteur vous conduit à son idée diffèrent entièrement de celles que vous auriez prises pour arriver au même but, cependant vous ne restez pas étranger à sa tâche : vous cheminez avec lui ; vous êtes entraîné à vous associer à son travail, et vos communications avec votre guide prennent un caractère d'intimité sérieuse et de noble confiance qui rappelle les entretiens des Ombres heureuses dans les champs Elysées, lorsque, d'un regard qui sait tout pénétrer et d'une parole qui ne peut plus tromper, elles retrouvent et dépeignent les traces qu'elles ont empreintes sur la poussière de la terre. C'est dans cette sphère d'impressions intimes, d'hallucinations saisies au passage et fixées par la parole ; d'apparitions prises sur le fait et traduites aussitôt en formes plus palpables, quoique toujours aériennes..., c'est dans ces régions un peu vagues, molles, et où l'air est trop raréfié, que Sainte-Beuve prend ses métaphores, ses comparaisons, le principe de ses expressions, enfin tout un style. Il faut donc se faire à sa manière d'être pour la goûter : il faut accepter son point de vue pour saisir ses perspectives.... Ce n'est pas là certainement un genre que je choisirais ni que j'affectionne : je ne lui trouve pas assez de largeur ni de généralité ; il demande trop, dans le lecteur, ou une organisation ou une volonté spéciale, une sorte d'initiation soit naturelle, soit acquise ; mais je ne puis m'empêcher de trouver que ce genre tel qu'il est a été traité supérieurement par Sainte-Beuve, et que cette fois il y a été adapté un sujet qui est un bonheur pour sa manière de faire, et pour lequel cette manière de faire est un bonheur. Je ne puis rien concevoir de plus riche, de plus abondant, de plus soyeux et de plus fécond en ressources que le style de *Volupté*. Même en le prenant pour ce qu'il est, on peut cependant blâmer son mécanisme ; il y a dans l'enchaînement des phrases, dans leur coupe, dans leur mouvement quelque chose d'un peu embarrassé et traînant, une *desinvoltura* qui ne peut être une grâce qu'à condition d'être une nécessité de naissance ou d'habitude. Ici c'est évidemment une imitation du style en négligé des premiers temps de Louis XIV, de Voiture, Saint-Evremond et autres, dont la filiation ne va guère au-delà de madame de Sévigné. Quant aux autres défauts, je les crois naturels à l'auteur : ce qu'il a d'ingénieux et même de prétentieux coule avec une certaine naïveté qui me fait croire que c'est de source : malgré de nombreux reflets du mysticisme dialectique du seizième siècle, il y a des pages sur l'amour que j'aurais attribuées à saint François de Sales, des dissertations d'une exquise subtilité et pourtant d'une onction charmante et d'une suffisante limpidité, qui rappellent la correspondance de Fénelon et de madame Guyon. Les expressions cependant sont presque toutes originales : si elles sont empruntées au génie de la langue avant ses dernières formations, je crois qu'elles ne viennent jamais d'une copie servile, mais d'une libre imitation. Elles sont quelquefois à demi obscures comme se rattachant à des rapports peu nécessaires et peu logiques, ainsi que j'ai déjà cherché à l'expliquer, comme déroutant l'habitude que l'on a d'en appeler plutôt à sa raison qu'à son sentiment; mais quand on s'abandonne sans résistance volontaire à leur effet, qu'on se laisse faire naïvement, elles révèlent tout un monde. Il y a d'ailleurs dans l'ouvrage une foule de beautés qui me semblent au-dessus des nécessités de l'apologie et hors de contestation. Je suis presque certain que vous les admireriez vous-même, si on vous les dégageait de ce qui vous lasse et vous dégoûte. Un modèle dans ce genre d'associations d'idées, d'images et surtout d'impressions, que je crois la source de ce style, c'est une sorte de longue comparaison entre madame de Couaën et un grand lac : à cette large image comme à leur principe remontent toutes les expressions, similitudes et métaphores relatives à madame de Couaën : toutes elles ont été trempées et amollies dans ces eaux mélancoliques; l'influence de ce paysage plane sur l'esprit et l'imagination de l'auteur toutes les fois qu'il parle de madame de Couaën. La création même de cette femme me paraît une œuvre d'une beauté haute et rare, et qui n'a aucun modèle dans la littérature antérieure. On voit l'auteur n'employer presque dans sa peinture que des demi-teintes, que des tons dont on ne saurait dire la couleur, et cependant l'ensemble a de l'expression, du mouvement, de la vie et même de la solidité. A chaque instant se rencontrent de ces traits, presque indifférents en apparence, et qui sont le signe révélateur de toute une face de l'âme; de ces mots qui d'abord semblent vulgaires, et qui sont le cri de la conscience se confessant tout entière. Ces circonstances si inaperçues à un premier coup d'œil, et cependant si profondément significatives, souvent je ne puis croire que l'auteur les ait senties ou devinées par l'action de sa spontanéité : je suis tenté de penser qu'il les doit à l'expérience ou à des confidences de l'intimité; je suis au moment de lui crier : « *Qui te l'a dit?...* » Dans le style aussi, je retrouve des délicatesses infinies, correspondant aux infinies nuances de l'observation; une flexibilité prodigieuse et une abondance calme et silencieuse, mais intarissable, rappelant ces fontaines à la surface immobile, ternes sous l'ombrage des grands arbres et que l'on croit devoir épuiser d'une seule urne : mais l'eau, sans se troubler, sans bouillonner, conserve son niveau toujours renouvelé au fond, non par jets, mais par épanouissements larges et égaux; toujours plus fraîche, plus pure et plus limpide. Les images dans Sainte-Beuve se succèdent trop pressées, trop nombreuses, mais elles se groupent bien autour de sa pensée, et la dernière presque toujours forme un beau couronnement à l'étagement de celles qui la précèdent et la soutiennent. Chaque page presque contient un tableau calme, gracieux et austère dans le genre du Poussin. On songe à la belle et grave Rebecca entourée de ses compagnes près de la fontaine...

« Je voulais, pendant que je lisais, annoter ces pensées et tableaux à mesure qu'ils se présentaient, afin de vous en transcrire quelques-uns dans la lettre où je comptais vous parler de *Volupté*, mais il en arrivait en si grande foule que j'ai renoncé à la tâche. Il y a par chaque page plusieurs de ces phrases qu'on retiendrait comme une image ou comme une maxime. Je m'arrête, car je crains de vous ennuyer, en

voulant vous persuader que vous avez eu tort de vous ennuyer...
J'aurais bien voulu cependant vous engager à relire des fragments de
Volupté! » (28 octobre 1834, Bougie.)

La vérité m'oblige à dire que, malgré le zèle et l'excessive ingéniosité d'arguments dont il faisait preuve dans
sa dissertation, M. de La Tour du Pin ne parvint pas à
ramener la lectrice récalcitrante, et qui sans doute en
représentait elle-même une quantité d'autres à qui ce
genre et ce tour d'esprit et d'imagination n'allaient pas :
il se vit forcé de céder du terrain et de baisser le ton,
comme cela est sensible dans la lettre suivante :

« ... Voyez comme j'ai réussi! Dans une de vos dernières lettres
encore vous reproduisiez sans rétractation votre premier jugement;
vous répétiez que c'est un ouvrage « pâle et mal écrit ». En vérité,
j'aurais voulu que vous en relussiez des morceaux détachés, et par
conséquent abstraits de ce que l'ensemble peut avoir d'ennuyeux.
Je passe jusqu'à un certain point l'expression de « mal écrit », quoiqu'elle ne rende pas bien ma idée. Je trouve aussi que le mécanisme du style, que la coupe et l'enchaînement des phrases sont
peu agréables, au moins pour mon goût, et que les formes du discours, d'ailleurs naïves, et relevées par une certaine saveur des
anciens jours et des bons, manquent de cette netteté, de cette rapi-
dité qui, depuis les auteurs de la fin du dix-septième siècle et du
commencement du dix-huitième, sont devenues qualités essentielles du
génie de la langue française. Mais pourquoi ce mot *pâle* ? La lumière, il
est vrai, est un peu diffuse; elle n'est pas assez ménagée; elle n'est pas
répartie avec assez d'habileté : mais elle existe; elle répand sur l'ensemble une clarté douce et uniforme, fait régner partout un jour
crépusculaire qui ne manque pas d'harmonie. Les figures aussi
ont peu de relief; mais elles sont groupées avec charme, dessinées
par des contours suaves et gracieux, et posées dans des paysages
pleins d'ombrages mystérieux et de fleurs sans nom, telles qu'on
en voit dans les rêves, et qui de leurs calices intelligents laissent
échapper des parfums étranges et d'ineffables mélodies... Ce n'est
certes pas là l'œuvre d'un coloriste, et pourtant on ne peut employer
à ce sujet l'expression de pâleur. D'ailleurs, je pense vous avoir dit
sur *Volupté* tout ce que je puis en dire; je ne ferais plus que me
répéter. Il y a cependant dans votre lettre une erreur de fait que je
vais encore relever. Vous croyez que les journaux ont peu ou point
parlé de *Volupté*, en ont fait peu ou point d'éloges. Je lis ici le *National, le Temps, le Constitutionnel,* les *Revues Encyclopédique, des Deux
Mondes, du Progrès social;* tous ces journaux, auxquels je pourrais
peut-être joindre *la Gazette,* dont je ne me rappelle pas bien nettement l'article, ont parlé avec des développements inaccoutumés de
l'ouvrage de Sainte-Beuve. Ils n'ont pas, il est vrai, jeté aux vents
quelques notes de la trompette triomphale, comme lorsqu'il s'agit
de ce qu'on appelle un grand succès de librairie; mais ils ont discouru

sur ce livre avec une conscience, une attention, un sérieux, dont ils ne se mettent pas en frais pour tout le monde. *Le Constitutionnel* lui-même, ce journal de la littérature impériale, et qui pousse jusqu'à l'extravagance la plus puérile sa haine contre toutes les productions nouvelles, a été obligé cette fois d'avouer non pas son goût, mais son estime pour un pareil talent. Tous, avec des nuances très variées et des gradations diverses vers l'admiration, ont porté à peu près le même jugement... »

Le résultat le plus clair de tout cela, c'est que je n'ai nullement eu à me plaindre de mes contemporains : si je n'ai pas toujours été approuvé, je puis dire du moins que j'ai été bien lu.

TABLE DES MATIÈRES

GF — TEXTE INTÉGRAL — GF

2349-1969. — IMPRIMERIE-RELIURE MAME
N° d'édition 6508. — 2ᵉ trimestre 1969. — PRINTED IN FRANCE.